LAVA JATO

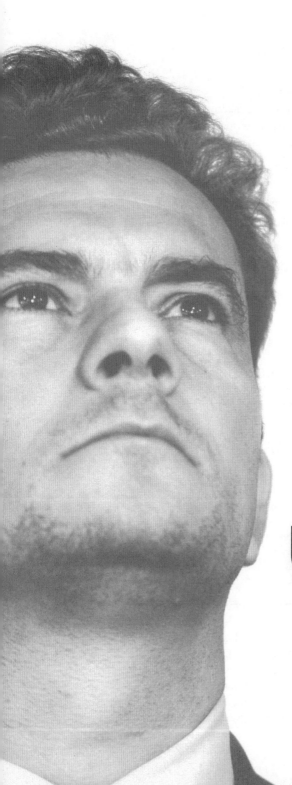

Vladimir Netto

LAVA JATO

O JUIZ SERGIO MORO E OS BASTIDORES
DA OPERAÇÃO QUE ABALOU O BRASIL

PRIMEIRA PESSOA

edição: Virginie Leite

pesquisa: José Vianna e Mariana Oliveira

revisão: Alice Dias, Ana Grillo, Hermínia Totti e Luis Américo Costa

projeto gráfico e diagramação: Valéria Teixeira

capa: DuatDesign

impressão e acabamento: Associação Religiosa Imprensa da Fé

CIP-BRASIL. CATALOGAÇÃO NA PUBLICAÇÃO
SINDICATO NACIONAL DOS EDITORES DE LIVROS, RJ

N388L Netto, Vladimir
      Lava Jato: o juiz Sergio Moro e os bastidores da operação
que abalou o Brasil/Vladimir Netto; Rio de Janeiro:
Primeira Pessoa, 2016.
      416 p.; 16 x 23 cm.

      ISBN 978-85-68377-08-6

      1. Corrupção na política – Brasil. 2. Brasil – Política e governo.
I. Título.

                                   CDD 320.981
16-33376   CDU 32(81)

Todos os direitos reservados, no Brasil, por
GMT Editores Ltda.
Rua Voluntários da Pátria, 45 – Gr. 1.404 – Botafogo
22270-000 – Rio de Janeiro – RJ
Tel.: (21) 2286-9944 – Fax: (21) 2286-9244
E-mail: atendimento@sextante.com.br
www.sextante.com.br

Sumário

Prefácio

Uma operação transformadora

Por Fernando Gabeira

A Lava Jato ainda não terminou e talvez não termine tão cedo. Mas quando o jornalista Vladimir Netto colocou o ponto final neste livro, ela já era uma operação transformadora, que desvendava, com competência, o maior escândalo da história do Brasil.

Inspirada na Operação Mãos Limpas, que estremeceu a Itália nos anos 1990, a Lava Jato é um extraordinário trabalho de equipe que conseguiu sobretudo provar com fatos e documentos a inescapável realidade de que a Petrobras foi saqueada e os saqueadores levaram os recursos para fora do país.

O autor conta em detalhes a gênese da Operação Lava Jato e seus principais desdobramentos – da surpresa diante da dimensão do problema ao surgimento de seus inevitáveis tentáculos. E, passo a passo, vai desnudando a engrenagem apodrecida que ligava as empreiteiras aos partidos no poder.

Quanto aos personagens, são apresentados nas suas mais importantes intervenções. Da coquete doleira ao sóbrio juiz, todos são retratados através de seus movimentos no próprio processo. E para conhecer o protagonista desta história, o juiz Sergio Moro, a melhor maneira é analisar seu trabalho: o grande conhecimento técnico, as perguntas meticulosas, as sentenças fundamentadas e a coragem de enfrentar a pressão dos advogados mais bem pagos do país.

Foram tão contundentes os fatos apresentados pela operação que seus adversários não tiveram outro caminho exceto criticá-la na forma. Mas a própria Justiça brasileira reconheceu sua legitimidade, dando-lhe a vitória em inúmeros questionamentos.

Um dos momentos mais tensos aconteceu quando a Lava Jato levou o ex-presidente Lula para depor, baseando-se no princípio de que todos são iguais perante a lei. Até aquele momento, tinham sido feitas 116 conduções coercitivas. Ninguém protestara. No entanto, no caso de Lula, havia ainda a suposição de que era um símbolo nacional e merecia respeito. Nesse modelo de pensamento, é aceitável o princípio de que a lei vale para todos – menos para os símbolos.

Os procuradores da força-tarefa da Lava Jato não se limitaram ao trabalho áspero de desmontar uma organização criminosa que unia, num só caso, os maiores empreiteiros do país e os principais partidos da base do governo. Eles perceberam que era necessário modificar e fortalecer a lei para que o Brasil não se tornasse presa fácil dos políticos e empresários corruptos. Fizeram uma proposta para acabar com a impunidade no país, "As 10 medidas contra a corrupção", que conseguiu mais de 2 milhões de assinaturas e virou um projeto de lei de iniciativa popular, já em tramitação no Congresso.

Uma forma de ler este livro é observar como cada movimento da Lava Jato foi determinando a agenda política no Brasil, levando o país a se concentrar na tarefa histórica de combater a corrupção. O que se ouvia com regularidade em Brasília era isto: nada será como antes e não sabemos quem ficará de pé. Os nomes de parlamentares não paravam de aparecer, com destaque para os presidentes da Câmara, Eduardo Cunha, e do Senado, Renan Calheiros.

Mesmo no front econômico, a operação encontrou resistência. O que acontecerá se as maiores empresas do país quebrarem? O que fazer com a multidão de desempregados? O problema é que, independentemente da Lava Jato, os limites da própria economia indicavam que a festa tinha acabado. A inflação, o desemprego e a crise viriam de qualquer maneira, porque são gerados pelas próprias leis do universo econômico.

Gastamos mais do que podíamos, esta é a primeira constatação. A segunda, imposta pelos fatos revelados nas investigações, é que, além de gastar a rodo, o governo montou uma imensa máquina de corrupção nas empresas estatais.

Os terremotos políticos que a operação ainda provocará, tremores isolados e tardios que abalarão as estruturas de Brasília – tudo isso pertence ao futuro. E por falar nele, a Lava Jato, como se não bastasse sua performance técnica, nos colocou em contato com a perspectiva de um país livre dos saqueadores e dos salvadores da pátria que nos jogaram no buraco.

Sua consagração aconteceu no dia 13 de março de 2016, quando milhões de pessoas foram às ruas, na maior manifestação política da história brasileira, e não se limitaram a pedir a queda do governo, mas a expressar sua indignação com a roubalheira.

Isso é um alento para quem quer ver as investigações chegarem às últimas consequências, revelando o processo de corrupção que domina a política brasileira e parte do mercado. A busca da verdade não acaba com o fim do governo.

Conhecer a Lava Jato e sua trajetória, portanto, é conhecer uma das maneiras pelas quais o Brasil pode construir um novo caminho para dificultar a corrupção e puni-la com severidade.

Prólogo

De um posto de gasolina ao coração da República

Quinta-feira, 17 de março de 2016

Por ironia do destino, a posse do ex-presidente Luiz Inácio Lula da Silva como ministro-chefe da Casa Civil aconteceu no dia em que a Operação Lava Jato comemorava seu segundo aniversário. Não foi uma ocasião festiva. O país, em convulsão política, assistia a manifestantes contra e a favor do governo ganharem as ruas. Um grupo exigia a renúncia da presidente Dilma Rousseff, com o "Fora Dilma, fora PT!". Outro gritava: "Não vai ter golpe!" Em frente ao Palácio do Planalto, onde acontecia a cerimônia, eles se enfrentavam, numa ruidosa e tensa batalha de palavras de ordem e xingamentos.

Lula estava no meio do turbilhão. Nos últimos meses, o cerco da Operação Lava Jato vinha se fechando em torno dele. Alguns dias antes, em 4 de março, às seis da manhã, o ex-presidente, vestindo um abrigo de ginástica, abriu a porta do seu apartamento em São Bernardo do Campo. Eram 15 homens da Polícia Federal com um mandado de condução coercitiva para levá-lo a depor. Embaixo do prédio, uma van branca do Comando de Operações Táticas (COT), a tropa de elite da Polícia Federal, estava a postos para entrar em ação em caso de necessidade. Naquele momento ficou claro que Lula se tornara o alvo principal das investigações. Apesar das negativas do ex-presidente, havia suspeitas de que ele seria o verdadeiro proprietário de um tríplex no Guarujá e de um sítio em Atibaia, que estavam em nome de outras pessoas. O Ministério Público Federal buscava explicações para as reformas e benfeitorias feitas nesses imóveis e pagas pelas empreiteiras OAS e Odebrecht e pelo pecuarista José Carlos Bumlai, também na mira da Justiça.

O caminho que levou a Lava Jato até o líder do PT foi longo, tortuoso e cheio de fatos inesperados. O primeiro ato da operação foi a quebra de sigilo de um posto de gasolina – o Posto da Torre, em Brasília –, para obter informações sobre doleiros envolvidos com lavagem de dinheiro no Paraná. As escutas levaram à prisão de alguns deles, incluindo Alberto Youssef, que se tornaria peça-chave da operação. No dia 17 de março de 2014, quando a polícia chegou ao hotel Luzeiros, em São Luís, no Maranhão, para prender o doleiro, ninguém imaginava aonde aquilo iria chegar. Talvez só o próprio Youssef. No meio da madrugada, ao perceber que a Polícia Federal estava atrás dele, Alberto Youssef teve certeza de que teria que encarar de novo o juiz Sergio Moro, da 13ª Vara Federal de Curitiba, que já o condenara anos antes no caso Banestado. Teve medo, mas não tentou fugir. Preferiu enfrentar seu destino.

A prisão de Youssef trouxe à tona suas ligações perigosas com o ex-diretor de Abastecimento da Petrobras, Paulo Roberto Costa. Puxando o fio da meada, os investigadores revelaram um gigantesco esquema de corrupção na Petrobras envolvendo dirigentes da estatal, grandes empreiteiras e políticos da base do governo.

A Lava Jato detonou a mais eletrizante sucessão de eventos da história recente do país. Houve vários momentos dramáticos, como o dia, em março de 2015, em que a lista do procurador-geral da República Rodrigo Janot foi aceita pelo Supremo Tribunal Federal, abrindo investigação contra 49 pessoas, dentre elas 47 políticos. Ou o dia em que a Polícia Federal bateu à porta do quarto de um hotel de Brasília, onde se hospedava o então senador e líder do governo Delcídio do Amaral. Ao ouvir a voz de prisão, ele perguntou: "Isso pode ser feito com um senador no exercício do mandato?" Nunca havia acontecido antes. A operação foi marcada por uma sucessão de acontecimentos surpreendentes. Rompeu todas as barreiras, derrubou mitos e tradições e mostrou que é possível mudar o que precisa ser mudado.

Dois anos depois de seu início, a Lava Jato chegou ao coração da República. No dia 13 de março de 2016, milhões de brasileiros tinham saído às ruas para protestar contra Dilma, Lula, o PT e a corrupção. Foi a maior manifestação da história do país. Três dias depois, Lula foi nomeado para a Casa Civil. E isso provocou nova onda de indignação e protestos, dessa vez em frente ao Palácio do Planalto. A ida do ex-presidente para o governo foi entendida como uma tentativa desesperada de lhe dar foro privilegiado, para fugir do juiz Sergio Moro, que vinha demonstrando rigor e coragem na condução dos processos da Lava Jato, fazendo valer o princípio de que a lei é igual para todos. Aliás, nesta história, todos tentam fugir de Moro.

Naquele mesmo dia em que a nomeação de Lula foi anunciada pelo governo, Moro tomou a decisão de suspender a escuta legal que vinha sendo feita nos telefones do ex-presidente e tornar públicas as gravações das conversas dele com amigos, ministros e até com a presidente da República. Foi a mais polêmica de suas decisões. Um dos diálogos, entre Lula e a presidente Dilma, incendiou o país.

– Lula, deixa eu te falar uma coisa.

– Fala, querida. Ahn.

– Seguinte, eu tô mandando o "Bessias" junto com o papel pra gente ter ele, e só usa em caso de necessidade, que é o termo de posse, tá?! – diz Dilma.

– Uhum. Tá bom, tá bom – responde Lula.

– Só isso, você espera aí que ele tá indo aí.

–Tá bom, eu tô aqui, fico aguardando.

–Tá?!

–Tá bom.

–Tchau.

–Tchau, querida – despede-se o ex-presidente.

Os investigadores viram na conversa uma tentativa de obstruir a justiça, uma medida para evitar uma possível prisão de Lula. O governo Dilma viu na gravação um crime contra a segurança nacional. A divulgação desse diálogo, gravado poucas horas antes, teve o efeito de mobilizar multidões. No fim da tarde, em Brasília, pessoas saíam do trabalho e iam engrossar o coro na frente do Planalto, gritando uma palavra forte: "Renuncia!" Todos os atores da cena política ficaram estupefatos. Ninguém sabia o que poderia acontecer naquele momento.

No dia seguinte, 17 de março, durante a cerimônia de posse, lotada de apoiadores, a presidente fez um duro discurso defendendo Lula, a quem chamou de "o maior líder político deste país". Ela repudiou a versão de que a conversa sobre o termo de posse tivesse o objetivo de dar foro privilegiado ao companheiro de lutas e conquistas. Dilma disse que não abriria mão de uma apuração profunda dos fatos. Queria saber quem autorizara o grampo, por que o autorizara e por que permitira que ele fosse divulgado.

"Convulsionar a sociedade brasileira em cima de inverdades, de métodos escusos, de práticas criticáveis viola princípios e garantias constitucionais, viola os direitos dos cidadãos e abre precedentes gravíssimos. Os golpes começam assim", disse a presidente.

Logo depois, a nomeação de Lula para o ministério foi suspensa por uma liminar da Justiça Federal, confirmada posteriormente pelo ministro Gilmar Mendes, do STF. Lula nunca chegou a ocupar o cargo. Em meio à confusão daqueles dias, o então presidente da Câmara, Eduardo Cunha, inimigo declarado de Dilma, viu o clima propício para dar início aos trabalhos da comissão que analisaria a admissibilidade do processo de afastamento da presidente. Naquela tarde, a Câmara dos Deputados escolheu a Comissão Especial do Impeachment.

A semana terminou com grandes manifestações "contra o golpe e em defesa da democracia" em todos os estados. Os militantes gritavam a favor do governo, do ex-presidente Lula e do PT, inclusive na frente do Congresso. Lula compareceu ao maior ato, na avenida Paulista, onde foi ovacionado depois de fazer um discurso dizendo que seria "Lulinha paz e amor" novamente. Nesses protestos contra o impeachment, o juiz Sergio Moro, considerado herói nas manifestações ocorridas dias antes contra o governo, era visto como vilão.

No dia 17 de abril de 2016, por 367 votos a favor e 137 contra, a Câmara deu prosseguimento ao impeachment e, em 12 de maio, o Senado autorizou a abertura do processo contra a presidente Dilma Rousseff, que terminou afastada. Mas, antes dela, caiu o presidente da Câmara dos Deputados, Eduardo Cunha. Réu da Lava Jato, ele teve seu mandato suspenso pelo Supremo Tribunal Federal.

Naquelas semanas vertiginosas de 2016, a operação ocupou todos os espaços da discussão pública, virou assunto em todos os bares e em todas as reuniões políticas, mobilizou plateias nos teatros, dominou a mídia social, invadiu as relações familiares. O país girava em torno dela. Independentemente do que aconteça daqui em diante, com cada um dos muitos personagens envolvidos, a operação entrou para a história. De março de 2014 a março de 2016, passou de uma perseguição a um conhecido doleiro para a definição de quais seriam as regras do exercício do poder no Brasil. Não faz mais o menor sentido perguntar se a Lava Jato levará a algum resultado. Ela já levou o país para sua mais dramática hora da verdade.

Capítulo 1

A CASA COMEÇA A CAIR

16 de março de 2014

Tensão na véspera

Na noite daquele domingo, a Polícia Federal monitorava Alberto Youssef pela cidade de São Paulo. O doleiro era o principal alvo da Operação Lava Jato, marcada para começar no dia seguinte. De Curitiba, na coordenação da operação, o delegado Márcio Anselmo cuidava dos últimos detalhes das buscas e prisões que seriam realizadas nas próximas horas. Especialista em crimes financeiros, ele havia conseguido, com apenas dois agentes, em meio a uma greve na PF, puxar o fio do novelo que levaria à Lava Jato. Tinha conduzido a investigação até ali. Era a hora de botar os carros na rua.

Alberto Youssef morava em um amplo apartamento na Vila Nova Conceição, em São Paulo, avaliado naquele ano em 3,8 milhões de reais, em um prédio em que a renda dos moradores poderia ser estimada pela taxa de condomínio, fixada à época em 3.094 reais, e pelos carros de luxo que entravam e saíam da garagem. Os quatro policiais enviados para prender Youssef haviam se hospedado em um hotel próximo. Por volta das oito horas da noite, dois deles foram para a loja do posto de gasolina perto do prédio. Pediram um café, e o chefe da equipe, o delegado Luciano Flores de Lima, que viera do Rio Grande do Sul para reforçar a Lava Jato, traçou a estratégia de abordagem: "Amanhã a gente chega ali, uma viatura para aqui na entrada, a outra já entra quando abrir o portão. Aí pegamos o segurança de testemunha..."

A ronda na véspera da operação era parte da rotina. Sabiam que a chegada ao prédio teria que ser firme e rápida para não dar tempo de o investigado ser informado pelo porteiro e apagar alguma prova, jogar fora um pen drive. Youssef era um alvo arisco e experiente. Ele andava em vários carros, tinha um sem-número de celulares. Era esperto. Tanto que os policiais não viram quando ele saiu de casa naquela noite. Tinham voltado ao hotel para descansar porque teriam que acordar de madrugada para dar início à operação. Às seis horas, começariam as prisões.

Mas a noite foi longa e cheia de surpresas. Em Curitiba, por volta das onze horas, Márcio Anselmo recebeu um alerta: sinais do celular de Youssef haviam sido captados pela antena que fica ao lado do aeroporto de Congonhas pouco depois das nove e meia da noite. Em seguida, o sinal tinha desaparecido. Youssef poderia estar fugindo. Márcio Anselmo ligou para São Paulo e avisou a equipe. O alvo estava em local desconhecido.

Em entrevista exclusiva para este livro, Alberto Youssef contou o que aconteceu naquele dia:

"Eu já tinha marcado o avião na sexta-feira. Estava tudo pronto para decolar nove e meia da noite de domingo. Saí de casa às nove. Os caras não perceberam, bobearam. Eu saí normal, olhei bem os retrovisores e fiquei prestando atenção se tinha alguém me seguindo. Fui direto pro hangar. Cheguei lá, o avião demorou um pouquinho pra ficar pronto. Tava tudo tranquilo. A noite estava boa, foi um bom voo."

No começo da madrugada, o sinal do celular reapareceu. O doleiro ligou o telefone ao pousar em seu destino. Ele estava em São Luís, no Maranhão.

"Poderia não ter ligado o celular, não ia ligar aquele telefone. Mas tenho um combinado com a minha filha e quis avisá-la que estava tudo bem", explicou Youssef.

Assim, na primeira hora do dia 17 de março de 2014, data marcada pela Polícia Federal para prender o doleiro e vários outros suspeitos, Alberto Youssef atravessou o saguão do aeroporto e entrou em um táxi. Às duas horas da manhã, ele chegou ao hotel Luzeiros, na Ponta do Farol, bairro nobre da capital maranhense. Levava duas malas pretas, grandes e idênticas. Estava acompanhado de um homem que carregava uma mala menor e uma caixa de vinho debaixo do braço. Os dois foram filmados pelas câmeras de segurança quando encostaram no balcão para fazer o check-in. Marco

Antonio de Campos Ziegert, também conhecido como Marcão, se registrou no apartamento 1312. Youssef pegou a chave do 704. Os dois conversaram tranquilamente, sem o menor sinal de que soubessem do cerco que começava a se formar. No entanto, Youssef andava, sim, meio desconfiado. Sabia que havia algo em andamento. Tinha tomado cuidados extras. Estava tentando descobrir alguma coisa. Enquanto não tinha certeza, seguia a rotina.

Horas antes de ser preso, ele estava num quarto de hotel com uma mala cheia de dinheiro, uma situação relativamente comum em sua vida. Ao seu lado, repousava 1,4 milhão de reais em espécie. O montante fazia parte de uma operação que Youssef estava conduzindo para resolver de vez o problema de um amigo e sócio: Ricardo Pessoa, presidente da UTC Engenharia.

A construtora UTC/Constran, de Pessoa, tinha um precatório de pouco mais de 113 milhões de reais a receber do governo do Maranhão. A briga se arrastava há anos na Justiça. Mas Youssef disse que tinha contatos no estado e prometeu dar um jeito. Demorou alguns meses, mas a questão foi resolvida. Youssef teve reuniões com integrantes do governo do Maranhão e conseguiu costurar um acordo assinado com a UTC/Constran e aprovado pela governadora Roseana Sarney em novembro de 2013. A dívida seria paga em 24 parcelas de 4,7 milhões de reais.

Quando a primeira parcela caiu na conta da UTC, a empresa comemorou. Walmir Pinheiro Santana, então diretor financeiro da construtora, mandou um e-mail para Youssef, copiando inclusive Ricardo Pessoa, em que chamou o doleiro de "primo" e elogiou sua dedicação ao caso: "Sei perfeitamente o quanto foi duro fechar essa operação, foram quase 6 meses de idas e vindas (...) agora é torcer para que o MA honre com as demais parcelas." Youssef respondeu: "Walmir obrigado, mas todos merecem parabéns, sem a ajuda de todos envolvidos não seria possível esse acordo. Vamos cuidando até que termine com sucesso abraço." No pé da mensagem, o aviso: "Enviado do meu smartphone BlackBerry 10." Ele não sabia, mas o BlackBerry estava grampeado pela PF. Para os investigadores, no dia em que a Operação Lava Jato foi deflagrada, Youssef estava em São Luís para cuidar do acordo com o governo estadual, que previa pagamentos todo dia 5. A parcela de fevereiro tinha sido quitada no prazo, mas a de março estava atrasada.

Assim que os policiais federais descobriram que o doleiro estava na capital maranhense, começaram a ligar para os hotéis. O delegado Márcio Anselmo conhecia a cidade. Ele havia participado da Operação Boi Barrica, que envolvia a família Sarney e sobre a qual, por longo tempo, o jornal *O Estado de S. Paulo* não pôde publicar nada por ordem judicial. Um policial da equipe ligou para um dos hotéis da lista.

– Hotel Luzeiros, bom dia – atendeu uma recepcionista.

– Alberto Youssef, por favor.

– Momentinho – disse a atendente, procurando o nome na lista.

A ideia do delegado era apenas ter certeza de que o doleiro estava lá, mas a funcionária transferiu na hora a ligação para o quarto 704.

Youssef tomou um susto quando o telefone tocou tão tarde.

– Alô.

Desligaram.

Youssef ficou assustado. "Só pode ser algum problema, aconteceu alguma coisa", pensou. Ele estava com muito dinheiro. Desceu imediatamente até a recepção e pediu o número de onde fora feita a chamada. Pegou o papel, o código DDD era de Curitiba. Subiu e discou o número.

– Polícia Federal – atendeu alguém.

– Desculpe, foi engano.

Dessa vez, foi ele que desligou. Não tinha mais dúvidas: seria preso. Sabia que a PF chegaria ao amanhecer porque a lei brasileira só permite prisões à noite em caso de flagrante delito. Ainda tinha algumas horas. E agora? Ele tinha dinheiro, um avião fretado e a certeza de que seria preso. Por que não fugiu? "Sempre prefiro enfrentar os problemas de cara limpa. Eu sabia que era Curitiba, sabia que era Sergio Moro, só podia ser", disse Youssef.

Ainda no hotel, ele sentou na beirada da cama e refletiu durante um tempo. "A minha única preocupação era não ser pego com aquele dinheiro, não ser pego com nada. Mas não joguei fora celular nenhum. Pra mim, àquela hora estava tudo grampeado. Se eu jogasse, ia criar outro problema, estaria destruindo provas", garantiu o doleiro.

As câmeras de segurança do hotel filmaram Alberto Youssef saindo do quarto às três e meia da madrugada, arrastando apenas uma de suas malas pretas. Ele entrou no elevador e apertou o botão do 13º andar. Quando a porta se abriu, foi até o quarto 1312, onde estava hospedado o amigo Marco Antonio. Dez minutos depois, voltou sem a mala. Deixou 1,4 milhão de reais, em espécie, com Marcão.

"Fui no quarto do Marcão, deixei o dinheiro lá e falei: 'Quero que você entregue isso se acontecer alguma coisa comigo.' Ele perguntou: 'Vai ter problema?' Eu disse: 'Acredito que às seis horas da manhã vai ter alguém na porta do meu quarto. Acho que eu vou ser preso pela Polícia Federal de manhã. E acho que vem de Curitiba.'"

Segundo Youssef contou depois, o dinheiro era para ser entregue a João de Abreu, então secretário da Casa Civil da governadora Roseana. Em depoimento à CPI da Petrobras, em maio de 2015, o doleiro disse que "até onde eu tenho conhecimento, o dinheiro chegou [às mãos de João de Abreu]". Antes da entrega desse 1,4 milhão, Youssef já tinha mandado duas outras remessas de 800 mil reais cada para o secretário. Seus carregadores de dinheiro, Rafael Angulo Lopez e Adarico Negromonte Filho, irmão do ex-ministro das Cidades, Mário Negromonte, contaram à polícia que levaram a propina até o Palácio dos Leões, em São Luís, enrolada no corpo. O advogado de João de Abreu, Carlos Seabra de Carvalho Coelho, negou que seu cliente tenha recebido qualquer valor de Alberto Youssef. Em agosto de 2015, a Polícia Civil do Maranhão indiciou por corrupção e formação de quadrilha Youssef, João, Marcão, Rafael e Adarico. No dia 24 de setembro, a Justiça decretou a prisão preventiva de João de Abreu, mas em outubro ele conseguiu que ela fosse revogada e saiu da cadeia. No fim do ano, eles foram denunciados à Justiça com base nas informações da Lava Jato.

Depois de entregar o dinheiro a Marcão, Youssef voltou para seu quarto e esperou a Polícia Federal chegar. Àquela altura, Márcio Anselmo já havia telefonado para o superintendente da PF no Maranhão. Para afastar qualquer risco de vazamento, o superintendente foi pessoalmente dar voz de prisão a Alberto Youssef às seis da manhã do dia 17 de março. Quando os policiais bateram à porta do quarto, ele se entregou sem reagir. Nem foi preciso algemá-lo. Ele estava com sete celulares na bolsa. Em uma de suas empresas, a GFD Investimentos, foram encontrados mais 27 celulares junto à mesa de trabalho dele. O doleiro trabalhava com o que a PF chama de celular ponto a ponto, um aparelho para falar apenas com uma determinada pessoa, o que dificulta a interceptação da polícia. De cara, a PF teria que periciar 34 aparelhos e todos os seus aplicativos para analisar a extensão da rede de contatos do doleiro.

Ao conferir as imagens das câmeras do hotel dias depois, os policiais viram as cenas em que Youssef deixa uma mala com o amigo. Também viram que, no dia da prisão, já quase no fim da manhã, depois que toda a movimentação da Polícia Federal havia acabado, Marcão saiu do hotel puxando a mala tranquilamente, embarcou em um táxi e sumiu. A PF até conseguiu localizar o táxi branco que o levou, mas o motorista disse não se lembrar de onde havia deixado o passageiro. Marcão voltou ao hotel por volta de 15h30, já sem a mala. Subiu para o quarto, depois desceu e entregou ao rapaz da recepção a caixa de vinho que trouxera debaixo do braço na hora do check-in. Essa caixa foi recolhida dias depois por um assessor da Casa Civil do governo do Maranhão, mas o dinheiro da mala nunca foi recuperado. Marco Antonio só fechou a conta às onze da noite daquele dia. Saiu sem ser incomodado. No dia seguinte, 18 de março, o governo do estado depositou mais uma parcela de 4,7 milhões de reais para a UTC/Constran. Tempos depois o governo maranhense divulgou nota negando privilegiar a empresa no pagamento do precatório e disse que havia economizado 28,9 milhões de reais na operação.

Ao ser levado pela polícia, Youssef já sabia que teria de enfrentar o juiz federal Sergio Moro. E tinha medo disso. "Eu sou homem de ter coragem de mamar em uma onça, mas o único homem de quem eu tenho medo nesta terra se chama Sergio Moro", disse o doleiro em entrevista para este livro. Youssef já tinha sido julgado e condenado por Moro no passado. Conhecia a caneta do juiz. E, para piorar, dessa vez a Polícia Federal e o Ministério Público Federal tinham conseguido reunir muitas provas contra ele.

Naquele primeiro dia da Operação Lava Jato, Antonio Figueiredo Basto, advogado de Youssef há muitos anos, recebeu uma ligação às seis da manhã. "Quando toca telefone nesse horário é porque teve problema, né? Já estou acostumado. Nesse horário, cliente avisa que está preso. Youssef estava sendo preso no Maranhão por ordem do Sergio Moro. Eu estranhei: 'Pô, do Sergio?'", contou o advogado. Já na prisão, o doleiro disse ao advogado que precisaria muito dele e explicou por quê: "Olha, esse jogo não é o que você está imaginando, esse é o maior processo da República. Vai pegar no meio do Congresso. Vai derrubar a República."

O começo do fim de "Paulinho"

A 2.253 quilômetros de São Luís, no Rio de Janeiro, o dia também começava tenso para outro importante personagem desta história: Paulo Roberto Costa. O ex-diretor de Abastecimento da Petrobras havia ganhado recentemente um carro de presente. De quem? Alberto Youssef. A polícia queria saber o motivo do mimo. Por isso, foi procurá-lo logo cedo. Aquilo iria dar muito problema para os dois.

O nome de Paulo Roberto Costa surgira quase por acaso. Ele não era um dos alvos dos primeiros pedidos de prisão da Lava Jato. No Natal de 2013, o delegado Márcio Anselmo estava com a família em um sítio, sem internet, e resolveu ler um relatório sobre as contas de e-mail que Alberto Youssef usava. Numa delas, paulogoia58@hotmail.com, encontrou uma nota fiscal de um Range Rover Evoque, carro de luxo que Youssef tinha acabado de pagar. Preço: 250 mil reais. O delegado achou estranho porque o carro não estava no nome do doleiro, e sim de um tal Paulo Roberto Costa. Parecia mais um cliente de Youssef. Poderia ser um laranja, pensou. Sem poder pesquisar, Márcio guardou a informação e só na volta ao trabalho descobriu que se tratava de um ex-diretor da Petrobras.

Anselmo foi até o delegado Luciano Flores de Lima e mostrou a nota.

– O que você acha disso? Paulo Roberto Costa, ex-diretor da Petrobras – perguntou Márcio.

– Youssef e Petrobras... Será que tem rolo aí? O que o Youssef tem a ver com a Petrobras? – quis saber Luciano.

Desconfiado, Márcio Anselmo resolveu aprofundar a investigação sobre o carro comprado por um doleiro para um ex-diretor da estatal. Pediu autorização da Justiça para apreender o veículo e ouvir Paulo Roberto em depoimento. Começava ali a queda do ex-diretor da maior empresa do Brasil... e tudo o mais que o país viu, estarrecido, nos meses seguintes.

Por ironia do destino, os investigadores descobriram depois que o carro foi comprado num impulso. Paulo Roberto Costa e Alberto Youssef estavam presos no trânsito, em São Paulo, quando passaram em frente a uma concessionária da Land Rover. Tranquilo depois de anos de esquema, o ex-diretor estava mais descuidado.

Em entrevista para este livro, Paulo Roberto Costa contou o diálogo que teve com Alberto Youssef naquele dia:

– Gosto daquele Evoque. Um dia quero ter um carro desses – comentou Paulo Roberto.

– Um dia, não. Vamos comprar agora. Vamos lá na concessionária – propôs Youssef.

Youssef estacionou. Paulo Roberto olhou e aprovou o veículo.

– Eu pago o carro e a gente desconta daquele dinheiro lá – combinou o doleiro.

O ex-diretor da Petrobras estava há mais de um ano aposentado e achava realmente que aquilo não iria dar em nada.

"O Youssef comprou, pagou, mandou fazer a blindagem no carro e me entregou", contou Paulo Roberto. "Minha mulher nunca gostou daquele carro. No dia que ele chegou ela percebeu, sexto sentido, que aquilo ia dar problema. Mulher tem isso."

Marici, esposa de Paulo Roberto, estava certa. Por causa daquele presente, a vida de seu marido iria mudar completamente. Primeiro, ele teria de prestar depoimento à Polícia Federal. Era uma situação delicada. E, justo naquele momento, Paulo Roberto, assustado, cometeu um erro grave, que ajudou a definir o curso desta história. Ele pediu a uma das filhas, Arianna, que fosse até o escritório de consultoria dele, a Costa Global, empresa que montou depois que saiu da Petrobras, e tirasse alguns documentos de lá.

Arianna ligou para a irmã, Shanni, em seguida. As duas chamaram os maridos e correram para a sede da empresa, na Barra da Tijuca. Pegaram documentos e mais de 100 mil reais em dinheiro vivo. Em outras palavras, estavam ocultando provas. E ainda correram o risco de dar de cara com a equipe da Polícia Federal. Isso porque os primeiros policiais chegaram à Costa Global antes dos parentes de Paulo Roberto, mas não conseguiram entrar na sala e resolveram voltar à casa dele, também na Barra da Tijuca, para buscar a chave. Depois que a PF saiu do prédio, as filhas e os genros de Costa chegaram – um desencontro digno de roteiro cinematográfico. Ao voltar com as chaves do escritório para cumprir o mandado de busca e apreensão, um agente perguntou, para seguir a rotina, se o chefe da segurança do prédio, Ardanny Brasil da Silva, havia percebido alguma movimentação estranha na sala 913 naquele dia. A resposta foi: "Sim."

Os policiais correram para a sala de controle do sistema de segurança do prédio e viram as gravações feitas naquela manhã, mostrando filhas e genros saindo de lá com sacolas cheias de papéis. As câmeras do condomínio Península Office tinham registrado o crime de ocultação de provas. Na gravação, exatamente às 8h16 da manhã, Arianna Azevedo Costa Bachmann estaciona um carro preto em frente à portaria e sobe pelo elevador 3 com Marcio Lewkowicz, o marido dela. Ele leva apenas uma bolsa. Às 8h20 Marcio desce pelo elevador 1 com uma mochila e uma bolsa pretas e as deixa no carro. Seria a primeira de quatro viagens. Nessa hora, as câmeras registram a outra filha de Paulo Roberto, Shanni, e o marido dela, Humberto Mesquita, chegando em um carro branco. O casal sobe. Humberto desce em seguida e fica na porta do prédio, celular na mão. Todos andam apressados e demonstram nervosismo. Marcio desce, dessa vez com um saco branco, que deixa no carro. Telefona para alguém e depois sobe de novo. Mais alguns minutos e torna a descer, agora pelo elevador 4, com uma sacola clara. Fala com Humberto e com a cunhada em frente ao prédio e o casal vai embora. Volta a subir ao escritório e desce com outra mochila preta. Deixa-a no carro e, sem nada nas mãos, sobe pela última vez. Desce logo depois com uma sacola grande. A esposa, ao lado, traz outras duas sacolas, uma marrom e uma rosa. Marcio está sempre com o celular na mão. Depois de colocar mais essas sacolas no carro, o casal vai embora também. Toda a movimentação durou quase uma hora. As câmeras registraram a saída deles às 9h14.

A polícia chegou logo depois e descobriu tudo.

Sem saber o que se passava em seu escritório, Paulo Roberto Costa compareceu à sede da Polícia Federal para seu primeiro depoimento no inquérito da Lava Jato. Estava mal-humorado e esperava sair dali o mais rápido possível. Tinha ainda muito poder remanescente da época em que era chamado de "Paulinho" em Brasília. A primeira pergunta da delegada designada para ouvi-lo foi:

– Qual é a sua atividade laboral?

– Atualmente trabalho prestando consultoria nas áreas de petróleo, gás, infraestrutura de um modo geral e petroquímica – respondeu Paulo Roberto.

Quando ela perguntou se ele conhecia Alberto Youssef, ele disse que sim, desde o tempo em que estava em atividade na Petrobras, mas não mantinha negócios com ele.

– Quem os apresentou?

– Não me recordo – respondeu, acrescentando que só depois de se aposentar, em 2013, foi procurado por Youssef para "prestação de serviços de consultoria em mercado futuro".

– E o carro? – A policial se referia ao Land Rover Evoque de 250 mil reais que Youssef comprara para ele.

– O pagamento desse carro se deveu a serviços efetivamente prestados após a minha aposentadoria.

– Essa consultoria gerou algum tipo de relatório final? – quis saber a delegada.

– Pelo que me lembro, a consultoria se deu principalmente por meio de reuniões presenciais e debates verbais – respondeu o ex-diretor da Petrobras.

A delegada fez uma pergunta-chave:

– O senhor confirma que a Petrobras licitou uma obra na Refinaria Abreu e Lima, com valor global de 8,9 bilhões de reais, dividido entre cinco consórcios?

Paulo Roberto respirou fundo e respondeu que sim, tinha conhecimento daquela licitação. Ele disse que, na época, era o diretor de Abastecimento da estatal, mas explicou que a diretoria dele não tocava as licitações, isso era com a Diretoria de Engenharia. Quando a delegada citou a Camargo Corrêa pela primeira vez, Paulo Roberto informou que não participara da escolha das empresas que disputavam as licitações da Refinaria Abreu e Lima, afirmando em seguida que "em virtude do trabalho que desempenhou na Petrobras, conhece pessoas de todas as grandes empreiteiras/construtoras".

A penúltima pergunta feita a Paulo Roberto Costa foi:

– O senhor tem conhecimento do pagamento, a qualquer pessoa, de comissão feito por Alberto Youssef em decorrência da licitação envolvendo o Consórcio Nacional Camargo Corrêa e/ou as obras da Refinaria Abreu e Lima?

– Não – respondeu Paulo Roberto.

A última era um prenúncio do que viria a acontecer:

– Já foi preso ou processado criminalmente?

– Nunca.

Isso estava prestes a mudar. Mas não seria naquele dia.

Na casa de Paulo Roberto Costa, os policiais encontraram anotações detalhando a ligação do ex-diretor de Abastecimento da Petrobras com grandes empreiteiras. A planilha, desenhada à mão, era dividida em três colunas. Na primeira havia uma relação de empreiteiras como Mendes Júnior, Iesa, Engevix, UTC/Constran, Camargo Corrêa e Andrade Gutierrez. Ao lado, na segunda coluna, ficava o nome do dirigente da empreiteira. Na última coluna, com o título "observações", estavam anotadas frases como "Está disposto a colaborar", "Já está colaborando, mas vai intensificar + p/ campanha a pedido PR" e "Já teve conversa c/ candidato vai colaborar a pedido PR". A investigação dava os primeiros sinais de que iria chegar a nomes de empreiteiros e políticos. E isso não iria demorar.

Naquele momento, no entanto, a PF estava lidando com uma situação mais urgente. Tinha que prender Paulo Roberto Costa. Além do carro dado por Alberto Youssef, a polícia tinha encontrado na casa dele uma grande quantidade de dinheiro vivo: mais de 180 mil dólares, 10 mil euros e 750 mil reais. O carro suspeito, a pequena fortuna em espécie e a ida das filhas ao escritório dele para ocultar provas foram as razões pelas quais a PF pediu e Moro decretou a primeira prisão da vida de Paulo Roberto Costa, no dia 20 de março de 2014. Era a segunda fase da Operação Lava Jato.

A prisão de Paulo Roberto a princípio foi temporária, porque Moro decidiu dar um prazo para as provas reaparecerem. Como isso não aconteceu, ele decretou a prisão preventiva do ex-diretor da Petrobras. E escreveu na decisão: "O episódio da retirada de material, provas ou dinheiro do escritório profissional do investigado Paulo Roberto Costa na própria data da efetivação das buscas é um dos casos mais claros de perturbação na colheita de provas com os quais este Juízo já se deparou. Não há justificativa lícita para o episódio e não há registro de que as evidências dissipadas foram recuperadas. Agrego o fato superveniente do esvaziamento das aplicações financeiras do investigado junto aos bancos, buscando prevenir eventual ação da Justiça em sequestrá-las." Para Moro, não passou despercebido o fato de que a mulher de Paulo Roberto tinha mexido nas aplicações da família depois que o marido foi preso.

As filhas e os genros de Paulo Roberto – Shanni, Arianna, Marcio e Humberto – foram, em seguida, formalmente acusados pelo Ministério Público Federal de atuar, em conjunto com Costa, para destruir provas que documentariam crimes investigados na Lava Jato. Estava aberto o primeiro processo contra a família Costa. Naquele momento, o ex-diretor ainda resistia à ideia de fazer uma delação premiada. Para todos, investigadores e mensageiros do esquema de corrupção, ele dizia que não iria falar nunca. Mesmo que tivesse de passar um bom tempo na cadeia. A prisão de Costa preocupava muita gente.

Paulo Roberto Costa trabalhou na Petrobras durante 35 anos. Entrou por concurso, em 1977, e começou a assumir cargos de direção a partir de 1995, ainda no primeiro governo de Fernando Henrique Cardoso. Antes de se tornar diretor de Abastecimento, em 2004, foi superintendente da Transportadora Brasileira Gasoduto Bolívia-Brasil, a TBG. Também já tinha comandado a Gaspetro e fora gerente da Unidade de Gás Natural da Petrobras. Costa afirmou em depoimento que foi no começo do governo Lula que ele conheceu o deputado federal pelo Paraná José Janene, líder do Partido Progressista na Câmara dos Deputados. Janene o chamou para conversar e disse que o faria diretor da Petrobras, mas em troca ele teria que atender aos pedidos do partido. Paulo Roberto aceitou.

Costa ficou na diretoria da Petrobras até 2012, durante todo o governo Lula e uma parte do primeiro mandato de Dilma Rousseff. Ou seja, ao longo de oito anos ele foi responsável por várias obras da petroleira. Conheceu de perto praticamente todos os grandes empreiteiros do país. Foi personagem-chave de um imenso esquema de corrupção. Mas isso ainda não tinha sido descoberto pelos investigadores da Lava Jato. Eles estavam no início do caminho. A investigação se concentrava nele naquele momento. Em breve, a Polícia Federal faria buscas nas empresas de Paulo Roberto e até na sede da Petrobras, no Rio de Janeiro.

O DNA do mensalão, o "primo" Beto e a origem da Lava Jato

Ninguém podia imaginar que aquele era o início da operação policial mais importante, reveladora e profunda dos últimos anos. Nem mesmo o comando da operação tinha ideia do que estava por vir. Na manhã da segunda-feira, 17 de março de 2014, dia em que a Operação Lava Jato ganhou as ruas pela primeira vez, o céu estava limpo em Curitiba, algo raro na chuvosa capital paranaense. Os investigadores acharam que era um bom presságio. As buscas estavam sendo bem-sucedidas. Apesar dos contratempos da madrugada, Alberto Youssef estava preso.

Naquele momento, eles estavam atrás de doleiros. Tinham identificado quatro núcleos criminosos, cada um deles alvo de uma investigação diferente. Havia a Lava Jato e mais três com nomes de filme: Bidone, Casablanca e Dolce Vita. Bidone, que significa trapaça em italiano, era a operação que investigava Alberto Youssef, considerado por alguns delegados, àquela altura, o maior operador financeiro clandestino do país. E ele tinha acabado de cair.

A cadeia de acontecimentos que levou à queda do doleiro começou em 2006, oito anos antes de a Lava Jato ser deflagrada. O mensalão ainda estava sendo investigado e o líder do PP, José Janene, lutava no Congresso para não ter seu mandato cassado diante das denúncias de que havia recebido mais de 4 milhões de reais do esquema. Na sede do Ministério Público Federal do Paraná, em Curitiba, procuradores receberam um alerta do COAF, o Conselho de Controle de Atividades Financeiras, órgão que monitora transferências financeiras atípicas, de que assessores do deputado tinham feito movimentações suspeitas em suas contas bancárias: depósitos fracionados e saques de dinheiro em espécie.

O procurador Deltan Dallagnol, futuro coordenador da força-tarefa da Lava Jato no MPF, fez um pedido de investigação para a Polícia Federal em Londrina, no Paraná, onde Youssef morava. O delegado que pegou esse caso, Gerson Machado, há muito desconfiava da ligação entre Youssef e Janene. Gerson tentou conseguir provas, sofreu até ameaças, mas, em 2008, dois anos depois, a investigação ainda não tinha feito grandes avanços. Os procuradores do MPF que acompanhavam o caso iam propor oficialmente seu arquivamento. Aí veio o primeiro golpe de sorte da Lava Jato. Chegou à PF a denúncia de que José Janene e alguns parentes estariam lavando dinheiro por meio de uma empresa do Paraná.

Um empresário chamado Hermes Magnus, ex-sócio de Janene, procurou a Polícia Federal e deu um depoimento fundamental para o início da Lava Jato. Hermes – nome dado na mitologia grega ao mensageiro dos deuses – contou aos investigadores que uma quadrilha comandada por José Janene tinha entrado na empresa dele e quase acabara com o negócio. Tudo para lavar dinheiro. "Quando surgiu o Hermes, a história foi clareando", contou Gerson. A Dunel Indústria e Comércio, fabricante de produtos eletrônicos sediada em Londrina, estava precisando de recursos para novos projetos, máquinas e equipamentos. Para dar um salto nos negócios, Hermes buscava investidores. Foi quando um conhecido indicou Janene, que tinha uma empresa chamada CSA. O que Hermes não sabia é que parte do dinheiro dessa empresa, segundo investigadores, tinha vindo do mensalão.

No escândalo, Janene foi denunciado por ter recebido 4,1 milhões de reais de propina, para ele e para o PP. Os investigadores suspeitavam que a CSA e a empresa de Hermes Magnus estivessem sendo usadas para lavar parte desse dinheiro. Hermes contou que já na primeira reunião o ex-deputado prometeu investir 1 milhão de reais no negócio, o que ele realmente fez, apesar de ter cobrado um preço alto por isso. Em troca, Hermes abriu as portas da Dunel para Janene, que se tornou seu sócio e passou a controlar o fluxo de caixa. Assim, nas palavras do Ministério Público Federal, o deputado poderia ocultar e dissimular a origem ilícita do dinheiro que seria injetado na empresa. Foi quando começaram as transferências bancárias.

No dia 20 de junho de 2008, foi feito o primeiro depósito, em dinheiro vivo, a partir de São Paulo, na conta da Dunel. Foram 28.804 reais para pagar os salários dos funcionários. Depois vieram outros depósitos, sempre em espécie, de São Paulo e de Brasília, num ritmo frenético. Operações fracionadas, típicas de quem quer fugir da fiscalização, já que grandes quantias automaticamente geram comunicados aos órgãos de controle. Para os investigadores, estava claro que era uma operação de lavagem de dinheiro. O investimento de mais de 1 milhão de reais de Janene aconteceu entre junho e novembro de 2008. A maior parte, 618.343 reais, veio da empresa de Janene, a CSA. Os outros 537.252 reais foram depositados de Brasília, a partir das contas controladas pelo doleiro Carlos Habib Chater, dono de um posto de gasolina, o Posto da Torre, que depois inspiraria o nome da operação.

O empresário contou que, aos sábados, seu então sócio José Janene e os amigos faziam grandes churrascadas. "Todos os sábados de manhã era um ritual. O Janene me pegava, me colocava no carro dele e me levava para a mansão, onde ele dava as festas dele e fazia churrasco, e todo mundo estava lá", contou Hermes. Homem truculento, que sabia que ia morrer cedo por causa de um problema congênito no coração, José Janene não tinha papas na língua. Entre um petisco e outro, se gabava de que somente ele e o ex- -ministro José Dirceu poderiam derrubar o então presidente Lula.

Hermes percebeu que era refém e tratou de avisar à Polícia Federal, que foi atrás da denúncia. Com base nas informações dele, a PF abriu um novo inquérito, pediu a quebra do sigilo das empresas e confirmou a movimentação de dinheiro entre a Dunel, de Londrina, e o Posto da Torre, em Brasília. O posto também fazia operações suspeitas com outras empresas. A investigação parecia promissora, mas os meses passavam e o inquérito ainda não tinha provas definitivas. Em setembro de 2010, José Janene morreu e o caso esfriou.

A investigação poderia ter morrido naquele momento. Não seria algo incomum no Brasil. E durante um bom tempo andou devagar. Até que, em abril de 2013, um novo caminho se abriu graças ao instinto policial da delegada Erika Mialik Marena, a pessoa que mais tarde batizaria a Operação Lava Jato. Erika estava em Brasília acompanhando outra investigação de crime financeiro, a Operação Miqueias. Um dos principais suspeitos tinha muito contato com o doleiro Carlos Habib Chater, dono do Posto da Torre, que tinha mandado dinheiro para o Paraná a pedido de Janene. Ou seja, Chater ainda estava na ativa. Isso chamou a atenção de Erika, que contou a história para o delegado Márcio Anselmo. Eles decidiram pedir uma interceptação nos telefones de Chater, o ponto de ligação entre as duas investigações. "Conversando com o Márcio sobre o que fazer, ele falou: 'Olha, se eles continuam lavando dinheiro, é uma oportunidade de aprofundar essa investigação, pegar essa turma. Se passou dinheiro sujo deles pelo Paraná, então vamos pegá-los aqui'", lembra Erika. Podia não dar em nada, mas não custava tentar. Fizeram o pedido. Estava começando a nascer a Operação Lava Jato.

No posto de gasolina de Chater funcionavam uma lanchonete, uma lavanderia e uma casa de câmbio. Mas não um lava a jato. Mesmo assim, a delegada Erika, que depois se tornaria chefe da Delegacia de Repressão a Crimes Financeiros da PF do Paraná, decidiu registrar a investigação no sistema interno da Polícia Federal como Lava Jato. "Pensei em Lava Jato obviamente por causa do posto de combustível, que era uma lavanderia, e porque eu tinha plena consciência de que não se tratava de coisa pequena. Não estavam lavando coisa pequena, não estavam lavando um carro. Se fosse comparar um carro e um jato, lavariam muito mais um jato. Não ficou faltando um 'a' no lava a jato, foi uma brincadeira com a palavra", conta Erika.

A interceptação nos telefones de Chater foi autorizada no dia 11 de julho de 2013, mas a Polícia Federal encontrou uma dificuldade: todas as linhas estavam em nome do posto. Qual seria a que o doleiro usava? Em determinado momento, um policial ouviu, na escuta, um funcionário do posto informar a alguém um número diferente, de outra operadora. O delegado Márcio resolveu investigar e não deu outra: havia fortes indícios de crime. Para essa linha, Chater usava um BlackBerry. A PF sabia que os doleiros de Brasília estavam usando muito esse tipo de aparelho para falar de negócios pelo sistema de mensagens, o BBM. O BlackBerry de Chater começou a ser monitorado em 28 de julho e, no mesmo dia, os agentes descobriram pistas de uma complexa estrutura de operadores do mercado paralelo de câmbio: quatro núcleos criminosos comandados por quatro grandes doleiros. Entre eles, estava Alberto Youssef. Mas não foi fácil chegar ao nome dele. Nas conversas telefônicas, todos o chamavam de "primo". A primeira mensagem de "primo" interceptada pela polícia era suspeita:

– Preciso comprar 10 mil papel aí. Você tem? – perguntou a Chater.

Mas quem era o "primo"? Ninguém descobria. Um dia, um jovem policial recém-chegado, encarregado de ouvir as horas e horas de escutas telefônicas, mandou por WhatsApp uma informação preciosa: o "primo" tinha sido chamado de "Beto" por um dos investigados. Foi um momento de descuido. Apenas um momento. Mas o suficiente para identificar o suspeito. Os delegados Erika, Márcio e Igor correram para a sala da escuta e aumentaram o som para ouvir melhor. Igor Romário de Paula tinha sido controlador de voo e conhecia a voz de Youssef desde os tempos em que ele era piloto e cruzava os céus do Paraná com mercadorias contrabandeadas. Era ele. A voz era dele, tinha certeza. Os três também tinham trabalhado no caso Banestado (Banco do Estado do Paraná) e ouvido centenas de ligações do doleiro. "Beto" era Alberto Youssef, personagem conhecido da Polícia Federal. A checagem de um endereço citado nas mensagens foi a confirmação final. Os delegados quase não acreditaram. Iam pegar Alberto Youssef.

Velhos conhecidos

A presença do doleiro despertou ainda mais o interesse do juiz Sergio Moro por este caso. Nessa época, Moro tinha voltado havia pouco tempo para Curitiba depois de uma temporada em Brasília. Durante todo o ano de 2012, atuara como juiz-auxiliar do gabinete da ministra Rosa Weber, do Supremo Tribunal Federal. Fora chamado por dois motivos: para ajudar a ministra no julgamento do processo do mensalão e para coordenar um grupo que cuidava de outros processos penais. A ministra Rosa Weber queria reduzir a pilha de processos penais do gabinete, herdados com a aposentadoria da ministra Ellen Gracie. Moro deu conta das duas tarefas e a ajudou a preparar votos que seriam seguidos por outros ministros no julgamento. Muito discreto, chegava pontualmente às 10h e saía às 19h. Não conversava sobre a vida pessoal com os servidores, não fazia piadas. Almoçava no restaurante do tribunal em 20 minutos e voltava ao trabalho. Era um chefe justo e eficiente e logo se tornou uma das pessoas no gabinete com maior acesso à ministra. Ela gostava de conversar com ele.

Natural de Maringá, no Paraná, Sergio Fernando Moro é filho de pais professores e teve formação católica. Cursou o ensino fundamental e o ensino médio em colégio religioso e formou-se em Direito pela Universidade Estadual de Maringá. Foi estagiário em um escritório de advocacia especializado em Direito Tributário. Passou no concurso para juiz aos 24 anos. Começou sua carreira em cidades do Sul, como Cascavel e Joinville, onde pegou gosto pela área criminal. Desde 2003, atua em uma vara da Justiça especializada em combate a crimes de lavagem de dinheiro. Tem muita experiência no assunto. Gosta do ofício de combater crimes financeiros. Foi juiz de casos grandes, como a Operação Farol da Colina e, principalmente, o escândalo do Banestado, considerado o maior esquema de evasão de divisas já descoberto no Brasil, cujas cifras chegaram a 30 bilhões de dólares. Só nesse processo, Moro condenou 97 pessoas, entre elas Alberto Youssef. Também conduziu um grande processo contra o traficante Fernandinho Beira-Mar. A experiência adquirida com o passar dos anos o levou a participar ativamente de iniciativas como a Estratégia Nacional de Combate à Corrupção e à Lavagem de Dinheiro, grupo que reúne investigadores e agentes da Justiça. Moro até escreveu, em 2010, um livro sobre o tema, que se tornou referência no meio judiciário. No livro *Crime e lavagem de dinheiro*, ele defende reformas na Justiça para enfrentar o crime organizado: "A morosidade do sistema judicial brasileiro, com múltiplos recursos e até quatro instâncias de julgamentos, tem o condão de não raras vezes retardar indefinidamente a aplicação da lei penal, minando a efetividade e a confiança da sociedade no Estado de Direito."

Há muito tempo ele vinha estudando a condução de grandes ações contra o crime organizado, como a Operação Mãos Limpas, na Itália. Em um artigo escrito dez anos antes do início da Lava Jato, Sergio Moro conta como uma geração de jovens juízes conseguiu interromper uma onda crescente de corrupção na Itália nos anos 1990. Para Moro, a partir de uma ação judicial que, por coincidência, também começou numa empresa estatal de petróleo e atingiu vários partidos políticos, pôde ser criado um círculo virtuoso. E, nessa história italiana, uma das lições mais importantes é a de que uma grande ação da Justiça contra a corrupção só será eficaz na democracia se tiver o apoio da opinião pública. Foi assim com a Mãos Limpas, sem dúvida uma das mais importantes cruzadas na luta contra a corrupção no mundo.

No começo de 2013, já de volta a Curitiba, Moro foi à posse do novo superintendente da Polícia Federal no Paraná, Rosalvo Franco.

– Faz tempo que a gente não tem uma operação financeira aqui no estado – comentou o juiz em conversa com o delegado.

A gestão anterior não havia priorizado esse tipo de crime e a Delegacia de Repressão a Crimes Financeiros ficara esvaziada, com os inquéritos quase parados.

– Vou dizer uma coisa para o senhor. Não vou inventar a roda. Vou trazer para a delegacia as pessoas que já trabalharam no setor – respondeu Rosalvo.

Isso fez toda a diferença. Em pouco tempo, os experientes delegados, especialistas em crimes financeiros, começaram a trilhar o caminho que os levaria a Alberto Youssef.

Youssef ainda não tinha se tornado famoso no Brasil inteiro, mas já era influente e poderoso no Paraná. Moro o conhecia há muito tempo. Já havia mandado prender o doleiro em 2003, no caso Banestado. Ele era um dos operadores do esquema bilionário de evasão de divisas e, depois de alguns meses na prisão, fez um dos primeiros acordos de delação (ou colaboração) premiada da história do Brasil – homologado justamente pelo juiz Sergio Moro –, em que entregou uma série de doleiros e prometeu se afastar do mundo do crime. Era mentira. Para Sergio Moro, foi uma decepção saber que Alberto Youssef voltara a infringir a lei. Não havia aproveitado a chance de se recuperar ao fazer o acordo de delação premiada que o tirara da cadeia em 2003. Agora Moro iria julgá-lo mais uma vez.

Naqueles dez anos, Youssef tinha ficado mais forte do que nunca. Não era mais só doleiro. Havia crescido. Era um megaoperador financeiro especializado em lavagem de dinheiro para políticos e empresas. Comandava várias organizações criminosas ao mesmo tempo. A PF calcula que, entre 2011 e o dia da sua prisão, Youssef tenha conduzido de modo consciente e voluntário mais de 3.500 operações de evasão de divisas do Brasil para o exterior. A soma dos valores ultrapassaria 400 milhões de dólares. Com isso, ficou ainda mais rico. Comprou o apartamento onde morava, na Vila Nova Conceição, em São Paulo. Tinha dez carros de luxo em nome de terceiros, passeava em iates e jatinhos. Levava uma vida bem diferente da que teve em criança. De família humilde, o menino irrequieto começou a trabalhar aos 7 anos, vendendo salgadinhos no aeroporto de Londrina. "Comecei vendendo pastel, mas o filho da pasteleira me deu um tiro de chumbinho no rosto. O chumbinho está aqui até hoje. Depois disso, minha mãe falou que eu não ia voltar lá e passou a fazer salgadinhos para eu vender. Aí fui vender coxinha. O aeroporto foi uma escola pra mim", contou Youssef. O aeroporto de Londrina, nos anos 1980, 1990, era um lugar por onde passavam os maiores contrabandistas do país. Ali, Youssef deu os primeiros passos no mundo do crime. Logo aprenderia a pilotar aviões para entrar e sair do Paraguai com mais facilidade. Do contrabando, foi para o mercado de câmbio, virou doleiro. Mas, depois de alguns anos, doleiro já não era mais a palavra que definia perfeitamente o que ele fazia para ganhar dinheiro.

Desde a morte de José Janene, em 2010, Alberto Youssef vinha controlando quase sozinho o esquema de cobrar propinas nas obras da Petrobras e repassar o dinheiro para o Partido Progressista, o PP, que sustentava Paulo Roberto Costa na diretoria da estatal. Ficou próximo de empreiteiros e políticos poderosos, o que gerou ressentimentos em alguns antigos companheiros. João Cláudio Genu, ex-chefe de gabinete da liderança do PP na Câmara, também investigado no mensalão, chegou a mandar, no final de agosto de 2013, um e-mail ameaçador para ele cobrando uma antiga dívida:

"Prezado, o que está acontecendo? Não tenho tido sucesso nas coisas que vc trata comigo. Não entendo muito bem porque, sempre procurei te respeitar e considerar. Ainda qdo o finado estava entre nós, a forma de aproximação era grande, o agrado era de todo jeito, se falava em amizade e tudo mais. Mas ele se foi e tudo que ouvia era da boca p fora. Vc se aproximou do PR, não tenho ciúme, mas me sinto traído. Vc se aproximou das pessoas boas e poderosas que te apresentei, tbm não sinto ciúme, mas tbm me sinto traído. Tudo que fizemos e que vc ficou de honrar o que me é de direito tem sido postergado a quase 2 anos. Não compreendo. Hoje está poderoso, cortejado por todos, resolve tudo para todos. Mas eu, não quero nada, só o que me é devido. Não consigo mais ter confiança em nada que é tratado comigo. Gostaria de avisar que não vou abrir mão de nada a que tenho direito, vou até as últimas consequências."

Genu escreveu ainda que não deixaria barato porque achava tudo "muita sacanagem". No fim da mensagem, nova ameaça: "Lembre, qualquer problema é muito ruim, tanto p vc, qto pra mim. Vou até as últimas consequências. No aguardo. JC genu."

Levando uma vida intensa e sob forte pressão, Youssef sofreu um enfarte em setembro de 2013. Estava sozinho em casa, tomando banho, quando passou mal. Quase morreu. Costuma dizer que, se não morasse perto de um hospital, não teria resistido. "Ninguém me ajudou. Fui dirigindo. Pensei que não queria morrer e que eu ia me salvar. Foi uma angústia muito grande. Cheguei praticamente sem ar no pronto-socorro, nas últimas duas quadras não sei onde fui buscar o ar. Senti uma dor muito forte no peito, falta de ar e a mandíbula travada", conta Youssef. Ele ficou dez dias internado no Albert Einstein, em São Paulo. Estava apenas com 37% da capacidade cardíaca. O médico recomendou repouso absoluto. Mas isso não era uma opção para o doleiro. Os pedidos de dinheiro não cessavam, mesmo com ele na cama de um hospital.

Um dia, Carlos Habib Chater ligou de um número novo e desandou a falar. O telefone de Chater era limpo, mas o de Youssef estava grampeado pela Polícia Federal. "Habib falava, falava, porque tava crente que ninguém ia ter esse telefone, que tinha acabado de trocar, só que ele não contava que o outro estava monitorado. E o Youssef só dizia: 'Ahã, ahã, pois é, sim... é... não, tô me recuperando, tô no hospital, tá difícil, não sei...'", conta um agente que ouviu a conversa. O policial lembra como era incessante a cobrança sobre Youssef: "Toda galera ligava pra ele pedindo dinheiro, solução de alguma coisa. Falavam: 'Poxa vida, tomara que se recupere... mas então tem aquele problema lá, aquele dinheiro.' Tipo assim, meu filho, dá teus pulos, você tá enfartado, mas ninguém tem nada com isso, você tem que continuar operando."

O megaoperador precisava alimentar o esquema. Virara uma engrenagem. Não podia parar. Naquele telefonema, o amigo Chater – que, assim como ele, seria preso meses depois na Lava Jato – ainda comentou que estava desconfiado de que a Polícia Federal estava montando uma nova operação. Na Operação Miqueias, em 2013, a PF tinha pego um esquema de desvio em fundos de pensão de servidores de vários municípios e prendido alguns conhecidos deles, mas os dois não foram incomodados. Chater foi bem claro ao falar de seus temores: "Eu tô achando que tem outra [investigação] andando, entendeu? Porque não tem lógica, porque eu fiz muita operação! Eu tô achando que tem alguma outra paralela, entendeu?" Youssef não quis estimular o assunto, disse apenas "Ahã" como resposta e desligou. Ele sabia que, mais dia, menos dia, seria preso e teria um preço alto a pagar.

Euros na calcinha

Seis meses depois a polícia estava bem perto de Alberto Youssef. Nelma Kodama, uma doleira que operava no mercado de câmbio de São Paulo, foi presa no aeroporto de Cumbica, dois dias antes de a Lava Jato ser deflagrada. Amante de Youssef por oito anos, chefe de um dos núcleos criminosos que estavam sendo investigados, ela estava com 200 mil euros escondidos na roupa. A prisão dela entrou imediatamente para o folclore policial porque, segundo os delegados, Nelma carregava aquele dinheirão todo na calcinha. Estava tentando ir para a Itália. Os delegados, sabendo disso, a deixaram passar pelo raio X e entrar na sala de embarque. Ela não declarou o dinheiro à Receita Federal e adotou o mesmo procedimento de traficantes: foi a última a entrar na fila. Nelma alegou que o guichê da Receita estava fechado quando ela chegou ao aeroporto. Os policiais a detiveram quando ela já estava na escada do avião. Um delegado a segurou pelo braço e pediu que ela o acompanhasse. "Doutor, tudo bem, mas eu não tenho nada. O avião vai me esperar? Você pode pedir isso ao piloto?", perguntou a doleira. O delegado subiu e disse ao comandante, sem Nelma ouvir, que ele podia decolar. Aquela passageira ia ficar.

Enquanto era levada para a revista, Nelma foi brincando, provocando o policial com comentários tipo "Você vai me pegar forte assim? Estou gostando". Seu jeito sedutor ficaria conhecido na Polícia Federal. Na escada rolante, ela discretamente ajeitou o dinheiro. O delegado percebeu o movimento e avisou à policial que ia fazer a revista. A agente encontrou os 200 mil euros, divididos em quatro bolos de notas de 500 euros, escondidos na calcinha de Nelma. Não era um volume muito grande, poderia passar despercebido. O detalhe é que, quando Nelma foi para o aeroporto, na noite de sexta-feira, a Polícia Federal não queria detê-la ainda. A doleira deveria ser presa na segunda-feira, assim como os outros alvos da operação. Os agentes temiam que a notícia da prisão dela pudesse alertar os envolvidos sobre o trabalho em curso. Contudo, se ela embarcasse no voo para Milão, na Itália, ficaria sabendo da investigação da PF quando estivesse no exterior e não voltaria. O que permitiu a abordagem foi o dinheiro. Senão, ela teria escapado.

Sergio Moro foi avisado na hora. Nelma e Youssef estavam se falando muito na época em que foram presos. Em 7 de março de 2014, dez dias antes da primeira fase da operação, Nelma manda uma mensagem em tom de flerte para Youssef: "Lindooo, fofo, vai comer ou não?" Youssef responde: "Vou comer sim", e Nelma provoca: "Quer pra viagem ou vai comer no balcão?" No diálogo, ela lembra que a melhor viagem que fizeram juntos foi para Puerto Iguazu, cidade argentina que fica na Tríplice Fronteira, e diz que o único homem da vida dela foi Youssef. "O Ricardo acha que vc é o único que me coloca cabresto", escreve a doleira. "Kkkk", diverte-se Youssef. Nos e-mails, Nelma se identificava como Greta Garbo, Angelina Jolie e Cameron Diaz. Meses depois, na CPI da Petrobras, ao falar sobre sua relação com o doleiro, Nelma disse que viveu maritalmente com Alberto Youssef por nove anos e depois cantou "Amada amante", de Roberto Carlos.

A relação dos dois ia além do flerte e das transações financeiras. Eles sempre se ajudavam. No dia 13 de março de 2014, Youssef avisa Nelma: "Outra coisa: amanhã vai ter operação. Então, vc sabe o que fazer." A Lava Jato estava marcada para começar no dia 17, quatro dias depois. Nelma responde que há um helicóptero a postos no campo de Marte, em São Paulo: "Se quiser temos um Agusta no Marte, à nossa disposição, ok? Tá na mão." O doleiro agradece: "Ótimo, quando precisar te peço." Nelma foi presa no dia seguinte, e Youssef não mandou mais nenhuma mensagem para o celular dela.

Na segunda-feira, quando a polícia chegou à casa de Nelma, encontrou sinais de que algumas gavetas e armários tinham sido remexidos recentemente, mas mesmo assim apreendeu documentos e quadros caríssimos de vários artistas famosos: Iberê Camargo, Cícero Dias, Antônio Gomide, Heitor dos Prazeres. Até um Di Cavalcanti enfeitava a parede da doleira. Os investigadores desconfiaram do refinado gosto dela por arte. Foi a primeira apreensão de obras de arte que podem ter sido adquiridas com dinheiro do crime feita pela PF na Lava Jato. Não seria a única.

Depois das prisões da primeira fase da Operação Lava Jato, a Polícia Federal tinha de avaliar o que havia sido reunido e definir novos rumos para a investigação. Seria necessário um trabalho meticuloso. Até porque o juiz Sergio Moro já era conhecido pelo rigor com os processos sob sua tutela. "Esse olhar atento dele passa segurança pra gente. Quando tem que puxar a orelha, ele puxa. Indefere monitoramento, não aceita denúncia quando não vê fundamentação, não pede prisão. O olhar dele é preciso", afirmou Erika Marena, em entrevista para este livro. Naquela fase, mais de 80 mil páginas de documentos foram apreendidas, além de diversos computadores, mídias e celulares. Os delegados Márcio, Erika e Igor se debruçaram sobre o material apreendido. Eles rapidamente fizeram uma primeira análise do que tinha sido descoberto até ali e dividiram as ações.

Aquela não seria uma operação como as outras. E os primeiros sinais disso já estavam aparecendo. No escritório de Alberto Youssef, os policiais se depararam com uma sofisticada estrutura para lavar dinheiro, montada exclusivamente para administrar empresas de fachada – como a MO Consultoria e Laudos Estatísticos e a GFD Investimentos.

A quebra do sigilo bancário dessas empresas revelara uma das provas mais importantes da Lava Jato: as maiores empreiteiras do país tinham feito depósitos milionários para Alberto Youssef. Milionários. Mendes Júnior, Galvão Engenharia, OAS, para citar apenas algumas das primeiras que apareceram. Só a MO tinha movimentado 90 milhões de reais num período de cinco anos. Alguma coisa estava muito errada, constataram os investigadores.

Meire Poza, contadora que prestava serviços para Youssef e que decidiu colaborar espontaneamente com a polícia, disse que, quando lhe pediram para regularizar a situação da MO Consultoria, ela olhou os números e respondeu que era praticamente impossível. A empresa não tinha atividade nem justificativa para a quantidade de dinheiro que circulava por ali. Meire também conhecia a GFD, e foi ela quem fez a primeira nota da empresa para a construtora Mendes Júnior, por exemplo. Ela contou aos policiais que chegou a perguntar como a GFD, sem estrutura nenhuma, ia prestar serviços para uma empreiteira daquele porte. E ouviu de João Procópio, sócio de Youssef, a seguinte resposta: "A Mendes Júnior vai providenciar tudo." As construtoras estavam começando a aparecer.

A Polícia Federal foi abrindo inquéritos para investigar cada uma das empreiteiras que fizera transferências milionárias para Youssef. Curiosamente, quando os policiais perguntaram a razão daqueles pagamentos, todas as empresas apresentaram documentos de supostos contratos de consultoria que comprovariam prestação de serviços. Só que os contratos eram fraudulentos e as empresas acabaram tendo que responder por isso também na Justiça.

Nasce a força-tarefa

Logo depois da deflagração da Lava Jato, a Polícia Federal e o MPF já tinham percebido que seria necessário dar atenção especial à operação em curso. Só que o assunto estava nas mãos do procurador José Soares, que não tinha muita experiência em crimes financeiros e alimentava dúvidas sobre a melhor forma de conduzir os trabalhos. O procurador já dera um parecer dizendo que o caso deveria ir para outro estado, o que gerou uma crise entre os investigadores. A Lava Jato tinha nascido no Paraná. E lá iria ficar. O desafio é que estava ganhando uma proporção muito maior do que se pensava inicialmente. Era preciso ampliar a equipe de trabalho.

Um dia, a coordenadora do grupo que atuava na área criminal do MPF do Paraná, Letícia Martello, bateu à porta do procurador Deltan Dallagnol para sondá-lo. Embora tivesse apenas 34 anos naquele momento, Deltan – que entrou para o MPF com 22 anos – já tinha experiência em investigações sobre lavagem de dinheiro, corrupção e evasão de divisas. Recém-chegado de um mestrado na prestigiosa Escola de Direito de Harvard, o procurador tinha participado de reuniões da Lava Jato e alguns colegas o incentivavam a assumir o caso.

– Deltan, o que você acha de a gente criar uma força-tarefa para a Lava Jato? – perguntou Letícia.

– Eu estou dentro, participo, mas não posso ser a pessoa que vai defender a criação dessa força-tarefa. Tem o meu total apoio, mas não quero parecer estar advogando em causa própria – disse Deltan.

Estava resolvido. A coordenadora ligou para Brasília e, alguns dias depois, o procurador-geral da República, Rodrigo Janot, nomeou um grupo de procuradores para atuar no caso. Um problema tão grande como aquele certamente só poderia ser enfrentado em equipe. A procuradora acreditava que uma força-tarefa daria conta do recado porque haveria mais mentes e braços para trabalhar. Era preciso processar todo aquele material e preparar as primeiras denúncias. Deltan Dallagnol foi escolhido o coordenador dos trabalhos.

Nascia assim a força-tarefa da Lava Jato no MPF do Paraná. Mas, antes de mergulhar no caso, Deltan tinha algumas questões a resolver. Uma até pessoal. Tinha usado parte de suas economias para comprar uma passagem para a Indonésia. Queria esfriar a cabeça e surfar com os amigos, uma viagem há muito planejada. Mas Deltan, que ao longo da operação mostraria suas qualidades de líder e de comunicador, tinha que primeiro montar a equipe. Convidou o especialista em investigações sobre doleiros Orlando Martello, que era seu amigo e marido de Letícia. O procurador Vladimir Aras, da Procuradoria-Geral da República, em Brasília, sugeriu Carlos Fernando dos Santos Lima e Januário Palludo por causa da experiência deles. Deltan e esses procuradores já haviam trabalhado juntos na força-tarefa do Banestado. Era o mesmo grupo que se reunia, agora com mais força, para enfrentar um inimigo mais poderoso. Dois novos nomes foram chamados para a primeira formação da equipe, Diogo Castor de Mattos e Andrey Borges de Mendonça, ambos pela capacidade técnica e disposição para o trabalho em equipe.

Deltan embarcou tranquilo para a Indonésia. Todo ano ele ia surfar com os amigos. Só não sabia que essa seria a última viagem em um bom tempo. Quando voltou, a sequência de denúncias da Lava Jato começou. Em um curto intervalo, os procuradores ofereceram 12 ações penais contra os quatro grupos criminosos identificados até então. Cinquenta e cinco pessoas foram denunciadas por crimes contra o sistema financeiro nacional, formação de quadrilha e lavagem de dinheiro, além de corrupção e peculato. A força-tarefa ainda conseguiu o bloqueio de praticamente todo o patrimônio dos acusados no Brasil.

As primeiras reuniões foram realizadas na sede do MPF no Paraná. As salas dos procuradores, como a de Deltan, no 14º andar, eram espaços acanhados, com paredes repletas de livros sobre crimes financeiros e um sofá apertado na entrada. Logo ficou claro que era impossível trabalhar ali. Era preciso um lugar maior. A força-tarefa foi então acomodada no prédio que fica do outro lado da rua. Primeiro, num conjunto de salas no sétimo andar; por ironia, justamente em frente a um escritório da Petrobras. Depois, foram para uma área ainda mais ampla, no oitavo andar. Grandes descobertas seriam feitas ali. Mas antes era preciso estudar mais o caso.

Entre os milhares de documentos, estavam começando a aparecer nomes de empreiteiras. No começo, apenas algumas citações. Depois, muitas vezes. Estavam por toda parte: extratos, comprovantes de depósito, planilhas de contabilidade da quadrilha.

O primeiro caso de corrupção na Petrobras descoberto pela Lava Jato aconteceu numa obra da Refinaria Abreu e Lima ou Refinaria do Nordeste (Rnest), em Pernambuco. Envolvia duas empresas de Youssef, a GFD Investimentos e a MO Consultoria e Laudos Estatísticos, mais a Sanko Sider e a construtora Camargo Corrêa. Ao Consórcio Nacional Camargo Corrêa coube construir a Unidade de Coqueamento Retardado, conhecida na refinaria como UCR. O Tribunal de Contas da União já havia apontado indícios de superfaturamento na obra, mas ela continuava a receber dinheiro quando a Lava Jato começou.

A Camargo Corrêa contratou a Sanko Sider para fornecer tubos e outros equipamentos e pagou a ela e a outra empresa do grupo 113 milhões de reais entre 2009 e 2013. Parte desse dinheiro era propina disfarçada. No escritório de Youssef foram encontradas planilhas que revelaram que a Sanko fizera dezenas de repasses para contas de empresas de Alberto Youssef, em especial a MO Consultoria e a GFD Investimentos. A MO era uma empresa de fachada que servia apenas para emitir notas de serviços de consultoria que nunca foram prestados e lavar dinheiro. A GFD era usada por Youssef para esconder o próprio patrimônio. Entre 2009 e 2013, a Sanko repassou 6 milhões de reais para a GFD e 26 milhões de reais para a MO.

Foram ao todo 70 depósitos para a MO. Esse dinheiro era rapidamente sacado na boca do caixa, em espécie, ou transferido para outras contas controladas por Youssef. Parte era, depois, enviada para o exterior por meio de contratos de câmbio falsos, montados para justificar importações que nunca aconteceram, uma nova modalidade de evasão de divisas até então pouco conhecida por policiais e procuradores. Não havia como justificar esses repasses. Em depoimento, empregados de Youssef disseram que os serviços de consultoria do contrato nunca foram prestados. Quando perguntaram a Meire Poza, contadora de algumas empresas de Youssef, como ela tinha certeza de que os contratos eram falsos, ela foi firme em seu depoimento: "Eu estava lá todos os dias."

O próprio sócio da Sanko, Márcio Bonilho, que no começo ensaiou dizer que as empresas de Youssef prestaram os serviços de assessoria em administração financeira como descrito no contrato assinado, acabou admitindo depois, em depoimento ao juiz Sergio Moro, que era tudo uma farsa. Ele explicou por que achava que valia a pena contratar o doleiro: "Ele gozava de uma credibilidade boa nesse setor e andava com pessoas tomadoras de decisão." Quando Moro quis saber que tipo de influência Youssef tinha junto aos diretores de empreiteiras, Bonilho descreveu assim: "Eu não sabia exatamente o grau da influência, o que eu sabia é que ele tinha um bom contato e ele abria portas. Então, se eu fosse procurar um diretor com quem ele tinha relações, ele me apresentava. Apresentava, marcava uma reunião, e eu era recebido."

Foi numa conversa por telefone com Bonilho, grampeada pela Polícia Federal, que Youssef deixou escapar pela primeira vez que Paulo Roberto Costa poderia ser corrupto. O operador estava reclamando do executivo de uma empreiteira.

"Não, porra, pior que o cara fala sério, cara, ele acha que foi prejudicado, cê tá entendendo? É, rapaz, tem louco pra tudo. Porra, foi prejudicado, o tanto de dinheiro que nós demos pra esse cara. Ele tem coragem de falar que foi prejudicado. Pô, faz conta aqui, cacete, aí, porra, recebi 9 milhão em bruto, 20% eu paguei, são 7 e pouco, faz a conta do 7 e pouco, vê quanto ele levou, vê quanto o comparsa dele levou, vê quanto o Paulo Roberto levou, vê quanto o outro menino levou e vê quanto sobrou. Vem falar pra mim que tá prejudicado? Ah, porra, ninguém sabe fazer conta, eu acho que ninguém sabe fazer conta nessa porra. Que não é possível. A conta só fecha pro lado deles", desabafou Youssef.

O reencontro

O reencontro entre Moro e Youssef aconteceu no dia 22 de julho de 2014, em uma sala de audiência da Justiça Federal do Paraná. A sessão não era para ouvir o doleiro, e sim uma testemunha, o empresário Hermes Magnus, que acusava José Janene e outros de terem tomado sua empresa de assalto para a lavagem de dinheiro. Na sala, estavam os suspeitos citados e seus advogados. O doleiro ouvia em silêncio. O representante do Ministério Público pediu à testemunha que estabelecesse uma linha de tempo e explicasse "detalhadamente" as acusações.

– Certo. Detalhadamente, mas também sinteticamente – alertou Moro.

A cada vez que o depoente se perdia em meandros, Moro voltava a lembrá-lo da necessidade de ser sintético. Em determinado momento, Alberto Youssef, com cara de poucos amigos, reagiu, acusando Hermes de estar mentindo. Moro o interrompeu, mas ele continuou:

– Ele está mentindo, ele é mentiroso!

A tensão na sala aumentou e o juiz impôs a ordem:

– Senhor Alberto Youssef, esse tipo de comentário não.

Youssef esboçou nova reação e o juiz foi mais firme:

– Eu vou pedir para retirar o senhor da sala se o senhor continuar, certo?

Pouco mais de uma semana depois, os dois teriam um novo encontro e Moro seria questionado pelo próprio Alberto Youssef. Numa audiência no dia 1º de agosto de 2014, o juiz dissera que o acordo de delação feito no caso do Banestado – que previa que o doleiro abandonasse o crime – tinha sido considerado quebrado. Youssef reclamou. Disse que não lhe deram o direito de discutir a questão, que nem sequer tinha sido notificado, apesar de já estar encarcerado.

– Na minha opinião, com toda a certeza, eu cumpri cem por cento desse acordo. Eu tinha que ter o direito de discutir esse acordo. O senhor me deu o direito de discuti-lo logo depois me notificando aqui em uma audiência. E eu questionei com Vossa Excelência se o senhor voltaria atrás inclusive das minhas prisões preventivas, e Vossa Excelência disse que não. Simplesmente ia fazer aquilo parcialmente. Entendendo assim, eu entendo que não vou prestar o interrogatório aqui porque, com todo o respeito que tenho por Vossa Excelência, eu entendo que Vossa Excelência é suspeito em me julgar nesse sentido – disse Youssef.

Sergio Moro é capaz de ficar longo tempo em silêncio ouvindo os depoimentos e tentando compreender minúcias de intricadas transações. Mas, se for preciso, com poucas palavras bota tudo em ordem, como nesse caso da audiência de Youssef.

– Entendo as suas considerações, mas eu já me manifestei no processo – respondeu Moro, sem se alongar. Como Youssef não quis falar naquele dia, o juiz encerrou a audiência.

"Vai virar um inferno"

Àquela altura, os investigados e suspeitos já haviam percebido que a batalha jurídica em Curitiba não seria fácil. As provas eram fortes, o caso era sólido, o juiz, rigoroso. Para eles, seria mais fácil se o palco fosse algum tribunal em Brasília ou outra cidade, fora das mãos de Sergio Moro. Ou, melhor ainda, que a Lava Jato fosse anulada, como outras operações no passado. Nessa época, Youssef descobriu um aparelho de escuta ambiental no teto de sua cela, entre o forro e a laje. Ele desconectou o aparelho e o mostrou para seus advogados quando o foram visitar. A história foi parar na imprensa. A suspeita era de escuta ilegal. O caso foi investigado: o aparelho estava inoperante, talvez já estivesse ali há muito tempo, desde que o traficante Fernandinho Beira-Mar ficara na carceragem. No entanto, esse episódio, assim como outros mais adiante, seria usado para tentar desacreditar a operação e os investigadores. "Naquela situação era guerra. Eu tentando derrubá-los e fazer com que a operação fosse anulada, e eles tentando me foder o máximo possível, inclusive com minha família", admitiria Youssef muito tempo depois.

Era guerra mesmo. Nessa época, a Polícia Federal pediu a transferência de Youssef para a Penitenciária Federal de Catanduvas, um presídio de segurança máxima no Paraná, o que irritou a defesa do doleiro. "Eu falei com o Márcio Anselmo para parar de perseguir meu cliente", conta o advogado Antonio Figueiredo Basto. Moro decidiu manter Youssef na carceragem da PF.

Mas o que realmente chateou o doleiro foi a investigação ter revelado detalhes de sua vida pessoal no processo eletrônico, inclusive os mais de 10 mil telefonemas que ele trocara com a amante, Taiana Camargo, entre 2010 e 2013. Foi assim que a esposa de Youssef, a advogada Joana D'Arc, descobriu o novo caso extraconjugal do marido. A história ganhou rapidamente a internet, e Taiana virou capa da *Playboy*, coberta por maços de dólares. Revoltada, Joana pediu a separação logo depois.

Nos tribunais, as defesas atacavam alguns pontos formais da investigação. Questões processuais que, se não seguidas, poderiam eventualmente levar à anulação do caso. Um dos primeiros argumentos dos advogados foi a incompetência do juiz Sergio Moro para conduzir os processos. No entendimento dos defensores, caberia à Justiça do Rio de Janeiro ou à de São Paulo o julgamento dos casos investigados pela Lava Jato, porque os crimes teriam sido cometidos naquelas cidades. Os advogados usaram repetidas vezes o argumento de que "nenhum fato imputado desenvolveu-se no Paraná" e fizeram requerimentos para que "decline Vossa Excelência de sua competência para processamento e julgamento dos fatos cuidados na acusação penal, remetendo os autos à autoridade judiciária constitucionalmente competente". Moro respondeu nos autos do processo. Em suas decisões, disse que o primeiro crime descoberto foi cometido em escritórios em Londrina, norte do Paraná, onde o doleiro Alberto Youssef realizava a lavagem de dinheiro. Além disso, houve desvios e corrupção em obras na Refinaria Presidente Getúlio Vargas, na região metropolitana de Curitiba.

Outra questão levantada foi a validade da interceptação de mensagens no BlackBerry Messages, o famoso BBM. Os advogados de defesa alegaram que a interceptação que a PF fez no BlackBerry do doleiro Alberto Youssef no começo da apuração fora ilegal. O grampo revelou conversas de Youssef consideradas fundamentais para que a PF conseguisse ampliar as investigações e descobrisse novos nomes. Os advogados disseram que a escuta tinha sido solicitada a partir da Diretoria de Combate ao Crime Organizado da PF em Brasília à empresa canadense RIM (Research In Motion). Segundo eles, o pedido de cooperação deveria passar pelo crivo da autoridade central brasileira, no caso, o Ministério da Justiça. Como o Brasil não tem um acordo de cooperação internacional com o Canadá, onde fica a sede da empresa BlackBerry, pediram a nulidade da prova. Os pedidos foram negados pelo juiz Sergio Moro. Essa tese foi muito debatida ao longo de vários meses. Em maio de 2015, por exemplo, a defesa da OAS voltou a pedir a nulidade dessa prova.

Os advogados também lembraram que o juiz Sergio Moro já havia se declarado suspeito em uma investigação anterior contra o doleiro Alberto Youssef. Isso foi alguns anos depois do caso Banestado, quando surgiram denúncias de que Youssef teria quebrado o acordo de delação premiada e continuado sua atividade criminosa. Numa dessas acusações, um delegado da PF informou ao juiz que Youssef teria escondido 25 milhões de reais no exterior. Moro se declarou suspeito para supervisionar essa investigação, mas não as outras que tinham como alvo o doleiro. Num despacho, Moro explicou que se declarou suspeito para atuar no inquérito contra Youssef por entender que as investigações da Polícia Federal contra o doleiro, naquele caso, se baseavam em uma discordância do delegado com o acordo de delação de Youssef. Para o juiz, o argumento para investigar o suposto patrimônio oculto ia contra os termos do acordo de delação homologado por ele na ocasião, o que motivou seu afastamento.

"A suspeição declarada por este julgador naquele feito tinha por causa apenas as circunstâncias específicas da origem e motivação daquele inquérito, sem qualquer questão pessoal envolvendo Alberto Youssef ou o delegado responsável pelo inquérito", afirmou Moro. "Assim, não há como reconhecer nulidade de atos processuais por extensão de suspeição a outros processos, já que naquele o afastamento espontâneo deste julgador foi circunstanciado e com motivos bem determinados e devidamente explicitados, aqui não presentes", concluiu o juiz. Era nessas minúcias que a defesa atuava.

Na época, em uma reunião em uma charutaria de Curitiba, alguns advogados de defesa provocaram o advogado de Alberto Youssef, Antonio Figueiredo Basto. Disseram que a operação iria acabar em Brasília.

– O único cara que vai trabalhar aqui é você. Nós vamos ficar ricos sem trabalhar – brincaram.

Basto rebateu firme:

– Vocês estão enganados. Esta merda vai virar um inferno. E vocês não estão preparados pra isso. Eu conheço o cara. Eu conheço o Sergio Moro.

Mão firme

Quem é o homem do qual todos os investigados querem distância? Muita gente gostaria de conhecer melhor a intrigante personalidade do juiz federal de primeira instância do Paraná que conduz com mão firme uma investigação imensa e complexa, que, de repente, foi alçado à condição de celebridade. Nascido em 1972, Sergio Moro faz parte de uma nova geração de juízes, formada depois da Constituição de 1988, que trabalha com afinco em busca de resultados. Moro chega cedo ao trabalho e mostra desconforto com a notoriedade que ganhou. Seus funcionários dizem que é um líder seguro, mas que no trato pessoal é discreto, até meio tímido. De hábitos modestos, gostava de ir para o trabalho de bicicleta e de almoçar em casa ou no "bandejão" do prédio da Justiça Federal, em meio aos servidores. Nas vezes em que sua mulher o buscava de carro, à noite, o juiz a esperava na calçada, em frente ao prédio, no final do expediente. Antes da Lava Jato, quase ninguém notava a presença dele. Com o avanço das investigações, Moro teve que mudar sua rotina. Nos últimos tempos, não faz nada sem a escolta de seguranças.

A vida familiar, porém, continua igual. Nos fins de semana, o juiz dedica a maior parte do tempo à mulher, Rosângela, e aos filhos, Julia e Vinicius. Sobra até um tempinho para Ginger, a cachorrinha da família. Rosângela é advogada e se mantém o mais distante possível do trabalho do marido. Recentemente, atuou na defesa de entidades sociais, como a APAE. A família mora num apartamento de tamanho médio, em prédio e bairro de classe média, perto da Justiça Federal.

São os hábitos simples e os pequenos detalhes do cotidiano que ajudam a revelar um pouco mais sobre o juiz que conduz com maestria os processos da Lava Jato. Assim como algumas histórias saborosas do seu passado, como a de quando conheceu Rosângela, sua futura esposa. O ano era 1996 e a turma do último período da Faculdade de Direito de Curitiba só pensava na formatura. Era tradição na faculdade os professores aliviarem, na reta final, a pressão sobre os formandos. Como a matéria de Direito Constitucional estava sem professor havia algum tempo, a aluna Rosângela deixou de comparecer às aulas. Não sabia que, um mês e meio depois de iniciado o semestre, entrara um professor jovem e exigente, recém-aprovado no concurso de juiz. Seu nome: Sergio Fernando Moro.

Decidido a ensinar e a cobrar, estabeleceu regras claras e rígidas. Logo no primeiro dia, ele fez a chamada e quem não estava na sala, como Rosângela, levou falta retroativa ao início do curso. Com isso, Rosângela não podia mais faltar, sob pena de ser reprovada. Foi um duro final de curso. "Eu detestava ele, detestava", conta a esposa. Um dia Rosângela se encheu de coragem e foi pedir ao professor se poderia faltar à aula para comparecer ao casamento de uma grande amiga, que seria exatamente na hora da aula, numa sexta-feira, às 18h30. Moro respondeu calmamente: "Tudo bem, você pode ir à festa. Mas, na hora da chamada, vou falar seu nome e, se você não estiver aqui, vai receber falta." A estudante ficou ainda com mais raiva do professor, exageradamente rígido, cuja aula era obrigada a assistir. Acabou passando, mas com nota 6,5.

Meses depois de terminado o curso, Rosângela foi convidada por um amigo para tomar um chope. Ao chegar ao restaurante, viu que o amigo estava acompanhado.

– Professor?! – disse, surpresa.

– Não mais – respondeu Sergio Moro.

– Hein?

– Não sou mais seu professor.

Assim começou o romance. Ela sem vontade de maiores compromissos e ele já falando em casamento. Em janeiro de 1999, com pouco mais de um ano de namoro, os dois se casaram na igreja Santa Maria Goretti. Até hoje os amigos brincam que a pressa de Moro era porque ele não queria ir sozinho para Cascavel, para onde acabara de ser nomeado juiz. Rosângela, que já atuava como advogada, passou a representar alguns escritórios de Curitiba, mas só quando os casos que pegava passavam bem longe dos processos julgados pelo marido.

Um ano depois da mudança, quando Rosângela estava grávida da filha mais velha, Julia, Moro foi transferido para Joinville. Foi um período mais difícil para a família, porque Rosângela não conseguiu trabalho. Quando Julia nasceu, Moro se revelou um excelente pai. Trocava fraldas, acordava à noite quando a bebê chorava e cuidava do umbigo da menina.

Como juiz titular, recebeu um dia a proposta de organizar uma vara especializada em crimes de lavagem de dinheiro. Montar uma vara é uma trabalheira, mas era de um desafio assim que ele precisava. Dessa forma a família poderia voltar para Curitiba, onde moram os parentes de Rosângela. Se era trabalho o que Moro queria, foi o que teve, principalmente quando começaram a chegar de Foz do Iguaçu os documentos do caso Banestado. Na época, parecia algo monumental, mas visto em perspectiva foi apenas um ensaio, um treinamento para o que ele enfrentaria anos depois, com a Lava Jato.

Encerrado o processo do Banestado, o juiz pegou outro que, além de complexo, era perigoso, pois ele teria que enfrentar a quadrilha de Fernandinho

Beira-Mar. Durante os interrogatórios, o traficante que reinou por muito tempo no Rio de Janeiro ficou em silêncio por orientação dos advogados. No último dia, no entanto, pediu para ter um "particular" com o juiz.

– Sabe o que é, doutor, eu tenho alguns negócios que são legais, distribuição de bujão de gás, por exemplo. Tudo bem que a origem do dinheiro é do narcotráfico – admitiu Fernandinho.

Na prática, aquilo era uma confissão, mas o juiz preferiu fazer tudo dentro dos procedimentos normais.

– Olha, senhor Fernando, se é isso que o senhor quer declarar à Justiça, procure seu advogado e formalize o que está me dizendo.

Beira-Mar nunca fez isso. O julgamento foi duro e houve temores em relação à segurança do juiz e de sua família, que, a essa altura, já havia crescido com a chegada de Vinicius. Ficou decidido que os Moro teriam segurança 24 horas por dia da Polícia Civil e da Polícia Federal. O casal não podia nem dirigir os próprios carros. As crianças estranharam e Rosângela criou uma explicação palatável: "É que o papai foi um bom juiz e por isso ganhou um prêmio. Agora, a gente terá motorista."

Foram seis meses difíceis, cheios de restrições e algumas situações inusitadas. Rosângela só saía acompanhada por uma agente da PF armada, cujo apelido era Kate Mahoney em referência à policial bonita e durona de um seriado dos anos 1980. Um dia, no salão de beleza, a agente virou para Rosângela e perguntou:

– Você vai ficar aqui?

– Sim, vou fazer as unhas.

– Olha, eu vou sair um pouco. Não saia daqui até eu voltar, tá bom?

– Tá bom.

A manicure, atenta ao diálogo, comentou: "Ela é ciumenta, né?"

Os Moro aprenderam a lidar com naturalidade com os momentos de estresse, sempre tentando manter a rotina de uma família comum. Sergio e Rosângela costumavam se alternar para levar os filhos ao colégio, com o encarregado da tarefa tendo que acordar uma hora mais cedo. Isso ficou mais difícil no período em que o juiz foi morar em Brasília para assessorar a ministra Rosa Weber. Mas a esposa o apoiou: "É isso que você quer? Se vai te fazer feliz, pode ir que eu seguro." Acompanhar o julgamento da ação penal 470, o mensalão, também foi fundamental para a preparação de Moro. Era como se ele viesse seguindo um roteiro que começou com o caso Banestado e a delação premiada do doleiro Alberto Youssef, passou pela tensão do julgamento do narcotraficante Fernandinho Beira-Mar, seguiu com o trabalho nos bastidores de um grande caso de corrupção no Supremo até desaguar na Lava Jato. "Eu sei que ele está no auge da carreira. Por isso o apoio em tudo", diz Rosângela.

Caseiro, Moro é um leitor voraz. Sua conta na Amazon registra a preferência por biografias, livros sobre grandes casos da Corte americana, sobre a Operação Mãos Limpas e o julgamento da máfia italiana pelo juiz Giovanni Falcone. Moro lê bastante em inglês. Fez um curso rápido de francês, mas a maior parte do esforço na nova língua foi como autodidata, dedicando-se à leitura de obras nesse idioma. Recentemente tem estudado italiano, também sozinho. Nas manhãs de domingo, um de seus passatempos prediletos é andar até a banca da vizinhança para ver revistas e jornais. Na infância, em Maringá, ele gastava toda a mesada comprando gibis na banquinha da dona Ladaíde.

A vida social se restringe a visitar amigos mais próximos. Seu único capricho é escolher bons restaurantes, principalmente de carnes. Seu prato favorito é cordeiro. Na companhia dos amigos, gosta de beber um bom vinho e fumar um charuto no fim do dia. Fora isso, leva uma vida espartana e de muito trabalho. Durante a Lava Jato, muitas vezes teve que trabalhar até dez da noite, quando, então, ligava para a esposa ir pegá-lo no prédio da Justiça Federal. Apesar do aumento da carga horária, manteve seu compromisso de dar aulas de Processo Penal na Universidade Federal do Paraná. Nas férias, a família gosta de viajar para fora do país. Em 24 de dezembro de 2015, ele descansou de quase dois anos de Lava Jato, indo para a Espanha com a mulher, os filhos, a mãe, a sogra e um casal de amigos. Até para planejar as férias ele é aplicado. Estuda antecipadamente seu destino e explica para os filhos a história do país.

Sergio Moro tenta levar uma vida comum, apesar de no gabinete dele estar o epicentro do maior terremoto jurídico-político-empresarial do Brasil. Ele vive o dilema de querer que o caso que julga seja conhecido porque sabe que a opinião pública é parte do sucesso do trabalho, mas ao mesmo tempo, por temperamento, prefere não ser o centro das atenções.

"O importante é o caso", esquiva-se sempre que perguntam sua opinião ou querem saber detalhes de sua vida pessoal. "Tudo o que tenho a dizer está nos autos do processo." O juiz não costuma dar entrevistas. Fala por meio de seus despachos e em algumas aparições públicas, como encontros e palestras. Nas decisões, Moro é detalhista, determinado e preciso nos argumentos. É rápido no andamento dos processos. E tem mão pesada quando necessário. "Ele é juiz dos bons", diz sua diretora de secretaria, que coordena a equipe de servidores da 13ª Vara Federal de Curitiba. "Dá gosto vê-lo trabalhar." Estrategista, experiente, com imenso conhecimento técnico e disposição para fazer seu trabalho, Moro conquistou também o respeito dos procuradores envolvidos na operação. Sua mesa é cheia de papéis, como a da maioria dos juízes do país, mas ele não deixa acumular poeira. Acompanha tudo e lê cada detalhe do processo, que mantém dividido e organizado em centenas de pastas em seu computador.

Sergio Moro viu na Lava Jato uma oportunidade histórica de derrotar a corrupção num campo de batalha onde outras operações fracassaram. Com ramificações espalhadas pelo país conectando poderosos, o caso que começou com a busca de um doleiro paranaense foi muito além, envolvendo um ex-diretor da Petrobras no Rio, doleiros em São Paulo e políticos em Brasília. Temendo justamente isso, no começo da operação os acusados tentaram a todo custo fugir de Sergio Moro e dos tentáculos da Lava Jato.

Mas os pedidos da defesa foram sendo negados pela Justiça Federal do Paraná e, depois, em segunda instância, pelo Tribunal Regional Federal da 4ª Região, em Porto Alegre. As derrotas confirmaram aos advogados que o melhor era sair do alcance de Moro. Eles tinham, no entanto, mais uma bala na agulha. Os nomes de dois deputados federais, André Vargas, do PT do Paraná, e Luiz Argôlo, do Solidariedade da Bahia, e o do senador Fernando Collor de Mello, então no PTB de Alagoas, tinham surgido na investigação. A defesa de Paulo Roberto Costa pediu que, por causa da presença dos parlamentares, a investigação fosse deslocada diretamente para outro foro: o Supremo Tribunal Federal. Assim, o caso chegou a Brasília pela primeira vez e a dúvida era se isso significaria tirar Sergio Moro da frente de batalha. A resposta teria que ser dada pelo Supremo. A Lava Jato ficou em suspenso.

Capítulo 2

AS DELAÇÕES ABREM O CAMINHO

19 de maio de 2014

O dia em que a Lava Jato parou

Eram oito folhas apenas. Vieram por fax. O Supremo Tribunal Federal ainda gosta de usar essa tecnologia. Assim que o papel chegou à 13ª Vara Federal de Curitiba na manhã daquela segunda-feira, os servidores se agitaram, mas logo se instalou um clima de velório. A diretora de secretaria da vara entregou a decisão ao juiz Sergio Moro apreensiva, quase tremendo. O ministro Teori Zavascki, responsável pelos processos da Lava Jato na Suprema Corte, tinha tomado uma decisão que poderia mudar completamente o rumo desta história: suspendeu todos os inquéritos e ações da operação e mandou soltar os 12 presos suspeitos de integrar o esquema criminoso. Será que a Lava Jato morreria assim?

A operação tinha pouco mais de dois meses de vida quando o ministro Teori tomou essa decisão, em um domingo, em resposta a uma reclamação da defesa de Paulo Roberto Costa. Os advogados argumentavam que o caso deveria ser remetido ao Supremo Tribunal Federal porque haviam surgido nomes de parlamentares na investigação. Os deputados federais André Vargas e Luiz Argôlo tiveram diálogos com Youssef interceptados pela Polícia Federal. No escritório do doleiro, foram encontrados comprovantes de depósito na conta bancária do senador Fernando Collor. Segundo a Constituição, cabe ao Supremo, e não à Justiça de primeira instância, investigar e julgar deputados federais e senadores.

A defesa se queixava de que o juiz Sergio Moro tinha enviado apenas um ofício comunicando ao STF o aparecimento do nome de André Vargas na investigação. E isso era pouco. "Tal providência, todavia, além de insuficiente, demonstra-se ilegal. Uma vez identificada a presença de pessoa com foro por prerrogativa de função – no caso dos autos, pessoas, no plural –, não compete ao juiz de primeiro grau decidir se o feito deve ser desmembrado ou não", escreveu o primeiro advogado de Paulo Roberto, Fernando Fernandes. Para ele, Moro deveria ter enviado todos os processos da Lava Jato para o Supremo, instância superior a quem cabe decidir o que deve ou não ser investigado na primeira instância.

Em resposta à consulta do Supremo, Sergio Moro explicou que "durante a investigação, especificamente a interceptação telemática de Alberto Youssef, foram colecionadas, em encontro fortuito de provas, mensagens trocadas com pessoa que se identificava como 'Vargas'. Somente mais recentemente, após as buscas e apreensões, a Polícia Federal concluiu que a referida pessoa seria André Vargas, deputado federal, e depreendeu do conteúdo das mensagens possível caráter criminoso". Esses indícios tinham sido separados dos autos e enviados ao Supremo. Moro disse que decidiu não remeter todos os processos ao STF porque não havia qualquer registro ou indício de envolvimento de André Vargas nos outros fatos investigados. "O deputado federal André Vargas jamais foi investigado no processo. As supostas provas em relação a ele surgiram fortuitamente apenas na interceptação dos terminais de Alberto Youssef", justificou. Mas não houve jeito.

No despacho, o ministro Teori fala em liberdade imediata: "Ante o exposto, defiro a liminar nos termos dos arts. 14, II, da Lei 8.038/1990 e 158 do RISTF, para determinar: (a) a suspensão de todos os inquéritos e ações penais relacionados pela autoridade reclamada, assim como os mandados de prisão neles expedidos, contra o reclamante inclusive, disso resultando sua imediata colocação em liberdade, se por outro motivo não estiverem presos; (b) a remessa imediata de todos os autos correspondentes a esta Suprema Corte."

O ministro concedeu a liminar porque achou que Moro tinha feito, ele mesmo, o desmembramento do processo, remetendo apenas parte ao Supremo. "De tudo se constata que a autoridade impetrada, como ela mesma o reconhece, vendo-se diante de indícios de participação de parlamentar federal nos fatos apurados, promoveu, ela própria, o desmembramento do até então processado, remetendo apenas parte dele ao Supremo Tribunal Federal." Teori Zavascki lembrou ainda que o plenário do STF já decidira, no passado, que é considerado afronta à competência da Corte ato de juiz que desmembra inquérito por conta própria.

Os advogados de defesa ficaram eufóricos. Era a primeira vitória deles. Com um largo sorriso no rosto, Paulo Roberto Costa deixou a cadeia da Polícia Federal em Curitiba na tarde daquele mesmo dia. Era o primeiro preso da Lava Jato a ganhar a liberdade por interferência direta de instância superior. A notícia correu rápido. Houve comemoração na carceragem. Os presos acreditaram que seriam os próximos a serem libertados. A defesa de Youssef chegou a dizer que esperava a soltura do doleiro na manhã seguinte.

Quando recebeu o ofício, Sergio Moro pediu para ficar só. Que ninguém o interrompesse, avisou, e se fechou no gabinete. Sozinho em sua sala, começou a escrever um ofício de resposta:

"Este juízo recebeu ao final da manhã de hoje decisão prolatada por Vossa Excelência..."

A tensão era grande na 13ª Vara da Justiça Federal. A porta fechada, a respiração suspensa. O juiz não saiu nem para almoçar. E agora?

"Em decorrência, determinei a expedição de alvará de soltura do reclamante Paulo Roberto Costa..."

A essa altura, o clima de inquietação também já se espalhara pelos corredores da Polícia Federal e do Ministério Público. O receio era que toda a investigação fosse tirada do Paraná e levada para Brasília. Enquanto o Supremo estivesse decidindo, o trabalho teria que ser interrompido. Ficaram estarrecidos. Os mais pessimistas achavam que toda a Lava Jato poderia ser anulada. "E agora? Vão anular todo o processo? Porque era uma questão de competência. Pensei que o processo ia para o STF, não tinha a menor chance", conta uma servidora do gabinete. Os advogados vinham tentando isso desde o início da operação. Longas reuniões haviam sido feitas, em São Paulo, entre os representantes da defesa para desenvolver uma estratégia de levar a investigação ao Supremo e, quem sabe, até anulá-la.

Alheio a tudo, Sergio Moro continuava trancado em seu gabinete. A câmera de segurança no canto do teto da sala do juiz só registrava seu trabalho silencioso ao computador. Logo o texto estava pronto. Moro foi muito cuidadoso no ofício. O normal é que a primeira instância não questione decisões da última instância. O que Moro fez foi pedir uma orientação ao ministro de um tribunal superior sobre a extensão de sua decisão.

Perguntar sem ser desrespeitoso, equilibrando-se entre o desejo de manter a operação no Paraná e o respeito à hierarquia do judiciário. O gesto era incomum. Alguns juízes jamais tentariam.

"Subscrevo este ofício, solicitando, respeitosamente, esclarecimentos sobre o alcance da decisão, já que não foram nominados os acusados que devem ser soltos e os processos que devem ser remetidos ao Supremo Tribunal Federal", escreveu. E citou que, entre os processos da Lava Jato, havia uma ação de tráfico de drogas e lavagem de dinheiro. "Assim, muito respeitosamente, indago a V.Ex.ª se este feito de tráfico de drogas e lavagem também deve ser remetido ao Supremo Tribunal Federal e se devem ser colocados soltos os acusados nesse feito." Moro relatou ainda risco de fuga por parte de dois presos – Alberto Youssef e Nelma Kodama – que mantinham contas milionárias já identificadas no exterior. "O objetivo é apenas esclarecer o total alcance da decisão comunicada a este juízo, a fim de evitar que os processos, a ordem pública e a aplicação da lei penal sejam expostos a risco por mera interpretação eventualmente equivocada de minha parte. Evidentemente, caso esclarecido que todos os processos devem ser remetidos e que todos devem ser soltos, a decisão será imediatamente cumprida", concluiu Moro, que mandou que o ofício fosse encaminhado ao Supremo, também por fax.

O juiz, no entanto, não sabia o que aconteceria. "É muito difícil um ministro do Supremo voltar atrás", pensava. No dia seguinte, Moro leu em um jornal que alguns advogados ironizavam o ofício dele. "Só o juiz não entendeu que a decisão afetava a todos. Até meu estagiário entendeu." Ou seja, era para soltar todo mundo. Mas esse não seria o final da história.

O ministro Teori Zavascki respondeu ao ofício. E a ousadia de Sergio Moro acabou salvando a Lava Jato. Ao estudar os argumentos do juiz federal do Paraná, Teori voltou atrás. Mudou de opinião. Decidiu manter as prisões de outros acusados, deixando solto apenas Paulo Roberto Costa. "Em face das razões e dos fatos destacados nas informações complementares, autorizo, cautelarmente, que se mantenham os atos decisórios, inclusive no que se refere aos decretos de prisão", escreveu Zavascki. Foi uma frustração para Youssef e para outros investigados. "Sem conhecer os processos, não quero tomar decisões precipitadas", afirmou Teori aos jornalistas de plantão no Supremo naquele dia, reconhecendo que, no momento, seria difícil decidir quem deveria ser solto e quem deveria permanecer preso.

Em Curitiba, o juiz, os policiais federais e os procuradores respiraram aliviados. Se todos os presos da Lava Jato fossem soltos, poderia ser o começo do fim do caminho traçado meticulosamente até ali. A decisão de suspender os processos, porém, continuava valendo. O caso seria encaminhado ao STF, que deveria dar a palavra final sobre a reclamação. A decisão de Teori era liminar. Ainda seria analisada pela Segunda Turma de ministros. Por isso, no gabinete de Moro, o sentimento inicial de alívio foi logo substituído por nova preocupação. Teori determinara que os autos fossem enviados para Brasília. Era obedecer. O juiz mandou imprimir todos os processos. Os anexos podiam ir em meio digital, mas os processos, não. Várias caixas foram encaminhadas para Brasília, e a investigação foi suspensa no Paraná. Não se podia fazer nenhum tipo de diligência ou checagem de informação. Era preciso esperar. A vitória de Moro foi importante, mas parcial. Ele tinha evitado que todos os presos fossem soltos, mas permanecia a dúvida sobre se o processo iria para o Supremo.

Naquele dia, Moro voltou para casa pedalando sua bicicleta. No caminho, foi pensando. Anos antes, os ministros do STF haviam travado uma luta interna no caso do mensalão. Parte achava que o processo deveria ser desmembrado e o então presidente Joaquim Barbosa convencera a corte a não desmembrar. Agora, a situação era colocada de outra forma. A primeira instância havia começado o processo. Não seria trivial decidir. Poderia demorar um tempo.

A defesa desenha estratégias

Com Paulo Roberto Costa solto, o interesse da imprensa pela Lava Jato começou a esfriar. Afinal, apenas doleiros estavam presos. Os advogados garantiam que o ex-diretor da Petrobras não voltaria para a cadeia. A defesa de vários clientes atuava de forma coordenada e o número de pedidos de extensão de liberdade aumentava a cada semana. Todos queriam ter a mesma sorte de Paulo Roberto. Depois de algumas semanas fora da cadeia, o ex-diretor começou a esboçar uma estratégia de defesa bem tradicional no Brasil: negar tudo e repetir que era inocente. Ninguém queria que o caso fosse adiante. Principalmente os políticos.

O primeiro movimento de Paulo Roberto depois de sair da cadeia, onde tinha ficado 59 dias, foi dar uma entrevista para a *Folha de S.Paulo*. Ele decidiu receber o repórter na casa do seu novo advogado, Nelio Machado, no Rio de Janeiro. Antes da entrevista, Nelio perguntou baixinho a Paulo Roberto se ele tinha uma conta no exterior. "Não, absolutamente", negou o cliente. Para o jornal, falou quase a mesma coisa: disse que nunca tinha feito remessas ilegais ao exterior. "Minha participação em lavagem de dinheiro e remessa para o exterior é zero", afirmou. O ex-diretor da Petrobras confirmou que conhecia Youssef, mas, quando foi perguntado por que fornecedores da estatal tinham feito depósitos para as empresas do doleiro, respondeu: "Não sei dizer."

Foi com esse mesmo discurso que Paulo Roberto Costa compareceu pela primeira vez ao Congresso para falar do escândalo. Ele iria outras vezes, sempre com uma postura e um visual diferentes do anterior. Dessa vez, entrou em cena o Paulo Roberto Costa bonzinho. De barba feita, cabelo penteado e expressão entre sincera e cansada, o depoente entrou andando devagar no plenário da CPI da Petrobras no Senado. Era uma sessão que se anunciava tranquila. E foi. Com não mais que cinco senadores da base aliada circulando pela sessão e com uma oposição pouco aguerrida, Costa não foi pressionado. Falou o que quis. Negou ter participado de qualquer esquema de lavagem de dinheiro com o doleiro Alberto Youssef e chegou a afirmar, sem pudor: "Não sei de onde inventaram essa história."

Educado com os parlamentares, ele pensava antes de falar. Disse que a compra da Refinaria de Pasadena fora um "bom negócio" e lamentou ter sido "massacrado por acusações sem fundamento". Costa armou uma farsa completa, mas também deu um recado que, naquele momento, era sincero: "Não sou homem-bomba." Ainda não. Em seu depoimento, o ex-diretor deixou claro que conhecia muitos políticos e confirmou ter feito uma viagem com a presidente Dilma para a Venezuela. Ela era chefe de uma comitiva do governo brasileiro; ele, o representante da Petrobras. Mas até aí, nada de mais.

Confiante, chegou a reclamar da apreensão da pequena fortuna – 180 mil dólares, 10 mil euros e 750 mil reais – que a Polícia Federal encontrara na casa dele. "Não sei qual o problema em ter em casa isso", queixou-se. De acordo com a versão apresentada aos parlamentares naquele dia, os reais seriam usados em pagamentos da empresa de consultoria dele, a Costa

Global. Os dólares e os euros, admitiu, não tinham sido declarados à Receita, o que para os parlamentares presentes soou como uma estratégia: confessar um crime menor, a sonegação de impostos. Meses depois ele diria ao juiz Moro que os dólares e os euros eram dele mesmo, mas os reais "eram valores não corretos".

Na saída do depoimento, o líder do PT no Senado, Humberto Costa, que meses depois também seria investigado pela Lava Jato por suspeita de ter recebido 1 milhão de reais para sua campanha em 2010, disse que o depoimento fora "satisfatório". Paulo Roberto Costa estava feliz quando a sessão terminou. Imaginava que a vida poderia melhorar a partir daquele momento. Tinha conseguido sair da cadeia e tivera um bom desempenho na CPI. Mas esse sentimento não iria durar muito.

Enquanto Paulo Roberto Costa estava no Congresso, a Segunda Turma do Supremo Tribunal Federal se reunia do outro lado da Praça dos Três Poderes para avaliar se deveria trazer todos os processos da Lava Jato para o STF, o que tornaria o andamento mais lento, ou deixá-los na Justiça Federal do Paraná. O julgamento não tinha data marcada, mas, diante de outras evidências, o MPF tinha feito um novo pedido de prisão contra Paulo Roberto, e o ministro Teori Zavascki resolveu levantar uma questão de ordem. Era preciso decidir já o destino da Lava Jato.

Mais do que a peça encenada por Paulo Roberto Costa na CPI, essa decisão capturava todas as atenções. Os advogados de defesa apostavam na transferência dos processos para Brasília. O procurador-geral da República, Rodrigo Janot, atuou fortemente no caso, detalhando os primeiros passos da investigação e defendendo que ela fosse desmembrada e a parte de quem não tivesse foro privilegiado fosse tocada em Curitiba. Por cinco votos a zero, a Segunda Turma decidiu que a atuação do juiz Sergio Moro tinha sido correta, sem qualquer desrespeito ao Supremo. Por isso, devolveu à Justiça Federal do Paraná as oito ações penais e as investigações referentes à Operação Lava Jato que estavam na Corte. E deixou para Sergio Moro a decisão sobre a prisão de Paulo Roberto. Agora, sim, a vitória estava completa: o caso voltava definitivamente para as mãos dele. O juiz suspendeu as férias que havia marcado e recomeçou a trabalhar no processo. Paulo Roberto Costa soube da notícia pela televisão e foi dormir preocupado. Com razão.

No dia seguinte, a Polícia Federal bateu de novo à porta da casa dele. Não ao amanhecer, como de costume, mas sim às quatro horas da tarde. O juiz fizera um pedido expresso para que a prisão fosse naquele mesmo dia. Havia "perigo real e imediato" de fuga. Paulo Roberto Costa tinha um passaporte português e não contara isso ao Supremo. Além disso, a força-tarefa do MPF havia recebido a informação de que o ex-diretor tinha 23 milhões de dólares na Suíça, dinheiro incompatível com seus rendimentos. O dinheiro estava em nome de empresas offshore. O advogado Nelio Machado estava na cerimônia de cremação do corpo do ex-governador do Rio de Janeiro Marcello Alencar quando recebeu a notícia da prisão de seu cliente. Saiu correndo para a Polícia Federal.

A conta do ex-diretor da Petrobras tinha sido descoberta pelo Ministério Público da Suíça. Assim que os procuradores de lá souberam que Paulo Roberto Costa estava sendo investigado aqui, entraram em contato com os brasileiros. Os dois lados trocaram informações. Eles tinham uma investigação correndo também e bloquearam o dinheiro do ex-diretor da Petrobras. Um dos procuradores da força-tarefa se lembra do dia em que a notícia chegou: "O Deltan recebeu um e-mail da Suíça. Quando ele abriu a mensagem, falou: 'Ó, parece que descobriram uma coisa do Paulo Roberto, 23 milhões dele, rapaz!!!'"

Deltan Dallagnol pediu para usar essa informação em um novo pedido de prisão. Assim, para ajudar a investigação, os suíços informaram oficialmente ao Brasil que haviam encontrado indícios de que Paulo Roberto Costa teria recebido milhões em propina, nos anos de 2011 e 2012, de empresas que participaram da construção da Refinaria Abreu e Lima, em Pernambuco. E mais: autorizaram, em caráter excepcional, que essa informação fosse usada no pedido de prisão do MPF. Assim, menos de 30 dias depois de ser solto, Paulo Roberto voltou à carceragem da Polícia Federal. Quando seu advogado chegou, ele finalmente contou a verdade. "Eu tenho uma conta", soprou baixinho no ouvido de Nelio Machado.

A situação de Paulo Roberto Costa ficara bem mais complicada. Mas dois meses se passariam antes que ele tomasse a decisão que mudaria de novo o curso desta história. Até lá haveria muita pressão nos bastidores. Eram grandes interesses em jogo. Muita gente poderosa envolvida.

Ameaças explícitas

Nessa época, Meire Poza, uma das contadoras de Youssef, sentiu isso na pele. Um emissário das construtoras insistia em conversar com ela. Meire marcou um encontro em um lugar público, a praça de alimentação de um shopping em São Paulo, e gravou a conversa com o celular.

– Doutor Edson, boa noite, tudo bom, como vai?

– Boa noite, tudo bem – responde Edson.

Depois de algumas amenidades, Meire entra logo no assunto:

– O que lhe traz aqui tão longe, doutor?

– Então, dona Meire... nós estamos preocupados com a senhora, só isso – diz o emissário.

– Comigo? Mas qual o motivo, doutor, de vocês estarem preocupados comigo?

– Não estamos entendendo o motivo que a senhora recusa nossa ajuda – diz ele, direto.

– Doutor, sinceramente também não estou entendendo o motivo de vocês insistirem tanto em me ajudar – comenta Meire rindo, meio nervosa.

– Nós estamos preocupados com a senhora, com a sua situação. Afinal, a senhora é a única mulher dentro desse processo todo. Sabemos que tem uma filha, que são somente vocês duas... por isso que a gente insiste nessa ajuda – diz Edson, sem deixar quase nada nas entrelinhas.

Sem alterar o tom de voz, o emissário identificado apenas como Edson continua a insistir, mesmo diante das negativas da contadora. Diz que Meire faz parte de um "grupo fechado" de pessoas "privilegiadas" que se ajudam. E que ela não pode sair do grupo nem recusar a ajuda.

– Tô começando a não gostar dessa conversa – diz Meire.

– É verdade, é verdade. De repente, uma palavra mal colocada pode ser perigoso, pode ser prejudicial. Dona Meire, o importante é não falar demais! – diz ele, revelando mais claramente a intenção da conversa.

– Eu tô achando que vocês estão me ameaçando – reage Meire.

– É só uma questão de alertar para cuidados que devem ser tomados. A senhora pode, sem querer, ir contra grandes empresas, políticos, construtoras. As maiores do país, a senhora entendeu? Por isso que a gente insiste nessa ajuda, pra orientar... – diz Edson.

– Não põe a mão em mim, por favor, que eu não gosto. Deixa eu te falar uma coisa...

– Desculpa.

– Tá desculpado.

Nesse ponto, Meire se levanta e se despede. Pede que ele não a procure mais. Antes de ir embora, a contadora fala uma última coisa:

– O senhor vai me fazer uma outra gentileza. Provavelmente vai estar lá com os seus clientes, com a Camargo, com a UTC, a Constran...

– Pois não, pois não – diz Edson rápido.

– Com a OAS...

– Ok.

– Manda todo mundo tomar no cu! – diz. E sai andando.

Assim como Meire, Paulo Roberto Costa também estava sujeito a todo tipo de pressão. Mas uma delas falou mais alto para ele.

Diálogo no camburão

Ele tinha que falar rápido. Os dois estavam sendo levados para uma audiência, e o carro da PF logo ia chegar ao prédio da Justiça Federal em Curitiba. Era uma oportunidade de conversar. Na caçamba apertada, a chamada gaiola, era possível ouvir a respiração do ex-todo-poderoso diretor de Abastecimento da Petrobras, Paulo Roberto Costa. Ele foi direto:

– Beto, não vai dar, vou assinar o acordo com o Ministério Público.

– Agora não, Paulo, espera mais um pouco. O meu habeas corpus ainda vai ser julgado – disse Youssef.

– Não vou esperar nem mais um minuto, Beto – falou Paulo Roberto.

– Tudo bem. Segue o seu caminho, eu vou seguir o meu – disse Youssef.

Era o dia 21 de agosto de 2014. A família pressionava Paulo Roberto. Dois dias antes, mulher, filhas e genros tinham se reunido com o advogado e anunciado que estavam em tratativas para a delação.

– Vem cá, vocês vão decidir sem ouvir o Paulo Roberto? Ele é que está preso. Vocês podem estar sofrendo, mas eu acho que é dever de vocês, no mínimo, aguardar a minha conversa com ele – disse Nelio Machado na reunião.

O advogado era contra a delação, mas foi a Curitiba conversar com o cliente. Paulo Roberto assegurou que não falaria em hipótese alguma. Nelio acreditava que o tiraria com um habeas corpus em poucos dias.

No final da conversa, Paulo Roberto lembrou que seu aniversário de casamento seria no dia 6 de setembro e convidou Nelio para tomar uma champanhe com ele para brindar a ocasião. Esperava estar em casa. "Ele me dizia: 'A única possibilidade é se você não tiver êxito nesse habeas corpus que está fazendo. Mas antes disso eu não faço em hipótese alguma, em hipótese alguma.' Eu pensei: 'Bom, vai prevalecer a vontade dele, não a da família'", conta Nelio Machado.

Mas, como o próprio Paulo Roberto diz, uma semana é muito na cadeia. Só sabe quem passa. Naquele momento, ele era um homem acuado. Estivera por sete dias em um presídio em Piraquara, na região metropolitana de Curitiba, e voltara assustado. Não aguentava mais ficar atrás das grades. A possibilidade de ser condenado e receber uma pena que poderia ultrapassar os 40 anos de prisão dados a Marcos Valério, operador do mensalão, assombrava o ex-diretor da Petrobras.

O advogado saiu e preparou, naquela mesma noite, um pedido de habeas corpus que foi apresentado ao Tribunal Regional Federal da 4ª Região às cinco da manhã do dia 22 de agosto de 2014. No entanto, uma hora depois, ao amanhecer, a Polícia Federal deflagrou a sexta fase da Operação Lava Jato. Os investigadores vasculharam 13 empresas de consultoria e assessoria ligadas à filha dele, Arianna, ao genro Humberto e a um amigo deles, Marcelo Barboza. Todas no Rio de Janeiro. O Ministério Público Federal apontou um "vertiginoso crescimento patrimonial dessas empresas" na época em que Paulo Roberto era diretor da Petrobras. Foi a gota d'água. No mesmo dia, ele se reuniu em Curitiba com uma nova advogada, Beatriz Catta Preta, especialista em delações premiadas.

Vários fatores pesaram na decisão do ex-diretor da Petrobras, mas nenhum deles foi mais forte do que a pressão familiar. Ele tinha filhas, netos e, sim, queria acompanhar o crescimento deles. Ao concluir que não tinha chance de se livrar da prisão e que suas filhas também estavam sendo investigadas, ele começou a trilhar o caminho que o levaria a revelar, em uma série de depoimentos devastadores, o que sabia do maior esquema de corrupção já descoberto na história do país. Dispensou o escritório de Nelio Machado e assinou contrato com Beatriz Catta Preta, a advogada que conduziria a delação premiada dele e de muitos outros investigados na Operação Lava Jato. Catta Preta já havia sido advogada de um colaborador acusado no processo do mensalão, o doleiro Lúcio Bolonha Funaro. Ela soltou uma nota à imprensa depois da reunião com Costa: "O acordo é um dos caminhos possíveis. Vou analisar todas as possibilidades."

Os investigadores ficaram na expectativa. Catta Preta, que vinha conversando em paralelo com a família do novo cliente, já tinha entrado em contato com eles na semana anterior. Primeiro ligou para um procurador da força-tarefa e informou que Paulo Roberto iria colaborar. Depois, avisou que ele voltara atrás, após muitas pressões. "Forças ocultas", foi a expressão que ela usou para explicar o recuo. Depois dessa última reunião com o cliente, ligou de novo: Paulo Roberto decidira, enfim, colaborar. Os procuradores ficaram animados. Sabiam que algumas diretorias da Petrobras, como a que foi chefiada por Costa, têm orçamentos que podem ser superiores aos de muitos ministérios. Também era do conhecimento dos investigadores a dimensão da corrupção em que Paulo Roberto estava envolvido. O esquema era maior do que inicialmente se pensara. Como diretor da Petrobras, ele lidou frequentemente com empreiteiros e políticos. Se Costa falasse tudo o que sabia, muito poderia ser descoberto, bem mais do que eles jamais conseguiriam imaginar no início da Operação Lava Jato.

Começaram as negociações. Paulo Roberto Costa estava em uma situação ruim, preso e acusado de vários crimes, mas tinha sido um hábil negociador por décadas. Era uma das coisas que fazia melhor na vida. Durante as longas conversas com os procuradores, ele assumia a frente, mais do que a advogada. Reclamava que estavam pedindo muito, que já tinha entregado tudo, que precisava de um patrimônio para se manter e sustentar a família.

"Ele 'chorava' bastante, apresentava argumentos, tipo: 'Ah, mas isso são meus bens, tem o meu salário de tanto tempo, vocês estão pegando demais, assim não dá, eu vou precisar sobreviver depois. Já estou devolvendo tudo, vocês estão chorando por migalhas, vocês querem 1 milhão, 2 milhões a mais aqui no Brasil quando eu estou entregando 70 milhões lá fora'", conta um dos negociadores. Ao longo do processo, os dois lados tentaram fortalecer suas posições. Foram longas horas de detalhada negociação, e no final ficou acertado que Costa falaria tudo o que sabia. No dia 27 de agosto de 2014, ele assinou o acordo de colaboração premiada com o Ministério Público Federal.

Nesse ponto, os procuradores decidiram criar uma novidade: dividir os assuntos por anexos. A ideia foi de Deltan Dallagnol. A divisão resolvia um problema: se surgissem nomes de políticos, parte dos anexos poderia ser enviada ao Supremo Tribunal Federal sem prejudicar a investigação de outras pontas da história. Um anexo poderia ser divulgado, enquanto outro não. Assim foi feita a lista. Paulo Roberto listou um a um. Chegou a 80 anexos. Ele tinha muito a revelar.

No acordo, o ex-diretor se comprometeu a devolver a propina que recebera, incluindo os milhões bloqueados no exterior, a contar todos os crimes cometidos e a apontar outros criminosos. Caso, em algum momento, seja provado que ele mentiu ou ocultou fatos, perderá todos os benefícios. Inclusive o que prevê que cumprirá pena de prisão domiciliar, com tornozeleira eletrônica. Como ele sinalizou que parlamentares estariam envolvidos – deputados e senadores, sujeitos a investigação no STF –, o procurador-geral da República, Rodrigo Janot, que tem atribuição para atuar nesses casos, teve de autorizar a negociação. Ele ratificou o acordo de colaboração, que garante penas mais brandas no futuro, e determinou que os procuradores da República e os policiais federais do caso colhessem os depoimentos de Paulo Roberto Costa. Era hora de começar a falar.

A primeira delação

Paulo Roberto Costa iniciou seus depoimentos no dia 29 de agosto de 2014, na sede da Polícia Federal no Paraná. Quem comandou o interrogatório foi a delegada Erika Marena. Ao seu lado estava o delegado Felipe Hayashi, outro que viu a Lava Jato nascer. O procurador Diogo Castor de Mattos, da força-tarefa do MPF, autor de uma tese de mestrado sobre crimes de colarinho branco, foi escolhido para acompanhar os depoimentos. Paulo Roberto Costa estava com a advogada Beatriz Catta Preta e seu colega Luiz Henrique Vieira.

O depoimento começou com as declarações de praxe, que se repetiriam em todos os futuros encontros. Paulo Roberto diz, por exemplo, que "pretende colaborar de forma efetiva e voluntária", que "firma o compromisso de dizer a verdade". Nessa parte, Costa também confirma estar ciente de que a colaboração premiada depende de resultados, como a identificação dos participantes da organização criminosa, a sua estrutura e a divisão de tarefas. Além disso, admite saber que a concessão do benefício levará em conta a "personalidade do colaborador, a gravidade e a repercussão do fato criminoso e a eficácia da colaboração". Entre os direitos que tinha, estavam o de ter seu nome e sua imagem preservados, ficar em cela separada e não ter contato visual com acusados em audiências na Justiça.

Depois disso, começaria o interrogatório de fato. Os primeiros depoimentos seriam sobre os "agentes políticos", mais especificamente o que Paulo Roberto chamou de "triângulo Políticos-Governo-Empreiteiras". No termo de acordo, Paulo Roberto havia apontado assim, rapidamente, o nome de 27 políticos "implicados em crimes": três governadores, dez senadores, 14 deputados federais. Ele avisou que poderia se lembrar de mais gente depois de consultar de novo agendas e papéis. Dizia o nome, a quantidade de vezes que essa pessoa cometera crime e quando. Seriam relatos bombásticos.

Havia muita expectativa na sala; os investigadores não desgrudavam os olhos de Paulo Roberto, atentos a todos os seus gestos. Era uma oportunidade rara de entender a engrenagem de um esquema de corrupção gigantesco. "A gente já sabia da existência desse esquema descrito pelo Paulo Roberto, mas a hora que alguém chega e confirma é impressionante. Nunca tivemos alguém com o peso que ele tinha para nos contar: 'Olha, fiz isso, aconteceu isso.' O cara era diretor da empresa, o poder que ele tinha era muito grande, talvez por isso tenha sido muito forte", diz um dos delegados.

Paulo Roberto começou a histórica sequência de depoimentos falando da vida dele. Era funcionário de carreira desde 1977 e comandara a Diretoria de Abastecimento da Petrobras de maio de 2004 a abril de 2012. Antes ocupara diversos cargos técnicos e gerenciais na companhia, sempre por mérito, fez questão de frisar, mas chegara a um ponto em que a competência não era suficiente para progredir. Para ser promovido a diretor, era necessário um apadrinhamento político, como ocorre em todas as empresas vinculadas ao governo. Paulo Roberto fez uma comparação com as Forças Armadas: um oficial, por mais gabaritado que seja, chega no máximo ao posto de coronel; para ser general, só por indicação pessoal. No caso de Paulo Roberto, o padrinho veio do Partido Progressista: José Janene. O falecido líder do PP na Câmara o convidou para ser diretor da

Petrobras. Prometeu apoio e o indicou para o cargo. Assim, ele conseguiu o que faltava para sua grande realização profissional. Costa sabia que o partido pediria algo em troca. Alegou que só não tinha ideia do que significava "entrar no esquema".

"É uma grande falácia afirmar que existe doação de campanha no Brasil. Na verdade, são verdadeiros empréstimos a serem cobrados a juros altos quando eles estiverem nos cargos. Nenhum candidato no Brasil se elege apenas com caixa oficial de doações. Os valores declarados de custos de campanha correspondem em média a um terço do efetivamente gasto. O resto vem de recursos ilícitos ou não declarados", desabafou Paulo Roberto.

Uma vez indicado pelo PP, Costa revelou que passou a ser procurado para prover o PP, o PMDB e o PT, em diferentes momentos, com dinheiro dos cofres da Petrobras. Se não atendesse aos pedidos, isso significaria sair do cargo para a entrada de outro. Ele era mais procurado pelo PP e pelo PMDB e, esporadicamente, pelo PT. Mas também já havia sofrido assédio de integrantes do PSDB pedindo dinheiro para impedir a instalação de uma CPI da Petrobras no Congresso em 2010. Todos os partidos contestavam as acusações de Paulo Roberto, mas ele descrevia tudo nos mínimos detalhes.

Segundo Paulo Roberto, o esquema também funcionava em outras diretorias, não só na dele. A Petrobras tinha sido dividida. A presidência e outras quatro diretorias (Serviços, Gás e Energia, Exploração e Produção e Financeira) ficavam a cargo do PT. A Diretoria de Abastecimento era comandada pelo PP e a Internacional, pelo PMDB. A Diretoria de Serviços, responsável pelos maiores contratos da Petrobras, era comandada por Renato Duque, indicado para o cargo pelo PT.

Não era só isso. Segundo Paulo Roberto, as poucas empresas com porte e capacidade técnica para tocar grandes obras no Brasil, o chamado "Clube das 16", haviam criado um cartel para fraudar as bilionárias licitações da Petrobras. Elas se reuniam em São Paulo ou no Rio e decidiam quem ficaria com cada uma das obras e cada contrato e qual seria o percentual desviado para o pagamento de propina. Só depois desse acordo prévio apresentavam propostas próximas do preço máximo aceitável pela Comissão de Licitação. Sem falar nos aditivos que inflavam os custos, quase sempre necessários por causa de falhas nos projetos básicos.

Paulo Roberto explicou que, sob qualquer orçamento, fosse o básico, fosse o final, o empresário que prestava esse tipo de serviço para a Petrobras previa uma margem de lucro de 10% a 20%. Sobre esse valor, a empresa colocava mais 1% a 3% no preço final (o que significava milhões de reais) e depois repassava esse dinheiro para o grupo político que dominava a diretoria. A regra era clara. Sem o superfaturamento e a propina, a empresa não era chamada para as próximas licitações e o diretor ainda criava problemas no contrato: não pagava, atrasava, não aprovava os aditivos, sufocava a empresa.

Assim se estabeleceu o canal de desvio de recursos públicos na Petrobras. Como nesse esquema todos ganhavam, a corrupção foi institucionalizada, praticada em todos os contratos e obras da petroleira. As empresas arrancavam o máximo que podiam da estatal e desse dinheiro era retirada a propina que agradava os políticos. Paulo Roberto falava. Os investigadores ouviam em silêncio. Atônitos.

Do percentual desviado – os 3% –, um terço ficava com o PP, o partido que o indicou para o cargo, e dois terços com o PT. Costa disse que, de vez em quando, tinha que repartir o dinheiro que seria destinado aos políticos do PP com o PT, o PMDB e, uma vez, com o PSDB. Ele estava falando de milhões de reais. Se não tivesse que repartir com mais ninguém de fora, o 1% do PP era dividido assim: 60% para o partido, 20% para lavar o dinheiro e 20% para Paulo Roberto Costa e Alberto Youssef. Desses 20%, a maior parte, 70%, ficava com o próprio Paulo Roberto. Youssef, responsável pela operação financeira, que incluía receber o dinheiro das empreiteiras nas contas de suas empresas de fachada, mandar parte para o exterior e entregar parte em espécie no Brasil, ficava com 30%.

E esse era apenas o primeiro depoimento de Paulo Roberto Costa, o ex--todo-poderoso diretor da Petrobras, preso e colaborador da Justiça. Os dias se sucederam. Um por um, ao longo do fim de agosto e do mês de setembro, todos os anexos foram cumpridos. Em entrevista para este livro, Paulo Roberto se lembrou desses dias e da reação dos investigadores diante de suas revelações sobre a corrupção na Petrobras. "Quando abriu a companhia, eles viram que não era só Paulo Roberto Costa. Era um mundo. Não posso dizer que me sinto orgulhoso de ter feito a delação. Fazer delação não é bom pra ninguém. Mas, se não fosse o que eu falei, a Lava Jato não estaria onde está", disse ele. Paulo Roberto se mostrou dividido em relação ao papel de delator: "Como ser humano é uma coisa ambígua. Dá alívio, mas no fundo você não se sente bem, não. Você está falando de outras pessoas. São outras famílias. Independentemente se o cara fez certo ou errado."

Nos primeiros dias, Paulo Roberto falou dos políticos. Não foram poucos os depoimentos estarrecedores. Governadores, ministros, senadores, deputados: tinha político de todo tipo de mandato, de vários partidos, principalmente PT e PMDB, mas também do PP, PSB e PSDB. Todos de alguma maneira tinham se beneficiado do esquema de corrupção na Petrobras. As maiores empreiteiras do país e seus principais líderes, os quais nominou um por um, montaram um cartel dentro da Petrobras com ajuda dos diretores da estatal. Três por cento do valor de cada contrato era desviado para os bolsos e para os partidos dos envolvidos. Isso acontecia também em outras diretorias, como a de Serviços, ocupada por Renato Duque, e a da área Internacional, dirigida por Nestor Cerveró e depois por Jorge Zelada, todos presos na Lava Jato.

Nessas diretorias, explicou Paulo Roberto, eram outros operadores, não Alberto Youssef. Fernando Antonio Falcão Soares, conhecido como Fernando Baiano, estava encarregado da lavagem e distribuição de recursos para agentes públicos relacionados ao PMDB. Para o PT, o operador era João Vaccari Neto, na época tesoureiro nacional do partido. Foi tudo bem detalhado. Estavam surgindo ali novos personagens e as primeiras pistas das futuras fases da Lava Jato.

Paulo Roberto Costa já estava prestando aqueles depoimentos havia semanas quando foi aprovada nova convocação para ele comparecer à CPI mista da Petrobras. Seria a segunda vez que iria ao Senado desde que o escândalo estourara. Na primeira, ele fora bem tratado. Dessa vez não teria a mesma sorte. Escoltado por agentes federais e seguranças do Senado, andou pelo Parlamento sem algemas. Com fome, pediu para almoçar antes do depoimento. A comida quentinha do famoso restaurante do Senado, carne ao molho de vinho e purê de batatas, trouxe lembranças de tempos melhores.

Na CPI, com a aparência diferente, agora com bigode, sentou-se ao lado de sua nova advogada, Beatriz Catta Preta, e se viu diante de um cenário adverso. Ninguém o cumprimentou, à exceção do líder do PT no Senado, o senador Humberto Costa. Logo no começo anunciou a sua intenção de permanecer calado. Enquanto a sua delação estivesse em andamento, ele não poderia falar nada, estava tudo em sigilo. A CPI virou um palanque para deputados e senadores. Durante as duas horas e quarenta minutos em que ficou na sessão, Paulo Roberto Costa foi xingado pelos parlamentares, sem piedade, de bandido, covarde, chefe da quadrilha que assaltara a Petrobras, mentiroso, enganador.

Paulo Roberto assistiu a tudo isso sem reagir. Trocava raras palavras com a advogada, bebia água, café, aguentava os insultos e, quando alguém fazia uma pergunta objetiva, respondia que iria "se reservar o direito de ficar calado". Falou isso por 17 vezes ao longo da sessão. Mesmo diante de provocações graves, Costa apenas olhava e ficava em silêncio. Foi assim, por exemplo, quando o líder do PSDB na Câmara mostrou uma foto de Paulo Roberto, em clima de festa, escrevendo algo no macacão da presidente Dilma Rousseff em uma solenidade da Petrobras. Ou quando outro deputado disse que Paulo Roberto só falaria sob tortura. Nessa hora, ele lançou um olhar revelador para sua advogada. Ele estava falando, e muito, por livre e espontânea vontade. Só não iria revelar ali, naquele dia. A verdade ficaria guardada para outra ocasião.

Paulo Roberto voltou para Curitiba e terminou a sequência de depoimentos de sua delação premiada. Concluída essa parte da colaboração, foi liberado para cumprir prisão domiciliar. Ao chegar ao Rio de Janeiro, em 1º de outubro de 2014, foi acompanhado por helicópteros de emissoras de televisão durante o trajeto até sua casa na Barra da Tijuca. "Parecia produção de Hollywood. Quando entrei e fui abraçar minhas filhas e minha mulher, havia dois helicópteros filmando, um em cima do outro, quase batendo", contou ele.

O novo acordo de Alberto Youssef

Naquela mesma época, em Curitiba, mais uma importante colaboração da Lava Jato estava surgindo. Depois de Paulo Roberto, era a vez de Alberto Youssef. A negociação dele entrou em fase decisiva depois da resolução de Paulo Roberto. O doleiro sabia que, se o ex-diretor falasse, não haveria outra saída. Assim, no final de setembro, pouco mais de um mês depois de seu comparsa, Youssef chegou a um acordo com o Ministério Público Federal. Ele também iria fazer uma delação premiada.

O advogado do doleiro, Antonio Figueiredo Basto, foi quem anunciou que seu cliente iria fazer uma "confissão total". O acordo negociado com o Ministério Público Federal era considerado muito bom pela defesa de Youssef e a melhor chance de o doleiro não passar o resto de seus dias atrás das grades. "Ele vai responder a tudo o que for perguntado. Vai colaborar com a Justiça", reafirmava Basto. A declaração pública tinha endereço certo. Naquele momento, ainda havia algum receio dentro da força-tarefa em fechar um acordo de colaboração com o doleiro. Ele já tinha feito um acordo semelhante no caso Banestado e voltara para o mundo do crime depois de solto. Por que confiar em Alberto Youssef de novo? O debate durou semanas, mas, no final, prevaleceu a tese de que era melhor aceitar. Ele tinha muito a dizer. Na última hora, no entanto, o advogado de Youssef quase fez tudo ir por água abaixo. "Não queria o acordo, tanto que tive uma discussão séria com os procuradores. Eu disse pro Beto não assinar: 'Não assina essa porra, não. Vamos pro pau'", conta Antonio Figueiredo Basto.

A reunião no Ministério Público Federal tinha começado às oito horas da manhã. Eram umas dez pessoas num ambiente de escritório abandonado. A força-tarefa estava se mudando para uma sala maior em outro prédio e os móveis já tinham sido levados. Só ficaram alguns módulos de escritório que, juntos, formavam uma mesa improvisada no meio da sala, com as cadeiras em volta. Já passava do meio-dia. Antonio Figueiredo Basto levantou a mão e protestou:

– Não vou assinar este acordo. Olha, se vocês quiserem assinar – falou, dirigindo-se aos outros três advogados –, estão liberados, mas eu acho que este acordo não está bom. Três anos de prisão é muito.

Antonio Figueiredo Basto jogava com uma de suas principais reivindicações, o tempo de prisão. Para Youssef, deu um conselho bem direto:

– Eu te recomendo não assinar.

Sabia que era muito mais difícil abandonar uma negociação no fim, quando tudo o mais já foi discutido e acertado. Quis ganhar tempo e decidiu ir almoçar com os outros advogados antes de fechar com o MPF.

– Não vamos assinar antes do almoço, vamos comer, depois a gente volta pra assinar – comunicou Basto. E saiu com os outros advogados.

Os procuradores, sentados ainda, ficaram especulando sobre o que iria acontecer.

– Esse cara vai voltar e assinar este acordo – disse um deles.

– Mas ele acabou de falar que não vai – respondeu outro.

– Ele vai voltar quietinho e vai assinar o acordo.

– Mas como?

– É a tática da barganha final da negociação.

Dito e feito. Figueiredo Basto voltou e assinou sem questionar mais nada. Um procurador olhou para o outro e sorriu em silêncio. No ato da assinatura, estava presente um assessor direto do procurador-geral da República, responsável por investigar políticos.

O acordo de colaboração premiada assinado por Alberto Youssef previa, obviamente, que o doleiro falasse a verdade e não cometesse mais crimes. Além disso, tinha várias obrigações: revelar todos os crimes cometidos, apontar os envolvidos, inclusive e especialmente os políticos, entregar provas. Youssef teria de devolver à Justiça vários bens, como imóveis, carros de luxo, dinheiro no exterior – no total, 50 milhões de reais. "Eu não vou incriminar ninguém que não esteja envolvido e também não vou encobrir ninguém. A minha delação é ética e verdadeira", garantia Youssef. O advogado do doleiro buscava o perdão judicial e a liberdade imediata de seu cliente, ou prisão domiciliar, mas o acordo fixou uma pena de no mínimo três anos, no máximo cinco, em regime fechado.

Os depoimentos de Youssef começaram nos primeiros dias de outubro, às vésperas do primeiro turno das eleições. Ao todo, foram mais de 100 horas. Eram dias seguidos, algumas vezes interrompidos por internações de Youssef num hospital de Curitiba. O doleiro tinha o coração fraco. Assim, conforme a saúde de Youssef permitia, foram detalhados 58 anexos. Cada um com uma história diferente, uma denúncia, um indício a ser seguido. Foram abertas dezenas de investigações a partir do que o doleiro revelou. Youssef trouxe também documentos para provar o que dizia, explicou como era feito o desvio, como funcionava a engrenagem do esquema de propina. Isso ele sabia muito bem.

O curioso é que, na primeira linha do primeiro depoimento do doleiro, ele cita o nome de José Janene: "A fim de esclarecer os fatos, declara que no ano de 1997 conheceu a pessoa do deputado José Janene, com quem desenvolveu um vínculo de amizade." Youssef decidiu começar pela gênese do esquema. Uma das pessoas que o criou. Aquela que o colocou no meio. Youssef relatou que, em 2002, Janene o procurou, em dificuldade. Estava em campanha e precisava de dinheiro. Youssef ajudou o amigo repassando para ele 12 milhões de dólares. Dinheiro do câmbio clandestino que ele fazia em São Paulo, em Londrina e na fronteira do Brasil com o Paraguai.

Janene ficou extremamente grato. Foi eleito deputado federal. As portas da Câmara dos Deputados se abririam para ele, e Alberto Youssef iria junto. Mas houve um problema. Youssef foi preso por causa do escândalo do Banestado e ficou fora de circulação. Quando saiu da cadeia, o mensalão tinha estourado e José Janene já era conhecido no Brasil inteiro. Mas ele ainda devia dinheiro da campanha de 2002 e Youssef foi procurá-lo. Foi quando descobriu que Janene estava operando com Paulo Roberto Costa e que havia um esquema grande na Petrobras.

Youssef entrou para a quadrilha. Começou fazendo entregas e pagamentos para Janene e passou a receber em comissão o que havia emprestado para a campanha. O dinheiro vinha dos contratos da Diretoria de Abastecimento, comandada pelo PP. As empresas pagavam e levavam as licitações. O ex-deputado controlava tudo com mão de ferro. Acompanhava a contabilidade da quadrilha pessoalmente.

O empreiteiro João Ricardo Auler, ex-presidente do Conselho de Administração da Camargo Corrêa e réu na Lava Jato, disse a Sergio Moro que Janene era muito truculento. Num certo dia de 2009, havia "invadido" a sede da empreiteira em São Paulo para exigir pagamento de propinas nas obras da Refinaria Presidente Getúlio Vargas, mais conhecida como Repar, no Paraná. Auler, que viria a ser preso em novembro de 2014, contou em juízo como os dois se conheceram.

"Eu conheci Janene nos idos de 2005, examinando um oleoduto. Ele era deputado federal. Como ele tinha interesse em projetos ligados à área de Minas e Energia, me procurou. Fiz algumas reuniões com o Janene. Discutimos esse projeto em 2005. Em 2006, ele me procurou junto com o Paulo Roberto Costa, que já era o diretor de Abastecimento da Petrobras e que eu já conhecia. Ele me apresentou o Paulo Roberto como homem dele, indicação do partido dele, o PP. Nesse dia, ele me solicitou que fossem feitas doações eleitorais. Eu disse: 'Não vejo problema. A gente analisa, dentro da lei, a gente faz ou não faz'", relatou Auler em seu depoimento.

Depois disso, Auler ficou um período sem falar com Janene. Por volta de 2008, Janene voltou a procurá-lo.

"Ele estava com o Alberto Youssef. Me apresentou Youssef como homem de confiança dele. Disse que estavam começando projetos na área de Abastecimento da Petrobras. Falou que nós seríamos obrigados a pagar uma comissão, na realidade propina mesmo, num projeto da Repar. Eu disse: 'Senhor Janene, não combinei nada com o senhor. Desconheço esse assunto. Estou afastado do dia a dia da empresa, da parte operacional, e não concordo com isso'", explicou Auler.

Mas Janene não se deu por vencido. Encerrada essa reunião, marcou outra e voltou a insistir no assunto da propina na Repar.

"A reunião foi tensa e ele me disse que, se a gente não providenciasse isso aí, a gente iria ser punido na área de Abastecimento. Ele voltou a me procurar e eu parei de atendê-lo. Quando, em certo dia de 2009, ele invadiu a empresa. A minha secretária avisou que ele estava lá. Eu disse que não iria atender esse senhor. Não tinha o que falar com ele. Foi aí que ele invadiu minha sala. Janene era um homem truculento e eu queria sair fora daquilo. Disse que não falaria mais sobre Petrobras com ele. Que passasse a falar com o Eduardo Leite [executivo da empresa que havia assumido em 2008 a área de Óleo e Gás da Camargo Corrêa]. Deixei os dois conversando na sala. Foi um momento crítico para mim", recordou Auler em seu depoimento.

Nessa época, o esquema funcionava a pleno vapor. Youssef passou a ser apresentado a empreiteiros como homem de confiança de Janene. E, quando o coração do ex-deputado começou a fraquejar, o doleiro ganhou novas responsabilidades: frequentava reuniões nas construtoras ao lado de Paulo Roberto, decidia pagamentos e transferências. Logo estava tratando diretamente com as empreiteiras. "Esses caras tinham problemas com a Petrobras todos os dias, sem exceção. E, com certeza, a empresa precisava de uma pessoa que fizesse interface com o diretor para que as coisas rodassem de maneira mais suave", recorda Youssef.

Nessas reuniões percebeu, pelos comentários, que as grandes empresas é que definiam os ganhadores das licitações da Petrobras e até mesmo o que iria sobrar para as pequenas. Quando os investigadores perguntaram a ele quem participava desse esquema, Youssef recitou a mesma lista de Paulo Roberto, relacionando as 16 maiores empreiteiras brasileiras. E deu também o nome de todos os diretores das construtoras que participavam do cartel. Esmiuçou o funcionamento do esquema de corrupção, explicou como recebia o dinheiro nas contas da MO Consultoria e Laudos Estatísticos e da GFD Investimentos e como era a estrutura criada para mandar o dinheiro para fora. Disse que usou várias empresas offshore e empresários, como Leonardo Meirelles, do laboratório Labogen.

No dia de seu segundo depoimento ao Ministério Público Federal, em 3 de outubro, Youssef pediu para fazer uma complementação na parte em que falara sobre os políticos e foi direto ao topo: disse que o ex-presidente Lula sabia, que a presidente Dilma sabia, que ex-ministros poderosos como Antonio Palocci e José Dirceu também sabiam do esquema. Um delegado da PF relembra o que aconteceu: "Ele veio já com essa história assim na lata. Quando perguntamos 'Mas, aí, como você sabe disso? Você participou de alguma coisa direta?', ele respondeu que não... O Youssef é um cara bem complicado... Tem que tomar muito cuidado..."

A declaração bombástica do doleiro não viria à tona naquele momento. A delação premiada de Alberto Youssef, além de estar protegida por segredo de justiça, ainda nem tinha sido homologada. No entanto, em alguns dias, quando três personagens-chave ficariam frente a frente numa sala da Justiça, esta história começaria a ser revelada oficialmente.

O juiz, o doleiro e o ex-diretor da Petrobras

Quarta-feira, 8 de outubro de 2014. Auge da campanha eleitoral para presidente do Brasil. O primeiro turno tinha sido três dias antes, e o país estava dividido entre os eleitores do PT e do PSDB. A presidente Dilma Rousseff, candidata à reeleição, e o senador Aécio Neves se preparavam para a batalha final da disputa pela Presidência, o segundo turno, que ocorreria em pouco mais de duas semanas. A Operação Lava Jato, deflagrada quase sete meses antes, já era assunto de manchetes de jornal e de debates políticos, mas aquele seria um dia histórico. Os dois delatores que revelaram o escândalo na Petrobras, Alberto Youssef e Paulo Roberto Costa, dariam o primeiro depoimento público sobre o esquema de corrupção que, por dez anos, vinha sangrando a maior empresa brasileira.

Durante o processo que apurava o desvio de centenas de milhões de reais nas obras da Refinaria Abreu e Lima, em Pernambuco, o juiz federal

Sergio Moro já tinha ouvido as testemunhas de acusação e de defesa. Agora era a hora dos réus. Por isso havia convocado o interrogatório que estava prestes a começar. Moro deu início aos trabalhos ouvindo Paulo Roberto.

– Senhor Paulo, o senhor está sendo acusado de um crime pelo Ministério Público Federal e, na condição de acusado, tem direito a permanecer em silêncio. O senhor não é obrigado a responder nenhuma questão. No entanto, como já foi trazido aos autos, o senhor celebrou um acordo de colaboração premiada com o Ministério Público Federal e, nessas condições, pela nossa legislação, fazendo esse acordo e se comprometendo a revelar o que sabe, o senhor abre mão do direito ao silêncio em seu depoimento – avisou Sergio Moro. – Esse acordo é celebrado entre o Ministério Público e o senhor e a sua defesa. Ele é apenas trazido ao juízo. O juízo tem a tendência de tratar esse acordo com absoluta deferência das escolhas do Ministério Público. No entanto, para receber os benefícios previstos no acordo, o senhor tem que necessariamente cumpri-lo, e o que interessa à Justiça criminal, acima de tudo, é que o senhor diga apenas a verdade.

– Correto, Excelência.

– Não interessa se essa verdade é boa para sua defesa, não interessa se essa verdade é boa para a acusação, o que interessa à Justiça criminal é a verdade. Certo?

– Correto.

Só depois desse diálogo o juiz Sergio Moro começou a fazer perguntas ao réu. Ele sabia por alto o que Paulo Roberto iria contar, mas não tinha lido os depoimentos dados por ele, que estavam sob análise do Supremo Tribunal Federal. Moro quis primeiro saber qual era a formação de Paulo Roberto, como tinha sido a sua carreira na Petrobras. Em seguida, perguntou sobre a indicação para a diretoria da estatal.

– Há uma referência na acusação que o senhor teria assumido essa posição de diretor de Abastecimento por conta de uma indicação política do ex-deputado federal José Janene. O que o senhor pode me dizer a esse respeito?

– É, está correta essa colocação. A Petrobras, desde que eu me conheço como Petrobras, as diretorias da Petrobras e a presidência da Petrobras foram sempre por indicação política – respondeu Paulo Roberto. – Eu fui indicado, realmente, pelo PP, para assumir essa diretoria de Abastecimento.

– E especificamente pelo deputado José Janene?

– Pelo partido. Ele, na época, era o líder do partido.

– O fato de o senhor ser o indicado político dessa agremiação política, a influência do deputado José Janene na sua indicação, isso era de conhecimento comum dentro da empresa? – perguntou Moro.

– Sim, sim. Da alta administração da companhia, sim.

– Inclusive dos outros diretores, do presidente da Petrobras? – continuou Sergio Moro.

– Sim. A resposta é correta.

Depois de ouvir isso, Moro perguntou sobre o cartel entre as maiores empreiteiras do país. Paulo Roberto confirmou a existência de acordo entre as construtoras, da divisão das obras e do pagamento de propina aos diretores da Petrobras. Moro quis saber quais empresas participavam do cartel; o ex-diretor respondeu com voz firme:

– Odebrecht, Camargo Corrêa, Andrade Gutierrez, Iesa, Engevix, Mendes Júnior, UTC, mas isso está tudo na declaração que eu dei, talvez tenha mais aí.

Paulo Roberto só falava com quem mandava nas empresas:

– O meu contato, Excelência, sempre foi a nível de presidente e diretor das empresas, eu não tinha contato com pessoal, vamos dizer, de operação, de execução.

Moro perguntou se esses diretores tinham conhecimento da remuneração, e ele disse que sim.

Esses primeiros depoimentos revelaram a existência de um grande sistema de corrupção que ligava as maiores empreiteiras do país, políticos da base governista e funcionários das estatais. A partir daí, as investigações da Lava Jato se desdobrariam em torno dessas empresas e de seus donos e executivos.

Paulo Roberto também contou ao juiz que todas as empresas pagavam suborno em troca dos contratos. O dinheiro ia para o PT, o PMDB e o PP. O ex-diretor explicou como o sobrepreço nas obras era calculado e como o dinheiro dos projetos era dividido entre os políticos, os operadores e ele. Disse que nunca uma empreiteira tinha deixado de pagar e justificou:

– São as mesmas que participam de várias outras obras a nível de Brasil, quer em ferrovias, rodovias, aeroportos, portos, usinas hidrelétricas, obras de saneamento, Minha Casa, Minha Vida. Se você cria problema de um lado, pode-se criar um problema do outro.

Tudo interligado: obras, contratos, pagamentos a políticos e funcionários. Moro perguntou por que Costa continuou a receber propina mesmo depois de ter deixado a Petrobras, em abril de 2012. Ele respondeu que tinham ficado pendências de "serviços" feitos na época em que era diretor e que foram pagas após sua saída.

No início do depoimento, o juiz havia explicado claramente a Paulo Roberto Costa que ele não poderia mencionar o nome de políticos envolvidos no esquema porque esse assunto é de competência do Supremo Tribunal Federal. Por isso, ao falar sobre eles, o ex-diretor foi cuidadoso e comentou apenas que tinha reuniões periódicas com um "grupo político". Em outro momento, informou que uma agenda apreendida em sua casa tinha valores e registros referentes a "agentes políticos de vários partidos que foram beneficiados, relativo à eleição de 2010".

Quando acabou seu interrogatório, o juiz Sergio Moro permitiu que os vários advogados dos envolvidos que estavam na sala fizessem perguntas ao depoente.

Os advogados tinham preparado uma armadilha para Moro. Começaram a fazer perguntas para forçar Paulo Roberto a falar os nomes dos políticos. Moro estava atento. A advogada de um dos acusados perguntou diretamente quem eram os políticos envolvidos.

– Não, doutora, aí entra aquela questão que nós acabamos de conversar – disse o juiz.

A defensora insistiu e Moro foi mais firme:

– Sim, eu acabei de mencionar que essa competência é do Supremo.

Ela tentou mais uma vez. Ele de novo impediu. A advogada voltou ao tema e Moro foi categórico:

– Doutora, está indeferida essa pergunta. Eu tenho que explicar de novo?

Depois o advogado de Youssef, Antonio Figueiredo Basto, tentou o mesmo truque e perguntou se o esquema tinha financiado, inclusive em 2010, campanhas majoritárias. Experiente e respeitado em Curitiba, Basto conhece bem Sergio Moro, pois já havia atuado em vários casos conduzidos por ele. Moro também indeferiu a pergunta do advogado e Basto reclamou que seu cliente estava sendo prejudicado.

– Seu cliente é um político ou o senhor Alberto Youssef? – perguntou Sergio Moro.

Era assim que Moro tinha que trabalhar – e continua sendo até hoje. Atento a cada movimento, a cada artimanha, tirando o máximo de informação dentro do estrito limite traçado para a sua jurisdição. Se ele deixasse o interrogado mencionar nomes de políticos, isso depois poderia ser usado pelos advogados para pedir a impugnação do processo.

Depois de Paulo Roberto, foi a vez de Alberto Youssef prestar depoimento. Sergio Moro ia iniciar o interrogatório quando o advogado do doleiro o interrompeu.

– Qual é a questão então, doutor, para nós podermos começar? – quis saber Moro.

– Eu gostaria de explicar que nós não temos um acordo homologado e que houve um pedido do Ministério Público Federal para que essa colaboração começasse hoje. Então a questão é, Excelência, que esse depoimento já faça parte da colaboração que ele está hoje tratando com o procurador-geral da República e com o Supremo. Se tiver essa garantia, ele vai falar. Caso contrário, ele não pode depor – afirmou Figueiredo Basto.

Os procuradores concordaram e o juiz garantiu: aquele depoimento contaria como parte da colaboração de Alberto Youssef. O doleiro poderia começar a falar. O juiz se dirigiu a Youssef:

– O senhor vai renunciar ao direito ao silêncio para essa colaboração com a Justiça?

– Eu vou colaborar – respondeu o doleiro.

O juiz perguntou sobre a participação do doleiro no esquema e o que ele podia revelar.

– Bom, em primeiro lugar, eu quero deixar claro pra Vossa Excelência e pro Ministério Público que eu não sou o mentor nem o chefe desse esquema. Eu sou apenas uma engrenagem desse assunto que ocorria na Petrobras. Tinha gente muito mais elevada acima disso, inclusive acima de Paulo Roberto Costa; no caso, agentes públicos. Esse assunto ocorria nas obras da Petrobras, e eu era um dos operadores – começou Youssef.

– O senhor pode me esclarecer como é que funcionava esse desvio de valores da Petrobras ou de contratos celebrados por essas empreiteiras com a Petrobras? Como era que isso funcionava?

– Bom, o conhecimento que eu tenho é que toda empresa que tinha uma obra na Petrobras, todas elas, tinham que pagar 1% pra área de Abastecimento e 1% pra área de Serviços.

– E esses valores eram destinados à distribuição para agentes públicos?

– Sim, pra agentes públicos e também pra Paulo Roberto Costa, que era diretor de Abastecimento.

– Mas para a área de Serviços também?

– Também, mas não era eu que operava a área de Serviços. Tinha uma outra pessoa que operava a área de Serviços, que, se não me engano, era o senhor João Vaccari. Isso era pra outro partido.

Assim, aos poucos, Alberto Youssef foi detalhando o que sabia sobre o maior esquema de corrupção já descoberto no Brasil. Confirmou todas as informações dadas por Paulo Roberto e acrescentou outras. Perguntado pelo próprio advogado, Youssef disse que participou de reuniões com a presença de "agentes políticos", empresas e Paulo Roberto, e lembrou que eram feitas atas.

– Mas, desculpe, era feita uma ata formal disso? – surpreendeu-se Moro.

– Era feita uma ata escrita.

– Mas constavam esses detalhamentos?

– Constavam os detalhamentos, Vossa Excelência.

Youssef disse que poderia entregar as atas, mas que naquele momento elas estavam nas mãos de "interposta pessoa".

Como os depoimentos eram públicos, a história ganhou as manchetes dos principais jornais do país. As revelações de Paulo Roberto Costa e Alberto Youssef tiveram efeito imediato na campanha eleitoral à Presidência da República. O candidato tucano Aécio Neves cobrou o aprofundamento das investigações: "Agora estamos vendo que a corrupção se institucionalizou no seio da nossa maior empresa. É preciso que essas investigações avancem."

Dilma Rousseff disse que sempre combatera a corrupção e estranhou a divulgação dos depoimentos em plena campanha eleitoral: "Fomos surpreendidos, o país todo foi surpreendido, com gravações de depoimentos à Justiça de dois indivíduos presos pela Polícia Federal. Acho muito estranho e muito estarrecedor que no meio de uma campanha eleitoral façam esse tipo de divulgação. Agora, que não se use isso de forma leviana em períodos eleitorais."

O juiz Sergio Moro respondeu no mesmo dia. Soltou a primeira nota oficial sobre a Lava Jato. Ela foi assinada pelo diretor do foro da Seção

Judiciária do Paraná, o juiz federal Nivaldo Brunoni, como uma forma de dizer que a Justiça Federal do Paraná endossava o trabalho de Moro. A nota lembrava que as ações não estavam sob segredo de justiça:

"Os interrogatórios foram realizados em audiência pública, acessível a qualquer pessoa. Além disso, as declarações foram imediatamente inseridas no processo que tramita eletronicamente, cujos atos estão disponíveis na internet. Permanecem sob sigilo os termos da delação premiada, que não se confundem com as declarações prestadas ou a serem ainda prestadas na ação penal, que é pública. O compromisso da Justiça Federal do Paraná é exclusivamente em relação à celeridade e à efetividade do processo."

O sistema de processo eletrônico, o e-proc, usado pela Justiça Federal do Paraná, ficaria famoso ao longo da Operação Lava Jato como um dos principais instrumentos de transparência e efetividade do processo. Como muitos dos procedimentos eram públicos, as informações partiam dali direto para a avaliação da opinião pública. Além disso, era uma forma de intimar sem demora testemunhas e investigados.

Tensão pré-eleitoral

Dois dias antes do segundo turno da eleição presidencial o clima esquentaria ainda mais com a reportagem de capa da revista *Veja* que reproduzia as declarações sigilosas dadas por Youssef ao MPF afirmando que Dilma e Lula sabiam de tudo. O episódio aqueceu uma discussão que já vinha sendo travada na internet havia meses e elevou ao máximo o nível de tensão entre candidatos e eleitores. Manifestantes fizeram um protesto em frente à sede da Editora Abril, que publica a revista. Picharam a calçada, as paredes, a placa com o nome da editora com frases como "*Veja* mente". Rasgaram exemplares da revista e espalharam os pedaços na entrada da editora, misturados a papel higiênico e sacos de lixo.

A campanha de Aécio Neves entrou com uma notícia-crime no Ministério Público Federal pedindo a investigação de Dilma e Lula. Em seu último programa eleitoral, Dilma criticou fortemente a matéria: "Não posso me calar frente a esse ato de terrorismo eleitoral articulado pela revista *Veja* e seus parceiros ocultos. Uma atitude que envergonha a imprensa e agride a nossa tradição democrática. Sem apresentar nenhuma prova concreta e mais uma vez baseando-se em supostas declarações de pessoas do submundo do crime, a revista tenta envolver diretamente a mim e ao presidente Lula nos episódios da Petrobras, que estão sob investigação da Justiça." Mostrando pesquisas que a colocavam em primeiro lugar na corrida presidencial, disse que aquela era "uma tentativa de intervir de forma desonesta no resultado das eleições". O PT anunciou que iria processar a revista e pedir indenização.

No dia da eleição, um susto. Alberto Youssef foi internado às pressas no Hospital Santa Cruz, em Curitiba. Tinha sofrido uma forte queda de pressão. "A pressão dele quase encostou... Lembro que a gente atendeu ele aqui na carceragem. Se não é socorrido, tinha morrido mesmo", conta um agente. Youssef estava deitado na parte de cima do beliche da cela. "Quando desci, minha perna amoleceu, aí eu caí desmaiado. Estava preso com três traficantes. Eles me reanimaram", lembra. A Polícia Federal chamou o Samu (Serviço de Atendimento Móvel de Urgência). O primeiro exame no coração mostrou uma alteração importante, e ele foi levado às pressas para o hospital numa ambulância seguida por carros da polícia. Nos corredores da emergência, a passagem do doleiro na maca, combalido, gerou um boato que sacudiu a nação: Alberto Youssef teria morrido envenenado.

O chefe do Núcleo de Operações da PF no Paraná, o agente Newton Ishii, começou a receber ligações sem parar. "Era toda hora alguém me ligando. 'Newton, o cara morreu?' Eu respondia: 'Não.' Falei para o Youssef, que estava deitado do lado: 'Quando é que vai ser o seu velório?' E ele: 'O quê?'", conta o policial. A falsa notícia correu pela internet como um rastilho de pólvora. Mesmo horas depois, os investigadores continuavam ligando para o quarto do hospital onde Youssef estava internado. "Ele está bem mesmo?", perguntava o delegado Igor Romário de Paula à equipe que acompanhava o doleiro. Os médicos garantiam que ele não iria morrer. Mas, por via das dúvidas, a escolta foi reforçada. Policiais militares ficaram na rua, vigiando as entradas do hospital. Agentes disfarçados circulavam pelos corredores da ala onde estava Youssef. Era dia de eleição, todo cuidado era pouco. O ministro da Justiça, José Eduardo Cardozo, precisou ir a público para garantir que a "morte" de Youssef era só um boato.

Naquela noite, Youssef, devidamente medicado e monitorado, acompanhou a apuração das urnas pela televisão, deitado na cama do hospital.

Aquela seria a eleição mais apertada da história. Quando o resultado foi anunciado, confirmando a reeleição de Dilma Rousseff, o doleiro desabafou: "Puta merda, tô fodido. Tô fodido. Falei para o Paulo Roberto esperar. Agora eles vão vir atrás da gente."

Mas não havia mais como desistir. Assim, ao longo de meses de depoimento, Youssef foi contando tudo o que podia sobre os políticos, as empreiteiras e o esquema. Foi ele, por exemplo, quem apresentou mais um importante personagem dessa trama: Júlio Camargo. O consultor que havia trabalhado para a empresa Toyo Setal funcionava como um operador na Petrobras e tinha uma forte ligação com o ex-ministro José Dirceu, até emprestava jatinho para que ele viajasse pelo Brasil sem passar por constrangimentos no salão de embarque dos voos de carreira. Tinha gente que xingava Dirceu em locais públicos. Além de ser amigo de poderosos, Júlio também conhecia Fernando Baiano, o operador do PMDB no esquema, fechava negócios com ele e até lavava dinheiro.

No depoimento de 13 de outubro, Youssef revelou pela primeira vez o nome do deputado federal Eduardo Cunha, do PMDB do Rio de Janeiro. Disse que o deputado recebera propinas de Fernando Baiano no fechamento de um contrato de aluguel de navios-sonda da Samsung.

Num ponto, no entanto, deixou a desejar. No acordo, o doleiro também teria que apontar onde o dinheiro estava escondido e ajudar a recuperá-lo. Mas teria que ser algo novo, um dinheiro que ainda não tivesse sido descoberto por nenhum órgão de controle. Não se descobriu nenhuma conta secreta de Youssef ou de parentes no exterior. Até a viúva de Janene foi consultada sobre uma conta conjunta dos dois no exterior, em vão. Mesmo assim, a delação seguiu para análise do Supremo. O acordo foi homologado em dezembro de 2014.

Depois de tantos meses preso, Youssef só pensava em uma coisa: sair da cadeia. Achava que tinha esse direito, afinal, entregara todo o esquema. As várias internações por problemas cardíacos eram mais um argumento. O doleiro chegou a pedir para passar alguns meses em casa, em prisão domiciliar, para poder se tratar. Seu advogado alegava que a colaboração de seu cliente tinha sido fundamental. "Foi ele quem mais ajudou a Lava Jato, sem ele não teria a dimensão que ganhou. Ele merece", repetia Antonio Figueiredo Basto para quem quisesse ouvir. Para reforçar os argumentos, a defesa mandou exames médicos para o Ministério Público. O MPF foi contra e o juiz negou.

Os procuradores sabiam que o acordo de colaboração premiada tinha evitado que o doleiro pegasse uma pena que poderia chegar a centenas de anos de prisão. Youssef seguiu preso para o bem das investigações.

Abriu a porteira

A notícia de que Paulo Roberto Costa e Alberto Youssef tinham feito acordos de colaboração premiada iniciou uma reação em cadeia. Logo surgiram outros dois delatores. Júlio Camargo e Augusto Ribeiro de Mendonça Neto, que tinham ligação com o grupo Toyo Setal, ofereciam mais informações e provas para sustentar as investigações. Depois deles, Pedro Barusco, ex-gerente executivo da Petrobras, que ficava abaixo de Renato Duque na hierarquia da diretoria de Serviços da estatal, escancararia o esquema e colocaria na mesa, de uma vez, quase 100 milhões de dólares que tinha na Suíça, fruto dos desvios na Petrobras. Foram dias de muita negociação e estratégia. Os investigadores comentavam que cada um dos colaboradores tinha um papel na investigação. "Alguns são tijolos e outros são cimento. Os dois são importantes", diz Eduardo Mauat, um dos primeiros delegados a trabalhar na Lava Jato.

Esses acordos de colaboração foram fechados pelos investigados e pelos procuradores da força-tarefa da Lava Jato. Depois seriam submetidos ao juiz Sergio Moro. Exímios negociadores, os procuradores eram especialistas em delação premiada. Alguns deles ajudaram a criar essa possibilidade de colaboração. A delação, apesar de prevista em lei desde 1990, só foi regulamentada em 2013 pela nova lei do crime organizado. Era um novo instrumento de combate ao crime que estava dando muitos resultados. Os procuradores pediam, além de informações e provas, que os investigados se comprometessem a fazer uma coisa poucas vezes vista no país: devolver o dinheiro roubado. E conseguiram. Mas não foi fácil.

No dia em que a advogada Beatriz Catta Preta ligou novamente e disse que tinha mais dois clientes, Júlio e Augusto, interessados em fazer um acordo de colaboração premiada, quatro procuradores voaram para São Paulo. Na primeira reunião, no entanto, eles estavam receosos, não contaram tudo. Esconderam o jogo. O problema é que algumas das histórias os procuradores já sabiam. E Deltan Dallagnol foi duro com os dois: "Se vocês fizeram a gente vir até aqui para contar a história pela metade, podem voltar e pensar melhor no que querem fazer. Deste jeito, não queremos acordo." Júlio Camargo ficou vermelho. A reunião terminou.

Na semana seguinte, os investigados voltaram e contaram muito mais do que os procuradores sabiam. Nos depoimentos, Júlio e Augusto confirmaram que, para assinar um contrato com a Petrobras, era preciso pagar propina em cada projeto. Mais do que isso. Foram entregando provas que levaram a apuração em direção às grandes empresas. Elas estariam agindo em cartel para fraudar as licitações da estatal.

Os acordos com os termos da colaboração premiada dos dois foram assinados no dia 22 de outubro. Augusto Mendonça foi o primeiro a falar, no dia 29. Mendonça, no seu depoimento, revelou algo fundamental para entender a lógica dessa fase da corrupção política. Disse que fez ao PT doações oficiais, mas com dinheiro cuja origem era propina dos contratos com a Petrobras.

Em um longo depoimento, Mendonça detalhou logo de cara como agia esse "clube" de empresas na Petrobras. As grandes empreiteiras se reuniam e decidiam quem iria ficar com cada obra. Os encontros, periódicos, ficaram registrados em tabelas e planilhas com nomes sugestivos como "bingo fluminense", quando se falava, por exemplo, de obras do Comperj, o Complexo Petroquímico do Rio de Janeiro. Mendonça entregou um documento descrito por ele como "As regras do clube", que teria sido elaborado e entregue por Ricardo Pessoa, da UTC, em uma reunião de reorganização do clube, em 2011. Nele, está escrito que o "campeonato esportivo (...) vem a ser uma competição anual com a participação de 16 equipes, estruturadas sob uma liga, que se enfrentarão entre si e com terceiros, cabendo ao vencedor uma premiação a cada rodada". O objetivo final era "a preparação das equipes para competições nacionais e internacionais, objetivando sempre a obtenção de recordes e melhoria dos prêmios". As regras detalhavam a quantidade de equipes que deveriam participar e o que fazer em caso de rodadas anuladas ou perdidas. A certa altura, expressavam até uma preocupação em planejar "competições para categorias inferiores".

Era isso que os investigadores queriam saber. Paulo Roberto e Youssef haviam falado do cartel, mas eles não iam às reuniões dos empreiteiros. Eles tinham que conseguir alguém que contasse o que acontecia dentro do cartel. Era o que Augusto Mendonça estava fazendo. Além disso, para o MPF, o fato de a primeira empresa a aceitar o acordo ser uma das menores do esquema foi bom. Se fosse uma construtora poderosa, eles poderiam não conseguir negociar um bom acordo. Teriam que ceder muito porque não sabiam de tudo ainda. Para os investigados também era uma boa saída.

Paralelamente à colaboração, a Toyo fez um acordo de leniência com o Conselho Administrativo de Defesa Econômica (Cade) em fevereiro de 2015, denunciando 23 empresas como participantes do cartel da Petrobras. Com isso, abriu as portas para ter multas reduzidas no Cade, que poderiam chegar a 20% do faturamento da empresa caso não houvesse o acordo de leniência.

Augusto descreveu como eram feitos os repasses a Renato Duque, ex--diretor de Serviços da Petrobras, apontado como operador do PT no esquema. Disse que era Duque quem fazia o contato com as empreiteiras. Acusou o ex-diretor de receber mais de 60 milhões de reais em propinas e afirmou que parte dos repasses para o PT era feita também por meio de doações oficiais de campanha. Por força do acordo, Augusto Mendonça ainda pagou multa de 10 milhões de reais, mas conseguiu evitar sua prisão.

Enquanto Augusto ainda prestava a série de depoimentos dele, Júlio Camargo começou a falar. Os dois foram ouvidos na sede da Procuradoria da República em São Paulo. Júlio é dono de três empresas – Treviso Empreendimentos, Piemonte e Auguri – que fizeram repasses para empresas de fachada de Youssef e para a Jamp Engenheiros, do operador Milton Pascowitch. Milton ocuparia as manchetes meses depois por ser ligado ao ex-ministro José Dirceu. As relações entre os dois foram um dos fatores que levaram o ex-ministro à prisão.

Júlio prestava serviços para a Toyo Setal, mas os investigadores tinham a informação de que ele também era uma espécie de operador do esquema, já que por suas empresas passavam recursos para partidos e políticos. Na campanha de 2010, ele foi um dos maiores doadores entre as pessoas físicas. Doou um total de 1,12 milhão de reais para dez candidatos ao Senado, à Câmara e às Assembleias de São Paulo e Mato Grosso do Sul.

Na delação premiada, iniciada em 31 de outubro, Júlio Camargo confirmou que as empreiteiras com contratos com a Petrobras agiam como um clube: combinavam preços e faziam partilhas de obras e projetos da estatal. Admitiu ter pago cerca de 30 milhões de dólares ao lobista Fernando Soares, o Fernando Baiano, apontado como operador do PMDB na Diretoria Internacional da Petrobras. Relatou ter contas na Suíça, em Nova York e no

Uruguai, por onde movimentou pelo menos 74 milhões de dólares entre 2005 e 2012. Também indicou os contratos que serviram para movimentar o dinheiro de caixa 2 do PT, PMDB e PP. No entanto, negou ter dado propina para políticos, declaração que ele teria que refazer depois e que acabou abalando o Congresso, por envolver o presidente da Câmara, Eduardo Cunha.

Júlio Camargo aceitou pagar multa de 40 milhões de reais e, assim como Augusto, conseguiu evitar a prisão. Depois de concluída a sua delação, foi autorizado a responder ao processo em liberdade e não teve bens bloqueados. Manteve, por exemplo, o Haras Old Friends, fundado em 1994 em Bagé, Rio Grande do Sul. O haras era fruto de uma paixão antiga por animais que vinha de família. O pai fora um biólogo famoso e Júlio já tinha sido diretor e presidente do Jockey Club de São Paulo. Ele era um dos principais criadores de cavalos de competição do país.

Tempos depois de Júlio e Augusto, viria outra bomba na Lava Jato: Pedro Barusco. Depois de Paulo Roberto Costa, do doleiro Alberto Youssef e dos primeiros executivos, o ex-gerente da Diretoria de Serviços da Petrobras decidiu se apresentar espontaneamente, antes de uma possível prisão. Também representado por Beatriz Catta Preta, fechou um acordo de delação em 19 de novembro de 2014 e começou a prestar depoimentos no dia seguinte. A rapidez da colaboração de Pedro Barusco não é regra em procedimentos de delação. O acordo do doleiro Alberto Youssef, por exemplo, só saiu depois de meses de negociação entre a defesa dele e o MPF. Ocupando o cargo logo abaixo do de Duque, Barusco tinha uma visão privilegiada da roubalheira. Ele próprio se fartara nela.

Em sua delação premiada, Barusco disse que era ele quem tocava na prática a Diretoria de Serviços. Duque gostava mais de jantares e dos contatos sociais. Cheio de dinheiro no exterior, Barusco também aproveitava a vida, tomando vinhos caros, fumando charutos, andando em iates e frequentando o famoso Gávea Golf & Country Club, fundado por ingleses no Rio de Janeiro em 1920. Naquele momento, porém, sofrendo de um grave câncer ósseo, resolveu falar. Em troca de não ser preso, colaborou. Deu longos e demolidores depoimentos aos procuradores. Por isso, a sua colaboração é considerada até hoje uma das melhores da Lava Jato. A naturalidade com que ele falava sobre valores pagos em propina deixou os delegados estarrecidos. Felipe Hayashi descreveu o primeiro depoimento de Barusco como inimaginável, surreal:

"No início a gente até passa mal, é difícil acreditar que aquilo realmente aconteceu." Barusco concordou em devolver cerca de 100 milhões de dólares aos cofres públicos e entregou operadores, empreiteiros e profissionais do alto escalão da Petrobras. Ele não tinha gasto quase nada da fortuna que gerenciava. Viu que estava prestes a ser processado e que o dinheiro não iria salvá-lo. Além disso, Augusto Mendonça havia citado seu nome em depoimentos e depois telefonou para lhe contar. Barusco se sentiu pressionado. Viu que não teria como escapar. Ele tinha muito dinheiro. Logo chegariam a ele.

Na primeira parte da delação, o ex-gerente revelou aos procuradores como se dava o esquema na estatal a partir da Diretoria de Serviços. Ao revelar desvios na Petrobras, Barusco falou sobre Duque, admitiu ter recebido cerca de 50 milhões de reais em propina ao longo dos anos, estimou que o PT teria recebido, só por meio dos contratos que ele gerenciava, algo entre 150 e 200 milhões de dólares. Falou ainda de João Vaccari Neto, o ex-tesoureiro do PT que atuava também como operador do esquema e que ele apelidou de Moch, por andar sempre com uma providencial mochila nas costas para carregar dinheiro.

Metódico, o ex-gerente registrava em um arquivo pessoal datas e valores de propinas, além da relação de beneficiários e os cargos que ocupavam na Petrobras. E gostava de usar apelidos. Neste cadastro particular do delator, Renato Duque era identificado como MW, uma referência à música "My Way", imortalizada na voz de Frank Sinatra. Barusco se autodenominava Sabrina, por causa de uma antiga namorada. Entregadores de dinheiro eram chamados de Tigrão, Melancia e Eucalipto. Os investigadores ficaram impressionados com o grau de organização e disciplina de Barusco e dizem que o documento é "uma joia" das provas sobre o esquema. Até por isso suas revelações foram consideradas tanto ou mais impactantes que os relatos de Paulo Roberto e Alberto Youssef. Ele passou aos procuradores todos os números de contas bancárias e nomes de beneficiários de comissões. Afirmou que dividiu com Renato Duque propinas em "mais de 70 contratos" da Petrobras entre 2005 e 2010. O ex-gerente destruiu algumas provas com medo de ser preso, mas refez toda a contabilidade dos repasses de propinas, apontando os negócios em que correu dinheiro por fora. Tinha tudo na memória.

O ex-braço direito de Renato Duque controlava o pagamento de propina para o chefe também. Duque não tinha muito jeito para isso. Às vezes,

Barusco recebia por Duque e depois repassava o dinheiro para ele no exterior. Sempre no exterior. Ele e Duque preferiam assim. Com um detalhe: Duque queria dinheiro vivo a cada duas semanas; eram pacotes de 50 mil reais que Barusco providenciava e entregava em mãos. Por isso Barusco guardava em casa uma bolada em dinheiro vivo. Quando a Lava Jato estourou, ele acionou um dos operadores do esquema, Bernardo Freiburghaus, que morava na Suíça, e mandou todo o dinheiro que tinha em casa para fora do país.

Em sua delação, Barusco também contou o que sabia sobre as relações da Petrobras com a SBM Offshore, empresa holandesa que constrói e opera plataformas de exploração de petróleo em águas profundas. Na Holanda, o caso da SBM Offshore foi um grande escândalo. Pressionada pelas autoridades, a empresa já havia admitido crimes de corrupção e fechado um acordo de 240 milhões de dólares com o Ministério Público local. Tudo para se livrar de acusações sobre pagamentos de propina que teria feito na Guiné Equatorial, em Angola e no Brasil entre 2007 e 2011. Apesar das denúncias de um ex-funcionário da SBM e do acordo da empresa com o MP da Holanda, a Petrobras informou na época que havia investigado e não tinha encontrado indícios de recebimento de propina por seus dirigentes.

O representante comercial da SBM no Brasil era Julio Faerman. Os investigadores acreditavam que ele seria o repassador de propinas para ex-funcionários da Petrobras. Faerman teria recebido, no período de 2005 a 2011, mais de 123 milhões de dólares em comissões da empresa holandesa e repassado parte a funcionários da Petrobras em troca de contratos de aluguel de plataformas flutuantes. Julio, que conhecia Barusco há anos e frequentava a casa dele com sua família, acabou não resistindo à delação do amigo. E seguiu o exemplo de Pedro Barusco: fez acordo de delação premiada também. O acordo acabou homologado em junho de 2015. Em seus depoimentos, Faerman contou com detalhes como foi o pagamento de propinas para obter os contratos para a SBM. Até o início de 2016, a empresa ainda negociava um acordo de leniência com a Controladoria-Geral da União.

Por fim, Barusco contou que o esquema chegou também à Sete Brasil, empresa meio estatal, meio privada, criada para construir as importantes sondas e plataformas que iriam explorar as riquezas do pré-sal. Em 2011, ele deixou a Petrobras para se tornar diretor da Sete Brasil. A empresa nasceu com encomendas de 22 bilhões de dólares junto à Petrobras. O objetivo era criar uma grande indústria naval brasileira. Mas havia nela também o vírus da corrupção, e o sonho encalhou na Lava Jato.

Quanto a Barusco, já que o acordo lhe garantira o benefício de não ser preso, seguiu sua vida tranquilo. Apesar de estar doente e de não mais frequentar o Gávea Golf & Country Club, podia pelo menos ir à praia. Em julho de 2015, depois de se recusar a depor em uma CPI sobre o escândalo, alegando piora em seu estado de saúde, o ex-gerente da Petrobras foi fotografado aproveitando o domingo de sol e tomando cerveja em uma praia de Angra dos Reis. Para ele, sem dúvida, falar foi a melhor saída.

A essa altura, embora muitos empresários e investigados já tivessem perdido o sono com as primeiras delações premiadas, só a ponta do iceberg do esquema bilionário de corrupção na Petrobras tinha vindo à tona. O cerco se fechava e começaram a surgir informações de que o juiz Sergio Moro estaria sofrendo pressões para não mandar para a cadeia grandes empresários e políticos. Ao mesmo tempo, investigadores da Polícia Federal começaram a desconfiar que estavam sendo espionados.

Na véspera da deflagração da sétima fase, uma reportagem revelou o que os policiais viram como uma tentativa de intimidação, mas que abalou a equipe da PF. O jornal *O Estado de S. Paulo* publicou que os delegados da Lava Jato tinham feito comentários no Facebook, durante o período eleitoral, com severas críticas à presidente reeleita Dilma e ao ex-presidente Lula. O erro dos policiais de se manifestar politicamente deu espaço para um dos primeiros ataques à Lava Jato. A intenção era levantar dúvidas sobre a imparcialidade da equipe de investigadores. O diretor-geral da PF, Leandro Daiello, soube antes que a matéria seria publicada e ligou para avisar os delegados, que resolveram abrir uma sindicância interna para apurar o caso. Era mais um sinal de que poderia haver gente dentro da PF trabalhando contra a Lava Jato. O episódio poderia ter enfraquecido a operação. Mas acabou superado porque uma coisa muito mais importante aconteceria. O juiz Sergio Moro tinha expedido novos mandados de prisão. No dia seguinte mais uma etapa teria início. Uma das mais fundamentais.

Capítulo 3

A HORA DO JUÍZO FINAL

14 de novembro de 2014

Que país é esse?

A madrugada chegava ao fim quando, de vários pontos do Brasil, equipes da Polícia Federal saíram para cumprir mandados da sétima fase da Operação Lava Jato, batizada com o sugestivo nome de Juízo Final. O clima era de correria na PF. Às 6h20 da manhã, em São Paulo, repórteres da *Folha de S.Paulo* viram uma dúzia de policiais federais e agentes da Receita Federal chegar ao edifício da Camargo Corrêa na avenida Faria Lima. Cinco carros da PF entraram na garagem, três agentes ficaram na porta controlando a entrada da sede da construtora. Os policiais sairiam, horas depois, carregados de malotes e documentos. A tradicional empreiteira liderava o consórcio responsável pela construção da Refinaria Abreu e Lima, em Pernambuco, naquele momento a obra mais cara em andamento no país: 24 bilhões de reais. Era o começo de um dia que espantaria o país.

Ao amanhecer, a Polícia Federal também bateu à porta do ex-diretor de Serviços da Petrobras, Renato Duque, num prédio de luxo na Barra da Tijuca, Zona Oeste do Rio de Janeiro, onde ele tinha três apartamentos. Duque ligou imediatamente para seu advogado, Renato de Moraes, procurando ajuda. Quase no final da busca, telefonou de novo para ele.

– Pelo que entendi, eles estão terminando – disse Duque.

– É busca e apreensão só? – perguntou o advogado.

– Busca e apreensão – confirmou Duque.

– Só? – insistiu o advogado. – Não tem mandado de condução coercitiva?

– Não, não tem – disse Duque, meio inseguro.

– Nem prisão? – continuou o advogado.

– Quer falar com ele? – perguntou Duque, se referindo ao delegado que conduzia os trabalhos.

– Claro, posso falar – disse o advogado.

– Quer falar com ele? – perguntou Duque ao delegado. – Peraí que... – Duque ficou fora da linha pouco mais de dez segundos e voltou com a notícia.

– Tem mandado de prisão temporária.

– A ordem é de Curitiba? – quis saber o advogado.

– É.

– Tá.

– Como é que eu faço? Aguardo aqui? – perguntou Duque.

– Não. Qual é o procedimento que eles vão fazer? – quis saber o advogado.

Duque pediu mais informações ao delegado, que lhe respondeu que, primeiro, eles iam para a Superintendência da PF na Praça Mauá, no Rio de Janeiro. Ao saber disso, o advogado passou uma primeira instrução para seu cliente:

– Você não vai falar nada e a gente vai atacar isso aí – orientou, e foi logo explicando o que é prisão temporária.

– Eu tenho que levar roupa, como é que é isso? – perguntou Duque interrompendo.

– Leva medicação, roupa... Tem que saber se você vai ficar no Rio de Janeiro ou...

– Então... – Duque se virou e consultou o delegado mais uma vez. – Ele está dizendo que eu vou pro Paraná, cara. Que que é isso, cara? Que país é esse? – disse Duque ao advogado.

– Fica calmo, não adianta você discutir, eles estão cumprindo ordens – tranquilizou o advogado, que mais tarde encontraria seu cliente na sede da Polícia Federal no Rio.

Duque foi preso, entre outras coisas, pela acusação, feita por dois executivos ligados à empresa Toyo Setal, de que havia recebido propina na Suíça, por meio de uma empresa offshore cujo nome era Drenos. Segundo a PF, a situação dele era parecida com a de Paulo Roberto Costa. Ao sair da Petrobras, o ex-diretor abriu uma empresa e celebrou contratos de consultoria com as empreiteiras que prestam serviços para a estatal. Assim, embolsava o resto da propina que ainda tinha a receber. Para a defesa de

Renato Duque, a prisão dele era "injustificada e desnecessária". Em nota, o advogado Alexandre Lopes a classificou de constrangimento ilegal e disse que em ações como essa a regra é responder em liberdade.

Funcionário de carreira da Petrobras, Duque foi admitido por concurso em 1978, um ano depois de Paulo Roberto Costa. Em 2003 foi alçado ao cargo de diretor de Serviços. Nos corredores dizia-se que sua ascensão tinha motivações políticas. Discreto, solícito, Duque era o indicado do todo-poderoso José Dirceu, então ministro da Casa Civil do presidente Lula, de acordo com as investigações da Lava Jato. Comandou a Diretoria de Serviços por nove anos, de 2003 a 2012. Sabia muito do esquema.

Logo os telejornais da manhã davam a notícia bombástica: a Polícia Federal estava na rua prendendo mais um ex-diretor da Petrobras e vários donos e diretores de algumas das maiores empreiteiras do país. Trezentos policiais federais e cinquenta agentes da Receita Federal foram mobilizados em cinco estados – São Paulo, Paraná, Rio de Janeiro, Pernambuco e Minas Gerais – e no Distrito Federal para cumprir 85 mandados judiciais. Eram 49 mandados de busca e apreensão e 25 prisões, sendo 19 temporárias e seis preventivas. Entre os detidos estavam alguns dos homens mais ricos do país. O dia para eles havia começado da pior maneira possível: com a polícia fazendo buscas em suas casas e os levando para a cadeia. A Justiça ainda determinou um bloqueio de até 20 milhões de reais nas contas de 16 investigados e de três empresas. Vinte executivos de oito grandes empreiteiras do país, responsáveis por centenas de milhares de empregos, foram presos. As suspeitas: corrupção, lavagem de dinheiro, formação de quadrilha, cartel e fraude a licitações.

Novas informações chegavam a todo momento: Marice Corrêa de Lima, cunhada do tesoureiro do PT, João Vaccari Neto, também fora levada para depor. E Fernando Baiano, apontado como operador do PMDB na Petrobras, continuava sendo procurado pela PF.

De seu gabinete, o juiz Sergio Moro acompanhava cada passo da operação. Era informado por delegados e procuradores do andamento das buscas e do cumprimento das prisões. Ele tinha analisado cada prova, cada indício, cada testemunho. Tinha pedido a alguns servidores da equipe para adiar cursos e viagens, não sair da cidade. Precisava muito deles agora. Essa era uma fase decisiva. Novos e importantes personagens tinham aparecido na investigação. O nome de Baiano, por exemplo, tinha vindo a público no depoimento que Paulo Roberto Costa dera em outubro, cerca de um mês antes da sétima fase.

– Que outros partidos, além do PP, tinham esquema na diretoria da Petrobras? – o juiz perguntou a Paulo Roberto.

A resposta foi clara:

– Dentro do PT, a ligação que o diretor da área de Serviços tinha era com o tesoureiro na época do PT, senhor João Vaccari. A ligação era diretamente com ele. Do PMDB, da Diretoria Internacional, o nome que fazia essa articulação toda chama-se Fernando Soares...

– Conhecido também como Fernando Baiano? – quis confirmar Sergio Moro.

– Perfeito – respondeu Paulo Roberto.

Baiano não foi encontrado no dia da operação. Tinha sumido. Os delegados da Polícia Federal suspeitaram de vazamento. Alguns investigados deram a eles a impressão de que já estavam esperando essa fase acontecer. Vários deles tinham viajado para o exterior, principalmente em agosto, quando surgiram as primeiras notícias de que Paulo Roberto Costa havia confessado. Outros zeraram as contas bancárias. Muitos dormiam em hotéis, cada dia num lugar diferente, e foram encontrados fora de casa no dia da operação. O presidente da Queiroz Galvão, Ildefonso Colares Filho, por exemplo, foi preso no Rio de Janeiro. A suspeita da PF era de que ele tinha dormido no Hotel Fasano, de frente para a praia de Ipanema, cuja diária chega a mais de 2 mil reais. O presidente da OAS, José Aldemário Pinheiro Filho, o Léo Pinheiro, também não estava em casa, tinha viajado de jatinho para Salvador. Foi pego no aeroporto. O delegado Márcio Anselmo informou à diretora de secretaria da 13ª Vara Federal que iria mandar um pedido urgente. De casa, ela entrou em contato com Sergio Moro, que autorizou na hora uma busca no avião também.

Na noite anterior, um advogado mandou uma mensagem para um cliente avisando: "Gerson, há boatos de que amanhã haverá uma operação da Polícia Federal no caso da Lava Jato." Gerson Almada, que era vice-presidente da Engevix, foi preso na manhã seguinte. Em alguns pontos de busca, não encontraram ninguém. Em outros havia até fotógrafos. Mas o caso que mais chamou a atenção ocorreu na sede da OAS. Quando a equipe de 16 investigadores chegou à portaria, às seis e meia da manhã, três advogados já estavam de plantão e se apresentaram como representantes da empresa. Os policiais perguntaram o que eles estavam fazendo lá àquela hora. Eles responderam que tinham o costume de chegar cedo. Nessa hora, um fotógrafo da *Folha de S.Paulo* começou a tirar fotos. O delegado Felipe Hayashi deu ordem para que ele saísse imediatamente dali e perguntou aos advogados se o conheciam. Eles disseram que não, mas o delegado desconfiou de toda a cena. A suspeita era de que a operação poderia ter sido monitorada. O juiz Sergio Moro também foi informado disso.

Na 13ª Vara Federal de Curitiba, a equipe tinha chegado bem cedo naquele dia, como sempre fazia quando havia grandes operações. Os telefones já estavam tocando sem parar. Eram os advogados querendo acesso aos motivos das prisões e das buscas sobre seus clientes, o que eles só conseguiram depois do meio-dia.

No fim da manhã, o presidente da UTC Engenharia, Ricardo Pessoa, se entregou. A PF continuava fazendo buscas na empresa dele e em outras construtoras. Considerado o coordenador do clube das empreiteiras, Pessoa tinha uma relação especial com o doleiro Alberto Youssef. Os dois eram sócios em um hotel na Bahia e muito próximos. O empresário até visitou o prédio onde funcionava o escritório do doleiro em São Paulo. Eles também se falavam com frequência por mensagens de texto. Entre setembro e dezembro de 2013, a polícia contabilizou 35 mensagens trocadas. Os investigadores interceptaram uma de ano-novo, enviada no dia 31 de dezembro de 2013, em que Youssef diz: "Bjo no seu coração, do seu primo." Ricardo Pessoa responde: "Amigo primo. Queria lhe agradecer pela parceria e lealdade. Grande abraço. Ricardo." Além de Pessoa, outros funcionários da UTC, também presos na sétima fase, frequentavam o escritório do doleiro. O diretor Walmir Pinheiro Santana e o funcionário Ednaldo Alves da Silva, por exemplo, foram fotografados na portaria do prédio, conforme material recolhido pela Polícia Federal. Só Ednaldo tinha ido dezenas de vezes ao endereço onde funcionava o escritório de Alberto Youssef entre fevereiro de 2011 e dezembro de 2013.

"Todos somos iguais"

Problemas à parte, a equipe que montou a operação estava satisfeita com os resultados. O trabalho tinha avançado muito rápido. Os delegados estavam motivados, viam a chance de ter um resultado efetivo, de forte carga simbólica para o país. Não era a primeira vez que empreiteiros iam presos no Brasil, mas nunca tantos executivos foram levados juntos para a cadeia numa operação policial – principalmente se considerarmos o tamanho das empresas, a importância delas e a renda pessoal dos detidos. Para informar a imprensa sobre a nova fase da Lava Jato, foi marcada uma entrevista coletiva para 10h40, um pouco mais tarde que o habitual por causa do tamanho da operação. Na hora combinada, no auditório da PF do Paraná, entraram delegados, procuradores do Ministério Público Federal e auditores da Receita Federal.

O procurador escolhido para se sentar à mesa junto com os delegados foi Carlos Fernando dos Santos Lima, investigador experiente, um dos coordenadores dos trabalhos. Todos os outros procuradores ficaram na terceira fileira de cadeiras para avaliar as perguntas e respostas. O vice-diretor da PF no Paraná, José Washington, abriu a coletiva e passou a palavra ao delegado Igor Romário de Paula, que começou fazendo um rápido balanço de quantas ordens de prisão ainda não tinham sido cumpridas. E deu um aviso: os que não haviam sido encontrados já estavam na lista de procurados e impedidos de deixar o país.

A PF tinha feito buscas e apreensões em oito grandes empreiteiras e prendido executivos de sete delas. Mas por que as prisões só tinham acontecido em sete empresas se a investigação envolvia um suposto cartel formado por 16 construtoras? Naquele momento, as empresas OAS, Camargo Corrêa, UTC, Mendes Júnior, Queiroz Galvão, Iesa e Engevix tinham quase 60 bilhões de reais em contratos com a Petrobras. De acordo com o delegado, "contra essas foram colhidos elementos robustos de envolvimento com formação de cartel e desvio de recursos para corrupção de agentes públicos". Ele ressaltou que a operação não tinha sido embasada somente nas delações premiadas de Alberto Youssef e Paulo Roberto Costa. Havia outras provas.

Gerson Schaan, chefe da investigação da Lava Jato na Receita Federal, explicou que as construtoras fechavam contratos com empresas de fachada que simulavam a prestação de serviços de consultoria. Elas emitiam notas frias e recebiam depósitos milionários. Esse era um dos principais caminhos para o pagamento da propina: as famosas consultorias. Eram definidas por nomes genéricos nos contratos encontrados pela polícia nos escritórios vasculhados, tudo para disfarçar o real objetivo das transações.

O valor do serviço era fixado sem critérios palpáveis, prestação de contas ou demonstração de resultados. Era uma questão de entendimento entre as partes. Assim foram pagos milhões de reais em propina, ainda não era possível saber ao certo o valor.

"A sonegação, nós estimamos, é em torno de 1 bilhão de reais", disse Gerson Schaan. Até aquela data já haviam sido identificados depósitos de mais de 500 milhões de reais, feitos entre 2009 e 2013, das construtoras para empresas de fachada que serviam ao esquema. "Esse número vai crescer", avisou Schaan. O coordenador-geral de Pesquisa e Inteligência da Receita Federal sabia do que estava falando. "Essa é uma das investigações mais complexas de que já participei."

Quando tomou a palavra, o procurador Carlos Fernando deu uma declaração emblemática, a mais forte da entrevista, cuidadosamente pensada para a ocasião, véspera do aniversário da Proclamação da República: "Hoje é um dia republicano. O Ministério Público está aqui, neste momento, junto com a Polícia Federal e com a Receita, dizendo que não há rosto nem bolso na República. Todos somos iguais. E todos que cometem algum tipo de ilícito devem responder igualmente."

Era quase meio-dia em Curitiba. A PF continuava nas ruas em vários pontos do Brasil. Tinha gente sendo procurada. Buscas em andamento. Em São Paulo, os executivos das empreiteiras tinham sido levados para o aeroporto. No caminho, motoqueiros gritaram "ladrão" em direção à van da PF que levava os presos, sem nem saber quem estava lá dentro. Os policiais estavam acostumados com a brincadeira. Os empreiteiros, não. Mesmo assim, eles demonstraram relativa tranquilidade no caminho. Parecia que não acreditavam que ficariam muito tempo naquela situação. Achavam que estariam logo em liberdade.

O primeiro choque foi quando se preparavam para entrar no avião. Um por um, os presos tiveram que entrar em uma sala e passar por uma revista mais severa, para assegurar que não levariam nada proibido para dentro da aeronave. O procedimento, que inclui tirar toda a roupa e agachar, assustou quem estava acostumado a simplesmente passar pelo detector de metais antes do embarque. Naquele momento,14 presos esperavam o avião da PF decolar de São Paulo. Próxima escala, Rio de Janeiro. Lá, sob escolta policial, o ex-diretor de Serviços da Petrobras Renato Duque e mais três presos, um deles Ildefonso Colares Filho, presidente da Queiroz Galvão, se juntariam ao grupo cujo destino era a Superintendência da Polícia Federal no Paraná.

Em Curitiba, a preocupação da PF era cumprir as ordens de prisão dos que ainda não tinham sido localizados. Sérgio Mendes, vice-presidente da Mendes Júnior, não estava em sua casa em Brasília. O comando da operação tinha acionado a PF em Belo Horizonte, pois o empresário tinha fazendas em Minas Gerais. Mas suas propriedades eram tão grandes que a polícia levaria dias para checá-las. Ele poderia ficar escondido muito tempo, ou mesmo fugir. Tinha todos os meios: aviões, dinheiro no exterior, funcionários leais de uma vida inteira. No entanto, ele preferiu enfrentar seu destino, qualquer que fosse dali para a frente. Seu advogado ligou para o delegado Márcio Anselmo no meio da tarde.

– Doutor, meu cliente não está em Brasília e quero saber qual o procedimento. Ele decidiu se entregar – anunciou o advogado Marcelo Leonardo, que defendeu Marcos Valério no escândalo do mensalão.

– Que bom – respondeu o delegado. – Mas o avião da PF já saiu de São Paulo em direção ao Rio. De lá, vem para Curitiba.

– Não, eu levo ele até Curitiba se o senhor me assegurar que ele não vai ser preso no caminho. Meu cliente se entrega hoje ainda – garantiu o advogado.

No aeroporto de Belo Horizonte, Sérgio Mendes embarcou em um jatinho da empresa e orientou o piloto a traçar uma rota até Curitiba. Era melhor assim. Seria constrangedor para um herdeiro da família Mendes Júnior fugir. Recostado na confortável poltrona de sua aeronave, Sérgio ocupou-se conversando com o advogado Marcelo Leonardo sobre o caso. Em certo momento, fechou os olhos e pensou no que o esperava. Quando se entregou à Polícia Federal no final do dia, já estava escuro na capital paranaense.

Remédio amargo contra a corrupção

Depois de um longo dia de trabalho, o juiz Sergio Moro se preparava para voltar para casa. Seguindo sua filosofia de que o juiz tem de falar nos autos, ele se permitiu uma reflexão sobre o país e aquele momento da Lava Jato no último parágrafo da decisão em que mandava prender os empreiteiros:

"A assim denominada Operação Lava Jato, fruto de um competente trabalho de investigação e de persecução da Polícia Federal e do Ministério

Público Federal, tem recebido grande atenção da sociedade civil, inclusive com intensa exposição na mídia. A magnitude dos fatos tem motivado inclusive manifestações das mais altas autoridades do país a seu respeito. Chamaram a atenção deste Juízo recentes declarações sobre ela da Exma. Sra. Presidente da República, Dilma Rousseff, e do Exmo. Sr. Senador da República Aécio Neves. Apesar de adversários políticos na recente eleição presidencial, ambos, em consenso, afirmaram, na interpretação deste julgador, a necessidade do prosseguimento do processo e a importância dele para o quadro institucional. Reclamou o Exmo. Sr. Senador, em pronunciamento na Câmara Alta, pelo 'aprofundamento das investigações e exemplares punições àqueles que protagonizaram o maior escândalo de corrupção da história deste país'. Quanto à Exma. Sra. Presidente, declarou, em entrevista a jornal, que as investigações da Operação Lava Jato criaram uma 'oportunidade' para coibir a impunidade no país. Evidentemente, cabe ao Judiciário aplicar as leis de forma imparcial e independentemente de apelos políticos em qualquer sentido. Entretanto, os apelos provenientes de duas das mais altas autoridades políticas do país e que se encontram em campos políticos opostos confirmam a necessidade de uma resposta institucional imediata para coibir a continuidade do ciclo delitivo descoberto pelas investigações, tornando inevitável o remédio amargo, ou seja, a prisão cautelar."

Naquele momento, Sergio Moro também levantou o sigilo das investigações. E o fez alegando o interesse público: "Entendo que, considerando a natureza e magnitude dos crimes aqui investigados, o interesse público e a previsão constitucional de publicidade dos processos impedem a imposição da continuidade de sigilo sobre autos. O levantamento propiciará assim não só o exercício da ampla defesa pelos investigados, mas também o saudável escrutínio público sobre a atuação da Administração Pública e da própria Justiça Criminal."

Em sua decisão, o juiz explicou que os executivos fizeram pagamentos milionários a empresas de fachada controladas pelo doleiro Alberto Youssef. Essas empresas não prestaram qualquer serviço, e havia fortes indícios de pagamento de propina. Só o Consórcio Nacional Camargo Corrêa (CNCC), que tocava as obras da Refinaria Abreu e Lima, em Pernambuco, depositou 113 milhões de reais nas contas da Sanko Sider entre 2009 e 2013. No mesmo período, a Sanko repassou 29 milhões de reais para contas controladas por Youssef, a maior parte da MO Consultoria. E, segundo Moro, existiam ainda mais provas:

"Mais recentemente, um dirigente de empresa do cartel e outro operador dessas transações escusas fizeram acordos de colaboração premiada com o MPF. Augusto Ribeiro de Mendonça Neto, da empresa Toyo Setal Empreendimentos, e Júlio Gerin de Almeida Camargo confirmaram a existência do cartel, da fraude às licitações da Petrobras, da lavagem de dinheiro através das contas de Alberto Youssef e de outros operadores, e o pagamento de propinas a agentes públicos, entre eles Paulo Roberto Costa. Conforme depoimentos, eles narraram todo o esquema de cartelização, lavagem e pagamento de vantagens indevidas a agentes públicos, confirmando não só a participação de Youssef e Paulo Roberto Costa, mas das demais empreiteiras e ainda o envolvimento de Renato Duque, diretor de Serviços da Petrobras, e Fernando Soares, vulgo Fernando Baiano, outro operador encarregado de lavagem e distribuição de valores a agentes públicos."

O juiz chamou também a atenção para o fato de que Júlio e Augusto não apenas narram os fatos. Eles indicam contas bancárias, datam as transações, especificam locais de encontros, descrevem os meios utilizados, os telefones de contato e indicam demais documentos, alguns fictícios, empregados para "acobertar os crimes perpetrados". Em outras palavras, "materializam, provam, demonstram todos os fatos descritos em seus depoimentos, confessando, inclusive, as suas respectivas participações", diz Moro em seu despacho de 52 páginas que sustentou a prisão dos executivos das empreiteiras. Os dois mostraram o caminho das pedras da corrupção na Petrobras. "Com efeito, os depoimentos transcritos são bastante detalhados, revelando pagamentos de propinas em diversas obras da Petrobras, como na Repav, Cabiúnas, Comperj, Repar, Gasoduto Urucu-Manaus, Refinaria Paulínea, a Renato Duque e ainda ao gerente da Petrobras de nome Pedro Barusco, com detalhes quanto ao modus operandi e às contas no exterior creditadas", diz Moro, para completar em seguida: "Júlio Camargo ainda relata, em detalhes, episódio de pagamento de propinas por intermédio de Fernando Soares à Diretoria Internacional da Petrobras na aquisição de sondas de perfuração pela Petrobras, inclusive revelando a forma de pagamento e a utilização por Fernando Soares, para recebimento de saldo de oito milhões de dólares em propina, das contas das empresas Techinis Engenharia e Consultoria S/C Ltda. e Hawk Eyes Administração de Bens Ltda."

Nessa época, os advogados já atacavam as delações premiadas por causa do novo horizonte que deram para a investigação. Sergio Moro defendeu a colaboração dos investigados num despacho e negou qualquer tipo de coação por parte das autoridades:

"Essas testemunhas são igualmente criminosas. O criminoso não é coagido ilegalmente a colaborar. A colaboração sempre é voluntária, ainda que não espontânea. Nunca houve qualquer coação ilegal contra quem quer que seja da parte deste Juízo, do Ministério Público ou da Polícia Federal na Operação Lava Jato. As prisões cautelares foram requeridas e decretadas porque presentes os seus pressupostos e fundamentos, boa prova dos crimes e principalmente riscos de reiteração delitiva, dados os indícios de atividade criminal grave reiterada e habitual. Jamais se prendeu qualquer pessoa buscando confissão e colaboração. Certamente, a colaboração não decorre, em regra, de arrependimento sincero, mas sim da expectativa da obtenção pelo criminoso de redução da sanção criminal. Se o processo, a perspectiva de condenação e mesmo as prisões cautelares são legais, é impossível cogitar de qualquer 'coação ilegal' da parte da Polícia Federal, do Ministério Público Federal ou da Justiça Federal. Quem vem criticando a colaboração premiada é, aparentemente, favorável à regra do silêncio, a *omertà* das organizações criminosas, isso sim reprovável."

A palavra *omertà* não foi usada por acaso por Sergio Moro. Ela tem origem italiana e quer dizer conspiração, mas, no sul da Itália, onde a Máfia é mais forte, é entendida também como voto de silêncio entre mafiosos, um consenso entre criminosos para nunca colaborar com as autoridades. Em seu texto, o juiz também cita a Operação Mãos Limpas, fonte de inspiração na condução da Lava Jato:

"Piercamillo Davigo, um dos membros da equipe milanesa da famosa Operação Mani Pulite (Mãos Limpas), disse, com muita propriedade: 'A corrupção envolve quem paga e quem recebe. Se eles se calarem, não vamos descobrir jamais.' É certo que a colaboração premiada não se faz sem regras e cautelas, sendo uma das principais a de que a palavra do criminoso colaborador deve ser sempre confirmada por provas independentes e, ademais, caso descoberto que faltou com a verdade, perde os benefícios do acordo. No caso presente, agregue-se que, como condição do acordo, o MPF exigiu o pagamento pelos criminosos colaboradores de valores milionários, na casa de dezenas de milhões de reais. Muitas das declarações prestadas por Alberto Youssef, por Paulo Roberto Costa e pelos outros colaboradores ainda precisam ser profundamente checadas, a fim de verificar se encontram ou não prova de corroboração."

Sobre a culpa das empreiteiras, especificamente, o juiz disse existirem provas substanciais:

"Entretanto, no que se refere às empreiteiras e seus dirigentes, já há prova significativa. Oportuno lembrar inicialmente que há depoimentos, não só dos criminosos colaboradores, mas de outros acusados, sem qualquer acordo de colaboração, confirmando a utilização da MO Consultoria, Empreiteira Rigidez, RCI Software e GFD Investimentos por Alberto Youssef para propósitos criminosos. Há, também, depoimento de testemunhas no mesmo sentido. Todas elas uníssonas em afirmar que as empresas não prestaram de fato qualquer serviço técnico às empreiteiras, nem teriam condições para tanto. A prova mais relevante, porém, é a documental. Os depósitos milionários efetuados pelas empreiteiras nas contas controladas por Alberto Youssef constituem prova documental, preexistente às colaborações premiadas, e não estão sujeitos a qualquer manipulação."

Os depósitos, segundo a investigação, foram realizados no mesmo período em que as empreiteiras mantiveram contratos milionários com a Petrobras:

"Os contratos celebrados entre as empreiteiras e as empresas utilizadas por Alberto Youssef ou as notas fiscais emitidas fazem expressa referência a obras da Petrobras. Não se vislumbra, com facilidade, causa econômica lícita possível para os depósitos milionários realizados pelas empreiteiras nas contas controladas por Youssef. Afinal, repita-se, três das empresas, MO Consultoria, Empreiteira Rigidez e RCI Software, são inexistentes de fato, não prestaram qualquer serviço técnico e foram utilizadas apenas para impressão de contratos e notas fiscais fraudulentas. A quarta, GFD Investimentos, embora existente, trata-se de empresa destinada à proteção do patrimônio de Alberto Youssef, não tendo igualmente prestado qualquer serviço técnico às empreiteiras."

Moro lembra ainda que deu oportunidade às construtoras para se defenderem, mas elas não aproveitaram a chance. "Se há causa econômica lícita, falharam as empreiteiras em esclarecê-las e justificá-las. Com efeito, foram instaurados diversos inquéritos conexos, um para cada empreiteira. Neles, a pedido da autoridade policial, foi concedida, por este Juízo, mediante intimação, às empreiteiras a oportunidade de esclarecer os fatos, justificar a licitude das transações e apresentar a documentação pertinente. Os resultados foram até o momento desalentadores", escreveu o juiz da Lava Jato. "Agregue-se ainda que, como adiantado, foi oportunizado, a pedido da autoridade policial, às empreiteiras, em inquéritos específicos instaurados perante este Juízo, esclarecer os fatos, ou seja, os depósitos efetuados nas contas controladas por Alberto Youssef. Para surpresa deste Juízo, parte das empreiteiras omitiu-se, mas o que é mais grave, parte delas simplesmente apresentou os contratos e notas fraudulentas nos inquéritos, conduta esta que caracteriza, em tese, novos crimes de uso de documento falso", concluiu o magistrado. Os executivos acabaram sendo indiciados também por esse crime, o de apresentar documento falso à Justiça.

Sergio Moro deixou o gabinete dele na Justiça Federal e foi para casa, mas continuou recebendo mensagens sobre o andamento da operação. Tinha que descansar, pois o dia seguinte também seria longo, mas a PF ainda estava trabalhando.

A cadeia muda o homem

O último grupo de presos da sétima fase da Lava Jato só chegou à capital paranaense às cinco e meia da manhã, depois de esperar horas pelo conserto do Embraer 145 da PF, que sofreu uma pane no Rio de Janeiro. Os presos estavam exaustos depois da longa jornada que começara quando os policiais bateram à porta da casa deles na madrugada anterior. Foram detidos, tiveram a casa vasculhada, apareceram nos telejornais e ainda enfrentaram um voo cansativo e tenso. Sentados nas poltronas próximas das janelas, viajaram algemados e com um policial federal ao lado.

Enquanto o avião voava para Curitiba, o chefe do Núcleo de Operações da PF no Paraná, Newton Ishii, mobilizou uma equipe e foi correndo para o aeroporto. Mas, quando chegou lá, a pista estava fechada para reforma. Foi preciso insistir para conseguir abrir a pista e receber os presos no aeroporto deserto e escuro.

Quando chegaram à Polícia Federal, já de manhã, os empresários foram acomodados numa sala de espera no térreo do prédio, onde normalmente o público aguarda a emissão de passaporte. Enquanto policiais anotavam os dados da carteira de identidade dos presos, eles tiveram as malas revistadas. Antes de entrar na carceragem, cada um ganhou um kit com escova de dentes, pasta, sabonete e uma camiseta, além dos remédios que seus advogados tinham trazido. A PF permitiu que ficassem com as próprias roupas, mas tiveram que entregar joias, cintos e cadarços de sapatos – é praxe recolher os dois últimos itens como prevenção. Tudo foi lacrado e guardado.

Para entrar na carceragem da PF em Curitiba, o preso primeiro tem que passar por uma porta, com tranca e segredo eletrônico, que dá acesso a uma pequena sala de espera e um corredor que termina em um portão com grades bem grossas do chão ao teto. Do outro lado, há duas alas, com três celas cada. Com a chegada dos presos da sétima fase, a carceragem ficou lotada e oito acusados de tráfico de drogas tiveram de ser levados às pressas, durante a noite, para uma penitenciária do estado. Em uma das alas, já estava o doleiro Alberto Youssef. Os delatados ficaram na outra ala, para evitar constrangimentos. Os recém-chegados foram divididos em grupos de quatro e, assim, ultrapassaram as grades de ferro das celas de 12 metros quadrados. Quem sobrou teve de dormir em colchonetes no corredor da carceragem. Nove presos ficaram nessa situação.

Cada cela tinha um beliche e uma mesa de concreto. Uma visão desoladora para quem estava acostumado com o melhor que o dinheiro pode comprar. Não havia nem cama para todos. Os mais velhos dormiriam no beliche; os outros se espalhariam por colchonetes no chão. Do conforto extremo a uma cela fria com paredes pintadas de branco, uma pia bem pequena e um vaso sanitário de alumínio, sem muita privacidade além de uma pequena mureta. Comidas e materiais de limpeza trazidos pelas visitas ficavam num balcão perto do chão. Em todas as celas, havia varais improvisados, onde as roupas penduradas demoravam a secar por causa da umidade. No fundo da ala, outro portão com grade levava a um espaço onde os presos podiam circular em horários limitados. Por um instante houve silêncio entre os presos.

Naquele dia, o único conforto foi receber uma caneca de café com leite e pão com queijo. Inicialmente os primeiros depoimentos estavam marcados para começar às 10 horas do dia seguinte, mas acabaram sendo adiados. Os presos precisavam dormir. Os delegados também.

O jornal *O Globo* do dia 15 de novembro estampou na primeira página o rosto dos investigados na Operação Lava Jato com a inscrição "PRESO" ou "FORAGIDO". Na carceragem, depois de um período de descanso, eles tiveram outro choque de realidade. Tinha fila para o banho. Só havia dois chuveiros para os presos. Foi um dia difícil. Um dos empreiteiros teve problemas de pressão alta. Dois choraram na cela. Dois se fecharam em silêncio total, não falavam com ninguém. Todos estavam abatidos, sem acreditar no que estava acontecendo. Como é proibido fumar na cela, Ricardo Pessoa, da UTC, fumante há muitos anos, era um dos mais inquietos.

Logo começaram as visitas dos advogados. Eles trouxeram roupas de cama caras, compradas nas melhores lojas de Curitiba, e grandes pacotes de roupas enviados por parentes. Cada uma das sacolas – empilhadas ao lado da recepção do prédio – recebeu o nome do preso, escrito com marcador azul. Os advogados também levaram frutas, sucos, biscoitos, barras de cereais e chocolates. O chefe dos delegados comentou brincando com os advogados: "Hoje vou deixar passar, mas amanhã não." Os presos pediam livros. Liam muito para passar o tempo. Aos poucos, foi sendo formada uma boa biblioteca na carceragem.

No almoço, a polícia distribuiu quentinhas com arroz, feijão, frango, salada e macarrão. Enquanto comiam, alguns conversavam. Pairava no ar o risco de serem transferidos para uma prisão do estado do Paraná. Os jornais discutiam essa possibilidade. Eles tinham medo do sistema prisional, já tinham ouvido muitas histórias. Preferiam ficar ali na carceragem da PF e encaminharam pedidos desesperados aos delegados. Os policiais, então, acharam por bem deixá-los na sede da PF em Curitiba por mais algum tempo. Era melhor atendê-los e esperar. A estratégia depois se mostraria a mais correta.

Na tarde daquele sábado, 15 de novembro, os delegados começaram a colher os depoimentos dos presos, um trabalho que não tinha hora para acabar. Pelo cronograma, todos seriam ouvidos ao longo dos quatro dias seguintes. Ainda no sábado, o presidente da construtora Camargo Corrêa, Dalton Avancini, e o presidente do Conselho de Administração da empresa, João Auler, se entregaram a um delegado em um hotel ao lado da PF em São Paulo. Eles foram levados de carro até Curitiba. Com isso, o segundo dia da sétima fase terminaria com 23 presos. Dois ainda estavam foragidos: Fernando Baiano e Adarico Negromonte Filho, irmão mais velho do ex-ministro das Cidades no governo Dilma Mário Negromonte, um dos caciques do Partido Progressista. De acordo com as investigações, Adarico era "mula" do doleiro Youssef e transportava dinheiro pelo Brasil afora, sobretudo para políticos.

Nessa época, o nome de João Vaccari Neto começou a surgir mais frequentemente na investigação. O tesoureiro do PT não foi preso nem chamado a prestar depoimento nessa fase da Lava Jato. Mas uma pessoa muito próxima a ele foi citada e teve de dar depoimento à Polícia Federal: sua cunhada, Marice Corrêa de Lima. Chegar a ela foi um lance inesperado para os policiais. Eles tinham grampeado Alberto Youssef e acompanhavam suas mensagens no celular, meio pelo qual ele combinava várias entregas de dinheiro em cidades do Brasil e até de outros países. Em uma delas, trocada com José Ricardo Breghirolli, funcionário da OAS, acertou uma entrega de dinheiro na casa de Marice, no bairro de Cerqueira César, em São Paulo. A investigação apontava que ela tinha recebido 110 mil reais da OAS em dezembro de 2013, além de outros 244 mil reais do doleiro Youssef. Ao ser chamada a depor, Marice negou ter recebido dinheiro, mas confirmou que aquele era seu endereço há muitos anos. Era o que a PF precisava naquele momento. No final daquele mês, João Vaccari, que continuava como tesoureiro do PT, foi aplaudido em uma reunião do Diretório Nacional do partido e disse que não tinha feito nada de errado.

O feriado da Proclamação da República foi marcado pelos primeiros protestos contra o governo Dilma em algumas cidades brasileiras. Em São Paulo, 10 mil pessoas, segundo a Polícia Militar, reuniram-se às duas horas da tarde na avenida Paulista, gritando "Fora PT" e "Lula e Dilma eram os chefes do Petrolão". Muitos vestiam camisas da seleção brasileira de futebol, e uma minoria defendia a volta do regime militar.

A presidente Dilma Rousseff estava em visita oficial à Austrália para a reunião do G-20. Tinha sido avisada dos acontecimentos por telefone pelo ministro da Justiça, José Eduardo Cardozo, que, por sua vez, tinha sido acordado pelo diretor-geral da Polícia Federal, Leandro Daiello, com a notícia de que a Lava Jato estava de novo nas ruas e chegara a seu ponto mais alto até aquele momento. Longe do país, Dilma primeiro ordenou que o ministro fosse a público para passar a opinião do governo em relação à operação. "A oposição não pode fazer da Lava Jato o terceiro turno eleitoral. A investigação vai seguir, doa a quem doer", disse Cardozo aos principais jornais do país.

Ao deixar o evento na Austrália, Dilma falou pela primeira vez sobre o assunto: "Não dá para demonizar todas as empreiteiras. São grandes empresas e, se A, B, C ou D praticaram malfeitos, pagarão por isso. Agora, isso não significa que a gente vai colocar um carimbo na empresa." Apesar de defender as empresas, Dilma reconheceu a força da operação: "O escândalo da Petrobras mudará para sempre a relação entre a sociedade brasileira, o Estado brasileiro e a empresa privada. Mudará o Brasil para sempre."

Enquanto isso, na carceragem lotada da Polícia Federal, os advogados dos executivos tentavam passar mensagens de otimismo aos clientes. Diziam que já haviam reunido material suficiente para pedir a anulação de toda a Lava Jato, com base em erros que teriam sido cometidos por procuradores e pelo juiz Sergio Moro. Os executivos, no entanto, estavam receosos. Temiam ter o mesmo destino dos empresários envolvidos no escândalo do mensalão, que receberam penas bem mais duras que os políticos.

Os advogados apresentaram os primeiros pedidos de liberdade. Nos três dias seguintes foram apresentados dez habeas corpus. Todos negados, embora envolvessem alguns dos mais poderosos homens de negócios do país. Na manhã de domingo, decidiu-se que os presos deveriam fazer exame de corpo de delito. Talvez fosse mais tranquilo. O trânsito pelo menos seria melhor. Um grande comboio deixou a sede da Polícia Federal em Curitiba no final da manhã. Toda a imprensa seguiu atrás. O agito, pouco comum naquele bairro em pleno domingo, foi percebido e acompanhado de perto pelos moradores. Dona Teresa Kulik Czepaniki olhou os carros passando e disse, com a sabedoria de seus cabelos brancos e de muitos anos de vizinhança da polícia: "Tem algum grande aqui. Pra ficar aqui, só pessoal que tem mais cultura, mais dinheiro." Ela sabia que se tratava do escândalo da Petrobras e da Operação Lava Jato porque vira a correria do dia anterior e tinha assistido ao noticiário na televisão.

Muitos jornalistas já esperavam o comboio da PF quando ele parou na porta do Instituto Médico Legal de Curitiba. Por causa da estrutura do prédio, os presos têm que sair do carro e entrar no IML andando diante de todos. Não há outra alternativa, uma garagem para os carros entrarem, por exemplo. Por isso, para os fotógrafos e cinegrafistas, era uma ótima oportunidade de fazer uma imagem dos empreiteiros presos. Uns cobriram o rosto, outros ficaram de cabeça erguida. Mas todos, um por um, cumpriram o procedimento de rotina. Ninguém tinha sinais de violência. Ricardo Pessoa, assim que terminou o exame, percebeu a oportunidade, virou-se para o agente Newton Ishii, que ficaria conhecido como o Japonês da Federal, e pediu um cigarro. Ele deu. Para espanto do policial, o presidente da UTC parecia querer fumar todo o cigarro em uma única tragada. Era a abstinência da cadeia.

Enquanto isso, a Polícia Federal continuava a procurar Fernando Baiano. Foi a três endereços na Barra da Tijuca, e nada. Aumentava a suspeita de fuga do país. Os agentes tinham acompanhado uma série de viagens internacionais que Baiano fizera em outubro, mês anterior à operação. Movimentações que, para os policiais, eram sinal de medo. "Ele sabia que ia ser preso", disse um veterano agente da PF em Curitiba. Apontado como operador de desvios para o PMDB, o lobista Fernando Baiano foi acusado de ter distribuído milhões de dólares em propinas para a Diretoria Internacional da Petrobras. No seu acordo de delação premiada, Júlio Camargo descreveu em detalhes a forma de pagamento e o recebimento de 8 milhões de dólares em propina por Baiano. Por isso, além da ordem de prisão preventiva, o operador teve os ativos de duas empresas que controlava bloqueados: a Techinis Engenharia e Consultoria S/C Ltda. e a Hawk Eyes Administração de Bens Ltda.

A estratégia do criminalista Mário de Oliveira Filho, que defendia Fernando Baiano, era ganhar tempo para ingressar com um pedido de habeas corpus para tentar derrubar o decreto de prisão expedido pela Justiça Federal em Curitiba. "A prisão de Fernando Soares é absolutamente desnecessária. Em duas oportunidades anteriores ele se ofereceu espontaneamente para prestar esclarecimentos. Aceitou até receber intimação pelo telefone", disse o advogado, que garantiu que seu cliente iria se apresentar para depor no dia 18 de novembro.

Ao falar sobre a Lava Jato, Mário de Oliveira Filho deu uma declaração que causou furor na imprensa: "O empresário, se porventura faz uma composição ilícita com algum político para pagar alguma coisa, se ele não fizer isso – e quem desconhece isso desconhece a história do país –, não tem obra. Pode pegar uma prefeitura do interior, uma empreiteirinha com quatro funcionários. Se não fizer acerto, ele não põe um paralelepípedo no chão." Ou seja, de acordo com o advogado, no Brasil não se coloca uma pedra na rua sem o pagamento de propina.

Já fazia algum tempo que a polícia observava os hábitos de Fernando Soares. Morador de uma cobertura em um dos condomínios mais caros do Rio, na orla da Barra da Tijuca, ele tinha uma rotina que incluía corrida na praia de manhã, academia e uma dieta controlada. Dono de carros de luxo, frequentava restaurantes caros para fazer contatos e negócios. Conhecia muitas pessoas importantes, entre elas Otávio Azevedo, presidente da Andrade Gutierrez, também investigado na Lava Jato. Do empresário comprou a lancha *Cruela I*, com a qual gostava de navegar pelo litoral do estado do Rio.

Fernando falava normalmente em tom baixo, procurando sempre ser discreto. Durante um tempo, deu a impressão de que poderia não aparecer mais. Havia a suspeita de que estava na Espanha e não pretendia voltar ao Brasil. Também circularam boatos de que teria se encontrado com um advogado em Paris e avisado que, se fosse preso, faria uma delação premiada. A ameaça soou como um pedido de ajuda. Afinal, o PMDB era o partido que dava sustentação política ao governo Lula e também ao governo Dilma. Sem notícias sobre o paradeiro de Baiano, a PF lançou o nome dele na difusão vermelha, índex dos criminosos mais procurados do planeta mantido pela Interpol, a Polícia Internacional que tem conexões em quase 200 países.

O jogo de esconde-esconde acabou no dia 18 de novembro, quando Baiano se entregou, após uma longa negociação entre a polícia e seu advogado. Logo que entrou na carceragem, os policiais perceberam que chegara determinado a resistir e estava preparado para ficar um bom tempo na prisão. Mas a cadeia muda o homem.

Rastilho de pólvora

Naquela noite, Sergio Moro ficou trabalhando até tarde. O prazo da prisão temporária de 15 investigados estava vencendo. Alguns dos maiores advogados do Brasil estavam em Curitiba na expectativa de que seus clientes fossem soltos. Mas o advogado paranaense Marlus Arns fez uma previsão: "Nos últimos 15 anos, tenho assistido a todas as operações da Polícia Federal aqui no estado, e elas têm seguido um roteiro. Se essa operação seguir o roteiro tradicional, hoje à noite estarão todos presos preventivamente. O juiz não vai soltar ninguém." A PF e o MPF realmente pediram que vários executivos continuassem presos preventivamente, sem prazo para soltura. O juiz analisou caso a caso e a decisão saiu depois das oito da noite. Moro decidiu soltar nove pessoas, por considerar que elas tiveram uma participação menor, pelo que as provas mostravam até aquele momento. Mas manteve seis presos preventivamente, o ex-diretor da Petrobras Renato Duque e cinco executivos de peso: o presidente da Camargo Corrêa, Dalton Avancini, e o presidente do Conselho de Administração da empresa, João Auler; o presidente da OAS, José Aldemário Pinheiro, e o vice-presidente do Conselho de Administração da empresa, Mateus Coutinho de Sá Oliveira; o dono da UTC, Ricardo Pessoa.

Os advogados de defesa foram jantar desanimados. Os homens fortes da construção civil brasileira e Renato Duque se juntariam a outros seis executivos que já estavam na mesma situação, entre eles o vice-presidente da Mendes Júnior, Sérgio Mendes, e o vice-presidente da Engevix, Gerson Almada. Esse grupo passaria um bom tempo junto. Adarico Negromonte, o último foragido, se entregou seis dias depois. Segundo a petição dos advogados, o investigado estava em sua casa em Registro, no interior de São Paulo, desde que a ordem de prisão fora expedida, mas não tinha sido procurado pela PF.

Depois de algum tempo na cadeia, a rotina se instalou. Os executivos extremamente ocupados de outrora tinham agora duas horas de banho de sol por dia num espaço de algumas dezenas de metros quadrados, aberto no teto e protegido por grades, por onde entrava o sol às vezes fraco de Curitiba. Tinham de limpar a cela, o vaso sanitário e os corredores. Turmas alternadas iam passear e lavar cuecas e meias. Um preso organizava exercícios para os colegas. Quase todos perderam peso na prisão. Um dos advogados de defesa, Alberto Toron, contou como era recebido por eles: "Não podem usar relógio. Então, uma das primeiras perguntas que nos fazem é que horas são. Uma angústia muito grande com relação ao tempo, que, segundo eles, não passa."

Nesses primeiros tempos de detenção, o comportamento dos presos variava. Um deles nunca saía da cela; outro exibia agitação incomum. Renato Duque ficava calado a maior parte do tempo, de acordo com os carcereiros. Mas, segundo reportagens da época, em certo momento chegou a cantar para alegrar os colegas de infortúnio. Como o cigarro é proibido, alguns tiveram de usar adesivos de nicotina nos primeiros dias. Depois, pararam de fumar. Para tentar estabelecer um mínimo de privacidade, colocaram um colchão entre o vaso sanitário e as camas e combinaram que, quando alguém fosse usar o banheiro, deveria colocar uma toalha sobre o colchão, para que os outros não se aproximassem. Um dia, o vaso entupiu. E um dos executivos presos foi escalado para resolver o problema. "Eles usavam muito papel higiênico. Aí entope mesmo. Tive até de pedir para os advogados comprarem mais", conta um carcereiro. O vice-presidente da Camargo Corrêa, Eduardo Leite, passou mal algumas vezes, com problemas de pressão alta. Uma semana depois de preso, teve até de ser levado para um hospital particular de Curitiba. Sua pressão chegara a 23 por 12, de acordo com carcereiros.

Depois da sétima fase da operação, a rotina da PF em Curitiba, que já não era pacata, tornou-se frenética. Jornalistas na porta dia e noite, caminhões de transmissão de TV sempre a postos para dar, ao vivo, as últimas informações. Os vizinhos já achavam normal aquela confusão.

Nos tribunais, os advogados tentavam tirar seus clientes da cadeia. Mas os pedidos de habeas corpus continuavam a ser negados pela Justiça. Nesse meio-tempo, a polícia ouviu os suspeitos que estavam com prisão temporária de cinco dias decretada. A maioria deles, por orientação dos advogados de defesa, ficou em silêncio diante das perguntas dos delegados. Gerson Almada, da Engevix, foi um deles. Deixou registrado em seu primeiro depoimento, por 110 vezes, que iria "usar o direito constitucional de permanecer em silêncio". Eduardo Leite, da Camargo Corrêa, também não respondeu às perguntas dos delegados. Seus advogados negavam as acusações. "Com ele não tem corrupção nenhuma. Ele não participa de corrupção. É diretor. Diretor técnico. Vai negar qualquer tipo de corrupção", dizia o advogado dele.

No entanto, apesar da resistência de alguns presos, ao longo dos depoimentos algumas informações acabaram sendo reveladas. Othon Zanoide de Moraes Filho, do grupo Queiroz Galvão, por exemplo, disse que Youssef era a pessoa que orientava as contribuições dos empreiteiros ao PP. O executivo da Mendes Júnior Rogério Cunha de Oliveira disse que Paulo Roberto Costa tinha total liberdade para convidar as empresas para participar das licitações de obras da Petrobras. Para os investigadores da Lava Jato, esta era uma prática recorrente: pagar e ser convidado para participar de uma licitação. Era quase como se fosse um modelo de negócio que várias empresas seguiam, mais um indício que reforçava a suspeita de formação de cartel.

Erton Medeiros Fonseca foi o primeiro a partir para outra estratégia. Afirmou à Polícia Federal que aceitara pagar propina ao ex-diretor Paulo Roberto Costa e ao doleiro Alberto Youssef, mas somente após ser extorquido pelos dois. Disse também que o destino do dinheiro foi o PP. Erton também confirmou o pagamento de propina em contratos da Diretoria de Serviços na época em que era comandada por Renato Duque. O advogado dele, José Luís de Oliveira Lima, conhecido como Dr. Juca e que também defendeu o ex-ministro José Dirceu no escândalo do mensalão, deu entrevistas na saída do interrogatório. Enquanto Erton entrava no único elevador reservado a presos até a carceragem da PF, o advogado explicou: "Meu cliente deixou claro que ele e a empresa para a qual trabalha foram vítimas de extorsão praticada por um funcionário público. Todos os contratos fechados pela empresa junto à Petrobras foram obtidos de maneira lícita. Caso ele não cedesse à extorsão do funcionário público, os contratos não teriam prosseguimento. Ele teria dificuldade para receber o que lhe era devido e, inclusive, para a própria execução do contrato." Ao ser questionado sobre quem praticara a extorsão, o advogado não fugiu à pergunta: "Ele, num primeiro momento, foi recebido pelo ex-deputado José Janene, teve uma conversa com Alberto Youssef e também com o senhor Paulo Roberto Costa."

Sérgio Mendes, vice-presidente da Mendes Júnior, também seguiu a mesma linha. Admitiu um único pagamento, de 8 milhões de reais, às empresas de Alberto Youssef, mas disse que fizera isso sob pressão e para preservar atuais e futuros contratos para a empresa. Sua defesa em seguida pediu à Justiça Federal a liberdade provisória de seu cliente. Em troca, se comprometeu a não fazer doações a partidos políticos nem participar de cartéis em licitações. No requerimento apresentado pelo advogado Marcelo Leonardo, Mendes assume o compromisso inclusive de "não manter contato com quaisquer dos dirigentes investigados" e de "fornecer, por meio da Mendes Júnior, livros e documentos contábeis solicitados pela Polícia Federal". A defesa argumentou que Mendes se apresentara à PF, tinha família constituída e estava colaborando com as investigações. Até forneceu espontaneamente a senha de um cofre localizado em seu quarto em Belo Horizonte. Sérgio Mendes tentava com aquelas ofertas ir para casa, acompanhar o processo em prisão domiciliar. Mas ninguém sairia da cadeia – não naquele momento.

Toda quarta-feira é dia de visita na carceragem da PF de Curitiba. As mulheres, filhas e mães dos executivos presos chegavam tentando não chamar atenção. Usavam quase sempre terninhos pretos ou calça jeans com salto e blazer. Misturavam-se aos advogados, mas os detalhes as denunciavam: grandes óculos escuros de grifes famosas, malas vistosas a tiracolo. Dentro delas, itens de primeira necessidade e o que mais fosse possível levar. Elas davam o nome para os funcionários no balcão de mármore da sede da PF, pegavam uma senha e esperavam tensas a hora de atravessar a catraca e pegar o elevador que as levaria à carceragem. Ao lado do saguão de entrada, há uma sala de espera para quem vai tirar passaporte. Para despistar os jornalistas, as mulheres esperavam ali. Muitas vezes conseguiam passar despercebidas. Mas nem sempre. Quando isso acontecia, a maioria fechava a cara e seguia reto, sem responder às perguntas. Só uma vez a mulher de um funcionário da OAS, preso por suspeita de ter levado e trazido pacotes de dinheiro de propina, perdeu a compostura. Ao sair da carceragem, ainda com o nariz um pouco vermelho, foi reconhecida e apertou o passo. Diante da correria de repórteres, fotógrafos e cinegrafistas, baixou a cabeça, mostrou o dedo para uma câmera e não se conteve: "Bando de urubus, fracassados. Isso que vocês são. Se estudassem, não seriam jornalistas." Um advogado ainda tentou justificar o ocorrido enquanto entrava no carro: "Ela está desesperada. É mulher de um dos clientes mais humildes."

José Ricardo Breghirolli, marido da "desesperada" senhora, não era exatamente um "humilde". Breghirolli, que depois foi condenado a 11 anos de prisão por Sergio Moro, participava da entrega de dinheiro do esquema e trocava mensagens com Youssef. Foi ele quem passou para o doleiro o endereço da casa da cunhada de Vaccari, Marice Corrêa de Lima, em São Paulo, e o recado: "Procurar por Marice às duas e meia da tarde." No mesmo dia da mensagem, 3 de dezembro de 2013, Youssef anotou em uma planilha com o título "Money delivery" dois valores – 44.240 e 200.000 – com a indicação SP.

Um assunto recorrente na carceragem da PF de Curitiba naqueles primeiros tempos era a delação premiada. O procurador-geral da República, Rodrigo Janot, que vinha acompanhando de perto a Lava Jato, explicou em uma entrevista como funcionava a negociação entre o Ministério Público e o criminoso. O esquema não envolvia só empresários, mas também políticos. Logo chegaria a vez deles:

"Isso é um rastilho de pólvora. Quando um começa a falar, o outro diz 'Vai sobrar só para mim?', e aí eles abrem a boca mesmo. Todos vão negociar. Um me perguntou: 'E se eu não tiver ninguém para entregar?' Eu disse: 'Sempre tem, você pode se entregar, se entregue, autodelação. Eu só não aceito perdão judicial. Se for um crime que tenha já semiaberto, sempre que for possível eu vou botar o aberto. Vá cumprir pena em casa, sem problema nenhum.'"

Janot estava mandando um aviso aos investigados. Seria possível negociar a pena. Desde que houvesse colaboração. Era um caminho novo e ainda inexplorado para as defesas. A advocacia criminal brasileira não tinha essa tradição. Muitos advogados vinham se colocando radicalmente contra a delação e ainda guardavam muitas cartas na manga. A batalha estava apenas começando.

Capítulo 4

A DEFESA CONTRA-ATACA

3 de dezembro de 2014

Sergio Moro e Rodrigo Janot sob pressão

O ex-diretor de Serviços da Petrobras Renato Duque saiu da carceragem da Polícia Federal em Curitiba, que fica no primeiro andar do prédio, pouco depois das 12h30. Vestia camisa polo azul-escura e calça jeans. Acompanhado pelo chefe da custódia e por seus advogados, pegou o elevador dos presos, que tem marcas nas paredes, e desceu até o térreo. "Obrigado por tudo", agradeceu. Ao passar pela catraca da entrada da PF, foi imediatamente cercado por jornalistas, com seus microfones e gravadores.

Os advogados tentaram fazer um cordão de isolamento, mas não foi suficiente. Os repórteres bombardearam Duque de perguntas na tentativa de arrancar uma declaração. O ex-diretor da Petrobras foi andando sem abrir a boca. Tentou mostrar calma. Eles insistiam. Duque apressou o passo, quase correu. Precisava sair dali. "Eu quero ver minha família, só isso", disse, a voz saindo num sussurro. As lentes dos óculos que usava escureceram por causa da luz do sol. Com um advogado segurando um braço e uma advogada, o outro, ele venceu o espaço até o carro que o aguardava. As equipes de jornalistas foram atrás, com os câmeras filmando tudo. Um motorista que passava gritou: "Ladrão, safado, bandido!" Os fotógrafos não pararam até que o carro dos advogados desceu a rua e sumiu. Duque foi para o aeroporto e pegou um avião para o Rio de Janeiro.

Da janela do segundo andar da sede da PF, um dos investigadores observava a cena do ex-diretor da Petrobras acuado, em meio ao cerco da imprensa. "No começo da Lava Jato, a gente trabalhava com a perspectiva de que os investigados ficariam apenas uma semana na prisão. Ninguém achava que as prisões durariam mais de uma semana. Isso era unânime", explica o delegado.

Duque ficou 20 dias na cadeia, mas estava saindo a tempo de passar o Natal em casa. Outros não teriam a mesma sorte. O ministro Teori Zavascki, do Supremo Tribunal Federal, o libertou atendendo a um pedido da defesa, que alegou que o motivo da prisão preventiva – risco de fuga – não existia. O ministro concordou, mas ressaltou a quantidade de provas contra o ex-diretor naquele momento: "De fato, sobejam elementos de materialidade e autoria de crimes graves. Não houve, contudo, a indicação de fatos concretos que demonstrem sua intenção de furtar-se à aplicação da lei." Para ele, o fato de Duque ter dinheiro no exterior não era motivo suficiente para mantê-lo na prisão. Mas o ministro o proibiu de sair do país e mandou que entregasse o passaporte.

A defesa comemorou a decisão que libertou Duque. "Representa, sem dúvida, o restabelecimento de rumos. O devido processo legal, sem punições antecipadas e prisões sem processos, sempre foi resguardado pelo Supremo", disse o advogado Renato de Moraes. No pedido ao Supremo, a defesa de Duque usou o argumento de que a prisão é excepcional e que a Justiça Federal do Paraná – leia-se o juiz Sergio Moro – estava "invertendo a regra do jogo para torturar, de maneira psicológica, jurisdicionados presumidamente inocentes, com a ameaça ou manutenção de ilegal custódia". Para o advogado, Moro mandava prender com base em "conjecturas".

Era o primeiro momento de alívio da defesa desde o início da sétima fase. A maior vitória até aquele momento. O embate realmente não estava sendo fácil. Os advogados entraram com vários habeas corpus para tirar os empreiteiros da cadeia e levar o caso para outro lugar, sem sucesso. Tentavam a todo custo tirar a Lava Jato de Curitiba por causa da fama de "durão" de Moro. Valia todo tipo de argumento. Os advogados alegaram que a Petrobras ficava no Rio e que, portanto, o caso teria que ir para o Rio. Ou que as empreiteiras ficavam em São Paulo e que, assim, a investigação teria que ir para São Paulo. Outros defendiam Brasília, por causa do suposto envolvimento de políticos. Os tribunais superiores mantinham as decisões de Moro. O caso continuava no Paraná. Para piorar, no meio dessa batalha judicial, eles tinham perdido um grande aliado.

No dia 20 de novembro de 2014, menos de uma semana depois de a sétima fase ser deflagrada, morreu Márcio Thomaz Bastos, ex-ministro da Justiça do governo Lula e, naquele momento, o principal coordenador das bancas de advocacia criminal da Lava Jato. Foi um baque para as defesas. Mesmo hospitalizado, Thomaz Bastos acompanhou o caso até seus últimos dias. Deitado na cama, fazia reuniões com outros advogados, passava orientações, decidia os próximos movimentos e recebia visitas. O ex--presidente Lula foi um dos que estiveram com ele no hospital. Experiente e respeitado, ele estava acostumado a enfrentar momentos de crise. Tinha sido ministro da Justiça no auge do escândalo do mensalão e fora responsável pela escolha de vários dos atuais ministros do Supremo. Até aquele momento, era o melhor e mais afável interlocutor dos advogados com o governo e com o Supremo. Trabalhava para a Odebrecht e para a Camargo Corrêa, mas sua influência e liderança naturalmente iriam garantir a ele uma presença mais forte nesse grupo de advogados de defesa. Com sua morte, muita coisa iria mudar.

"Márcio trabalhava para construir uma alternativa que protegesse a economia", conta um advogado. Era uma boa estratégia naquele momento. A crise econômica se aprofundaria nos meses seguintes com o aumento do desemprego e a queda do PIB. Ela fora causada por outros erros na condução da política econômica, mas o argumento apresentado para aliviar o peso das punições sobre as empreiteiras era o de que a economia estava parando em decorrência das incertezas provocadas pela Lava Jato. A ameaça implícita era de que empregos seriam perdidos e obras, interrompidas por causa do impacto que a operação teria sobre as construtoras que mais investem no Brasil. Essa era a tese que continuariam sustentando, mesmo sem Márcio Thomaz Bastos. Não havia alternativa para a defesa. Duque já estava fora da cadeia. Mas era preciso buscar uma saída para as empresas e seus executivos.

No dia 24 de novembro, o advogado Alberto Toron, seguidor da escola de Márcio Thomaz Bastos, disse em uma agressiva entrevista à *Folha de S.Paulo* que "nas provas, a Lava Jato se parece com Guantánamo", referindo-se a evidências, segundo ele, "secretas" no processo. Toron disse também que era uma irregularidade o juiz Sergio Moro não deixar os réus citarem nomes de políticos em depoimentos e que o caso deveria ser julgado pelo Supremo Tribunal Federal: "Para mim, há um indisfarçável caráter de coagir para conseguir delações ou, no mínimo, confissões."

Foram duras as palavras do respeitado advogado naquela entrevista. "O que me causa enorme preocupação é que o tribunal de segunda instância tem dito amém a todo o trabalho do Judiciário de primeiro grau sem fazer a necessária crítica", salientou Toron acrescentando: "Eu não posso dizer que o Supremo é refém do Moro, mas até este momento o Supremo coonestou com uma verdadeira farsa."

Ele fez pesadas críticas à atuação de Sergio Moro: "Nós, advogados que temos experiência com o juiz Moro, temos uma profunda reserva em relação à forma como ele conduz as investigações. Você vai dizer que o juiz não conduz as investigações, mas neste caso muitas vezes o juiz está à frente do Ministério Público. Não queremos ter um juiz acusador. Queremos ter um juiz equidistante da polícia e do Ministério Público." Quando o repórter da *Folha* quis saber se Moro tinha tomado partido, Toron foi além: "É triste e me pesa dizer isso, mas ele perdeu a imparcialidade. Acho que, apesar da retórica, ele já julgou o caso e nós vamos cumprir tabela. É por isso que decreta as prisões, num prejulgamento dos empreiteiros."

Moro não respondeu na imprensa. Preferiu se pronunciar no processo. No dia seguinte à entrevista, ao dar um despacho, escreveu que as alegações dos advogados de defesa eram fantasiosas. "Ao contrário do alegado por parte das Defesas, inclusive estranhamente na imprensa e não nos autos, este julgador não está usurpando a competência do Supremo", escreveu Moro. Contudo, os argumentos dos advogados continuaram se repetindo em artigos e entrevistas.

Os ataques ao juiz completavam a estratégia da defesa de um acordo que tirasse as grandes empresas da situação em que se encontravam, com presidentes e diretores presos na carceragem em Curitiba. Na entrevista que deu à *Folha*, Toron lançou as sementes de suas ideias: "Os procuradores estão tratando isso como um caso meramente policial e não estão percebendo a dimensão econômica." E defendeu o pagamento de multas pelos empresários: "Quem fala em multa de 1 bilhão de reais está falando em algo muito sério e que dói no bolso de quem eventualmente se locupletou."

Em seguida lançou o nome de Rodrigo Janot. "Com a Lava Jato, há mais de um milhão de empregos em jogo. Tem uma questão policial envolvida? Tem. Mas tem de se olhar o lado econômico. Se o procurador-geral da República conduzisse as investigações, talvez tivéssemos um ambiente mais fecundo. Falta ao MP uma visão estratégica do caso, que vá além das penas e prisões." O advogado estava preparando o terreno para retomar uma estratégia desenhada pelo falecido Márcio Thomaz Bastos.

Bastos tinha percebido logo que esse caso iria exigir uma certa criatividade dos advogados de defesa. Em uma reunião no escritório dele com alguns advogados, foi o primeiro a defender a ideia de que, nessa investigação, a melhor saída era um acordo. E rápido. Para ele, não havia outro caminho. Meses antes de morrer, Thomaz Bastos fora ao gabinete do procurador-geral da República. O respeitado ex-ministro da Justiça, que tinha a seu favor a fama de ter reestruturado a Polícia Federal e tornado possíveis as grandes operações, fora levado pelo advogado José Gerardo Grossi, seu amigo de longa data. O objetivo era sondar se seria possível abrir uma negociação entre os acusadores e os defensores. O ex-ministro teve uma conversa amistosa com Janot, que começou com amenidades, apesar da gravidade do tema que abordou. Os advogados logo em seguida tocaram no assunto.

– Estamos pensando na hipótese de estudar algumas soluções para esse caso, e algumas delas poderiam eventualmente ser aproveitadas – disse Márcio Thomaz Bastos.

– Acho que é boa ideia fazer isso. Vamos buscar alguma coisa em comum – respondeu Janot.

– É possível algum tipo de entendimento, de acordo? – quis saber Thomaz Bastos.

– Depende – respondeu o procurador-geral.

– Veja, estou pensando em fazer nesse caso uma coisa para solucionar, a gente pode fazer assim, daqui para a frente...

– Doutor, tudo bem, mas, sem punição dos fatos passados, não dá. Não vai dar. Não vai ser possível.

A conversa seguiu mais um pouco e terminou com a promessa de ser retomada.

– Claro, vamos marcar outro encontro e continuar conversando – disse Janot, que, ao se levantar, apertou a mão dos experientes advogados e falou: – Vamos fazer deste limão uma limonada.

Quando eles saíram, Janot comentou:

– Deste jeito, isso não vai dar em nada.

O relato da conversa de Márcio Thomaz Bastos com o procurador--geral da República correu entre os advogados de defesa. Naquela época, foram realizados vários encontros. A estratégia estava a pleno vapor. Um claro sinal disso é que a PF encontrou anotações detalhadas dessas reuniões na sede da Engevix e na casa de Ricardo Pessoa. Os papéis que estavam na Engevix revelavam uma certa confiança em um tratamento leniente da Justiça e do MPF. "Janot e Teori sabem que não podem tomar a decisão. Pode parar o país", está escrito em uma folha. Logo abaixo, outra nota: "Entrega. 1 Bi. Confissão cartel." Ao se depararem com esses registros, os investigadores entenderam que as empresas aceitariam pagar multas altas, no valor de 1 bilhão de reais, e assumiriam um crime menor, de formação de cartel. As anotações de outra reunião, realizada no final de maio de 2014, tratam da abertura de vários inquéritos, criticam o despacho do ministro Teori sobre o caso e consideram que a contestação do juiz Sergio Moro era confusa. A papelada apreendida dá a entender aos investigadores que havia mesmo uma ação coordenada entre as defesas. Ainda segundo esses escritos, a OAS tinha ficado com a tarefa de fazer uma arrecadação e ouvir a opinião do "Márcio", provavelmente o ex--ministro Márcio Thomaz Bastos.

Na residência de Ricardo Pessoa, os policiais encontraram seis páginas de anotações à mão que seguiam a mesma linha. Numa folha, estava escrito: "Campanha na imprensa para mudar a opinião pública." Em outra, havia um esqueminha ligando as palavras: "acordo", "empresas", "Cade" (Conselho Administrativo de Defesa Econômica). Outra linha ligava a palavra "empresas" a "colaborar FT" (que poderia ser força-tarefa) e "crimes pessoas físicas". Ao lado, havia também "suspender ações penais". Abaixo de uma possível referência a um escritório de advocacia, eram listados cinco pontos:

"1.Trazer a investigação para o STF.
2. Estudar o acordão (a melhor forma).
3. Fragilizar as delações.
4. Eliminar as delações / denúncias arquivadas.
5. Ações de improbidade."

No pé da página, as anotações sinalizavam o preço a pagar pelos serviços do advogado: "R$ 2 milhões líquidos", "5 x 400.000" e "R$ 1.500.000 sucesso". Em 20 de outubro de 2014, outra anotação de suposta reunião com advogado registra quatro pontos:
"1. Júlio Camargo" e abaixo: "Júlio fez delação – e é grave".
"2. Tratativas MTB" (possivelmente Márcio Thomaz Bastos) e logo abaixo: "reunião com procurador – boa". Mais abaixo, depois dos nomes de alguns advogados, outra anotação: "desmentiu que procuradores estariam contra".
"3. Continuar conversando com MTB".
"4. Gestões nossas junto à procuradoria" e "delação premiada – esquecer".

Onze dias depois, em 31 de outubro, outra conversa anotada no papel. "Plano B. Não tem. Nenhum. Plano A. Acomp. ações MTB junto PGR." Duas linhas abaixo estava escrito "Vai sair o acordão", ligado com uma seta a "assumir crime menor (cartel) e multa pesada", tudo sublinhado e circulado. Mais abaixo: "PGR. Se houver resistência ele chama o processo." Com data de 4 de novembro de 2014, a última anotação foi feita aparentemente por Ricardo Pessoa dez dias antes de ser preso e começa assim: "Plano A sem corrupção." Logo depois, ligados à frase "Negociação acordo com PGR", há três pontos:

"1. Sem inidoneidade.
2. Sem cond. P. Física.
3. Sem delação premiada."

Abaixo, uma expectativa de prazo: "Em 30 dias – estabelecer as bases gerais."
Essas anotações não deixavam dúvidas sobre a estratégia que a defesa usaria em seu contra-ataque. Em cada um dos pontos, o plano de ação estava sendo arquitetado e tudo poderia ser resumido na convicção registrada nos papéis encontrados na casa de Ricardo Pessoa: "Vai sair o acordão."
Dias depois da última anotação que afirmava no item 3 "Sem delação premiada", um grupo de advogados de defesa foi a Curitiba conversar com os procuradores da força-tarefa. Era 13 de novembro de 2014, véspera da

sétima fase. Sem saber que os empreiteiros seriam presos no dia seguinte, um deles perguntou:

– É possível então estabelecer um canal de diálogo entre a gente?

– Claro, sem problemas – respondeu o procurador Carlos Fernando dos Santos Lima.

– Podemos ficar tranquilos que, enquanto estivermos fazendo essa negociação, não vamos ter nenhuma medida cautelar, prisões ou outras coisas?

– Isso nós não podemos garantir – respondeu um dos procuradores.

Os advogados ficaram inquietos com a resposta. Em Direito, quando alguém fala que não pode garantir, tem coisa, pensou um dos presentes ao encontro. Saíram desconfiados, ainda mais quando cruzaram no hall dos elevadores com o advogado de Alberto Youssef. No caminho do aeroporto, começaram a chegar as primeiras informações de que poderia haver uma operação no dia seguinte. Veio a sétima fase. E, logo em seguida, a morte de Márcio Thomaz Bastos. Ou seja, as prisões dos executivos vieram justo quando as defesas buscavam discutir com o Ministério Público Federal uma saída que poderia beneficiar todos eles. Os advogados das empreiteiras perderam o seu principal articulador, mas o plano continuou o mesmo: pagar indenizações bilionárias em troca da redução ou mesmo extinção das eventuais penas previstas para seus funcionários, passar a imagem de que a irregularidade era apenas a formação de um cartel, o que deveria ser punido com severas multas, e defender que o caso deveria ser superado para não afetar a economia. Depois da morte de Thomaz Bastos, os advogados pediram uma audiência com Rodrigo Janot, que os recebeu. Eles explicaram o que planejavam a título de acordo, mas deixaram claro que não aceitavam falar em delação premiada.

No dia seguinte, notinhas na imprensa sugeriam que Janot teria dito aos advogados que fossem conversar com os procuradores de Curitiba. Ele não queria ficar conhecido como "engavetador-geral da República". Mesmo assim, no começo de dezembro, quando Duque foi solto, os procuradores de Curitiba temeram o pior. Matérias de jornal indicavam que estava em curso a costura de um acordão para salvar as empresas e seus executivos de penas mais duras. No dia 29 de novembro, a coluna Radar, da revista *Veja*, então assinada pelo jornalista Lauro Jardim, trazia uma nota dizendo que Rodrigo Janot estava se reunindo com as "empreiteiras encrencadas na Lava Jato". Segundo as fontes do jornalista, Janot teria recomendado que elas assumissem o crime de cartel, que seria mais "defensável", e não envolvessem o governo. Ele também teria prometido que elas não seriam declaradas inidôneas, o que as impediria de trabalhar com órgãos públicos. Nesse mesmo dia, o senador Aloysio Nunes Ferreira acusou o procurador--geral da República de tentar blindar o governo. Por meio de sua assessoria, Janot afirmou que as informações publicadas na *Veja* não procediam e que "numa delação premiada tudo é negociável, menos o perdão".

Dias depois, no entanto, Rodrigo Janot ficou sabendo que um advogado apresentara aos procuradores de Curitiba uma minuta de acordo, uma proposta das defesas para iniciar a discussão. Esse documento detalhava as condições e os benefícios de um acerto entre as partes e, segundo esse advogado, teria a concordância de Janot, o que não era verdade. Chamava-se Acordo de Colaboração Premiada e Termo de Ajustamento de Conduta e começava dizendo que o objetivo era "definir medidas para prevenir futuras infrações, reparar danos causados, viabilizar a recuperação do proveito de infrações criminais e administrativas e cumprir medidas de caráter sancionatório". Os colaboradores, fossem pessoas físicas ou empresas, eram obrigados a confessar apenas o crime de cartel, relatar sua participação no esquema, mostrar provas e indicar agentes públicos, em especial empregados da Petrobras, que tivessem recebido pagamentos. As empresas pagavam multas, se comprometiam a não cometer mais crimes, a não participar de licitações por seis meses e a não fazer doações a partidos políticos pelo prazo de sete anos. E assim se livravam do caso. Tão logo firmado o acordo, a PF e o MPF tinham que pedir a liberdade dos colaboradores e a substituição da pena definida por outra, mais leve. E os efeitos do acordo valiam inclusive para novos fatos que surgissem ao longo da investigação. O documento espelhava fielmente o que as empresas queriam naquele momento.

Os procuradores de Curitiba ficaram muito desconfiados: acharam que estava sendo montado um roteiro perfeito para abafar o caso. Um emissário das defesas das empreiteiras disse que os procuradores seriam chamados para uma reunião com Janot. E, no dia seguinte, houve realmente uma convocação para que fossem a Brasília. O clima ficou péssimo. No começo da noite, em Curitiba, os nove procuradores decidiram ir todos juntos. De manhã bem cedo, eles se encontraram no salão de embarque do aeroporto.

Na escada do avião, conversaram sobre o compromisso com a missão e prometeram uns aos outros que não iriam desistir. Se fosse necessário, estavam decididos a renunciar juntos. "Naquele momento, o medo era de que até o procurador-geral da República poderia capitular e ceder à tese do acordão. A pressão dos advogados era muito forte. Mas ele não capitulou", conta um dos presentes à reunião de Janot com a força-tarefa.

Rodrigo Janot foi muito hábil. Disse que contava com os procuradores da força-tarefa para tocar a investigação. Garantiu que não haveria acordão. Confirmou que recebera os advogados de empresas, sim, mas deixara claro que os investigados tinham que confessar os crimes. Afirmou aos procuradores que não titubearia e levaria a investigação até o final. Janot foi apaziguador e se colocou ao lado dos procuradores, mas cobrou confiança: "É uma via de mão dupla. Se eu confio em vocês, vocês têm que confiar em mim." Todos saíram mais tranquilos do encontro. A carta que levavam na manga, a renúncia coletiva, foi deixada de lado. Janot deixou a reunião e imediatamente entrou em outra, já marcada, com os advogados de defesa. Nela reclamou duramente da conduta de alguns defensores. O clima azedou. Janot parou de receber advogados para falar desse assunto. A possibilidade de um acordo tornou-se praticamente impossível.

No fim de semana seguinte, o procurador-geral da República teve de reforçar essa posição publicamente. Diante da reportagem de capa da revista *IstoÉ* que estampava sua foto e dizia que um acordo para livrar o governo estava próximo, Janot reagiu. Em entrevista ao *Jornal Nacional,* da TV Globo, foi firme nas suas colocações: "Não existe a possibilidade de eu compactuar com um acordo desse tipo." Estava se comprometendo publicamente.

O recado tinha endereço certo. Os advogados de defesa ouviram com atenção, buscaram sinais, redefiniram estratégias. Não iam desistir. O próximo passo era ir ao governo. Após uma eleição tensa e meses de muito trabalho para quem atuava na Lava Jato, 2014 estava terminando. O Judiciário entrou em recesso e os empresários acusados no escândalo da Petrobras tiveram um Natal como nunca haviam imaginado: na cadeia, longe da família.

Defesa recorre ao ministro da Justiça

Logo depois das festas de fim de ano, quando muitos brasileiros ainda curtiam os dias de folga no litoral, a Operação Lava Jato voltou a esquentar, mostrando uma de suas qualidades: a capacidade de se manter ativa e em evidência por meses a fio.

Nestor Cerveró, ex-diretor da área Internacional da Petrobras, já denunciado pelo Ministério Público Federal pelos crimes de corrupção, lavagem de dinheiro e formação de quadrilha, foi passar o réveillon em Londres, na Inglaterra. Na volta, foi preso no aeroporto do Galeão, no Rio de Janeiro. Os investigadores haviam descoberto que no dia 16 de dezembro de 2014, um dia antes de se tornar réu em uma ação penal da Lava Jato, Cerveró solicitara o resgate de um fundo de previdência privada de 463 mil reais e pedira que o dinheiro fosse transferido para uma conta em nome de sua filha. Na comunicação feita pelo COAF (Conselho de Controle de Atividades Financeiras) aos investigadores da Lava Jato, estava escrito que a gerente do banco avisara a Cerveró que ele perderia 20% do valor da aplicação – quase 100 mil reais – ao resgatar o fundo fora da data prevista. Mesmo assim, segundo a gerente, ele quis fazer a transferência. Depois o advogado de Cerveró negou essa informação, alegando que seu cliente fizera apenas uma consulta, mas que não iria sacar o dinheiro diante do prejuízo iminente.

A ordem de prisão de Cerveró foi decretada no dia 1º de janeiro de 2015. Mas o juiz não era Sergio Moro. Durante o plantão do fim do ano, o juiz Marcos Josegrei da Silva estava respondendo pelos assuntos mais urgentes. Era o caso, segundo o Ministério Público Federal. Os procuradores alegaram que o ex-diretor da Petrobras tinha que ser preso porque continuava em sua "sanha delitiva" e parecia não enxergar limites éticos ou jurídicos para garantir que não sofreria as consequências penais de seus atos. Cerveró foi apontado pelo MP como integrante da "mais relevante organização criminosa incrustada no Estado brasileiro que a história já revelou". De acordo com o MP, a corrupção na Petrobras ainda não fora estancada. Havia notícias de pagamento de propina até em 2014, depois do início da Operação Lava Jato.

Com a ordem de prisão na mão, a Polícia Federal esperou Cerveró de madrugada no aeroporto do Galeão. Para que ele não tivesse chance de fugir, os policiais aguardaram dentro do *finger* que leva ao terminal, ao lado da porta da aeronave que acabara de pousar. Quando foi abordado, reagiu: "Mas eu não estava fugindo. Estou voltando. Estou entrando no país, e não saindo", repetia o ex-diretor da Petrobras. Apesar dos protestos, Cerveró foi detido. "Você discute a prisão na Justiça depois. Agora nós vamos cumprir a ordem", disse o policial federal que chefiava a operação.

Era a oitava fase da Lava Jato. Cerveró foi levado para uma sala da Polícia Federal no aeroporto, onde esperou o advogado chegar e sua bagagem foi vistoriada. Depois, foi levado para uma cela da delegacia da PF no aeroporto, onde teria que esperar algumas horas até que seu voo de carreira partisse para Curitiba. No chão da cela miúda, só um colchonete sem lençol e um travesseiro. Ele reclamou. Não queria ficar ali. "Como iria dormir?", perguntou. Estava tudo sujo. "Pode ficar em pé então", respondeu o policial. Meia hora depois, ele estava dormindo no colchonete. Chegou a Curitiba e permaneceu cabisbaixo ao entrar na carceragem. Nos primeiros dias ficou amuado. Do lado de fora, as defesas continuavam buscando uma saída. Era hora de voltar a Brasília.

Influentes advogados da capital defendiam publicamente a necessidade de se negociar um acordo em prol da economia. Era o caso do criminalista Antônio Carlos de Almeida Castro, conhecido como Kakay, que na Lava Jato defende a ex-governadora Roseana Sarney (PMDB-MA), o ex-ministro e senador Edison Lobão (PMDB-MA) e os senadores Ciro Nogueira (PP-PI) e Romero Jucá (PMDB-RR). Numa entrevista à revista *Época* em janeiro de 2015, ele relançou a ideia do acordão: "O Ministério Público faz o papel correto dele, a Polícia Federal faz o papel constitucional dela, mas seria mais interessante que advogados, Ministério Público e Judiciário se sentassem juntos para pensar não numa forma de abafar o caso, mas de impedir que as empresas quebrem. É uma lástima. Muitas dessas empresas são multinacionais, que atuam também fora do Brasil, são orgulho do país."

Kakay ainda aproveitou para fazer um duro ataque ao juiz Sergio Moro, mas antecedido, claro, por um elogio. "No Judiciário de primeira instância, quando você pega um juiz que é sério e competente, mas que é voluntarioso e julga ser o salvador da pátria, ele comete uma série de atos completamente desnecessários e duros, mas vira o homem do ano de todas as revistas. Se um tribunal derrubar uma decisão, passa por leniente."

O governo estava sensível ao argumento das empresas e tentava ajudar as empreiteiras investigadas. O ministro Luís Inácio Adams, então à frente da Advocacia-Geral da União, recebeu a missão de ir a público defender a tese de que a Controladoria-Geral da União (CGU) poderia fechar acordos de leniência com as empresas. E que isso não iria de forma alguma prejudicar as investigações que estavam sendo tocadas pelo Ministério Público. Na verdade, quando a CGU fecha um acordo de leniência, isso impede que outra investigação sobre o mesmo tema, por exemplo, a do MPF, leve a Justiça a efetuar punições mais severas contra aquela empresa. A Lei Anticorrupção determina, por exemplo, que, feito um acordo de leniência com a CGU, a Justiça fica impedida de proibir as empresas condenadas de receber incentivo ou empréstimo do poder público, um dos pontos cruciais para as companhias. Era a principal cartada do governo e das empresas para tentar reduzir os impactos da investigação do Paraná.

Cumprindo sua missão, Luís Adams dava entrevistas para um jornal depois do outro. Repetia que as empresas estavam sendo pressionadas com a ameaça de pesadas multas e que isso poderia inviabilizar o negócio: "Aparentemente, se quer a ameaça de fechar a empresa para obter a delação. Não me parece correto. Agora, com todo o respeito à operação, que tem um mérito enorme, mas isso não é justificativa para tudo, não é justificativa para forçar o fechamento de empresas que estejam dispostas a ressarcir o país, a colaborar e aprofundar a investigação e adotar práticas para evitar a corrupção."

O advogado-geral da União atacava diretamente o Ministério Público, que havia criticado o movimento do governo para viabilizar acordos de leniência via CGU: "É um absurdo que um órgão queira interferir na condução da investigação que compete a outro órgão, que é a CGU, usando um argumento altamente político e ideológico como este. Que o governo quer abafar? Isso não existe!" Adams defendia sua posição com firmeza: "O governo quer salvar a atividade econômica, que são os empregos, os investidores, os bancos que emprestam, toda a cadeia produtiva. Se dá para combinar a potencialização das investigações com a manutenção da atividade econômica, por que vamos escolher o caminho de fechar a empresa?"

O MP reagiu. O procurador do Ministério Público junto ao Tribunal de Contas da União foi acionado e apresentou um recurso ao plenário pedindo ao tribunal que impedisse a CGU de assinar qualquer acordo com as empresas investigadas sem o conhecimento e a anuência do MP. Ao mesmo tempo, procuradores foram conversar com os ministros do TCU separadamente. Levaram os primeiros argumentos. O presidente do TCU, ministro

Aroldo Cedraz, decidiu convocar uma reunião entre ministros do tribunal e três procuradores da força-tarefa da Lava Jato no Paraná. O procurador--geral da República, Rodrigo Janot, também foi convidado, mas preferiu não comparecer.

Os ministros perguntaram se as empresas teriam como pagar as altas multas que poderiam receber. O caso da SBM Offshore foi lembrado. A empresa holandesa admitiu no seu país de origem que pagara propina a autoridades brasileiras, fechara um acordo com o Ministério Público da Holanda e pagara 240 milhões de dólares a título de indenização. Aqui, quando a SBM começou a conversar com a CGU sobre um acordo de leniência, a proposta era pagar a título de indenização 1 bilhão de reais. À pergunta dos ministros, os procuradores foram sinceros. Não sabiam se as empresas teriam como pagar as multas, mas eles tinham que aplicá-las. Afinal, elas erraram conscientemente e teriam que pagar por isso. Os procuradores também temiam que as empresas abandonassem a negociação com eles e fossem em peso fazer acordos com a CGU. A Controladoria poderia livrá-las da temida declaração de inidoneidade, que as impediria de assinar contratos com qualquer órgão da administração pública.

Depois da reunião, os ministros concordaram com o principal argumento do MPF, de que a CGU fecharia acordos que não iriam acrescentar nada às investigações; pelo contrário, poderiam atrapalhá-las. Afinal, o governo não tinha acesso a uma série de provas e indícios ainda guardados em sigilo pelos procuradores no Paraná, dados que poderiam levar a Operação Lava Jato para além da Petrobras. Parecia estar em curso um movimento para conter os investigadores dentro do escopo da estatal petroleira. Um dos presentes ao encontro comentou em privado com alguns colegas que, quer o governo quisesse, quer não, aqueles jovens procuradores eram os senhores da investigação.

Os advogados das empresas investigadas marcaram um encontro com o ministro da Justiça, José Eduardo Cardozo, em Brasília. Nos corredores, circulavam boatos de que buscavam algum tipo de ajuda do governo para soltar os executivos presos havia meses. Acompanhado do ex-deputado federal Sigmaringa Seixas, o advogado da UTC, Sérgio Renault, foi recebido por Cardozo em seu gabinete. Na época foi noticiado que Cardozo teria aconselhado o advogado a não assinar nenhum acordo de delação premiada porque a Lava Jato mudaria de rumo depois do carnaval. O ministro negou, mas a reação foi imediata. O ex-presidente do Supremo Tribunal Federal Joaquim Barbosa criticou duramente o ministro da Justiça no Twitter. Disse que os brasileiros honestos deveriam cobrar a demissão dele. A oposição no Congresso pediu uma investigação da Comissão de Ética da Presidência sobre o episódio.

Para o juiz Sergio Moro, a reunião era intolerável e reprovável. Foi o que registrou na decisão de decretar nova prisão preventiva de Ricardo Pessoa:

"Existe o campo próprio da Justiça e o campo próprio da política. Devem ser como óleo e água e jamais se misturarem. A prisão cautelar dos dirigentes das empreiteiras deve ser discutida, nos autos, perante as Cortes de Justiça. Intolerável, porém, que emissários dos dirigentes presos e das empreiteiras pretendam discutir o processo judicial e as decisões judiciais com autoridades políticas, em total desvirtuamento do devido processo legal e com risco à integridade da Justiça e à aplicação da lei penal. Mais estranho ainda é que participem desses encontros políticos e advogados sem procuração nos autos das ações penais. O ministro da Justiça não é o responsável pelas ações de investigações. Trata-se de uma indevida, embora malsucedida, tentativa dos acusados e das empreiteiras de obter uma interferência política em seu favor no processo judicial."

Moro considerou o episódio mais uma evidência de que os empreiteiros presos desde novembro tentavam interferir nas investigações:

"Certamente a Justiça não será permeável no presente caso a interferências políticas ou do poder econômico. Qualquer indício de tentativa de interferência espúria do poder econômico, quer diretamente, cooptando testemunhas, quer indiretamente, buscando indevida interferência política no processo judicial, deve ser severamente reprimida, justificando, por si só, pelo risco à integridade do processo e da Justiça, a decretação da prisão preventiva."

Independentemente da pressão dos advogados, as demissões nas construtoras investigadas na Lava Jato realmente se aceleraram depois da sétima fase da operação. Todas as empresas envolvidas sofreram. Algumas, que já estavam em dificuldades financeiras, ficaram em pior situação. As mais prudentes, que tinham se endividado menos, aguentariam com mais firmeza os tempos turbulentos.

Os primeiros a pagar pelos malfeitos, é verdade, foram os executivos presos em novembro. Mas as consequências da prática criminosa ainda se fariam sentir sobre muitos inocentes. Assim que as empresas perderam fôlego, e crédito, começaram a demitir. Em dois meses, entre o fim de 2014 e o começo de 2015, os consórcios formados por empresas investigadas demitiram 12 mil pessoas em todo o país, de acordo com levantamento feito por centrais sindicais.

A onda de demissões, que se agravaria no primeiro semestre de 2015, fora prevista por economistas que acompanham a conjuntura como consequência de decisões erradas de política econômica. Ela se espalhou e, em meados de 2015, o governo informou que um milhão de vagas haviam desaparecido no mercado formal. Para muitos economistas, a crise, que aconteceria houvesse ou não Lava Jato, fora mascarada por medidas artificiais que exauriram os cofres públicos, como isenções de impostos a alguns grupos e empréstimos subsidiados que aumentaram a dívida pública. Era a conta de anos de erros que estava chegando. Mas para quem defendia as empresas, na área jurídica ou política, era interessante que os problemas fossem entendidos como consequência da operação.

Com a Lava Jato, as empreiteiras tiveram contratos suspensos com a Petrobras e paralisaram as obras nas duas principais refinarias em construção no país, o Complexo Petroquímico do Rio de Janeiro (Comperj) e a Refinaria Abreu e Lima (Rnest), em Pernambuco. Sem crédito na praça por causa das investigações e com pagamentos atrasados a receber da Petrobras, que não estava mais reconhecendo os aditivos contratuais e passara a questionar os aumentos de custos, as construtoras começaram a dar sinais de fraqueza. Primeiro, atrasaram salários. Depois, demitiram. Só nessas duas grandes obras, Comperj e Rnest, foram dispensados 63.200 trabalhadores de dezembro de 2014 a novembro de 2015. A situação mais difícil foi registrada em Pernambuco. Dos 38 mil empregados nas obras da Abreu e Lima, 37.200 foram demitidos desde 2014, segundo o Sindicato dos Trabalhadores na Indústria da Construção Pesada (Sintepav) de Pernambuco.

A Alumini, uma das menores do outrora poderoso clube das empreiteiras, foi uma das primeiras a cair de joelhos. Demitiu mais de cinco mil funcionários na época e teve dificuldades para pagar a rescisão de todos. A conta da empresa foi bloqueada por um juiz de Ipojuca, Pernambuco, alegando que ela não tinha cumprido o acordo com os trabalhadores. Em pouco tempo entraria com um pedido de recuperação judicial. Praticamente todas as empresas envolvidas no escândalo da Lava Jato que tiveram contratos suspensos pela Petrobras precisaram dispensar trabalhadores.

Nas obras do Comperj, em Itaboraí, onde trabalhavam 30 mil operários, restaram apenas 4 mil no fim de 2015, de acordo com o Sindicato dos Trabalhadores na Indústria Pesada de Itaboraí (Sintramon). A Federação Nacional da Indústria da Construção Pesada, no Rio, informou que o setor sofreu com a paralisação de grandes obras de infraestrutura, sobretudo da Petrobras, e com isso teve dificuldades para manter o nível de emprego. Foram 85 mil demissões no setor em 2014 e 88 mil em 2015. Uma das causas, de acordo com a federação, foi a Operação Lava Jato e seus reflexos sobre as empreiteiras, mas não é possível precisar quantos trabalhadores foram demitidos por conta unicamente da investigação.

E tudo isso em um momento em que não havia geração de emprego no país. Muitos desses trabalhadores, demitidos sem justa causa, foram para casa sem outra alternativa a não ser assistir ao desenrolar da crise pela televisão e lutar pela própria sobrevivência.

Ascensão e queda da Petrobras

Na estatal, a crise se agravava desde o início da Lava Jato. Em dezembro de 2014, uma reportagem de Juliano Basile no jornal *Valor Econômico* apresentou um novo personagem-chave para entender o esquema de corrupção: Venina Velosa da Fonseca, geóloga de formação, ex-gerente executiva de Abastecimento da Petrobras, ligada ao diretor de Abastecimento, Paulo Roberto Costa. Ocupando um cargo abaixo do de Paulo Roberto, Venina viu tudo de perto. Testemunhou, por exemplo, as decisões de aumentar os gastos com a Refinaria Abreu e Lima, em Pernambuco. Um dia, Costa lhe pediu que fizesse um plano para que a refinaria entrasse em funcionamento mais rápido. Não era uma coisa simples. O diretor estava pedindo para acelerar um processo industrial imenso. Isso teve um custo altíssimo: 4 bilhões de

Aniele Nascimento/Agência de Notícias Gazeta do Povo

Fotoarena/Folhapress

O doleiro Alberto Youssef foi uma das peças-chave para desvendar o esquema de corrupção na Petrobras porque organizava boa parte da lavagem do dinheiro desviado e o repasse a políticos. Preso em 2003 por envolvimento no escândalo do Banestado (acima à esquerda), Youssef fora solto depois de fazer delação premiada. Ele voltaria para trás das grades na primeira fase da Lava Jato, deflagrada em 17 de março de 2014. Entre os presos também estava Carlos Habib Chater, dono do Posto da Torre, em Brasília, onde havia uma lavanderia e uma casa de câmbio e que serviu de inspiração para a Polícia Federal batizar a operação.

Andre Dusek/Estadão Conteúdo

Daniel Marenco/Folhapress

Geraldo Bubniak/Latinstock

O nome do ex-diretor de Abastecimento da Petrobras Paulo Roberto Costa surgiu nas investigações porque a Polícia Federal descobriu que Alberto Youssef tinha comprado um Range Rover Evoque para ele. Preso na segunda fase da operação, em 20 de março de 2014, Paulo Roberto não resistiu à pressão e se tornou o primeiro delator da Lava Jato.

A foto acima, tirada na cerimônia de
batismo da plataforma P-56, em Angra dos
Reis, em 3 de junho de 2011, demonstra
como Paulo Roberto Costa tinha trânsito
no alto escalão da Petrobras. Na cena, o
então diretor de Abastecimento assina
seu nome nas costas da presidente Dilma
Rousseff, que autografa o macacão do
então presidente da Petrobras, José
Sérgio Gabrielli, sob o olhar atento de
Graça Foster, à época diretora de Gás e
Energia e que assumiria no ano seguinte
o comando da estatal. Acusado de ter
recebido milhões em propina de dinheiro
desviado das obras da Refinaria Abreu
e Lima, em Pernambuco, Costa revelou
como era formado o esquema criminoso
envolvendo as maiores empreiteiras do
país, funcionários da Petrobras e políticos.

Sérgio Lima/Folhapress

O deputado federal André Vargas, do PT, foi o primeiro político a ter o nome citado na Lava Jato. Alberto Youssef arrumara para ele um jatinho para uma viagem de férias com a família. Vargas teve o mandato cassado, saiu do partido e foi preso em 10 de abril de 2015. No auge de seu poder, quando era vice-presidente da Câmara, provocou o então presidente do Supremo, Joaquim Barbosa, repetindo o gesto de punho cerrado que colegas petistas haviam feito ao serem presos pelo mensalão.

ABAIXO:

O juiz federal Sergio Moro, da 13ª Vara da Justiça Federal de Curitiba, ganhou notoriedade à frente dos processos da Lava Jato na primeira instância. Inspirado na Operação Mãos Limpas, que combateu a corrupção na Itália nos anos 1990, valeu-se de colaborações premiadas, da publicidade do processo e do apoio popular em sua cruzada contra os esquemas de desvio de dinheiro na Petrobras.

Geraldo Bubniak/Parceiro/Agência O Globo

Meire Poza

Duas mulheres tiveram participação importante na Lava Jato. Meire Poza (acima), contadora de Alberto Youssef, revelou irregularidades cometidas nas empresas do doleiro antes mesmo que ele fizesse delação premiada. Já a doleira Nelma Kodama, presa com 200 mil euros escondidos na calcinha quando tentava embarcar para a Itália, roubou a cena em sessão da CPI de maio de 2015, ao cantar "Amada amante" para explicar sua relação com o doleiro.

Paulo Roberto Costa compareceu várias vezes à CPI da Petrobras, no Congresso, sempre com um visual e uma postura diferentes. Em 10 de junho de 2014, de barba feita e cabelo bem curto, encarnou o bom-moço e negou ter participado de qualquer esquema de corrupção. Em 17 de setembro do mesmo ano, de bigode, anunciou aos deputados e senadores que ficaria em silêncio. Sua delação estava em andamento e precisava ser mantida em sigilo. Em agosto de 2015, quando seus depoimentos já tinham se tornado públicos, participou de uma acareação com Youssef.

Pedro Ladeira/Folhapress

Antes parceiros no crime,
Paulo Roberto Costa e Alberto Youssef se
abraçam ao fim da acareação na CPI da
Petrobras. As delações dos dois foram o
ponto de partida das investigações sobre
desvio de dinheiro na estatal.

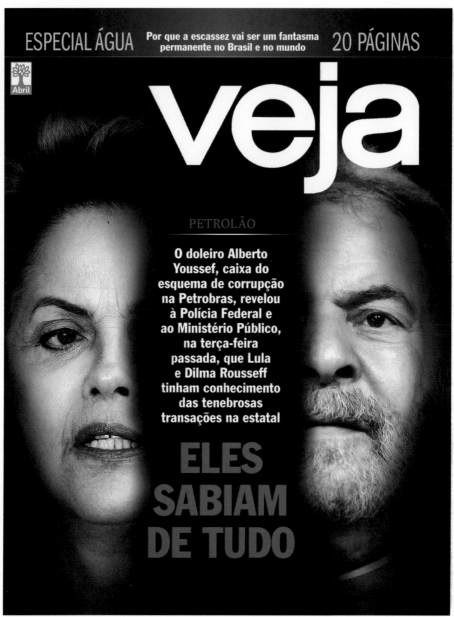

A edição da revista Veja de 29 de outubro de 2014 foi antecipada e chegou às bancas dois dias antes do segundo turno das eleições presidenciais. Com a manchete "Eles sabiam de tudo", a reportagem de capa trazia um trecho da delação premiada de Youssef em que ele afirmava, sem apresentar elementos concretos, que a presidente Dilma Rousseff e o ex-presidente Lula tinham conhecimento do esquema de corrupção na Petrobras.

As denúncias de corrupção na estatal foram muito exploradas durante a campanha presidencial de 2014. Dilma Rousseff, candidata à reeleição, atacava a divulgação feita de "forma leviana" e reclamava de "terrorismo eleitoral", enquanto o tucano Aécio Neves lamentava a institucionalização da corrupção no "seio de nossa maior empresa". Derrotado nas urnas, o PSDB entrou com ação no Tribunal Superior Eleitoral pedindo a cassação da chapa Dilma-Temer porque ela teria sido beneficiada com dinheiro desviado da Petrobras.

André Dusek/Estadão Conteúdo

O ex-diretor de Serviços da Petrobras Renato Duque, apontado como homem do PT no esquema de corrupção, já foi condenado em primeira instância a mais de 40 anos por lavagem de dinheiro e recebimento de propinas. Ao ser preso na sétima fase da Lava Jato, Duque reagiu indignado: "Que País É Esse?" Abaixo, de blazer, o dono da UTC Engenharia, Ricardo Pessoa, também foi alvo da sétima fase. Considerado o coordenador do clube das empreiteiras, ele fez acordo de delação e apontou envolvimento de diversos políticos no esquema.

Zanone Fraissat/Folhapress

No alto, o ex-gerente de Serviços da Petrobras Pedro Barusco, ao lado da advogada Beatriz Catta Preta. Ao fechar acordo de delação, Barusco escancarou o esquema de corrupção na empresa e devolveu 97 milhões de dólares desviados da estatal. Catta Preta, que advogou para nove delatores, fechou seu escritório no Brasil após afirmar ser alvo de ameaças depois que um de seus clientes, o operador Júlio Camargo, fez uma acusação contra o presidente da Câmara, Eduardo Cunha. Abaixo, o procurador da República Deltan Dallagnol, coordenador da força-tarefa da Lava Jato no Paraná, mostra o caminho do dinheiro sujo que levou os investigadores até os criminosos.

Nestor Cerveró, ex-diretor da área Internacional da Petrobras, foi preso no início de 2015 e depois de quase um ano fechou acordo de delação premiada. Admitiu desvios na Petrobras, inclusive na compra da Refinaria de Pasadena, no Texas, apelidada de "ruivinha" por causa da ferrugem em seus equipamentos.

Donatas Dabravolskas/Shutterstock

Com as denúncias de corrupção, a Petrobras, que chegou a valer 510 bilhões de reais em 2008, viu seu valor de mercado despencar para 120 bilhões de reais no início de 2015. A sede da empresa no Rio de Janeiro foi alvo de buscas da Polícia Federal. O balanço do terceiro trimestre de 2014 ficou meses sem ser auditado, levando a então presidente Graça Foster a entrar em rota de colisão com o governo ao divulgar em janeiro de 2015 um balancete com um cálculo preliminar de que a estatal perdera 88,6 bilhões de reais como resultado de desvios, sobrepreços e investimentos errados. O balanço oficial registrou "apenas" 6 bilhões de reais desviados por corrupção.

ESCÂNDALOS EM SÉRIE

Sem a conta da corrupção

Conselho da Petrobras não chega a consenso sobre impacto dos desvios no balanço financeiro

RAMONA ORDÓÑEZ, BRUNO ROSA E RENNAN SETTI
economia@oglobo.com.br

-RIO E SÃO PAULO- Após adiar por duas vezes a publicação de seu balanço financeiro referente ao terceiro trimestre do ano passado, a Petrobras encerrou ontem a reunião do Conselho de Administração sem a informação mais esperada pelo mercado: as baixas contábeis em seus ativos, como resultado dos casos de corrupção investigados pela Polícia Federal (PF) no âmbito da Operação Lava-Jato. Segundo fontes ligadas à estatal, o valor poderia superar os R$ 10 bilhões. Em reunião do Conselho de Administração, que durou mais de sete horas e foi presidida pelo ex-ministro da Fazenda Guido Mantega em São Paulo, não se conseguiu chegar a um número total do pagamento de propina referente aos diversos projetos sob investigação. A ausência destas informações aumenta o risco de que donos de títulos da companhia exijam a antecipação do pagamento da dívida, o que poderia ter impacto significativo sobre o endividamento da empresa.

Em dezembro, a empresa adiou a divulgação dos resultados financeiros alegando que precisava de mais tempo para calcular a baixa contábil. Na ocasião, a presidente da estatal, Maria das Graças Foster, afirmara que, com as novas delações premiadas de ex-funcionários da companhia e de executivos ligados a empresas fornecedoras da estatal, a Petrobras havia optado por analisar todos os depoimentos em conjunto.

FORTE VOLATILIDADE NAS AÇÕES DA ESTATAL

Segundo uma fonte próxima à estatal, durante a reunião do Conselho, foi feita uma longa apresentação do processo de contabilização das baixas contábeis. No entanto, segundo essa fonte, chegou-se à conclusão que seria melhor não ser dada a baixa em seus ativos agora-dada a dificuldade de calcular o montante da corrupção envolvida. A decisão irritou a presidente da estatal, Maria das Graças Foster, que defendia a publicação das baixas.

— Não tem como se fazer uma operação criteriosa do valor da corrupção. Não se chegou a um valor, então se decidiu não fazer a baixa agora, e divulgar somente o balancete do trimestre — disse a fonte.

Ao longo do dia de ontem, as ações da Petrobras tiveram forte volatilidade com os rumores do mercado. Após abrir em queda, os papéis acabam subindo durante a tarde, segundo analistas, com os boatos do volume das perdas da companhia e de um possível anúncio para a substituição no comando da estatal. Após o sobe-e-desce, as ações da estatal fecharam em alta de 1,05% (ordinárias, com direito a voto; R$ 9,64) e 2,62% (preferencial, sem voto; R$ 10,17). Na Bolsa de Nova York, os American Depositary Receipts (ADRs, recibos de ação negociados nos EUA) fecharam em alta de 3,04%.

Segundo especialistas, a não divulgação das baixas deve se traduzir em forte queda nas ações da companhia hoje na Bolsa de Valores de São Paulo (Bovespa).

Adriano Pires, sócio-diretor do Centro Brasileiro de Infra Estrutura (CBIE), haverá a partir de hoje uma grande frustração no mercado financeiro. Segundo ele, o fato de a Petrobras admitir que houve corrupção e contabilizar essas perdas em balanço pode colocar em xeque a atuação dos membros do Conselho e dos atuais diretores da companhia.

— Ao divulgar uma perda em função da corrupção, a Justiça vai pedir mais esclarecimentos sobre como a estatal chegou a esse número e quem foram os responsáveis. É algo muito complicado. As ações da companhia vão sofrer ainda mais, como ocorreu o hoje na Bolsa (ontem) — disse Pires.

Para o economista Thiago Biscuola, da RC Consultores, a divulgação do balanço do trimestre sem a baixa contábil relativa à corrupção, além de frustrante, faz com que o mercado continue sem saber o tamanho do "rombo" nas contas da estatal.

— O mais importante agora era a empresa mostrar maior transparência. Isso é muito ruim porque se continua sem saber o tamanho do "buraco" da corrupção nas contas da companhia —destacou Arthur.

Segundo Raphael Figueredo, analista da Clear Corretora, a companhia está tentando ganhar mais tempo para avaliar com cuidado o tamanho do rombo de forma a apresentá-lo da melhor forma possível ao mercado.

— A Petrobras sabe que não tem jeito, ela terá que divulgar o balanço e a baixa contábil de qualquer forma, porque tem dívidas para rolar. Caso ela não faça isso até o dia 30, estará nas mãos dos credores — afirmou Figueredo.

— O sinal que a companhia passa para o mercado é de que não está nada bem. Isso aumentará ainda mais a ansiedade dos investidores, que certamente se refletirá na continuidade das vendas das ações.

Ontem, as ações da Petrobras passaram a manhã em queda mas depois deram uma guinada às 14h15m, com a proliferação de rumores sobre possíveis trocas na diretoria e sobre as perdas provocadas pela corrupção investigada na operação Lava-Jato. Segundo profissionais do mercado financeiro, boatos de que as baixas contábeis seriam menores do que o mercado espera e que o ex-presidente do Banco Central Henrique Meirelles assumiria uma vaga no conselho de administração da empresa, ou mesmo a presidência do conselho, ajudaram a impulsionar os papéis da petrolífera. A melhora no preço do petróleo no mercado internacional também contribuiu para a alta das ações da Petrobras.

— Foram muitos os rumores que circularam, a maioria na direção de uma mudança na gestão da companhia e de mais transparência, o que estaria em linha com o perfil da equipe econômica do ministro (da Fazenda) Joaquim Levy — afirmou Rogério Freitas, sócio na Teórica Investimentos.

Assim, o dia foi de forte oscilação. A ação ordinária chegou a cair 4,19%, à mínima de R$ 9,14, e a subir 3,56%, à máxima de R$ 9,88. Já a preferencial foi de uma queda de 3,83%, à mínima de R$ 9,53, a uma alta de 4,64%, à máxima de R$ 10,37.

Sustentada pela alta da estatal, a Bolsa de Valores de São Paulo (Bovespa) anulou as perdas e fechou praticamente como começou, com alta de apenas 0,03%, aos 48.591 pontos. ●

Colaboraram João Sorima Neto e Ana Paula Ribeiro

Dados financeiros serão usados em processos contra a Petrobras, na página 22

MERCADO EM COMPASSO DE ESPERA

RUMORES E ESPECULAÇÕES SOBRE RESULTADO AFETAM AÇÕES DA PETROBRAS

O valor das ações
Depois de operarem em baixa durante a manhã, as ações da estatal passaram a subir a partir das 14h15m. Começou no mercado uma série de rumores sobre a reunião do Conselho de Administração da Petrobras

PETROBRAS PN
ALTA DE 2,62%,
A R$10,17

PETROBRAS ON
ALTA DE 1,05%,
A R$ 9,64

10h05m   1h   2h   3h   14h05m   15h   16h   17h   17h45m

O comportamento da Bolsa
Bovespa anulou perdas e fechou como começou

ALTA DE
0,03%, AOS
48.591 PONTOS

10h05m   1h   2h   3h   14h05m   15h   16h   17h   17h45m

Fonte: Bloomberg   Editoria de Arte

Em março de 2015, o procurador-geral da República, Rodrigo Janot, pediu a abertura de inquéritos para investigar parlamentares por envolvimento no esquema de corrupção na Petrobras. Às vésperas de entregar a famosa Lista de Janot, ele foi saudado por servidores em vigília e segurou um cartaz que dizia que ele era a "esperança do Brasil", o que gerou repercussão negativa. No Supremo, quem autorizou as investigações contra os políticos foi o ministro Teori Zavascki (abaixo), relator do caso. Em maio de 2016, o STF já tinha mais de 40 inquéritos sobre a Lava Jato em andamento.

Alan Marques/Folhapress

O presidente da Câmara dos Deputados, Eduardo Cunha, e o do Senado, Renan Calheiros, foram acusados por vários delatores de terem sido beneficiados com dinheiro desviado da Petrobras. Réu na Lava Jato, Cunha foi afastado do cargo depois de um pedido feito pela Procuradoria-Geral da República. Renan Calheiros responde a nove inquéritos na Lava Jato.

FramePhoto/Folhapress

Pablo Jacob/Agência O Globo

Quando a Lava Jato completou um ano, o juiz Sergio Moro tinha se tornado uma celebridade. Ele era saudado em manifestações de rua contra a corrupção e foi eleito Personalidade do Ano de 2014, a principal categoria do prêmio Faz Diferença, do jornal O Globo. Ao discursar durante a cerimônia, em março de 2015, Moro foi claro quanto a seus propósitos: "O que posso prometer é que vou fazer o melhor de mim para julgar o caso segundo a lei, segundo as provas que forem apresentadas, respeitando o direito dos acusados e também considerando os direitos da vítima e da sociedade. O objetivo é sempre o império da lei."

reais, segundo o relatório da Comissão Interna de Apuração da Petrobras. Mas a ordem viera de cima, o projeto era prioridade do governo e acompanhado diretamente pela Casa Civil. O plano foi aprovado pela diretoria e pelo Conselho de Administração da Petrobras.

A ex-gerente executiva diz que percebeu, ao longo do tempo, que algo estava errado na Diretoria de Abastecimento e, provavelmente, na empresa inteira. E chegou a mandar um e-mail para Paulo Roberto em que relatava um pouco do que sentia na época. No texto, classificado como confidencial, ela faz elogios ao chefe e agradece a sorte de trabalhar com ele. "Saí de uma situação de extrema pobreza e dificuldade na infância para o cargo de gerente executiva da Petrobras, atuando na Diretoria de Abastecimento", escreve Venina, para depois desabafar: "Nos últimos tempos tenho vivido momentos difíceis... diariamente me deparo com situações que geram um grande conflito de valores. Não vou entrar em detalhes porque sei que você sabe do que estou falando." Venina continua: "Quando me deparei com a possibilidade de ter de fazer coisas que supostamente iriam contra as normas e procedimentos da empresa, contra o Código de Ética e contra o modelo de gestão que implantamos, não consegui criatividade para isso. Foi a primeira vez que não consegui ser convencida a fazer. Não consegui aceitar a forma. No meio do diálogo caloroso e tenso ouvi palavras como 'covarde', 'pular fora do barco' e 'querer me pressionar'. Confesso que eu esperava mais apoio e um pouco mais de diálogo."

A certa altura, Venina também reconhece que tinha conhecimento do "contexto político" em que eles atuavam. "Jamais foi a minha intenção forçar a implantação de alternativas de forma irresponsável, sem entender o contexto e a abrangência das consequências, o que te colocaria numa situação difícil. Durante o período que trabalhei na Diretoria de Abastecimento, eu 'cresci' e entendo perfeitamente o contexto político do nosso negócio. Naquele momento em que expus meu ponto de vista, eu queria dizer que aquela forma poderia nos colocar numa situação de risco e numa exposição desnecessária."

A ex-gerente mandou cartas de alerta sobre isso para a então diretora de Gás e Energia da companhia, Graça Foster, que depois se tornaria presidente da Petrobras. Elas eram amigas, meio confidentes. Decidiu pedir ajuda. Nas mensagens, relata ter dúvidas sobre o que fazer e lamenta: "O imenso orgulho que tinha pela empresa deu lugar à vergonha." Graça teria avisado Paulo Roberto Costa do gesto da subordinada dele. Meses depois, Venina foi transferida para Cingapura, bem longe do que estava acontecendo na empresa. Na despedida dela, o então diretor Renato Duque fez um brinde, e brincou que era uma pena não poder exilar a gerente executiva pela vida inteira. Não podia mesmo. Lá Venina descobriu outro esquema de corrupção. Depois voltou ao Brasil. Bem quando a crise começava a atingir Graça Foster.

A divulgação das mensagens de Venina foi mais um dos problemas de Graça, no momento em que aumentava o clamor por sua saída da presidência da empresa. No Congresso, em uma audiência pública, Graça Foster dissera que não sabia dos desmandos na companhia. Diante das mensagens de Venina, ficou difícil sustentar essa afirmação. Para completar, um amigo de Venina, o gerente do Departamento Jurídico da Petrobras, Fernando de Castro Sá, também veio a público para contar o que vira de errado na empresa. Ele contou aos procuradores da Lava Jato que a minuta-padrão de contratos de prestação de serviço, antes aprovada diretamente pela diretoria, passou a precisar do crivo da Abemi, a associação das empreiteiras. Fernando tinha percebido um dos poucos sinais visíveis de que um cartel estava mandando na estatal. A crise na Petrobras só piorava.

Durante todo o tempo em que a Operação Lava Jato fazia seu trabalho de investigar as irregularidades na estatal, a empresa viu o valor de suas ações despencar. A relação de causa e efeito era complexa. A cotação caía pelos erros em projetos cujo retorno ficava cada dia mais difícil, pela política do governo de manter os preços dos combustíveis defasados, pelas falhas de gestão que se tornavam perceptíveis pelo mercado. Mas, para muitos, era mais conveniente sustentar a tese de que era preciso "defender" a Petrobras contra os "inimigos". Durante a campanha eleitoral, isso foi dito pela própria presidente Dilma e pelo ex-presidente Lula. Foram feitos "atos em defesa da Petrobras". Não se dizia que a Lava Jato era o inimigo, mas parte da mobilização de suposta defesa da empresa era propor a manutenção dos investimentos sobre os quais, àquela altura, já havia dúvidas razoáveis.

A desconfiança do mercado em relação à estatal havia precedido a Lava Jato. O melhor momento da Petrobras fora em 21 de maio de 2008, quando a empresa chegou a valer 510 bilhões de reais. A ação preferencial era vendida a 42,76 reais e a ordinária a 53,88 reais. Era a época da euforia com o pré-sal. O Brasil havia atingido o sonhado grau de investimento, depois de muito esforço.

O governo, em vez de começar a exploração do pré-sal, resolveu mudar o modelo de concessão para o regime de partilha. Isso paralisou por anos a atração de investidores estrangeiros e fez o país perder chances como novo polo de exploração de petróleo. A empresa passou a se endividar para tocar todos os investimentos que o governo queria que ela liderasse. Muitos deles para atender aliados políticos. O custo das obras disparava pelos sobrepreços e os acordos feitos pelo cartel das empreiteiras. O barril do óleo Brent estava cotado a 132 dólares, mas o preço dos combustíveis não era reajustado para não afetar o índice da inflação. As ações começaram a refletir isso. As cotações perdiam valor. O governo quis acelerar investimentos para gerar o crescimento necessário à campanha da candidata indicada pelo então presidente Lula.

Quando a presidente Dilma assumiu, o valor da companhia já havia caído para 383 bilhões de reais. No dia 3 de janeiro de 2011, a ação preferencial foi negociada a 24,39 reais e a ordinária a 28,63 reais. No começo de 2010, a empresa tinha feito uma capitalização gigantesca em que a parte do governo foi aportada em barris a serem explorados no futuro. Tudo foi feito para reduzir o nível de endividamento e permitir que a estatal tocasse as várias obras que iniciara ao mesmo tempo.

Em 17 de março de 2014, quando a Operação Lava Jato começou oficialmente, o valor de mercado da Petrobras já havia despencado para 160 bilhões de reais, com a ação preferencial sendo cotada a 11,84 reais e a ordinária a 11,62 reais. A empresa já perdera até então 68% do seu valor. Ao mesmo tempo, o TCU estimava o prejuízo com a compra da Refinaria de Pasadena em 792 milhões de dólares. A presidente Dilma, que na época em que o negócio foi fechado era presidente do Conselho de Administração da estatal, se defendeu dizendo que não havia recebido todas as informações sobre Pasadena.

Durante a campanha de 2014, a cotação das ações da empresa oscilou ao sabor das pesquisas. Cada vez que outro candidato se fortalecia, parecendo haver alternativa à reeleição de Dilma, a cotação subia. A estatal chegou a valer 300 bilhões de reais no dia 2 de setembro, quando a candidata do PSB, Marina Silva, assumiu a liderança nas pesquisas.

O trabalho da Lava Jato continuava, com novas revelações e prisões, mas o valor da empresa subia ou descia pela percepção do mercado de que a gestão prejudicava a companhia e era decidida diretamente pelo Palácio do Planalto. O governo mantinha a política de congelamento dos preços dos combustíveis, impedindo o aumento da gasolina e do diesel, apesar das pressões da presidente Graça Foster pelo reajuste dos preços e de a cotação internacional do petróleo continuar na casa dos 100 dólares.

Em novembro, com a presidente já reeleita, a empresa tornou explícita sua dificuldade em ter um balanço auditado, confirmando os rumores que inquietavam o mercado. Anunciou que não divulgaria o balanço do terceiro trimestre porque a auditoria PricewaterhouseCoopers (PwC) dissera que não o assinaria. A PwC queria analisar os resultados das três comissões internas da empresa que, àquela altura, por força das revelações da Lava Jato, apuravam as irregularidades na compra de Pasadena, nas obras da Refinaria Abreu e Lima e no projeto do Comperj.

Como qualquer empresa que tem ações em bolsa, bônus vendidos a investidores externos e internos e empréstimos internacionais, a Petrobras precisa ter seu balanço auditado. Mas a empresa não conseguia fazer isso porque tinha que contabilizar os desvios e os prejuízos causados por graves erros de gestão, entre eles as muitas indicações políticas. No dia 31 de outubro, a PwC se recusou a validar a demonstração contábil da Petrobras enquanto Sérgio Machado continuasse presidindo a subsidiária Transpetro. Citado por Paulo Roberto Costa como envolvido no esquema de corrupção na estatal, Machado teve que ser colocado de licença. Costa disse ter recebido pessoalmente de Machado 500 mil reais. Pela lei americana, pessoas sob suspeita de corrupção não podem assinar balanços. A pedido da PwC, a Petrobras contratou duas auditorias independentes – a brasileira Trench, Rossi e Watanabe Advogados e a americana Gibson, Dunn & Crutcher LPP – para analisar sua situação financeira, incluindo o custo da corrupção e dos sobrepreços.

No final de 2014, o governo proibiu 23 empresas de fecharem contrato com a Petrobras por causa das denúncias e suspeitas de corrupção. Mas a crise levou o comando da estatal a admitir, em anúncio publicado em jornais de grande circulação, que a Operação Lava Jato poderia impactar os resultados financeiros da companhia se as declarações de Paulo Roberto Costa fossem verdadeiras. Investidores estrangeiros entraram com uma ação coletiva na Justiça de Nova York alegando que a Petrobras violara a legislação da SEC, a Securities and Exchange Commission, entidade que regula o mercado de capitais nos Estados Unidos. No processo, os investidores diziam que a estatal brasileira fornecera material falso e comunicados enganosos, e não revelara uma cultura de corrupção dentro da empresa.

Apesar do clima adverso, a presidente Dilma Rousseff fez uma enfática defesa da estatal e de seu comando. Disse que não pretendia mudar a diretoria da empresa e que o governo estava trabalhando para que a companhia não fosse rebaixada na análise das agências de avaliação de risco. A presidente também falou que considerava absurdo o valor desviado por alguns agentes públicos e que a investigação não significaria destruir a Petrobras. "Não vai, não", disse. Mas a estatal já estava combalida, e palavras naquele momento não significavam muito. Os fatos tornariam inevitável uma mudança no comando da Petrobras logo depois da virada de ano.

No dia 28 de janeiro de 2015, a empresa divulgou um número que espantou o mercado e provocou rebuliço no governo e na empresa. Era um demonstrativo financeiro, ainda sem o aval da empresa de auditoria, em que a Petrobras tentava sair do limbo de empresa de capital aberto sem balanço publicado. Esse balancete dizia que o cálculo preliminar era de que a Petrobras havia perdido em 2014 a astronômica quantia de 88,6 bilhões de reais como resultado de desvios, sobrepreços, investimentos errados, interferência do governo. Houve briga dentro do Conselho porque Guido Mantega e Miriam Belchior foram contra a divulgação desse número. Eles não eram mais ministros, mas permaneciam conselheiros da estatal. A então presidente Graça Foster disse que aquele cálculo fora entregue à empresa pelas consultorias contratadas e que, por ser um fato relevante, precisava, sim, ser divulgado. O número saiu numa nota explicativa quase escondida, mas a notícia foi parar nas manchetes dos jornais. A decisão colocou Graça Foster em rota de colisão com o governo. Ela embarcou para Brasília numa viagem que a tiraria da presidência da estatal. Cairia não por seus erros e omissões, e sim por querer divulgar o que não poderia ser escondido dos olhos do público. Nessa época o valor de mercado da Petrobras caíra de novo, agora para 120 bilhões de reais.

Quando Graça chegou à capital, já estava tudo acertado. Ela nem foi direto para o Palácio do Planalto. Primeiro, foi ao gabinete de Joaquim Levy, então ministro da Fazenda, para discutir nomes de mercado para o comando da empresa. Depois, ainda voltou à sede da Petrobras em Brasília para consultar a diretoria por videoconferência. A presidente Dilma concordava com a tese de que seria melhor alguém com boa experiência de mercado para gerir a empresa naquele momento. Seria um sinal positivo. Mas ninguém parecia querer aceitar a espinhosa missão. Até por isso, o governo queria fazer a mudança no comando da Petrobras de maneira suave, ao longo de alguns dias.

Uma inesperada decisão, porém, mudou tudo isso. Ao apresentar oficialmente o seu pedido de demissão ao Conselho de Administração da empresa, Graça Foster recebeu um pedido coletivo de renúncia da diretoria. Com isso, a presidente Dilma teria que correr. Alguns nomes haviam sido sondados, outros tinham apoio dentro do Palácio. O então ministro-chefe da Casa Civil, Aloizio Mercadante, defendia o nome de Murilo Ferreira, presidente da Vale, que deu sinais de que não aceitaria a proposta ao argumentar que precisava reestruturar a mineradora diante da queda no preço do minério de ferro. Outros também tinham impedimentos, ou não queriam. Assim, em 48 horas, seria anunciado o nome de Aldemir Bendine, então presidente do Banco do Brasil, como o novo comandante da Petrobras.

Escolhido por ser leal ao governo e estar disposto a assumir a missão, Bendine tinha a tarefa de arrumar a bagunça contábil que atingira a empresa depois das muitas denúncias de corrupção e desvio. Era preciso enfrentar também o perigoso endividamento da estatal. Em 22 de abril, o balanço oficial foi, enfim, divulgado. Na impossibilidade de saber exatamente quanto a corrupção havia subtraído da companhia, calculou-se um percentual sobre cada projeto aprovado nas diretorias em que houve desvio. E chegou-se ao número de 6,19 bilhões de reais apenas de corrupção. O balanço registrou também baixa do valor de ativos de 44 bilhões de reais atribuída aos mais variados erros de gestão. Tudo somado, a Petrobras perdera 50 bilhões de reais. O prejuízo assumido foi de 21,6 bilhões de reais, o maior da história da empresa até então.

As agruras da companhia não acabam aí. Ainda há muito a se calcular nessa junção entre os desvios da propina, a ação do cartel das empreiteiras, as decisões políticas, a manipulação de preços e o uso da empresa para objetivos partidários. Ao todo, a Petrobras perdeu 90% do seu valor de mercado do seu auge, em 2008, até 26 de janeiro de 2016, quando a ação fechou a 4,20 reais. Ela continuaria a oscilar, mas aquele dia foi um marco porque a ação chegara a um décimo do valor a que já fora negociada. Alguns fatos contribuíram para a queda do valor das ações, como a perda do grau de investimento da empresa, em setembro de 2015, logo após o próprio Brasil ficar sem o selo de bom pagador.

Nessa crônica da agonia da petroleira, as investigações de corrupção não podem ser culpadas pela crise. Ao contrário, no dia em que a empresa conseguir dar a volta por cima, a Lava Jato terá sido o ponto inicial da sua recuperação. Nascida no distante ano de 1954, após um movimento popular pela independência energética do Brasil, a Petrobras sempre foi vista como patrimônio nacional – infelizmente colocado em risco pelos crimes e erros cometidos nos últimos anos.

O dia em que o tesoureiro tremeu

Em 5 de fevereiro de 2015, dia seguinte à queda de Graça Foster, a Lava Jato estava na rua de novo. A nona fase da operação foi batizada de My Way numa referência a como o ex-gerente da Petrobras, Pedro Barusco, chamava o ex-diretor da estatal Renato Duque. Era a fase dos operadores. Barusco foi peça-chave dessa investigação, que se dedicou a desvendar a maneira como eram feitos os pagamentos de propina e revelou nomes que seriam importantes para o futuro da Lava Jato, como Mario Goes, Milton Pascowitch e Zwi Skornicki. Naquela manhã de verão e calor no Rio de Janeiro, casas de alto luxo em bairros nobres da cidade foram invadidas pela PF. Muitas obras de arte foram apreendidas. O Museu Oscar Niemeyer, em Curitiba, receberia mais um carregamento de quadros em poucos dias. Seria o quarto desde a deflagração da Lava Jato. Eles já estavam com uma exposição de pinturas apreendidas. Iriam fazer outra. A qualidade das obras que chegavam era excepcional.

Nesse mesmo dia, o então tesoureiro do PT, João Vaccari Neto, foi levado à PF em São Paulo para prestar esclarecimentos. Dizem os investigadores que estiveram na casa de Vaccari que ele não abriu a porta. Demorou tanto que os policiais pularam o portão para entrar. Vaccari deve ter se assustado. Ele estava tenso quando a polícia chegou e, segundo um policial, tremendo. Quase não conseguia se controlar. Vaccari só se acalmou quando os investigadores explicaram que ele não seria preso naquele dia. Eles apenas o levariam para depor. Era a chamada condução coercitiva. Depois disso, ele parou de tremer. Nessa fase, no entanto, a Polícia Federal cometeu um erro. Pediu a prisão da cunhada de Vaccari com base nas imagens de uma mulher sacando dinheiro da conta do ex-tesoureiro do PT. Não era ela, e sim a irmã, esposa de Vaccari.

Quando o carnaval chegou, três meses depois da emblemática sétima fase, 12 dos 23 empresários e executivos presos no dia 14 de novembro de 2014 continuavam na cadeia. Os advogados não tinham conseguido libertá-los, apesar de todos os esforços. A situação se tornava cada vez mais tensa. A pressão era grande. Nessa época, surgiram informações sobre a rotina supostamente degradante dos executivos encarcerados na Superintendência da Polícia Federal do Paraná. No fim de semana pós--carnaval, quando alguns blocos ainda arrastavam multidões no Rio de Janeiro, a *Folha de S.Paulo* publicou uma reportagem contando que os executivos presos passavam o dia em cubículos, dividiam o banheiro sem privacidade e às vezes tinham que comer com as mãos.

Também surgiram boatos de que Ricardo Pessoa estaria conversando com o MPF. Ele estava mesmo. Mas eram os executivos da Camargo Corrêa, justo a construtora que o falecido Márcio Thomaz Bastos havia defendido, que estavam mais próximos de fechar um acordo. Aconselhados e acompanhados por seus competentes advogados, aceitavam o mais importante para o Ministério Público: entregar novos crimes. Mas faltava negociar as penas e as multas. A negociação avançava. Se uma empreiteira fechasse, as outras temiam o pior cenário: ficar isoladas, sem ter o que oferecer em acordo. O MPF acenava com a promessa de redução de pena, mas com um detalhe importante: quem falasse primeiro ganhava mais benefícios. Quem viesse depois teria que entregar novos fatos ou não ganharia nada. Uma velha e boa barganha que mobilizava os executivos na fria carceragem da PF em Curitiba.

Alguns presos, no entanto, nem queriam tocar no assunto. Não participavam dessas conversas nas celas. Pareciam tranquilos na rotina da cadeia, determinados a não falar. Fernando Soares, o Fernando Baiano, parecia ser um desses. Os policiais, treinados para identificar bandidos e delitos, suspeitavam que ele guardava segredos inconfessáveis, daqueles pelos quais se pagam fortunas e que servem para esconder pessoas muito mais importantes, crimes muito mais graves. Baiano não dava pista alguma. E cada vez surgiam mais nomes ligados a ele, mais suspeitas. No depoimento de número 53 de Paulo Roberto Costa, ele citou rapidamente o nome do pecuarista José Carlos Bumlai, sem dar nenhum outro detalhe a não ser o fato de que era muito próximo de Fernando Baiano. Ainda havia muito a se investigar sobre o operador.

O surgimento do nome de Bumlai, no entanto, chamaria a atenção da imprensa. A revista *Veja* publicou que, durante o governo do presidente Lula, Bumlai tinha um tratamento tão especial no Palácio do Planalto que os seguranças chegaram a colocar um cartaz sobre ele na portaria. A honra inédita determinava que ninguém mais o impedisse de entrar a qualquer hora. Bumlai passou a ter entrada franca no endereço mais poderoso do país. Não se tem notícia de que algo parecido tenha acontecido antes na história. Só Bumlai teve o privilégio de ter o nome estampado num cartaz em frente ao guichê onde se apresenta quem vai ao gabinete presidencial. Nele estava escrito: "O Sr. José Carlos BUMLAI deverá ter prioridade de atendimento na Portaria Principal do Palácio do Planalto, devendo ser encaminhado ao local de destino, após prévio contato telefônico, em qualquer tempo e qualquer circunstância." Abaixo, para facilitar a identificação, havia três fotos dele. A data do comunicado: 12 de agosto de 2006.

Empresário e pecuarista, Bumlai foi apresentado a Lula quando ele ainda não tinha sido eleito presidente. Os dois se tornaram muito próximos. Bumlai pode ter resolvido problemas do amigo poderoso, mas também causado alguns. Em uma entrevista ao repórter Fausto Macedo, do *Estado de S. Paulo*, Bumlai disse que nem sabia que tinha passe livre: "Abro o jornal e tem lá o crachá, que eu teria acesso irrestrito ao Palácio com todas as portas abertas, a hora que eu quisesse. Eu não sabia que tinha aquilo lá, esse crachá. Aliás, o crachá tinha que estar comigo, não? Muito bem, nunca soube daquele crachá." Sobre a amizade com o presidente Lula, Bumlai contou que achava exagerada a maneira como se referiam a isso: "Então, fazem essa maximização da amizade. É meu amigo? É meu amigo, a família é minha amiga, mas não justifica isso."

Eram os efeitos da publicidade do processo, sempre defendida por

Sergio Moro. Em fevereiro de 2015, quando decidiu levantar o sigilo dos depoimentos de Alberto Youssef e Paulo Roberto Costa, à exceção dos que poderiam atrapalhar investigações em curso, o juiz deixou mais uma vez bem clara a sua posição a respeito do tema. "Seguindo os mandamentos constitucionais, o trato da coisa pública, aqui incluído o processo de supostos crimes contra a administração pública, deve ser feito com transparência e publicidade. Não se presta o Judiciário para ser o guardião de segredos sombrios", afirmou Moro. O processo seguia, apesar de todas as turbulências, o roteiro traçado por ele. E continuava tendo sucesso em produzir novas revelações.

Nessa época, dois dos três executivos da Camargo Corrêa presos em novembro decidiram, depois de semanas de negociação, assinar acordos de colaboração premiada com o Ministério Público Federal. O primeiro a falar foi Eduardo Leite, vice-presidente da empresa, uma das maiores do ramo no país. Depois, foi a vez do presidente Dalton Avancini. Assim como Leite, ele deu detalhes sobre o funcionamento do cartel das empreiteiras. Dalton disse que a Odebrecht era quem "capitaneava a organização" e tinha "maior influência" nas decisões por causa de seu porte. O delator confirmou que, entre as empresas que participavam de maneira permanente, estavam, além da Odebrecht e da Camargo Corrêa, a UTC, a OAS, a Andrade Gutierrez e a Queiroz Galvão.

As reuniões eram na UTC e não havia uma regularidade. Eram marcadas conforme a época de licitações na Petrobras. Os encontros eram agendados por e-mail ou por mensagens no celular, sempre com a maior discrição possível. Os nomes usados eram "reunião Petrobras", "reunião G6", "reunião para tratar do Comperj", etc. Todos ali sabiam que o cartel estava dentro de um contexto de pagamento de propina a políticos e servidores públicos. Propina paga justamente para que as decisões tomadas pelo grupo fossem de fato implementadas nos contratos da Petrobras.

Depois de homologadas as delações, os executivos receberam tornozeleiras eletrônicas e deixaram a cadeia. Eduardo Leite saiu pela porta da frente sem ser percebido e, dentro do avião, avisou a família num telefonema emocionado. Dalton Avancini, no entanto, não teve a mesma sorte. Para escapar do cerco da imprensa, o presidente da Camargo Corrêa teve de se esconder no porta-malas do carro do advogado.

Estava ficando cada vez mais difícil para os advogados de defesa. Eles já haviam feito de tudo para livrar seus clientes da cadeia. Inicialmente, questionaram a atuação de Sergio Moro, usando o argumento de que ele estava cerceando a defesa dos investigados. Depois, contestaram os motivos apontados pelo juiz para as prisões. Moro rejeitou todos os pedidos dos advogados, que recorreram a instâncias superiores. Em pouco mais de um ano de Lava Jato, dos 111 habeas corpus apresentados ao Tribunal Regional Federal da 4ª região, só quatro foram concedidos. O relator da Lava Jato naquele tribunal era o desembargador João Pedro Gebran Neto. Juiz federal de carreira, especialista em Direito Constitucional e Penal, Gebran foi muito crítico em suas decisões sobre pedidos de liberdades dos dirigentes de empreiteiras: "Tenho entendido que, no caso de grupos criminosos complexos e de grande dimensões, a prisão cautelar deve ser reservada aos investigados que, pelos indícios colhidos, possuem o domínio do fato, como os representantes das empresas envolvidas no esquema de cartelização.

No Superior Tribunal de Justiça, nesse mesmo período, foram impetrados 67 habeas corpus, sem que nenhum fosse outorgado. E no Supremo Tribunal Federal, 26 foram solicitados e apenas dois dados. No balanço final, de março de 2014 até abril de 2015, foram apresentados 205 habeas corpus em instâncias superiores, mas somente seis concedidos. Era uma verdadeira batalha.

As defesas montaram uma ação coordenada de ataque à Lava Jato com a ideia de enfraquecer suas bases, tentaram tirar o processo de Curitiba, buscaram negociar uma saída usando o argumento de que era preciso proteger a economia. Se, por um lado, a participação das empresas no esquema ficava cada vez mais clara, a Lava Jato se aproximava de um momento decisivo: a hora de definir os nomes dos políticos que seriam investigados.

Capítulo 5

A LISTA DE JANOT

6 de março de 2015

"Quem tiver que pagar vai pagar"

Nos corredores do Congresso, a expectativa sobre quem estaria na lista de parlamentares suspeitos de corrupção que o procurador-geral da República, Rodrigo Janot, pediria para investigar era quase palpável. "Quem sabe mais um nome?", perguntava um deputado em tom de brincadeira. Corriam as apostas. Certa vez surgiu a informação no plenário de que emissários de Janot entrariam Congresso adentro para dar a má notícia, em primeira mão, aos futuros investigados. Muitos suaram frio, outros ligaram para seu gabinete, discretamente, de um canto do plenário. Qualquer assessor do Ministério Público Federal que aparecesse no Congresso com um envelope debaixo do braço chamaria atenção naqueles dias.

"Se alguém passar um trote em mim, é capaz de eu ter um troço", dizia, com um sorriso nervoso, um parlamentar. Muitos estavam com medo mesmo. Quem será que vai estar na lista? A pergunta pairava no ar.

Desde setembro de 2014 já se sabia – pelas notícias dos depoimentos de Paulo Roberto Costa e Alberto Youssef – que os dois delatores tinham falado muito. Vinha chumbo grosso. Várias reportagens trouxeram, ao longo das semanas, nomes e mais nomes de políticos que teriam participado ou se beneficiado do esquema montado na Petrobras. Isso foi criando a expectativa de uma grande revelação. Quantos seriam investigados? O ministro Teori Zavascki, do Supremo Tribunal Federal, tinha homologado as delações premiadas de Paulo Roberto e Youssef no final de dezembro daquele ano e mandado tudo para o Ministério Público Federal. Agora cabia ao ministro esperar o procurador-geral da República pedir ou não a abertura de inquérito contra os políticos suspeitos de corrupção, como prevê a Constituição.

Menos de dois quilômetros separam a sede do MPF em Brasília – dois prédios redondos e espelhados que ficam atrás da Esplanada dos Ministérios – do Congresso Nacional. Era lá que seria selado o destino de muitos políticos. Os depoimentos do ex-diretor de Abastecimento da Petrobras e do doleiro tinham sido separados pelos procuradores: cada caso descrito pelos delatores, cada anexo, fora guardado em um envelope verde-claro de papel reciclado, todos colocados cuidadosamente em uma pilha sobre a mesa do procurador-geral da República.

Na sala de Rodrigo Janot, no último andar do bloco A da Procuradoria--Geral da República, o chefe de gabinete, o procurador da República Eduardo Pellela, estava preocupado com a carga de trabalho que havia pela frente. Eram muitos depoimentos para avaliar. Na Assessoria Criminal, a mais sobrecarregada, só havia três procuradores e sete servidores naquele momento. Era pouco. Precisavam traçar uma estratégia, por isso ele tinha ido conversar com o chefe.

– Nós temos três opções. Um, a gente toca isso por aqui pelo gabinete, mas temos pouca gente. Dois, fazemos um grupo de trabalho aqui. Ou, três, mandamos para Curitiba. Só que a primeira opção é ruim, e a terceira, péssima. Como o pessoal vai tocar isso de lá? – perguntou Pellela.

– Peraí – respondeu Janot. – O procurador do caso sou eu, quero olhar o negócio todo dia. Não tem a menor chance.

– Então vamos criar o nosso grupo – disse Pellela.

– Vamos – decidiu Janot.

Assim nasceu o grupo de trabalho da Lava Jato na PGR, irmão da força--tarefa no MPF do Paraná. O modelo era mais ou menos o mesmo. Muita gente e todos trabalhando juntos, em cooperação. Mas havia uma diferença fundamental. No Paraná, as decisões eram tomadas coletivamente; em Brasília a palavra final era do procurador-geral da República.

Formado por procuradores e promotores experientes em crimes financeiros e combate a organizações criminosas, o grupo de trabalho foi montado por Janot e criado por uma portaria assinada no dia 19 de janeiro de 2015. Estavam ali alguns dos melhores investigadores de todo o Ministério Público Federal. Para coordenador, foi escolhido o chefe da Assessoria Criminal de

Janot, o procurador Douglas Fischer. Trabalhariam com ele na Lava Jato nos meses seguintes, entre outros, o chefe de gabinete, procurador Eduardo Pellela; o procurador Vladimir Aras, secretário de Cooperação Internacional; e o procurador Daniel Salgado, secretário de Pesquisa e Análise da PGR. Janot também chamou dois jovens procuradores e dois experientes promotores do Ministério Público do Distrito Federal para completar o time. Essa equipe teria a difícil tarefa de investigar e pedir a punição dos parlamentares que se beneficiaram da corrupção na Petrobras. Eram muitos. Nunca tantos políticos foram investigados ao mesmo tempo no Brasil – e num prazo tão curto. Rodrigo Janot queria apresentar logo a lista ao Supremo. Mirava o fim de fevereiro, começo de março. Eles teriam pouco mais de um mês.

No último andar do prédio da Procuradoria-Geral da República, em Brasília, o clima naqueles dias era de extrema agitação. Os procuradores iam de uma reunião para outra. Havia muito a fazer. O primeiro passo foi estudar detalhadamente todos os depoimentos dados em delação premiada por Paulo Roberto Costa, que somavam mais de 80 horas de gravação, e também os de Alberto Youssef, com mais de 100 horas. Depois os procuradores cruzaram informações de declarações dadas à Justiça Eleitoral na época da campanha, declarações de Imposto de Renda e as informações que já tinham sido colhidas pela Lava Jato. Iam indexando tudo no sistema eletrônico do MPF. Procuradores vieram do Paraná para ajudar. Delatores foram ouvidos de novo e forneceram mais detalhes.

"Foi um puxa daqui, puxa dali. A gente dividiu o grupo. Uma parte foi para o Rio e a outra para o Paraná. Ficamos ouvindo os dois e fomos puxando: 'Aqui tem um nome.' Às vezes o Paraná não tinha dado atenção ou tinha medo de puxar uma linha porque não tinha autoridade. A gente foi puxando", conta um dos procuradores.

Era um desafio. Eles teriam que trabalhar só com esse material. Mais nada. Afinal, nenhum outro ato de investigação poderia ser feito sem a autorização do Supremo. Ou seja, os elementos que o procurador-geral levaria em consideração para decidir se pediria a abertura de um inquérito ou o arquivamento de uma suspeita já estavam, em tese, todos disponíveis. Era a hora de selar o destino de cada um dos mais de 50 políticos citados. Aos poucos, a equipe montou uma série de procedimentos ocultos, ações que não aparecem no sistema eletrônico de consulta do STF. Processos que tramitam na Suprema Corte com um nível de sigilo superior ao "segredo de justiça". Ao todo, as delações do ex-diretor da Petrobras e do doleiro deram origem a 42 procedimentos ocultos no Supremo, alguns com mais de um nome. Outros três foram para o Superior Tribunal de Justiça, que tem a atribuição de julgar processos contra governadores. O trabalho de checagem atravessou as semanas. À medida que o tempo passava, a rotina se acelerava cada vez mais na sede do MPF. Eles praticamente viviam ali, quase nem passavam em casa. Janot acompanhava tudo. Assessores contam que ele sabia de tudo, lia todos os autos, corrigia os procuradores quando necessário. Logo o trabalho foi tomando corpo.

"O procurador-geral dizia: 'Nós temos que ter uma régua, e essa régua é meu critério de medir a minha conduta. Não importa quem seja. Essa vai ser a minha régua, esse vai ser o meu standard'", conta um procurador que atuou no caso.

A régua era: se o delator disse que sabe, que viu, que tem provas de que o parlamentar recebeu diretamente uma vantagem, o procurador pediria a abertura de um inquérito. Nem que fosse para arquivar depois. Mas pediria. Se o delator só tivesse ouvido falar que o político recebeu vantagem, mas não tivesse um indício mínimo, o pedido seria pelo arquivamento.

"Sem cotovelada", aconselhava Janot. O procurador-geral sabia que as acusações teriam de ser tecnicamente irrepáráveis, pois seriam muito estudadas pela defesa. Até por cuidado, uma das primeiras decisões do grupo foi não fazer direto nenhuma denúncia, apenas pedir a abertura de investigações, mesmo quando já existissem fortes suspeitas. Por lei, diante de um indício de crime cometido por parlamentar, o procurador-geral da República tem três opções: pedir abertura de inquérito, arquivar ou, se já houver provas suficientes, oferecer denúncia. Neste caso, o Supremo tem de decidir se abre processo contra o político e faz dele um réu ou se manda arquivar a denúncia. Mas Janot achava imprudente fazer direto a denúncia. Alguns de seus auxiliares também chamavam a atenção para o fato de que a denúncia teria de ser feita praticamente com base na palavra dos delatores. A prova vinda de uma delação, apesar de importante, sempre é vista com certo grau de desconfiança. Afinal, é a palavra de um criminoso. Quando faz uma denúncia, o procurador não quer que ela seja rejeitada. Por isso, venceu a tese de que seria melhor não fazer nenhuma denúncia naquele momento. Só pedir a abertura de inquéritos. Mas a questão era: quantos inquéritos? Só o trabalho revelaria isso.

Algumas petições já estavam mais adiantadas, tinham mais provas. Era o caso da do senador Fernando Collor. Logo na primeira fase da Operação Lava Jato, a Polícia Federal encontrou comprovantes de depósitos de Alberto Youssef em uma conta pessoal do ex-presidente. As investigações apontavam que ele controlava uma diretoria da BR Distribuidora, uma subsidiária da Petrobras. Agora, um novo depoimento do doleiro dava mais informações sobre o envolvimento de Collor no esquema da Petrobras. De acordo com Youssef, em uma negociação com uma rede de postos sem bandeira, interessada em fechar com a Petrobras, Collor teria recebido 6 milhões de reais. Metade dessa quantia teria sido enviada para contas secretas no exterior e a outra metade entregue em dinheiro vivo, aqui no Brasil.

Na semana anterior à divulgação da lista, o Departamento de Inteligência da Polícia Federal detectou novos riscos à segurança de Janot. Ele recebera ameaças de morte. Janot passou a dar mais atenção ao fato de que, um mês antes, sua casa fora invadida. "Essas pessoas tiveram, no mínimo, oito minutos na minha casa. Levaram um controle para abrir o portão de garagem. Lá dentro tinha uma pistola .40 com três carregadores, 14 balas cada um, máquina fotográfica, um monte de coisas de valor, e a única coisa que foi levada foi o controle remoto do portão. De lá para cá, eu tenho recebido relatórios de inteligência, e, nos últimos, parece que aumentou o nível de risco", disse o procurador na época.

Nenhuma ameaça foi efetivada. Mas todos ficaram ainda mais tensos. As apurações estavam prestes a começar. "Não havíamos fixado uma data, mas de certo modo a imprensa acabou colocando uma data que gerou uma expectativa maluca. E nós dissemos: 'Bom, ou vai ou racha, nós temos que fazer.' Foi um dos dias mais tensos da minha carreira como procurador", lembra um assessor direto de Janot.

Na sala do procurador-geral, uma grande mesa de reuniões, perto de um enorme telão na parede, era o centro dos trabalhos. Sentado ao lado de vários procuradores, Janot checava tudo e, quando terminava, checava de novo. Um esforço constante, com atenção aos mínimos detalhes, para ver se não havia nenhum furo. Ao redor da mesa, um monte de gente corria de um lado para outro. Não cessava aquele barulho de pessoas andando, mexendo em papéis, falando baixo. No meio do burburinho, Rodrigo Janot, Douglas Fischer e Eduardo Pellela ficavam sentados, concentrados, trabalhando. Era preciso fechar todos os procedimentos, montar os autos. Janot precisava ler tudo de novo para assinar. Não podia haver nenhum erro. Nenhum. "Era a instauração de inquéritos de uma maneira histórica no Supremo Tribunal Federal. A gente não podia errar", explica Douglas.

Naquela noite, quando a lista já estava quase pronta, um grupo de servidores fez uma vigília de oração do lado de fora do prédio. Janot achou por bem ir lá fora cumprimentá-los. Foi recebido com festa. Animado, falou uma frase de efeito: "Quem tiver que pagar vai pagar. Nós vamos apurar. Isso é um processo longo, está começando agora. Mas nós vamos até o final dessa investigação." Foi aplaudido pelos servidores.

No calor do momento, segurou um cartaz que fazia alusão a ele próprio: "Janot, você é a esperança do Brasil." Sua foto com o cartaz ganhou a internet e acabou nos jornais. O procurador-geral da República foi muito criticado por isso. Os políticos, estressados com a possibilidade de estar na lista, não gostaram e o atacaram. Mais tarde, até seus assessores reconheceriam que aquele foi um erro de comunicação. Mas, naquele momento, não havia tempo para pensar nisso. Sérias decisões teriam que ser tomadas. Toda a equipe continuava no prédio, de plantão. O trabalho ia prosseguir noite adentro. No dia seguinte, uma terça-feira, 3 de março de 2015, Janot queria assinar os pedidos de abertura de inquérito e mandar tudo para o Supremo Tribunal Federal. Junto com o material, faria outro pedido: levantar o sigilo de todo o processo.

No Congresso Nacional, a expectativa dos políticos chegou ao nível máximo naquela terça-feira.

– É uma tensão silenciosa, sempre há uma expectativa, né? O que se deseja, o que se quer, é a verdade – disse um deputado.

– Verdade nada, ele quer é não estar na lista – comentou outro, baixinho.

Ao chegar para trabalhar, o presidente do Senado, Renan Calheiros, foi alvo de uma pergunta direta e clara.

– O senhor diria que o Parlamento está agoniado com a lista de Janot? – quis saber um experiente repórter de rádio.

– A gente conversa daqui a pouco – respondeu Renan, andando rápido.

Eduardo Cunha também passou pelo Salão Verde da Câmara quase correndo, a caminho do plenário.

– Como está o clima, presidente, muita tensão nos bastidores? – um repórter perguntou, andando rápido ao lado dele.

– Normal, estava na reunião de líderes, escolha de comissões, a Casa tá andando, tá trabalhando – respondeu, antes de entrar e começar a dirigir os trabalhos.

A lista chegou ao Supremo na noite de 3 de março. Foi protocolada no gabinete do ministro Teori Zavascki exatamente às 20h11. Ou seja, 72 horas antes da divulgação oficial dos nomes. Naquele dia, mesmo com a imprensa atenta a qualquer movimentação estranha no tribunal, ninguém testemunhou a entrega da lista. "Do jeito que entramos, saímos, ninguém viu", contou depois, rindo, um dos procuradores encarregados de levar a lista de Janot. Para driblar os repórteres de plantão, foi preciso montar uma operação de guerra. Os procuradores venceram a distância de menos de um quilômetro entre o prédio da PGR e o Supremo Tribunal Federal em um carro "disfarçado". Na garagem da PGR, escolheram uma caminhonete branca, de carga, sem nenhum logotipo. Depois combinaram por telefone com os seguranças do Supremo que usariam uma entrada pela rua de trás. Atravessaram a garagem e subiram pelo elevador privativo dos ministros, único lugar que os jornalistas não podiam vigiar. Carregavam quatro caixas de documentos. No elevador, os procuradores foram acompanhados por um segurança armado. A porta abriu dentro do gabinete de Teori Zavascki. Depois de cumprimentar o ministro, que estava no computador, foram até a outra sala e entregaram os documentos à equipe do gabinete. Saíram pelo mesmo caminho, sem falar com mais ninguém.

A missão tinha sido cumprida. Ou, pelo menos, essa etapa. Depois de semanas trabalhando sem hora para voltar para casa e fazendo praticamente todas as refeições no bandejão da PGR, a equipe do procurador--geral saiu para jantar fora. O dia seguinte seria um pouco mais tranquilo; eles tinham que esperar as decisões do ministro Teori. Mesmo assim, comeram uma refeição leve num restaurante japonês e foram para casa descansar. No outro dia, queriam chegar cedo à PGR. Não havia como relaxar naquele momento. A imprensa praticamente montara acampamento no Supremo.

Dia histórico no STF: 47 políticos sob investigação

No dia seguinte, os jornalistas esperavam Teori Zavascki no tapete vermelho do Supremo, único local onde os ministros poderiam ser abordados por eles àquela hora. Zavascki passou andando rápido.

– Vai ter notícia esta semana? – jogaram no ar a pergunta.

Teori só olhou, fez um gesto de "joinha" e continuou andando. O Mestre dos Magos, apelido carinhoso dado a ele pelos jornalistas, continuava misterioso. Conhecido pela sua discrição, não iria dar nenhuma pista.

Àquela altura, o presidente da Câmara já havia procurado um ótimo advogado: o ex-procurador-geral da República Antonio Fernando Souza, agora aposentado do MP. Antonio Fernando foi a pessoa que apresentou a denúncia contra o esquema do mensalão, conhecia como poucos o Ministério Público Federal e o funcionamento do Supremo.

"Eu o convidei para que, se necessário for, se for verdadeira a informação que está sendo colocada, que ele vá lá. Inclusive eu pedi a ele que entrasse com um pedido pra poder saber se existe realmente alguma coisa. É uma atitude que eu tenho que tomar. Se todos os jornais estão publicando, declarando que eu estou com algum pedido de investigação, é natural que eu busque com um advogado saber informações", disse Cunha aos jornalistas.

No Senado, Renan Calheiros continuava dizendo que não sabia de nada sobre a possível inclusão de seu nome na lista da Lava Jato: "Até o momento nós não sabemos de nada, absolutamente de nada. Nós não fomos informados por ninguém." O presidente do Senado se disse pronto para dar esclarecimentos à sociedade à luz do dia. "Feliz da democracia que permite o questionamento dos homens públicos", afirmou, antes de entrar no seu gabinete.

A lista de Janot continuava sendo o assunto dominante no Congresso. O ministro de Relações Institucionais, Pepe Vargas, não aguentava mais falar nesse assunto: "O importante é que essa lista venha logo, que se tire o sigilo dela, até para que a coisa fique clara, transparente, tire esse clima de ansiedade e especulação."

Naquela tarde, Teori Zavascki desceu para a sessão do Supremo acompanhado de dois seguranças. A assessoria não queria que ele fosse abordado de maneira indelicada por jornalistas. "Eles estão me seguindo", comentava, rindo, o ministro. Na verdade, o Brasil inteiro estava seguindo os passos de Teori naqueles dias. No gabinete dele, onde a ordem era manter segredo absoluto, todos trabalhavam freneticamente até muito tarde. Estava quase na hora.

Alguns parlamentares já sabiam que seu nome estaria na lista. O procurador-geral da República, Rodrigo Janot, tinha mandado avisar os políticos mais importantes, num gesto de delicadeza com os futuros investigados. Janot se encontrara com o ministro da Justiça, José Eduardo Cardozo, e falara sobre a lista e sobre quem se tornaria alvo de investigações.

Em uma reunião com o então vice-presidente da República, Michel Temer, Janot disse que iria apresentar diversos pedidos de abertura de inquérito ao Supremo e que, entre os investigados, estava o presidente da Câmara, Eduardo Cunha. Janot explicou que não eram denúncias, que esse era um rito normal, corriqueiro até, fruto das informações que surgiram nas colaborações premiadas feitas no Paraná. Disse que, como procurador-geral da República, tinha que cumprir a sua obrigação funcional, mas não queria criar um incidente político.

Temer ouviu em silêncio e agradeceu a Janot pelo aviso. Logo que ele saiu, o vice-presidente adiou a viagem que faria a São Paulo e chamou Eduardo Cunha para conversar. Quando ouviu a confirmação do que já suspeitava, Cunha ficou abalado, até meio pálido. Temer disse que Janot não revelara exatamente quais eram as suspeitas, mas deixara claro que não era denúncia, e sim pedido de abertura de inquérito. Cunha explodiu de raiva, disse que estava sendo perseguido pelo procurador-geral e pelo governo. Quase um ensaio do que iria falar publicamente depois.

O presidente do Congresso, Renan Calheiros, soube pelo senador Eunício Oliveira, que tinha recebido um recado de Janot. Ficou muito irritado, inclusive com o governo. Nos dias que antecederam a divulgação da lista, Renan fez críticas à política econômica, cancelou sua ida a um jantar marcado entre a cúpula do PMDB e a presidente Dilma Rousseff e ainda decidiu devolver ao Palácio do Planalto uma medida provisória que tratava da desoneração de impostos de alguns setores, num gesto raro no Parlamento brasileiro.

O senador Aécio Neves também ficou sabendo antes. Diante das primeiras notícias de que ele estava na lista, foi atrás de informações. Pediu a um advogado amigo que entrasse em contato com Antonio Figueiredo Basto, advogado de Alberto Youssef. O enviado foi a Curitiba e trouxe uma nota oficial assinada por Basto: "Importante dizer que o Youssef nunca falou espontaneamente do senador Aécio Neves, em razão de que não o conhece e nunca teve com ele qualquer tipo de relação ou negócio. Quando questionado sobre fatos envolvendo o ex-deputado federal José Janene, Youssef esclareceu que nunca esteve com o senador Aécio Neves ou com sua irmã, e que somente 'ouviu dizer' que Aécio teria 'negócios' ou influências em Furnas, sem contudo indicar um fato concreto que justificasse tal suspeita." Pouco depois, Aécio conseguiu confirmar que seu caso seria arquivado. Mas, para a maioria dos políticos que estava na lista, a expectativa continuava.

No Supremo, naquela noite, a única luz acesa era a do gabinete de Teori. No dia seguinte, 6 de março, o trabalho recomeçaria logo de manhã cedo. Naquela sexta-feira, Teori almoçou no gabinete, junto com sua equipe, decidindo os últimos detalhes sobre a divulgação da lista. O telefone da secretária de Comunicação do STF, Débora Santos, não parava de tocar. A cada momento, chegavam mais jornalistas ao tribunal. Foi preciso criar um grupo num aplicativo de mensagens para atender às demandas mais rapidamente. A exigência do ministro era uma só: todos deveriam ser informados ao mesmo tempo. Mas as horas passavam e a lista não saía. À medida que se aproximava o fim do dia, a pressão aumentava. O país inteiro estava à espera de notícias.

No gabinete de Teori Zavascki, o clima era de concentração. Por volta das sete da noite, sentado à sua mesa, sem paletó nem gravata, o ministro ouvia cantos gregorianos enquanto aguardava a correção de alguns documentos. Queria dar uma última olhada em tudo antes de assinar as decisões. A aparente calma do gabinete contrastava com a agitação do lado de fora. Juiz experiente, atuando em tribunais superiores há muitos anos, Teori não demonstrava nenhum sinal de nervosismo, apesar da responsabilidade que recaía sobre seus ombros naquele momento. Foi assim que terminou de revisar as decisões tão esperadas.

Pouco depois das oito, finalmente saiu a lista. O ministro Teori Zavascki atendeu a todos os pedidos do procurador-geral para abertura e prosseguimento das investigações. Assim como arquivou todos os casos em que o procurador não viu indícios para instaurar apuração. Passaram a ser alvo de inquérito 49 pessoas, sendo 47 políticos, de uma só vez. Além disso, ele tornou públicos os inquéritos, inclusive a íntegra das delações premiadas do doleiro Alberto Youssef e do ex-diretor da Petrobras Paulo Roberto Costa. Sempre cuidadoso com o sigilo dos processos e contrário aos vazamentos de informações que, na visão dele, precisam ser mantidas em segredo para o bom andamento das investigações, o ministro suspendeu o sigilo nesse episódio argumentando fazê-lo em favor da sociedade brasileira: "Ora, não há, aqui, interesse social a justificar a reserva de publicidade. Pelo contrário: é importante, até mesmo em atenção aos valores republicanos, que a sociedade brasileira tome conhecimento dos fatos relatados." O ministro disse que, embora a lei afirme que o sigilo deve ser mantido até o recebimento da denúncia, não há mais razão para as delações permanecerem em segredo, uma vez que o êxito das investigações está garantido. "Não mais existe, portanto, razão jurídica que justifique a manutenção da tramitação sigilosa."

De pé em um comitê de imprensa lotado como nunca, a secretária de Comunicação do STF leu a lista nome a nome. A notícia foi dada ao vivo no *Jornal Nacional*, da TV Globo, e ganhou as manchetes de todos os jornais. No dia seguinte, o *JN* ainda fez uma edição com mais de uma hora de duração, 40 minutos dedicados às notícias de Brasília. Naquele sábado, os jornalistas da Rede Globo se debruçaram sobre os milhares de páginas dos pedidos de abertura de inquérito encaminhados ao Supremo e almoçaram bife à parmegiana em volta da mesa da sala de reuniões. A ordem era ninguém sair da redação.

A lista de Janot atingiu em cheio o Partido Progressista. Seria o partido com o maior número de políticos investigados naquele momento: 31. Grande parte da bancada de deputados federais do PP foi citada na delação. Afinal, Paulo Roberto era o diretor indicado pelo partido para a Petrobras, e Youssef, o operador mais importante. Só do Rio Grande do Sul, eram seis políticos. Mas, apesar de estar mais presente na lista de Janot, o Partido Progressista não estava sozinho. O PT e o PMDB estavam lá, assim como alguns nomes do PSB e do PSDB. A divisão partidária da lista era uma consequência natural da trajetória de Paulo Roberto e Youssef dentro da quadrilha. Ambos vieram originalmente do PP, mas ao longo do tempo desenvolveram relações com outros partidos. As diretorias da Petrobras investigadas estavam nas mãos de PP, PMDB e PT. Os casos que não envolviam políticos desses partidos – como o do senador tucano Antonio Anastasia e de Eduardo Campos, ex-candidato à Presidência pelo PSB, morto em um acidente aéreo durante a campanha – eram vistos como fatos isolados.

Paulo Roberto Costa e Alberto Youssef contaram que parte do dinheiro desviado da Petrobras era repassada a políticos de maneira periódica. Mas eles também recebiam pagamentos extras, principalmente durante campanhas eleitorais e em época de escolha de lideranças dos partidos. Em troca, esses políticos apoiavam a permanência dos diretores da Petrobras no cargo e não interferiam no cartel das empresas. O doleiro Alberto Youssef, nos depoimentos, detalhou como se deu, ao longo dos anos, a distribuição de propina da Petrobras dentro do PP. O esquema era estável e perdurava mesmo depois de mudanças no comando do partido. Mas a divisão do dinheiro não era igual. Nem todos recebiam o mesmo valor. Havia categorias de propina. Quando o esquema foi criado, José Janene ficava com a maior parte e líderes como João Pizzolatti, Pedro Corrêa, Mário Negromonte e Nelson Meurer recebiam um valor que variava de 250 a 500 mil reais por mês. Os outros parlamentares do PP envolvidos no esquema ganhavam entre 10 mil e 150 mil reais mensais, conforme a força política que cada um tinha no partido.

Youssef e seus empregados tornavam tudo possível. O dinheiro era entregue, semanal ou quinzenalmente, dependendo do gosto do freguês, em pacotes nos apartamentos funcionais dos parlamentares em Brasília. No caso dos líderes, havia um conforto adicional: a propina chegava às suas casas nos estados de origem. As boladas de dinheiro viajavam pelo Brasil escondidas em malas ou debaixo da roupa, junto ao corpo de quem entregava. Até 500 mil reais, Youssef topava esconder na roupa. Quando a quantia era maior, ele alugava um jatinho. Em seu depoimento, Youssef afirmou que Janene recebia o dinheiro em seu condomínio em Londrina, interior do Paraná; João Pizzolatti, em seu apartamento em Balneário Camboriú, Santa Catarina; Pedro Corrêa, na sua casa no bairro de Boa Viagem, Pernambuco; Mário Negromonte, em um apartamento em Salvador, Bahia; Nelson Meurer, em um hotel no centro de Curitiba, Paraná.

Tudo funcionava perfeitamente bem naquela época. Youssef contou que, quando Janene controlava o fluxo de dinheiro vindo da Petrobras, atendia a todos os pedidos dos deputados do partido, não faltava com os pagamentos. Assim conquistava lealdades e concentrava mais poder dentro do PP. O grupo que ele comandava era hegemônico no partido. Em 2010, ano de campanha eleitoral, o esquema estava no auge. É espantoso, porque quatro anos antes, em março de 2006, a Procuradoria-Geral da República havia apresentado denúncia contra os investigados no mensalão. No fim de agosto de 2007, o Supremo aceitara denúncia contra todos os acusados. Era de esperar que isso inibisse crimes futuros. Mas não foi o que aconteceu. Muito pelo contrário. Paulo Roberto vivia sendo perturbado por políticos. Por isso, foi ao escritório de Alberto Youssef em São Paulo. Queria ter uma noção da quantia que já havia sido repassada e para quem. Youssef mostrou uma tabela e ele anotou uma lista de siglas e números em sua agenda:

"2010 (pp 28,5)", que significava, segundo os investigadores, que 28,5 milhões de reais tinham saído dos cofres da Petrobras para o Partido Progressista.

"5,5 Piz – 5,0 Ma – 5,3 Pe – 4,0 Nel", que indicava os valores, em milhões, distribuídos aos quatro líderes: João Pizzolatti, Mário Negromonte, Pedro Corrêa e Nelson Meurer, respectivamente.

Esse grupo mandou no partido até meados de 2011, mas, depois da morte de Janene, perdeu força, segundo Youssef, por ganância. Os quatro começaram a ficar com a maior parte do dinheiro e a repassar menos para o restante do partido. Logo isso virou motivo de briga. Outro grupo do PP, formado por parlamentares como Ciro Nogueira, Arthur Lira, Benedito de Lira, Eduardo da Fonte e Aguinaldo Ribeiro, se rebelou e assumiu a liderança da legenda. O então ministro das Cidades, Mário Negromonte, foi substituído por Aguinaldo Ribeiro. E os novos líderes foram acertar as contas na Petrobras. Paulo Roberto Costa, em depoimento, contou que foi procurado e se reuniu com esse novo grupo do PP em um hotel no Rio de Janeiro. Foi informado de que, a partir daquele dia, os repasses da estatal deveriam ser feitos diretamente a Arthur Lira, na época líder formal do PP. Além disso, pediram que Alberto Youssef fosse afastado da função de operador, mas isso acabou não acontecendo a pedido das empreiteiras, que já conheciam o doleiro e confiavam nos seus serviços. "Os empresários tinham conceito diferenciado da minha pessoa porque eu sempre fui um cara correto. Eles sabiam que o que passava pela minha mão ia chegar no destino sem desvio, sem sacanagem", explicou Youssef em entrevista.

Paulo Roberto rapidamente aceitou a nova realidade. Tanto que, em 2011 mesmo, o PP lhe fez uma homenagem. Velhas e novas lideranças ofereceram ao diretor da Petrobras um jantar de agradecimento em um restaurante caro de Brasília. Ele ganhou um relógio Rolex de presente e foi saudado como "O homem do PP dentro da Petrobras". Paulo Roberto estava dançando conforme a música. Não tinha outra opção. Sabia que, se não atendesse aos novos donos do poder, perderia o cargo. Quando ficou gravemente doente, em 2006, na época do mensalão, quase foi derrubado da Diretoria de Abastecimento. Costa pegou malária em uma viagem à Índia e depois desenvolveu uma pneumonia. Segundo Paulo Roberto, ao saber que ele estava afastado, com poucas chances de sobreviver, o PT se uniu a alguns funcionários da Petrobras e pressionou o governo para colocar alguém mais ligado ao partido em seu lugar. Mesmo depois de Paulo Roberto se recuperar e voltar ao trabalho, eles continuaram tentando.

Nesse período, Costa se aproximou de Fernando Baiano. O operador do PMDB contou em depoimento que falou com as lideranças do partido no Senado e explicou o caso. Paulo Roberto disse, também em depoimento, que foi procurado por um emissário do senador Renan Calheiros, o deputado Aníbal Gomes. Depois, tratou do assunto diretamente com Renan e com o senador Romero Jucá, em uma reunião na casa do presidente do Senado, em Brasília. Paulo Roberto conta que também esteve na casa de Romero Jucá e nos gabinetes dos dois no Senado. Outros senadores apareceram para ajudar, como Valdir Raupp e Edison Lobão, que depois viria a ser ministro de Minas e Energia. Em todas essas ocasiões, o assunto tratado era o mesmo: o apoio do PMDB para mantê-lo no cargo. Em troca, ele também "ajudaria" o partido. O PP foi consultado pelo PMDB e aceitou "dividir" a diretoria, até porque tinha certeza de que, sem a ajuda do PMDB, não conseguiria manter Paulo Roberto no cargo. Assim, ele começou a repassar propina de contratos da Petrobras também para parlamentares do PMDB. O operador desses pagamentos era Fernando Baiano. Em depoimento, Baiano contou que, entre 2007 e 2011, recebeu mais de vinte depósitos no exterior para Paulo Roberto Costa. Essa movimentação começou a incomodar os políticos do PP. Tanto que um dia, em 2010, Baiano encontrou Youssef almoçando no Rio com Pedro Corrêa, líder do PP, e o deputado reclamou: "Então você é o Fernando Baiano que está levando o dinheiro da gente para o PMDB?"

Mas não eram apenas políticos do PP e do PMDB que batiam à porta de Paulo Roberto Costa. Na Diretoria de Abastecimento, as propinas eram de

2% do valor do contrato e apenas a metade, 1%, era administrada por Paulo Roberto. O outro 1% era para o PT, cujo operador era João Vaccari Neto, tesoureiro do partido. E, na agenda de Paulo Roberto, há anotações de pagamentos para integrantes do partido, também resumidos em siglas e números, como por exemplo "1,0 PB", que significa, segundo Paulo Roberto e Youssef, um repasse de 1 milhão de reais para a campanha da senadora Gleisi Hoffmann por meio de seu marido, o ex-ministro Paulo Bernardo. O tesoureiro do PT foi citado, em depoimento, pelo ex-gerente da Diretoria de Serviços da Petrobras, Pedro Barusco, que era subordinado direto de Duque. Barusco estimou que foram pagos de 150 a 200 milhões de dólares ao PT, entre 2003 e 2013, com a participação de João Vaccari Neto. Até políticos do PSDB procuraram Paulo Roberto Costa. Ele contou que se reuniu em 2010 com o então presidente do PSDB, Sérgio Guerra, já falecido. Nesse encontro, eles teriam acertado um pagamento de 10 milhões de reais ao PSDB para que fosse barrada a instalação de uma CPI que investigaria contratos da Petrobras.

Por causa de todos esses indícios, seriam investigados a partir daquele momento os então deputados Aguinaldo Ribeiro (PP-PB), Aníbal Gomes (PMDB-CE), Arthur Lira (PP-AL), Dilceu Sperafico (PP-PR), Eduardo Cunha (PMDB-RJ), Eduardo da Fonte (PP-PE), Jerônimo Goergen (PP-RS), Sandes Júnior (PP-GO), Afonso Hamm (PP-RS), José Mentor (PT-SP), José Otávio Germano (PP-RS), Lázaro Botelho Martins (PP-TO), Renato Molling (PP-RS), Roberto Britto (PP-BA), Roberto Egídio Balestra (PP-GO), Missionário José Olimpio (PP-SP), Nelson Meurer (PP-PR), Luis Carlos Heinze (PP-RS), Luiz Fernando Faria (PP-MG), Simão Sessim (PP-RJ), Vander Loubet (PT-MS) e Waldir Maranhão Cardoso (PP-MA) e os senadores Antonio Anastasia (PSDB-MG), Benedito de Lira (PP-AL), Ciro Nogueira (PP-PI), Fernando Collor (PTB-AL), Gladson Cameli (PP-AC), Gleisi Hoffmann (PT-PR), que também é ex-ministra da Casa Civil, Humberto Costa (PT-PE), Lindbergh Farias (PT-RJ), Valdir Raupp (PMDB-RO), Renan Calheiros (PMDB-AL) e Romero Jucá (PMDB-RR). O inquérito contra Collor já estava aberto, porque surgiram provas de depósitos de Youssef na conta pessoal dele logo na primeira fase da Lava Jato.

Junto com esses parlamentares, o Supremo decidiu que deveriam ser investigados também, nos mesmos inquéritos, os ex-deputados federais Cândido Vaccarezza (PT-SP), Carlos Magno (PP-RO), Luiz Argôlo (SDD-

BA), Aline Corrêa (PP-SP), Pedro Corrêa (PP-PE), Pedro Henry (PP-MT), João Pizzolatti (PP-SC), José Linhares Ponte (PP-CE), Vilson Covatti (PP-RS) e Roberto Teixeira (PP-PE). O ex-ministro de Minas e Energia Edison Lobão, do PMDB do Maranhão, e o ex-ministro das Cidades Mário Negromonte, do PP de Pernambuco, também seriam investigados, assim como a ex-governadora do Maranhão Roseana Sarney, também do PMDB, e João Leão, vice-governador da Bahia, do PP. Outros dois investigados – que não são parlamentares – responderiam aos inquéritos no Supremo por terem supostamente ligação com o crime relatado: Fernando Soares e João Vaccari Neto. Isso porque os procuradores do caso queriam investigar se o esquema montado no PP tinha se repetido no PMDB e no PT. Para eles, as investigações sobre Fernando Baiano e João Vaccari Neto seriam uma oportunidade para detalhar o funcionamento do esquema nos dois partidos. Além disso, o ex-ministro Antonio Palocci foi citado por Paulo Roberto Costa por ter recebido dele, pelo esquema, 2 milhões de reais para a campanha de Dilma Rousseff. Por não ter foro privilegiado, Palocci teve seu processo encaminhado para as mãos do juiz Sergio Moro.

O ministro Teori Zavascki também autorizou o Ministério Público Federal a investigar a suspeita de formação de quadrilha. Os políticos teriam montado uma ampla e sofisticada organização criminosa para desviar recursos da Petrobras. Esse era o pedido mais importante para os procuradores. O procurador-geral da República o citou em uma nota:

"O principal dos inquéritos trata do esquema de pagamento de propina a agentes políticos responsáveis pela indicação de integrantes de três diretorias da Petrobras. Segundo os depoimentos, os políticos responsáveis pela indicação de Paulo Roberto Costa para a Diretoria de Abastecimento da Petrobras recebiam, mensalmente, um percentual do valor de cada contrato firmado pela diretoria, outra parte era destinada a integrantes do PT responsáveis pela indicação de Renato Duque para a Diretoria de Serviços. Era essa diretoria que indicava a empreiteira a ser contratada, após o concerto entre as empresas no âmbito do cartel."

Assim, 39 pessoas passaram a ser investigadas num mesmo inquérito, apelidado nos corredores do tribunal como o processo do "quadrilhão" ou do "fim do mundo". A maioria era de políticos do PP – 17 deputados e três senadores –, mas havia muitos de outros partidos também, como o presidente do Senado, Renan Calheiros, e o senador Romero Jucá, ambos do PMDB, e o ex-tesoureiro do PT João Vaccari Neto. Na justificativa do pedido formal para a abertura da investigação, o procurador-geral escreveu que o objetivo era "a integral apuração do processo sistêmico de distribuição de recursos ilícitos a agentes políticos, notadamente com utilização de agremiações partidárias, no âmbito do esquema criminoso perpetrado junto à Petrobras".

Ao explicar o esquema, o Ministério Público Federal dividiu a estrutura da suposta organização criminosa em quatro grupos. Os três primeiros eram: o núcleo administrativo, dos diretores da Petrobras; o núcleo econômico, das empresas; e o núcleo financeiro, dos operadores. As investigações chegavam agora ao núcleo político do esquema, formado por parlamentares de partidos que indicavam os funcionários de alto escalão na Petrobras, em especial diretores. Assim se fechava o ciclo criminoso. Paulo Roberto Costa tinha sido indicado pelo PP; Renato Duque, pelo PT e Nestor Cerveró, pelo PMDB. Esses diretores, segundo as investigações, recebiam propina das empreiteiras que atuavam em cartel em obras da Petrobras. As construtoras também passavam dinheiro para os operadores do esquema, que tinham a função de entregar esses valores aos políticos e diretores da Petrobras. De acordo com a apuração, esses pagamentos eram feitos por Alberto Youssef, para o PP; Fernando Soares, o Fernando Baiano, para o PMDB; e João Vaccari Neto, para o PT. Em todas as decisões que tomou sobre os requerimentos de Janot, no entanto, Teori Zavascki deixou registrado que "a abertura de inquérito não representa juízo antecipado sobre autoria e materialidade do delito".

Por entender que não havia provas de que o crime acontecera, o Ministério Público pediu e o Supremo arquivou investigações contra os deputados Alexandre Santos (PMDB-RJ), o ex-deputado Henrique Eduardo Alves (PMDB-RN) e o senador Delcídio do Amaral (PT-MS). Também arquivou outros dois procedimentos contra os senadores Ciro Nogueira e Romero Jucá. Os dois, no entanto, seriam investigados em outros inquéritos. E o senador Delcídio seria preso no final de 2015 por tentar atrapalhar as investigações da Lava Jato e ajudar o ex-diretor da Petrobras Nestor Cerveró a fugir do país.

"Nós ressaltamos sempre o seguinte: estamos pedindo o arquivamento sem embargo de que, de acordo com a lei, com a jurisprudência, se surgirem novos fatos, podemos reabrir. Esse aposto estava em todos os procedimentos. Todos. Eu posso arquivar dizendo o seguinte: ele não praticou o fato e o fato não é crime. Mas em nenhum desses casos nós dissemos isso", explica um dos procuradores que fez os pedidos de abertura de inquérito.

O balanço era surpreendente. Nunca na história do Supremo Tribunal Federal tantos políticos começaram a responder a inquérito de uma só vez. E novos nomes ainda poderiam surgir, avisavam os investigadores.

A ira dos investigados

Na lista não constava o nome de Aécio Neves. Nem o da presidente Dilma Rousseff. O procurador-geral da República pediu o arquivamento da citação a Aécio porque considerou insuficientes as informações dadas pelo doleiro Alberto Youssef. O delator falou que Aécio tinha recebido propina de um esquema em Furnas, a estatal de energia, e que o dinheiro teria sido entregue por meio da irmã dele. Mas não havia provas. Janot descartou a suspeita. O senador Aécio foi procurado imediatamente. Irônico, disse que recebia a notícia como uma homenagem. Depois, soltou uma nota em que atacava o Palácio do Planalto, sem citar nomes: "Foram infrutíferas as tentativas de setores do governo de envolver a oposição na investigação."

A investigação contra a presidente Dilma também foi descartada. Janot não chegou a afirmar se existiam indícios para apuração sobre o envolvimento da presidente, apenas alegou que o parágrafo 4º do artigo 86 da Constituição não permite que o chefe do Executivo seja investigado por qualquer ato sem relação com o exercício do cargo durante todo o mandato. Os fatos mencionados em depoimento eram anteriores à posse dela como presidente.

Já os presidentes do Senado, Renan Calheiros, e da Câmara, Eduardo Cunha, estavam na lista. Era a primeira vez que o Supremo Tribunal Federal autorizava uma investigação sobre a cúpula das duas casas do Legislativo ao mesmo tempo e pelo mesmo suposto crime.

No dia em que a lista foi divulgada, Renan tinha passado boa parte da madrugada e da manhã preparando e revisando uma petição ao Supremo Tribunal Federal em que solicitava acesso às acusações contra ele. Dormiu um pouco no fim da tarde e quando acordou, no começo da noite, os telejornais davam a notícia de que seu nome tinha sido confirmado: ia ser investigado pela Lava Jato. A suspeita: corrupção, lavagem de dinheiro, formação de quadrilha. Ficou furioso. A acusação falava em reuniões na sua casa para tratar do esquema e "receber valores". Renan Calheiros acompanhou todo o noticiário em torno de seu nome. Para quem estava do lado, ele fez pesadas críticas a Rodrigo Janot, que estava levantando suspeitas contra ele. Por telefone, falou com amigos e aliados, sempre repetindo que estava tranquilo, que já tinha passado por maus bocados. Lembrou que, quando foi acusado, em 2007, de pagar pensão para uma filha com ajuda justamente de um empresário da construção civil, tinha virado alvo da imprensa. Mesmo assim conseguira escapar – ser absolvido pelo plenário – e voltar a ser presidente do Senado.

Naquela noite, na residência oficial do presidente do Senado – uma mansão ampla e arejada que oferece a quem está na sala uma bela vista do lago Paranoá –, Renan tomou algumas doses de Johnnie Walker Black Label e deu uma entrevista ao colunista do UOL Fernando Rodrigues enquanto comia dois pratos de arroz com carne e quiabo.

"Você acha que eu não sei o que é pressão? Naquela última vez havia reportagens diárias de mais de dez minutos sobre mim no *Jornal Nacional*. Eu aguentei tudo sozinho. Estou aqui. Eu sei o que é pressão", disse, à mesa, com aparente bom humor.

O presidente do Senado falou ao jornalista sobre a inclusão de seu nome entre os investigados: "Ao Palácio do Planalto não interessava tirar ninguém. O jogo do governo era: quanto mais gente tiver, melhor, desde que tenha o Aécio. Essa era a lógica do Planalto."

E não parou aí. Num tom bem acima do habitualmente usado, o experiente político desabafou ao colunista do UOL: "O governo falava para todos que o Aécio Neves estaria na lista. O Janot falou para umas dez pessoas que estava sendo pressionado. Que o Michel [Temer, vice-presidente da República] pressionava para tirar o Henrique [Eduardo Alves, ex-presidente da Câmara, que acabou não entrando naquela lista e virou ministro do Turismo]. Que ele ia tirar. E que havia pressão para tirar o Eduardo Cunha da lista. O Michel falou com ele [Janot] três vezes."

Diante das fortes declarações, o jornalista se surpreendeu com a maneira incomum com que o senador expressava suas opiniões. "Renan não fala naturalmente assim. Mas era a hora da guerra", escreveu Fernando, acostumado a cobrir escândalos no seio do poder.

Depois do governo, Renan atacou Rodrigo Janot e a lista: "O problema dessa lista é que ela não tem um critério claro. Não estou falando de ter um critério certo ou errado. Estou falando apenas de ter um critério. Ele [Janot] mandou investigar pessoas por fatos idênticos aos fatos pelos quais isentou alguns. Ou seja, não há critério. Ontem [quinta-feira, 05/03/2015], mandou um emissário dizer que tudo no meu caso se refere a doações legais. Ele está em campanha para ser reconduzido ao cargo [de procurador-geral da República]. Aí se explica. Mas, se até a presidente disse que poderia fazer o diabo em campanha, o procurador-geral está levando isso a sério. Está em campanha aberta para se reeleger. Tirou aquela foto com o cartaz de um manifestante dizendo que ele era a esperança para o país."

Renan atacou até um ministro do Supremo, dizendo que "Teori mandou soltar o Duque, sobre quem há provas materiais, e manteve outros presos com o mesmo tipo de provas". E encerrou a entrevista prometendo guerra: "Tudo deve ser investigado. A CPI do Ministério Público deve ser feita. Tem casos de desvio de função no Ministério Público. Tem desvio de dinheiro público. Todos devem ser investigados e ninguém deve temer a investigação." O presidente do Senado só foi dormir depois de duas horas da manhã.

Nos bastidores, Renan apostava que Janot não conseguiria ser reconduzido ao cargo. O mandato dele estava no fim e, mesmo que a presidente Dilma o indicasse para mais dois anos à frente da PGR, o nome dele teria que ser aprovado pelo Senado.

Na casa vizinha, a residência oficial do presidente da Câmara dos Deputados, o novo inquilino, deputado Eduardo Cunha, estava igualmente irritado naquela noite. Ele já lutava contra a menção a seu nome na Lava Jato havia semanas. Quando um auxiliar de Alberto Youssef, o policial Jayme de Oliveira Filho, encarregado de distribuir o dinheiro do esquema, o citou em depoimento – dizendo que tinha ido à casa do deputado para entregar dinheiro –, Cunha não se fez de rogado. Deu uma série de entrevistas negando conhecer Jayme, garantiu que nunca recebera dinheiro e falou que a casa onde o entregador teria ido não era a dele. Naquele dia, o nome do senador tucano Antonio Anastasia também surgiu nos jornais. Em depoimento para a Lava Jato, o mesmo Jayme teria contado que havia levado dinheiro para o ex-governador de Minas, que negou a denúncia com veemência. Mais de sete meses depois do início das investigações, o inquérito contra Anastasia seria o primeiro a ser arquivado por falta de provas.

Quando a lista saiu, Cunha partiu para o ataque. Em uma entrevista no Salão Verde da Câmara, acusou a Procuradoria-Geral da República de agir como um braço político do Palácio do Planalto: "Eu não aceito isso, vou me defender. A PGR agiu politicamente em conjunto com o governo. Querem deixar todos iguais para, juntos, buscarem solução. É mais uma alopragem que responderei e desmontarei com relativa facilidade."

Cunha foi também à CPI da Petrobras – articulada e nomeada com influência direta dele na escolha do presidente – e falou o que quis. Disse que a lista de Janot era uma "piada", garantiu que era inocente, que as acusações eram falsas e que não havia sequer um indício para abrir investigação contra ele. "Colocar a honra de quem quer que seja e dizer que o pedido de abertura de inquérito não constrange, constrange! Principalmente a quem está no exercício do poder. À toa. Colocar de uma forma irresponsável e leviana, por escolha política, alguém para investigação é criar um constrangimento para transferir a crise do lado da rua para cá, e nós não vamos aceitar", disse. Cunha ainda completou: "O Ministério Público escolheu a quem investigar, não investigou todos, e por motivações de natureza política escolheu aqueles que seriam alvo de investigação."

Ao ser perguntado por um deputado da CPI se tinha conta no exterior, disse uma frase que iria lhe dar muita dor de cabeça depois, mas que ele reafirmaria mesmo diante de fortes evidências em contrário: "Não tenho qualquer tipo de conta em qualquer lugar que não seja a conta que está declarada no meu Imposto de Renda."

Na saída, o presidente da Câmara ainda deu entrevista à imprensa: "Não vim aqui buscar qualquer aplauso ou situação de desagravo. Vim em respeito ao processo investigativo do maior esquema de corrupção desse país." Depois, no gabinete dele, pegou uma cópia do depoimento que havia acabado de dar e mandou anexar ao pedido de arquivamento encaminhado ao Supremo. Ele não queria sequer ser ouvido pela Polícia Federal. Os investigadores, que assistiram a toda a sessão da CPI pela TV Câmara, perguntariam sobre as coisas que ele negou na comissão, como ter recebido qualquer "benefício indevido" e ter relação próxima com o lobista Fernando Baiano.

Naquele momento, Eduardo Cunha já havia caído na malha da investigação conduzida pelos procuradores da Lava Jato. O Ministério Público Federal tinha ouvido o nome do presidente da Câmara pela primeira vez no depoimento de Alberto Youssef. O doleiro disse ter ficado sabendo que Cunha fizera pressão sobre Júlio Camargo usando requerimentos de informação de uma comissão da Câmara dos Deputados. Queria propina. Foi isso que fez soar o alerta. Era preciso pegar o tal requerimento. A primeira pesquisa não localizou nenhum requerimento seu. Mas havia um de Solange Almeida.

Em julho de 2011, a então deputada apresentou um pedido de informações sobre a Mitsui do Brasil, empresa em que Júlio Camargo tinha atuado. O texto do requerimento era bem firme e trazia a seguinte justificativa: "Vários contratos envolvendo a construção, operação e financiamento de plataformas e sondas da Petrobras, celebrados com o Grupo Mitsui, contêm especulações de denúncias de improbidade, superfaturamento, juros elevados, ausência de licitação e beneficiamento a esse grupo que tem como cotista o senhor Júlio Camargo, conhecido como intermediário." Na época, não havia nenhuma investigação ou notícia de denúncia contra a Mitsui ou mesmo Júlio Camargo, que só começou a aparecer na imprensa depois da Lava Jato. Em depoimento, a própria deputada confirmou que não conhecia o Grupo Mitsui nem sabia nada a seu respeito quando apresentou o requerimento.

A estranha história desse requerimento foi parar na imprensa, o que deixou Cunha irritado. O presidente da Câmara acabou demitindo o chefe do setor de Informática. Disse que sabia que não tinha sido ele o autor do vazamento para os jornalistas, mas justificou a demissão como uma forma de dar um exemplo. Ao tomar conhecimento dessa notícia, os procuradores correram à sala de Janot e disseram: "Nós precisamos ouvir esse cara agora."

O chefe do setor de Informática saiu da Câmara e, três horas depois de exonerado, já estava prestando depoimento ao Ministério Público Federal. Ele chegou preocupado, mas teve a garantia de que não haveria quebra de sigilo. "Ele não nos entregou documentos, nada. Deu um depoimento técnico, mostrou para nós no site como era", conta um dos procuradores. O servidor da Câmara confirmou que tinha sido Eduardo Cunha o autor do requerimento. Deu uma explicação técnica sobre como as impressões digitais dele poderiam ter ficado no requerimento.

– Ele consegue apagar essa informação do sistema da Câmara? – quis saber um dos presentes.

– Sim. Fica registrado quem foi que apagou, mas a informação mesmo se perde, não recupera depois – respondeu o técnico.

– Se a gente for lá, consegue ver e extrair essa informação do sistema? – perguntou um procurador.

– Sim – disse o ex-chefe da Informática.

Os procuradores decidiram fazer imediatamente uma busca na Câmara dos Deputados. Pediram e conseguiram autorização do Supremo. O chefe de gabinete de Janot, Eduardo Pellela, chamou na hora dois integrantes do grupo de trabalho para cumprir a ordem. O detalhe é que não era uma busca e apreensão, a que todos estavam acostumados. Era uma solicitação de informações, sem prazo. Ou seja, era um pedido, mas tinha que ser atendido imediatamente. "É uma diligência menos invasiva que uma busca e apreensão. É um pedido de informações normal, não precisa de polícia, de nada", explicou um dos procuradores.

No dia em que o mandado saiu, uma segunda-feira à noite, o chefe de gabinete de Janot, dois procuradores e dois servidores do Departamento de Informática do MPF saíram da Procuradoria-Geral da República e foram se encontrar com um oficial de justiça do Supremo que estava com a ordem de Teori. A reunião de preparação entre eles foi feita na garagem do Supremo Tribunal Federal.

– Como é seu nome? – perguntou Pellela.

– Antonio – respondeu o oficial de justiça.

– Você não abra esse mandado antes de entrar na sala do diretor-geral, mas nem por um decreto, tudo bem? A gente tem aqui dois colegas, com crachá do Ministério Público Federal, dois procuradores. Eles vão entrar na Câmara sem se identificar, vão subir até a sala, vão entrar na sala, e lá você abre o mandado. Beleza, tá combinado assim? – explicou, de forma clara e direta, o chefe de gabinete.

– Beleza, doutor, pode deixar comigo, tenho dez anos aqui – respondeu o oficial, seguro.

Os procuradores então ligaram para a sala do diretor-geral da Câmara, Sérgio Sampaio, e pediram a ele que esperasse. Queriam ter uma reunião com ele. O grupo pegou um carro sem logotipo e foi para a Câmara. Pellela voltou para a PGR e ficou monitorando tudo por mensagens de celular. Quando os procuradores chegaram à Câmara, pouco antes das oito da noite, o diretor-geral disse que ia avisar o presidente Eduardo Cunha do teor do pedido. Ele citou um ato da Mesa Diretora da Câmara, que já estava separado na mesa dele, que dizia que tinha que avisar o presidente da Casa. Mas os procuradores já esperavam por essa e também estavam preparados. Interromperam o diretor e tiveram de falar grosso.

– O senhor não está entendendo. Está escrito aqui neste papel que a decisão está endereçada ao senhor. Ali em cima está o carimbo de sigiloso. Se o senhor avisar o deputado Eduardo Cunha, estará avisando o investigado, desrespeitando uma ordem judicial. O senhor vai discutir uma ordem do ministro do Supremo – disse o procurador, em tom grave, olhando nos olhos do diretor. – O senhor pode avisar, se quiser. Não tem problema. Só que é sigiloso. Mas vá lá – provocou.

Depois de uns 40 minutos de discussão, o diretor cumpriu a ordem. Foram para o setor de Informática. Sérgio Sampaio estava visivelmente constrangido. Quando as buscas já estavam sendo cumpridas, o diretor foi ao gabinete do presidente Eduardo Cunha e o avisou do acontecido. Os procuradores só saíram da sala às duas e meia da manhã. Quando deixavam o prédio do Congresso, um deles reparou que as luzes das salas da presidência estavam acesas. Naquela mesma noite, um advogado ligou para o celular pessoal de Rodrigo Janot, mas ele desconfiou e não atendeu. Os políticos estavam atentos.

Durante a busca, os procuradores checaram os arquivos da Câmara, localizaram as informações que queriam, foram buscar fitas DAT, usadas para armazenamento de dados, guardadas em salas próximas a um estacionamento já nos limites do Congresso. Botaram tudo para rodar e gerar os dados necessários. Uma operação que demoraria horas. Tiveram de ir para casa e voltar depois para acabar de extrair os dados. No dia seguinte, chegaram logo após o almoço e foram embora às sete e meia da noite. Só aí puderam dar a missão por cumprida. A diligência tinha sido um sucesso. E sem chamar a atenção. A imprensa só ficou sabendo mais tarde.

Diante dos pedidos de abertura de inquérito, outros investigados reagiram de formas variadas. Alguns pediram o arquivamento sumário, outros queriam prestar logo depoimento e sair dizendo que não havia provas contra eles. Uma das declarações mais inusitadas veio do vice-governador da Bahia, João Leão, investigado por suspeita de corrupção e formação de quadrilha. À tarde ele soltou uma nota não muito diferente das de outros parlamentares investigados, na linha triste e surpreso, mas inocente. "De cabeça erguida continuarei trabalhando em defesa da Bahia e do Brasil", escreveu. No fim da noite, porém, divulgou uma declaração muito mais coloquial, ou melhor, explícita: "Não sei por que meu nome saiu. Nem conhecia esse povo. Acredito que pode ter sido por ter recebido recursos em 2010 das empresas que estão envolvidas na operação. Mas, botar meu nome numa zorra dessas? Não entendo. O que pode ser feito é esperar ser citado e me defender." Nesse ponto, Leão perde a linha: "Estou cagando e andando, no bom português, na cabeça desses cornos todos. Sou um cara sério, bato no meu peito e não tenho culpa. Segunda-feira vou a Brasília saber por que estou envolvido."

Por outro lado, teve político que viveu momentos de angústia por causa da divulgação da lista. O deputado federal Jerônimo Goergen, por exemplo, estava na Irlanda com a mulher. Ao saber que o nome dele tinha aparecido na lista, quis voltar imediatamente. No Facebook e no Twitter dele, os eleitores cobravam explicações. "Gastei 6 mil reais de telefone, só dando entrevista para a imprensa para dizer que eu não tinha nada a ver com isso. Mais um tanto para trocar a passagem. Não tinha mais cabeça para ficar lá. Me lembro de estar no aeroporto, chorando, falando ao telefone com meu advogado, e a notícia passando no telão do Charles de Gaulle, em Paris. Minha foto, no telão daquele aeroporto. As pessoas não entendiam por que eu estava chorando tanto. Eu andava e tinha a sensação de que as pessoas estavam me olhando e me chamando baixinho de ladrão", desabafou o deputado. Algumas dessas reações surpreenderam os investigadores. "Uma coisa é bem clara: nós estamos fazendo algo técnico, estamos calçados, não estamos fazendo nada político. Tem reflexos políticos. Mas isso não é problema nosso", disse um procurador.

Passado o furor da apresentação dos nomes, a parceria entre a secretária de Comunicação do Supremo, Débora Santos, e o chefe de gabinete do procurador-geral da República, Eduardo Pellela, ultrapassou a fronteira profissional. Em razão do ritmo intenso de trabalho com a Lava Jato, a proximidade virou romance a partir do fim de maio de 2015, dois meses e meio após a divulgação da lista.

Tudo ia bem quando o casal sofreu um baque em uma viagem para São Paulo, logo no início do namoro. Débora passou mal e foi levada por Eduardo ao Hospital Sírio-Libanês. Sem dar aviso prévio, os dois rins dela pararam. Foram cerca de 40 dias de internação no hospital em São Paulo. Nesse período, mesmo durante uma fase crítica da Lava Jato em Brasília, Janot liberou seu chefe de gabinete todas as semanas para viajar a São Paulo e visitar a namorada. O problema de Débora tinha de ser sanado com um remédio importado e sessões diárias de hemodiálise.

Os dois foram morar juntos e, em fevereiro de 2016, uma nova surpresa. O casal recebeu a notícia de que ela estava grávida. E, contra todos os prognósticos negativos decorrentes do problema nos rins, a gravidez poderia seguir.

Embate entre PF e MPF

Logo depois da divulgação da lista, os investigadores se recolheram. Era a hora de trabalhar em silêncio. Com a autorização do Supremo Tribunal Federal, eles iriam aprofundar as investigações sobre as suspeitas de crimes de corrupção, lavagem de dinheiro e organização criminosa. O Ministério Público Federal já tinha um grupo de trabalho e, na Polícia Federal, o delegado gaúcho Thiago Machado Delabary foi escolhido para coordenar a força-tarefa da Lava Jato em Brasília. Conhecido por sua discrição, Thiago teve autonomia para montar a própria equipe e traçar a linha de investigação. O trabalho era imenso e desafiador. A questão mais imediata era definir a estratégia para os próximos passos. Seria preciso coordenar esforços.

No entanto, um desentendimento entre PF e MPF quase atrapalhou as investigações no começo de abril. Nas primeiras reuniões de trabalho, os procuradores apresentaram aos delegados uma sequência predeterminada para a realização de diligências autorizadas pelo Supremo, como coleta de documentos e depoimentos. Mas a PF temia que isso atrasasse a investigação. Na opinião dos delegados, era melhor cumprir todas as diligências o mais rápido possível. E, sem avisar, a PF tomou seis depoimentos que o MPF preferiria colher no futuro, depois que tivesse reunido provas que pudessem ser usadas para surpreender o investigado na hora do interrogatório.

A decisão da Polícia Federal irritou os procuradores. Eles pediram informalmente aos delegados que suspendessem os depoimentos. Mas a PF se negou. A certa altura, os delegados diziam que tinham uma ordem judicial para ouvir os parlamentares e que só outra ordem poderia impedi-los de fazer isso.

O procurador-geral foi então dar ciência do desentendimento a Teori e solicitou oficialmente ao Supremo a suspensão dos depoimentos em sete processos. Foi o que bastou. O caso ganhou os jornais com tom de crise. A PF estaria sendo pressionada a colher logo os depoimentos e liberar os políticos investigados. O MPF estaria deixando de tomar as melhores decisões para o inquérito. Nessa época, os procuradores começaram a convidar os parlamentares para depor na Procuradoria-Geral da República, e não na Polícia Federal. Os delegados estranharam. Surgiram até boatos de que a PF estaria passando as perguntas para os investigados antes dos depoimentos. Foi a gota d'água. Os delegados ficaram furiosos. "Tinha um movimento para tirar as oitivas daqui. Essa foi a maneira de tentar fazer isso: depreciar nosso trabalho", contou um deles. Foi convocada uma reunião, que começou meio tensa. Os policiais federais reclamaram. Os procuradores bateram o pé. Lembraram que, ao abrir os inquéritos, o ministro Teori tinha dito que o MPF era o responsável pela ação penal.

– Nós temos um problema. O Supremo já disse que o titular da ação penal é o Janot. Se os parlamentares quiserem depor para ele, que é o titular, ele está disposto a que sejam ouvidos na PGR. Tá errado isso? Não. Ele é o titular. O Teori já disse isso, tem decisão do Teori dizendo isso – argumentou um procurador.

– Mas é prerrogativa da polícia tocar o inquérito policial – respondeu um delegado, citando um artigo do Regimento Interno do STF que diz que "a autoridade policial deverá reunir os elementos necessários para a conclusão das investigações".

Eles não iam ceder. Entre eles, diziam que a PF não podia se transformar em um mero núcleo de operações de Janot. Já existia um movimento nas redes sociais com o slogan "Deixa a PF trabalhar". Ou seja, tinha gente querendo briga dos dois lados. O debate se seguiu por mais um tempo, até que um dos presentes resolveu buscar um consenso.

– Vamos pensar no sentido de resolver o problema. Nós só vamos causar estresse aqui. Então é o seguinte, pessoal, vamos resolver. Aqueles deputados ou senadores que quiserem depor na PGR vão ser ouvidos lá, os

demais seguem aqui. E vamos fazer na PGR com a participação de vocês
– disse um procurador.

Isso acalmou um pouco os ânimos. E a reunião seguiu mais tranquila.
Mas o problema só acabou mesmo depois que o ministro Teori Zavascki, ao
renovar o prazo dos inquéritos, escreveu que era preciso harmonia entre as
duas instituições: "É do mais elevado interesse público e de boa prestação da
justiça que a atuação conjunta do Ministério Público e das autoridades policiais se desenvolva de forma harmoniosa, sob métodos, rotinas de trabalho
e práticas investigativas adequadas, a serem por eles mesmos definidos, ob-
servados os padrões legais, e que visem, acima de qualquer outro objetivo, à
busca da verdade a respeito dos fatos investigados pelo modo mais eficiente e
seguro em tempo mais breve possível." Teori afirmou que não cabe ao poder
judiciário delimitar o campo de atuação da polícia e explicou que, quando
disse na abertura dos inquéritos que o MPF era o destinatário das diligências, não quis "prejudicar a competência da autoridade policial".

A maioria dos parlamentares acabou sendo ouvida na Polícia Federal.
"Foi um estresse desnecessário. E uma coisa que posso te dizer, já que este
é um registro histórico: fora um detalhe ou outro, nós sempre trabalhamos
conversando com a polícia. É um trabalho de parceria", reconhece um procurador. Os delegados da Polícia Federal falam o mesmo.

Nessa investigação, essas duas instituições, que no fundo têm o mesmo objetivo, brigaram até menos do que em outras ocasiões. A lista de
Janot foi um momento de tensão que se resolveu rapidamente. Entre a
Procuradoria e o Congresso, no entanto, o estresse só aumentaria nos
meses seguintes. O país ficou na inédita situação de ter os presidentes das
duas casas do Legislativo investigados pelo Ministério Público. Sem falar
de muitos outros parlamentares. Diversos tremores ainda aconteceriam, e
a crise política se agravaria. Mas a batalha da lista de Janot fora vitoriosa.

Capítulo 6

UM ANO DE ESTRADA

17 de março de 2015

Personalidade do Ano

Às vésperas de a Lava Jato completar um ano, a fama de Sergio Moro já tinha se espalhado pelo Brasil. Ao longo de meses, a operação e seu juiz vinham sendo saudados em manifestações de rua espontâneas. Uma das primeiras vezes que o nome de Moro apareceu em um ato desses foi em 15 de novembro de 2014, um dia depois do início da sétima fase, que prendeu grandes empreiteiros. Os manifestantes carregavam cartazes com os dizeres "Sergio Moro no STF" ou "Taca-lhe pau, Moro" e faixas pedindo a "Punição do petrolão". A admiração pelo juiz era demonstrada de diferentes formas. Um grupo de senhoras enfeitou a praça em frente ao prédio da Justiça Federal com laços amarelos. Moradores foram para a porta da PF com cartazes como "Sergio Moro, Honra e Justiça", "Sergio Moro, o Brasil pede socorro" e "Polícia Federal, orgulho do Brasil". Num desses dias, um antigo policial que saía para o almoço parou seu carro velho na frente dos manifestantes e chorou. "Eu trabalhei 35 anos na PF e nunca achei que um dia veria isso", contou.

Em 15 de março de 2015, as manifestações contra a corrupção e o governo chegaram ao ápice com mais de 2,4 milhões de pessoas saindo às ruas de todo o Brasil. Foi um dia histórico. Protestos foram registrados em mais de 250 cidades e, na maioria absoluta delas, havia cartazes de apoio à Operação Lava Jato e ao juiz Sergio Moro. Em Olinda, um boneco de Moro foi levado para as ruas. Em Curitiba, imagens do juiz desfilaram com os manifestantes. "Somos todos Moro", dizia um cartaz em São Paulo.

Nessa época, o juiz começou a ser abordado pelas pessoas onde estivesse. Ao parar para fazer compras num supermercado, a caminho de casa, teve sua presença anunciada pelo alto-falante quando estava no caixa. Os compradores o aplaudiram. O cantor Raimundo Fagner, depois de conhecê-lo, fez um vídeo elogiando-o: "Sergio Moro, prazer ter falado com você. Nós, brasileiros, estamos junto com você. Parabéns por você existir neste país difícil de aturar. Mas você existe. Falou, parceirão! Forte abraço!"

Ao chegar para o lançamento de um livro em São Paulo, o juiz não só foi reconhecido como seguido pelos corredores do shopping por mais de uma dúzia de pessoas que gritavam frases como "Esse aqui é o orgulho do Brasil!", "Meus filhos te agradecem!", "Ah, Sergio Moroooo!" e "Justiça, Justiça!".

Por sua atuação na Lava Jato, Sergio Moro foi escolhido o grande vencedor do prêmio Faz Diferença do jornal *O Globo*. Ganhou na principal categoria, a de Personalidade do Ano, uma honraria concedida a brasileiros que fizeram coisas notáveis. E entrou para um seleto grupo de premiados que inclui Zilda Arns, José Mindlin, Sebastião Salgado e Joaquim Barbosa.

Para a entrega do prêmio, o jornal leva os homenageados ao Rio e os hospeda no local da cerimônia da premiação, o Copacabana Palace. Para Moro foi reservada uma suíte de frente para o mar. Ele educadamente recusou. Comprou passagem para ele e para a esposa, Rosângela, e os dois embarcaram depois do almoço. Reservou um hotel mais barato ali perto, pago por ele mesmo. A única coisa que pediu foi que os pegassem no hotel e os levassem de volta no fim da noite. Ficou pronto rápido porque queria chegar logo e conversar com os outros premiados.

Quando chegou ao Copacabana Palace com a mulher, na hora marcada, de terno preto, blusa e gravata preta, roupa que se tornou sua marca registrada, o cerimonial orientou o casal a subir a escada em direção ao salão no andar de cima. Os garçons serviam champanhe e os convidados conversavam à espera da cerimônia quando os flashes das câmeras começaram a disparar. Todos ao mesmo tempo e numa só direção. Sergio Moro estava chegando. "Quando eu pisei no último degrau da escada, não deu tempo nem de arrumar o corpo", contou rindo, depois, a esposa de Sergio Moro.

O juiz agora era uma celebridade. Os jornalistas correram em sua direção. Ele não estava acostumado com o cerco da imprensa. Vários repórteres fizeram perguntas ao mesmo tempo. Moro ouviu atento, mas deu respostas breves e concisas. Por mais solícito que tentasse ser, o assédio crescia. As perguntas se sucediam e ele não conseguia responder a todas. Alguém do cerimonial quis tirá-lo daquela pressão e disse que havia uma sala mais reservada. "Os outros convidados podem entrar nessa sala também?", perguntou. Não era apenas a defesa do princípio da isonomia, o juiz estava mesmo querendo conversar com os demais premiados. Na sala no fim do corredor, Moro acabou ficando numa roda com alguns dos jornalistas de O Globo. Sergio Moro e Rosângela conheceram os colunistas e escritores Merval Pereira e Zuenir Ventura, dois imortais da Academia Brasileira de Letras, a colunista Miriam Leitão e o vice-presidente do Grupo Globo, João Roberto Marinho. Eles ficaram conversando por um tempo antes de a cerimônia começar. Inspirado por esse encontro, Zuenir Ventura, conhecido como Mestre Zu, escreveu um artigo, publicado em O Globo de 21 de março de 2015, cujo título era "Um juiz otimista":

"Curioso estar diante daquele rapaz de 42 anos, com cara de recém-saído da faculdade e que é hoje o homem público que carrega a maior carga de anseio ético do país. Pode ser que o sucesso venha a lhe subir à cabeça, não sei, mas, por enquanto, parece que não. Sem arrogância na fala ou nos gestos, sem bravatas ou onipotência, sem moralismo salvacionista, Sergio Moro de perto é normal."

No artigo, Zuenir também disse que aquela noite oferecia aos presentes, como contraponto ao quadro de deterioração moral da política, "o espetáculo de uma espécie de Brasil que deu certo". O símbolo era Sergio Moro, ganhador do principal prêmio da noite por sua atuação na Operação Lava Jato, mas também foram homenageadas personalidades ligadas a várias áreas, da cultura ao esporte, passando pela ciência e pela música. Todas elas, assim como Moro, tinham feito a diferença no Brasil no ano de 2014. Moro e Rosângela sentaram na primeira fileira, onde tinham lugar marcado, e assistiram aos discursos de todos os outros homenageados. Um deles disse ser uma honra estar ali sendo premiado junto com o juiz.

Na sua vez, Moro acompanhou atento ao que falavam sobre ele e projetavam nos telões. Quando a foto preferida da esposa do juiz apareceu nos telões, o apresentador do prêmio, o colunista Ancelmo Gois, disse: "Guardem este nome: Sergio Fernando Moro. Sim, é ele que tem uma posição de destaque na busca deste sonho coletivo: um país onde todos sejam iguais."

O juiz ouvia tudo com atenção. Quando o chamaram ao palco, Moro deu um rápido beijo no rosto da mulher e subiu. O Golden Room do Copacabana Palace, lotado, o aplaudiu de pé por minutos. Moro colocou as mãos para trás em reverência ao público enquanto esperava as palmas terminarem. Pegou o troféu e falou de improviso. Tinha pensado em alguns tópicos. Estava sorrindo quando começou, mas a boca estava meio seca, como se estivesse um pouco nervoso. Agradeceu o prêmio, disse ter orgulho de estar entre aqueles homenageados, com histórias e feitos incríveis, mas surpreendeu ao dizer que o prêmio o constrangia porque era por um trabalho ainda em andamento. Falou que se sentiria mais confortável se o reconhecimento fosse por um trabalho concluído. Lembrou também que a Lava Jato não era fruto de um homem só.

"Como juiz, em relação ao caso pendente, eu não posso fazer promessas que vou julgar de determinada maneira ou vou chegar a determinado resultado. O que posso prometer, esse é o dever do juiz, é que vou fazer o melhor de mim para julgar o caso segundo a lei, segundo as provas que forem apresentadas, respeitando o direito dos acusados e também considerando – acho que isso é importante, esta noite até nos dá uma lição sobre isso – os direitos da vítima e da sociedade para a boa resolução do caso. O objetivo é sempre o império da lei, a aplicação da Justiça de maneira imparcial, de maneira igual, na forma da lei, julgando segundo as provas do processo. Não é decorrência do prêmio, é o compromisso de todo juiz."

Mostrava nos gestos e nas palavras que não se deixara afetar pelas homenagens nem pela notoriedade. Falou também das manifestações que, dias antes, tinham levado mais de dois milhões de pessoas às ruas. Uma das principais bandeiras dos protestos, contra e a favor do governo, era o combate à corrupção. Todos concordavam nesse ponto.

"Eu fiquei extremamente tocado pelas manifestações populares recentes. Claro que os grupos que foram às ruas são grupos plurais, as ideias não são todas comuns, é possível ter divergência em relação a alguns posicionamentos, mas é muito bonito, dentro de uma democracia, ver o povo na rua. E pelo menos havia uma bandeira comum, que acho que mesmo dentro de uma democracia, por mais plural que ela seja, tem um consenso: todos somos contra a corrupção. Todos somos contra o crime. E entendemos, quer estejamos no campo da esquerda, quer estejamos na direita, quer estejamos no campo político do centro, nós entendemos que a corrupção tem que ser, quando identificada e provada, adequadamente punida."

Para terminar seu discurso, defendeu a publicidade do processo – determinada pela Constituição, e não uma escolha dele –, que deu à sociedade civil a possibilidade de ficar bem informada sobre o que era revelado nos autos e também sobre sua condução.

"Eu tenho fé que, com o apoio da opinião pública, com o apoio da população, nós possamos caminhar adiante com esse processo. Já foi mencionado aqui anteriormente, a democracia brasileira já enfrentou desafios muito maiores no passado. Nós vencemos uma ditadura brutal. Também conseguimos controlar a hiperinflação. Tivemos avanços sociais significativos nas últimas décadas. A corrupção é apenas mais um problema. E, dentro de um sistema democrático, não vejo nenhum problema como insuperável. Com o apoio das instituições democráticas, com apoio da sociedade, acredito que nós vamos conseguir superar esse problema com tranquilidade."

Por fim, fez uma homenagem à sua família e citou de forma especial seu pai, Dalton Áureo Moro, que foi professor de Geografia na Universidade Estadual de Maringá, mesmo lugar onde ele se formou em Direito. Naquele único momento, por uma fração de segundo, sua voz revelou a emoção: "Meu pai lamentavelmente é falecido, mas em memória tenho um grande respeito, muito do que aprendi na minha vida foi com ele. E uma homenagem especial à minha linda esposa, que me acompanhou aqui nesta data. Obrigado."

O juiz foi outra vez aplaudido de pé longamente. Para os presentes à cerimônia, era uma noite de histórias de esperança, e ele simbolizava isso também. Sergio Moro e a mulher se deixaram ficar no salão e conversaram um pouco com os outros homenageados e convidados, até que decidiram ir embora. Chamaram o carro. Na volta para o hotel, chovia em Copacabana. Moro era naquele momento, como diria Zuenir Ventura, a pessoa sobre a qual repousavam os maiores anseios éticos do Brasil. Ele tinha 42 anos e, de perto, era normal.

O caminho já trilhado

Sergio Moro chegara até aquele ponto por meio de uma carreira como a de tantos brasileiros. Na faculdade, apesar de bom aluno, até o terceiro ano não sabia se estava na direção certa. Descobriu o gosto pelo Direito na prática, na rotina do escritório de advocacia onde foi estagiário. Nessa época, até gostava da área criminal, mas seu interesse era pela área tributária, onde atuava. No entanto, logo se sentiu atraído pela ideia de ser juiz, fazer uma carreira na magistratura. Passou no concurso de primeira, mesmo sem estudar muito por causa do trabalho. E a vida o levou para outros rumos. A primeira vara em que atuou não tinha casos da área penal. Dois anos depois, o jovem juiz federal conseguiu fazer um curso de verão em Harvard. Foi uma experiência interessante, uma oportunidade de comparar a maneira como os dois países praticavam o Direito. Isso abriu ainda mais sua cabeça. Foi ali que viu que o mundo jurídico era bem maior do que tinha aprendido na faculdade. Voltou para o Brasil com muitas referências novas, de livros, teorias e pessoas.

Quando foi promovido de juiz substituto a juiz titular, em 1999, a primeira cidade onde atuou foi Cascavel, no interior do Paraná. Foi lá que ele teve a primeira experiência com processos criminais. Conheceu bons procuradores, mergulhou nos casos, tomou gosto por essa área. Depois foi designado para atuar em Joinville, interior de Santa Catarina. E passou a se dedicar mais a esse tipo de caso. Estava se formando o juiz meticuloso que o Brasil conheceria depois. Em 2002, surgiu uma oportunidade de morar em Curitiba, cidade da família da esposa, e ele não teve dúvidas: escolheu trabalhar em uma vara criminal. Hoje, não pensa em fazer outra coisa. Para ele, julgar um crime, analisar cada uma das provas, é muito mais atraente. Não há rotina: cada caso é um caso.

Mas ainda faltava um degrau na caminhada de Sergio Moro. Em 2003, poucos meses depois de ter se mudado para Curitiba com a família, soube que o juiz Gilson Dipp, por quem tem grande admiração, havia articulado a criação de diversas varas especializadas no crime de lavagem de dinheiro pelo Brasil. Um estudo do Conselho da Justiça Federal, conduzido por Dipp, mostrava que a lei de lavagem de dinheiro, de 1998, não tinha conseguido resultado. Quase ninguém era processado por esse crime no país. Por isso, cada estado teria agora uma vara dedicada apenas a esse crime e conexos. No Paraná, a vara em que Moro trabalhava, a 2ª da Justiça Federal, foi escolhida para se tornar a especializada em lavagem de dinheiro. Isso significava que Moro teria responsabilidade por todos os processos desse tipo de crime em todo o estado.

Logo que ele assumiu, chegou um caminhão de processos vindo de Foz do Iguaçu. Lá, as varas criminais estavam sobrecarregadas de flagrantes de contrabando e tráfico na Ponte da Amizade, fronteira com o Paraguai. Elas não tinham estrutura para tocar um caso de grandes proporções: o escândalo do Banestado. Foi um batismo de fogo para Sergio Moro. O caso, até hoje considerado o maior da história em evasão de divisas, registrou a saída ilegal de mais de 30 bilhões de reais do Brasil para os Estados Unidos. Foi durante esse caso que Sergio Moro se encontrou com o doleiro Alberto Youssef pela primeira vez. Foi nesse processo que Youssef fez sua primeira delação premiada, considerada pioneira no Brasil e homologada por Moro.

Moro sabe que nem sempre é possível alcançar bons resultados. Sobre o incomum sucesso da Lava Jato, ele acredita que muitas vezes foi empurrado por golpes de sorte, o que outros chamam de ajuda divina. "Eu tive bons casos criminais que chegaram à prisão e condenação. Nada nesse nível atual. Mas incrivelmente as coisas deram certo", disse Moro.

Ao longo de sua carreira como juiz federal, Sergio Moro já viu muito processo virar pó por um detalhe, coisa pequena, uma filigrana jurídica aproveitada em um recurso de advogado levado a uma instância superior. Tinha sentido na pele quanto nosso sistema judicial é imperfeito, com falhas e brechas por onde passa a impunidade. Moro chegou a lamentar que o bom funcionamento do sistema fosse uma exceção, e não a regra. A certa altura da carreira, estava um pouco desiludido com os casos de crimes financeiros. Dedicava-se mais a outros crimes, como tráfico de drogas. Foi o juiz de processos contra o traficante internacional Fernandinho Beira-Mar.

Sergio Moro se mira em exemplos de juízes que marcaram época, como Giovanni Falcone. O juiz italiano que comandou o maxiprocesso contra a máfia, nos anos 1980, foi um dos que Moro mais estudou, por várias razões. Uma delas foi a capacidade de Falcone de conduzir com mãos firmes um processo de grande magnitude. A outra, a habilidade de conseguir o apoio da opinião pública, a melhor vacina contra o tráfico de influência. Mas há ainda outro lado de Falcone que o brasileiro admira: depois de ver condenados os operadores da Máfia italiana, ele se dedicou a projetos de lei contra ela. Assim como Falcone, Moro tem convicção de que o combate ao crime organizado exige um aprimoramento constante no processo judicial. Na Itália, isso significou uma legislação que beneficiava aqueles que confessavam os crimes e colaboravam com as investigações, que eram chamados de "arrependidos". Eles foram fundamentais lá, como os delatores da Lava Jato são aqui. Aos funcionários de seu gabinete e aos amigos, Moro costuma recomendar o livro *Cosa Nostra*, sobre a trajetória de Falcone.

Nesse ponto, a Lava Jato se aproxima do Direito americano. Nos Estados Unidos, a maioria das disputas judiciais termina em acordo entre as partes, o que muitas vezes envolve uma admissão de culpa de uma delas. Se fosse assim no Brasil, as cortes não estariam tão cheias de processos. Sergio Moro tem formação acadêmica inspirada na escola de Direito dos Estados Unidos, o que faz muita diferença num sistema jurídico como o brasileiro, cuja tradição vem da cultura romano-germânica. Um juiz que admira é Earl Warren, que comandou a Suprema Corte dos Estados Unidos na época em que ela colocou crianças brancas e negras para estudarem juntas e, assim, superou a segregação racial no país. Warren, como Moro, costumava ter as suas decisões confirmadas por cortes superiores no começo da carreira. Moro, como Warren, acha que na Justiça outros caminhos podem ser trilhados, como o do acordo.

A experiência americana também serviu para indicar o uso correto de um instrumento relativamente novo no Brasil: a delação premiada. Essa alternativa jurídica, que permitiu à investigação ir tão longe, está no epicentro da guerra judicial da Lava Jato. E é duramente criticada por famosos e renomados advogados que reagiram ao estilo e aos métodos do juiz.

Quando a Lava Jato começou, os advogados de Curitiba viam chegar os defensores contratados a peso de ouro em São Paulo, prometendo resolver o caso no Supremo Tribunal Federal, e comentavam que eles ainda não conheciam Sergio Moro. "Não existe mais o superadvogado", dizia um dos criminalistas paranaenses. Não é bem assim. O grandes advogados ainda tinham muita influência e boa capacidade técnica e jurídica para derrubar a Lava Jato. A guerra estava longe do fim. Os investigadores iriam dar passos importantes nas semanas seguintes, mas as defesas prometiam jogo duro nos tribunais.

A arte de lavar dinheiro

Na Polícia Federal, estava em curso a décima fase, batizada de Que País É Esse?. Não era uma referência à música do genial Renato Russo, e sim à frase dita por Renato Duque ao advogado ao ser preso e levado para Curitiba pela primeira vez, em novembro de 2014. O ex-diretor de Serviços da Petrobras ia ser preso de novo. O Ministério Público Federal descobrira que Duque tinha movimentado 20 milhões de euros de contas secretas na Suíça para um banco em Mônaco. Para os procuradores, estava lavando dinheiro. Na verdade, era uma tentativa de escapar da investigação, evitar que o dinheiro fosse descoberto, mas não deu certo. E mais uma vez os carros da Polícia Federal amanheceram na porta do prédio dele na Barra da Tijuca, Zona Oeste do Rio de Janeiro.

O mandado de prisão do ex-diretor da Petrobras Renato Duque falava em quatro endereços, mas os federais já conheciam o alvo. Foram direto à casa dele. Chegaram, como de costume, assim que o sol nasceu. Duque é dono da cobertura e tinha comprado outros dois apartamentos no prédio para seus filhos. Declarou ao Imposto de Renda que seu imóvel custou 1,2 milhão de reais.

A equipe da PF era formada por um delegado, dois agentes e um escrivão. Eles não tinham a expectativa de fazer grandes descobertas, pois Duque havia sido preso na sétima fase da Lava Jato e provavelmente já se livrara das provas contra ele. Estavam enganados. Já na sala de entrada, tiveram a primeira surpresa. Duque tinha uma fortuna na parede. Obras de artistas conhecidos como Joan Miró, Alberto Guignard, Chagal, Djanira, Carlos Scliar, Siron Franco, Antônio Poteiro, Heitor dos Prazeres. Eram paisagens, flores, o Pão de Açúcar, quadros abstratos. Ao todo, os policiais contaram 24 obras de arte só na sala principal, onde havia também um piano de cauda. E os policiais ainda não tinham revistado o restante da casa. Em praticamente todos os cômodos, nos corredores, nas escadas, nos closets havia quadros nas paredes. No corredor de acesso havia dois. A partir da sala principal, no corredor para os quartos, mais três. Só no escritório de Duque, outros 15. No quarto da filha mais velha, eram seis, e ainda havia mais um no closet.

No quarto de Duque, seis também. Na escada que leva ao segundo andar do apartamento, mais seis. No corredor depois da escada, outras seis obras de arte. A PF ainda encontrou quadros no quarto de visitas, no quarto das crianças, em outros dois closets, na academia, na sala de TV, na outra escada que levava de volta à sala principal. Mas nenhum cômodo exibia tantos quadros como o salão de jogos: eram 37 obras de arte penduradas nas paredes.

Os policiais demoraram para fotografar tudo e colocar no relatório. Contaram ao todo 131 quadros na residência de Duque. Foi preciso pedir autorização ao juiz Sergio Moro para incluir no mandado de busca bens de alto valor. E, mesmo assim, não tiveram como levar tudo. Deixaram a esposa de Duque como fiel depositária dos quadros, que foram recolhidos no dia seguinte com ajuda de técnicos do Museu Oscar Niemeyer, de Curitiba, e de uma transportadora especializada. Era a maior apreensão de obras de arte da Lava Jato.

E a PF ainda teria outra surpresa naquele dia, graças à astúcia de um jovem agente. Prado era o oficial que tinha menos experiência na polícia, mas foi ele quem descobriu o que ninguém vira na outra vez em que a PF estivera ali: uma sala secreta, escondida dentro de um guarda-roupa. "Tinha que tirar tudo de dentro do guarda-roupa e depois abrir. Foi isso que ele fez", disse um dos policiais federais que comandou a prisão de Duque. Atrás do armário, uma porta, aberta por controle remoto, levava a uma sala secreta, com iluminação e passagem de ar independente. Ali ficavam documentos, como os certificados de autenticidade dos quadros, e as joias da família, como colares de pérolas negras e brincos. Tudo foi apreendido. Na sala secreta os policiais também encontraram obras de arte e um computador, três pen drives, um CD-R e um cartão de memória, além de uma coleção de canetas e um par de abotoaduras Mont Blanc. Em uma mala, Duque guardava 16 canetas Mont Blanc, metade pretas e douradas, metade pretas e prateadas, uma delas com uma inscrição personalizada: o nome "Duque". No criado-mudo dele, a polícia encontrou um relógio de bolso prateado da marca Louis Vuitton. As joias, o relógio e as canetas foram colocados em uma caixa de plástico e guardados em um cofre-forte de uma agência da Caixa Econômica Federal.

Para a Polícia Federal, as obras de arte foram compradas por Duque para lavar dinheiro e, por isso, foram levadas, com escolta, para o Museu

Oscar Niemeyer, o MON, em Curitiba, que reúne, classifica e expõe o acervo apreendido na Operação Lava Jato. Até setembro de 2015, a PF já tinha apreendido 268 obras de arte que estavam com os investigados. A compra de obras de arte, artifício comum no crime organizado, foi muito utilizada pelos suspeitos da Lava Jato para lavagem de dinheiro de propina, de acordo com os investigadores. Mas ninguém superou o ex-diretor de Serviços da Petrobras Renato Duque. Na casa e em ateliês da cidade, a Polícia Federal encontrou ao todo 153 peças que seriam dele. "O número de obras de arte surpreendeu. Se forem autênticas, vamos estar diante de um valor muito grande", disse o delegado da Polícia Federal Igor Romário de Paula.

O Museu Oscar Niemeyer foi escolhido como fiel depositário das obras por seguir critérios museológicos internacionais e possuir um espaço técnico adequado para preservação das peças. O museu segue sempre o mesmo roteiro quando recebe as obras. Ao serem entregues, elas são fotografadas, identificadas, catalogadas e passam por um processo de quarentena – uma análise para saber se há fungos ou cupins que possam comprometer outras obras do acervo. Após esse período, são submetidas a um processo de higienização e armazenadas na reserva técnica do museu, local com temperatura e umidade constantes. A avaliação de autenticidade e valor das peças é feita por quatro peritos da Polícia Federal em conjunto com especialistas de duas universidades, uma de São Paulo e outra de Minas Gerais. Eles analisam os certificados de autenticidade encontrados com algumas peças e entram em contato com os institutos ou familiares dos artistas. O valor total do acervo apreendido na Lava Jato não é divulgado pela Polícia Federal. De acordo com especialistas, a maioria das peças é de baixo valor. Porém o preço de algumas obras chama a atenção: *Paisagem de Sabará*, de Guignard, que estava com Duque, foi arrematada por 380 mil dólares. Enquanto estiver com a guarda das obras, o museu tem autorização para que elas sejam expostas ao público. "Eu acho muito interessante, não sabia que era exposição de quadros apreendidos. É uma boa maneira de devolver para a sociedade o que eles roubaram", comentou um dos primeiros visitantes a ver a exposição "Sob a guarda do MON", com quadros da Lava Jato.

No final das contas, o ex-diretor de Serviços da Petrobras Renato Duque ficou pouco mais de três meses fora da cadeia. Foi solto em 6 de dezembro de 2014 e preso novamente em 16 de março de 2015. Dessa vez, a pedido do Ministério Público Federal, que fora alertado por procuradores da Suíça sobre o envio de 20 milhões de euros para Mônaco. Parte ainda em 2014, depois que a Lava Jato já estava fechando o cerco em torno dele. O ex-diretor da Petrobras enviou dinheiro também para contas em Hong Kong, na China. Esse dinheirão todo foi bloqueado pelas autoridades de Mônaco. Além da movimentação financeira na Europa, pesaram também os depoimentos do ex-gerente da Petrobras Pedro Barusco feitos em delação premiada no final de 2014. Àquela altura, os depoimentos de Barusco já eram considerados os mais emblemáticos desta história.

"Ele fala de uma maneira muito natural. E é engraçado. Contou tudo sobre Duque", diz um dos integrantes da força-tarefa do MPF. Barusco falou inclusive que administrou uma fortuna para Duque porque o ex-diretor não conseguia tomar conta sozinho de sua propina. "Aquilo, de fato, virou um problema para o Duque, porque ele não tinha o que fazer. É muito dinheiro, o cara não tem como esconder tudo", observa um delegado da Lava Jato.

Os primeiros políticos na cadeia

A Lava Jato continuava em ritmo acelerado e agora ia atrás de políticos. Na manhã de 10 de abril de 2015, o deputado cassado André Vargas foi preso na 11ª fase, batizada de A Origem. Era uma referência ao fato de que o primeiro nome de político que surgiu foi o de Vargas, quando ele ainda era o todo-poderoso vice-presidente da Câmara dos Deputados, o segundo na linha de comando da Casa. Presidia sessões com regularidade, tinha poder e influência dentro do Parlamento. Muito poder. Sentia-se forte. Tanto que chegou a provocar o então presidente do Supremo Tribunal Federal, Joaquim Barbosa, relator do processo do mensalão, pouco depois do fim do julgamento, durante a cerimônia de abertura do ano legislativo no Congresso Nacional. Sentado ao lado dele na Mesa Diretora do Plenário da Câmara, fez o mesmo gesto dos condenados do PT no mensalão ao se entregarem para começar a cumprir a pena imposta pelo Supremo: o punho cerrado, o braço erguido. Era o auge do poder de André Vargas.

No entanto, a maré virou para o deputado. Uma reportagem da *Folha de S.Paulo*, publicada no dia 1º de abril de 2014 e assinada por Andréa

Sadi, informava que, no dia 3 de janeiro, André Vargas e a família tinham embarcado em um jato luxuoso, modelo Learjet 45, que pertencia à empresa de táxi aéreo baiana Elite Aviation, rumo à sonhada viagem de férias. Saíram de Londrina, no Paraná, para João Pessoa, na Paraíba. Tudo bancado por Youssef. A revelação do mimo – que custou 105 mil reais ao doleiro – deu início ao processo de queda de Vargas. Ele a princípio tentou negar, disse que pagara pelo combustível, pediu mais tempo ao jornal para reunir documentos, mas não tinha o que mostrar. Por fim, perguntou à repórter se a matéria seria muito devastadora e só pediu uma coisa: "Preserve a minha família, por favor."

Na véspera do embarque, o então deputado federal do PT trocou vinte mensagens de texto com o doleiro Alberto Youssef. Eram sobre a viagem, o avião, o contato do piloto, o hangar, bom voo, boas férias, até o "Valeu" final, um distraído agradecimento de Vargas pela oportunidade das férias familiares depois do ano-novo. Mas a relação dos dois era muito mais intensa do que aquelas mensagens mostravam. Segundo relatório da Polícia Federal, Vargas e o doleiro trocaram 270 mensagens entre setembro de 2013 e março de 2014. A última foi enviada cinco dias antes da prisão de Youssef. Não havia como negar a relação entre os dois. Quando se defendeu na tribuna do plenário da Câmara dos Deputados, André Vargas contou que conhecia o doleiro havia vinte anos e reconheceu que fora imprudente ao usar a aeronave. Mas não teve jeito. Youssef, que também era de Londrina, chegou até a financiar a campanha de Vargas para vereador na cidade.

Num período de menos de trinta dias, o vice-presidente da Câmara perdeu todo o poder que tinha. Primeiro, pediu licença da vice-presidência da Casa, cargo que não voltaria a ocupar. Em seguida, licença do mandato de deputado federal. Poucos dias depois, pediu para sair do Partido dos Trabalhadores, uma manobra para evitar a expulsão. Ele tinha 24 anos de filiado ao PT. Assim, quando o mês de abril de 2014 terminou, Vargas era apenas um deputado licenciado, sem partido, respondendo a um processo de cassação de mandato. Ninguém mais queria ser visto ao seu lado no Congresso. Ele saiu de cena. O PT até tentou evitar a cassação, trabalhou para atrasar votações em comissões que analisavam a questão, mas o processo alcançou o plenário da Câmara a tempo de ser votado antes do fim do ano e da legislatura. Assim, na tarde de 10 de dezembro de 2014, o mandato de André Vargas foi cassado por um placar acachapante: 359 votos a favor, um contra e seis abstenções. O único voto contra a cassação por quebra de decoro parlamentar foi o do deputado José Airton Cirilo, o Zé Airton, do PT do Ceará. Alguns meses depois, Vargas seria preso e levado para Curitiba como um dos réus da Lava Jato.

Vargas foi encontrado em sua mansão, no Condomínio Alphaville de Londrina. Avaliada pela Justiça em 2 milhões de reais, ela constava na declaração de bens de sua esposa, Edilaira Soares, pelo valor de 500 mil reais. O problema é que o antigo dono da propriedade declarou ao Imposto de Renda que vendeu a casa por 980 mil reais. O recurso foi usado, segundo a PF, para lavar dinheiro, crime pelo qual Vargas e a mulher foram denunciados. Vargas se dizia injustiçado. Achava que os crimes dele não eram nada diante do tamanho do escândalo. Mas foi prontamente abandonado por seu partido, o PT, ao primeiro sinal de problemas.

Outra investigação estava relacionada à sua interferência no Ministério da Saúde para que a empresa Labogen, de um ex-parceiro de Youssef, fosse contratada para a produção de um medicamento. Vargas foi flagrado trocando mensagens com Youssef e também foi alvo de delação de antigos parceiros no esquema.

Em depoimento à PF, Leonardo Meirelles, proprietário da Labogen, confirmou que houve interferência do ex-petista a favor do negócio. Na sua delação premiada, Youssef detalha uma reunião em 2013, realizada no apartamento funcional de Vargas em Brasília, a que compareceram Meirelles e o então ministro da Saúde, Alexandre Padilha, entre outros interessados. O ex-deputado apresentou a Labogen a Padilha, que teria prometido encaminhar o nome da empresa para um dos coordenadores do Ministério da Saúde. Em mensagens interceptadas pela Polícia Federal entre o então deputado e Youssef, os dois falam sobre a contratação da Labogen como algo que poderia lhes render dividendos. "Estamos mais fortes agora (...)", escreveu Vargas. "Cara, estou trabalhando, fica tranquilo. Acredite em mim. Você vai ver o quanto isso vai valer. Tua independência financeira. E nossa também eh claro", respondeu o doleiro, encerrando a conversa com uma gargalhada: "Kkkk."

Youssef falou sobre o caso Labogen e a ajuda de André Vargas em uma audiência do processo, poucos dias depois da prisão do ex-deputado. Em 13 de abril de 2015, mais de um ano após sua prisão, o doleiro ficou mais uma vez cara a cara com o juiz Sergio Moro. O diálogo entre os dois foi, como de costume, revelador. De um lado, a polidez profissional de Moro; do outro, a capacidade de assumir vários papéis de Alberto Youssef.

– Esse caso aqui, senhor Alberto Youssef, é limitado a essa acusação de realização de contratos de câmbio fraudulentos pelas empresas Bosred, Hmar, Labogen, Piroquímica, RMV, e a internalização desses valores para a GFD. Sobre esses fatos, o que o senhor tem a dizer?

– Bom, em primeiro lugar, eu quero dizer que reconheço meu erro.

O doleiro explica como operava para emitir notas contra as empreiteiras, conseguir dinheiro e "com esses reais vivos, pagar a quem era de direito, no caso, Paulo Roberto Costa e os políticos do PP". Youssef vai falando os nomes dos doleiros que usava e das empreiteiras que forneciam o dinheiro: "Recebi várias remessas da OAS."

Em determinado momento, Youssef diz, em sua defesa, que parte do dinheiro ele trouxe para investir no Brasil.

– Eu sempre tive minha atividade lícita, que era ter empresa, dar empregos, pagar impostos, e isso é o que eu sempre fiz. Eu podia ter ficado com aquele dinheiro que ganhei do Banestado e ter ficado em casa. Mas não. Preferi investir esse dinheiro no mercado, correr risco que o empresário corre no país hoje em montar uma empresa, em dar empregos e em pagar impostos.

Parecia até piada Youssef estar ali dizendo que poderia ter ficado "com aquele dinheiro que ganhei do Banestado" na frente do juiz que investigou o caso. Era motivo para rir, mas Moro continuou sério.

– Está bom, senhor Alberto, mas o senhor se envolveu depois nestes episódios aí da Petrobras também.

– Infelizmente, Excelência, infelizmente.

– Pelo que entendi, o senhor abandonou mesmo a atividade de doleiro?

– Eu abandonei a atividade de doleiro.

– Mas se envolveu nesse negócio da Petrobras?

– Mas me envolvi no negócio da Petrobras. Infelizmente, mais uma vez.

No depoimento Youssef chega a dizer que alugou um apartamento da GFD e que pagava regularmente o aluguel. Sem perder a calma, o juiz lembra que o dono da empresa de quem alugara o imóvel era ele mesmo. Quando Moro se diz satisfeito, Youssef pede para falar mais.

– Na verdade, eu gostaria de dizer que eu realmente fiz essa colaboração por livre e espontânea vontade. Minha família está pagando por isso. Eu estou pagando por isso, já estou preso há um ano e vinte dias. Não sei quanto tempo vou ficar mais. O que eu quero dizer é que, na verdade, eu era realmente só uma engrenagem desse processo e que isso foi uma operação montada para obter poder público. Nada mais que isso.

Nesse ponto, Youssef retoma o assunto principal da audiência e conta aos procuradores que tentou ajudar Leonardo Meirelles, um dos doleiros, reestruturando a empresa dele, a Labogen Química, que era boa mas estava mal administrada.

– A partir daí, eu pedi ajuda ao André Vargas, que era deputado federal, era vice-presidente da Câmara, para que ele nos ajudasse no Ministério da Saúde, para que a gente pudesse ter as portas abertas. Somente as portas abertas no Ministério da Saúde. Porque não é fácil você pegar uma empresa que está parada há vários anos e simplesmente bater na porta do Ministério da Saúde e ser bem atendido.

Mais adiante seu próprio advogado pergunta qual foi a intervenção de André Vargas junto ao Ministério da Saúde a favor da Labogen. Youssef responde:

– Simplesmente de abertura de portas. Infelizmente, se você hoje não fizer lobby, nenhum empresário consegue entrar em nenhuma parte do poder público pra prestar serviço. Infelizmente, nesse país funciona assim.

O caso de interferência no Ministério da Saúde para favorecer a Labogen é apenas mais uma das suspeitas contra o ex-petista. Ele também é investigado por controlar um esquema de desvio de recursos da publicidade oficial da Caixa Econômica Federal e do Ministério da Saúde. A agência Borghi Lowe, que detinha as duas contas, subcontratava produtoras e as orientava a passar um bônus de 10% dos contratos – as comissões do mercado publicitário – a duas empresas de fachada de Vargas, a LSI Solução em Serviços Empresariais e a Limiar Consultoria e Assessoria em Comunicação. A primeira está em seu nome e a outra pertence ao seu irmão, Leon Vargas. As duas empresas não prestaram qualquer serviço, apenas receberam, de dezembro de 2011 a março de 2014, um total de 3,1 milhões de reais de 193 empresas, inclusive da Borghi Lowe, que repassou 1,1 milhão de reais para Vargas nesse esquema ilegal. A Borghi recebeu da Caixa e do Ministério da Saúde 1 bilhão de reais de 2008 a 2015.

No despacho de prisão, Moro diz que, além do pagamento às duas empresas fantasmas de Vargas, a Caixa também teria pago cerca de 50 milhões de reais à IT7 Sistemas, empresa formal de Leon Vargas. O contrato acabou suspenso depois, embora a IT7 funcionasse legalmente em Curitiba. Leon foi preso também, mas acabou em liberdade após os cinco dias da prisão temporária decretada por Moro. No despacho, Moro reforçou ser necessário aprofundar as investigações, pois havia provas de que Youssef providenciara, em dezembro de 2013, o repasse de 2,3 milhões de reais em dinheiro vivo para Leon Vargas. Ao ser preso em Londrina, André Vargas repetiu o gesto de levantar o braço e cerrar o punho que havia feito durante a visita do ministro Joaquim Barbosa à Câmara, em fevereiro de 2014. Mas um detalhe chamou a atenção dos investigadores. Um delegado recém-integrado à equipe insistiu para passar com Vargas na frente das câmaras. Ele queria "esculachar" o preso, na gíria dos policiais. A atitude desagradou o comando da Lava Jato, mas naquele momento eles deixaram passar.

No mesmo dia da prisão de Vargas, os ex-deputados Luiz Argôlo (SDD-BA) e Pedro Corrêa (PP-PE) também foram para a cadeia por lavagem de dinheiro e corrupção. No petrolão, a acusação que recaiu sobre o ex-deputado Pedro Corrêa, que tinha sido condenado anteriormente na ação penal do mensalão, é de que teria recebido 40 milhões de reais diretamente de Alberto Youssef, tanto para o próprio enriquecimento ilícito quanto para distribuir a parlamentares do Partido Progressista, que ele presidiu. A investigação descobriu também um estranho aumento do patrimônio de Corrêa, sem justificativa aparente. Ou seja, ele não tinha renda compatível para possuir os bens que ostentava. A Justiça descobriu que o deputado federal ainda contratava assessores durante seu mandato e também durante o de sua filha Aline Corrêa (PP-SP), por duas vezes deputada federal, e os obrigava a repassar parte de seus salários a ele. Com esse dinheiro, Corrêa pagava faturas de cartão de crédito e passagens de avião, por exemplo.

Quanto a Argôlo, apontado como sócio de Youssef em algumas empresas de fachada, a suspeita é de emissão fraudulenta de notas fiscais. De acordo com os investigadores, ele seria o parlamentar mais próximo de Alberto Youssef. Frequentava o escritório do doleiro em São Paulo para receber mesadas em dinheiro vivo. Usava, inclusive, sua cota de viagens como parlamentar para encontrar Youssef em São Paulo. Argôlo e seus associados movimentaram ilegalmente uma quantia de 1,6 milhão de reais. Argôlo chegou a ser julgado pelo Conselho de Ética da Câmara, mas seu tempo de mandato acabou antes que ele fosse cassado. Em sua defesa, disse que não tinha ligação com os desvios de recursos na Petrobras. Mas era difícil negar. No período de alguns meses, Youssef e Argôlo tinham trocado 1.411 mensagens sobre assuntos variados. Os dois discutiam transações financeiras, entregas de dinheiro em espécie e depósitos para terceiros indicados pelo deputado. Youssef deu até um avião para o amigo, segundo a contadora Meire Poza. As investigações revelaram uma enorme intimidade entre os dois. Algumas mensagens chamaram a atenção dos policiais e do público. Em uma delas, o deputado chegou a escrever para o doleiro: "Te amo."

O nome de Luiz Argôlo, ou as iniciais LA, estava nas anotações da contabilidade de integrantes da quadrilha. Seu apelido era Bebê Johnson, por isso Argôlo também aparecia nas planilhas como BJonson ou Band Jonson, sendo o "Band" abreviação de bandido. Rafael Angulo Lopez, auxiliar de Youssef encarregado de ajudar na contabilidade e fazer entregas de dinheiro sujo, contou que um dia o chefe disse "Anota aí o desse bandido". Assim, Rafael achou por bem se referir aos políticos dessa maneira no controle que fazia para apresentar a Youssef.

Rafael também contou que Argôlo era um dos políticos que mais compareciam ao escritório de Youssef para pegar dinheiro. Várias vezes ele separou os maços para o deputado, que trazia malas e sacolas que frequentemente ficavam cheias demais por causa do volume do dinheiro. Ele também fazia entregas no apartamento funcional do deputado federal na 302 Norte, em Brasília, pago com dinheiro público.

Uma vez o auxiliar de Youssef levou 250 mil reais para Argôlo de São Paulo para a Bahia. Embarcou em um voo comercial com 200 mil escondidos em meiões de futebol que usava por debaixo da calça e mais 50 mil espalhados pelos bolsos da calça e do paletó. Rafael nunca foi descoberto passando pelo raio X dos aeroportos, mas naquele dia suou frio. Estava correndo um grande risco ao carregar tanto dinheiro de uma vez. Mas não teve escolha.

Houve uma ocasião, porém, em que Rafael se recusou a fazer o serviço. Era um sábado e Youssef ligou cedo, antes das nove da manhã, dizendo que Luiz Argôlo estava desesperado na porta do escritório precisando de dinheiro. Rafael foi até lá, mas não havia ninguém. Argôlo chegou logo depois e disse que precisava de 600 mil reais. Rafael ligou preocupado para o chefe, pois, quando saíra do escritório na noite anterior, não havia tanto dinheiro no cofre. Youssef garantiu que ele encontraria o valor necessário. Estava certo. Alguém fora ao escritório durante a noite e reabastecera o cofre. Rafael separou o dinheiro e o entregou a Argôlo. Mas o deputado queria que o auxiliar de Youssef o levasse a São José dos Campos, onde pegaria um jatinho particular. Rafael achou demais. Não estava disposto a circular pela via Dutra com uma quantia tão alta, ainda mais em seu carro. O risco era muito grande. Youssef teve que chamar o motorista de um sócio, que demorou duas horas para chegar ao escritório. O deputado não ficou nada satisfeito por ter que esperar. Tão logo o motorista apareceu, Argôlo saiu pela portaria com aquele dinheiro todo. Rafael tinha ganhado uma.

Na carceragem da PF em Curitiba, os policiais colocaram André Vargas, Luiz Argôlo e Pedro Corrêa na mesma cela, que logo ganhou o apelido de Congressinho. Nela, os três políticos passavam o tempo conversando e jogando cartas. Um dos jogos era buraco. O outro, paciência. "Argôlo sempre perdia, eu ganhava e André ficava em segundo. Ou então dava empate", contou Pedro Corrêa, tempos depois, em tom de brincadeira.

A prisão do tesoureiro

Em 15 de abril, a polícia deflagrou a 12ª fase da Operação Lava Jato, que prendeu o tesoureiro do Partido dos Trabalhadores, João Vaccari Neto, acusado de utilizar uma gráfica para arrecadar dinheiro ilegalmente para campanhas eleitorais, por meio de empreiteiras que prestavam serviços à Petrobras. Além de prender preventivamente o petista em sua residência, na cidade de São Paulo, por ordem do juiz Sergio Moro, os agentes da PF cumpriram mandados de condução coercitiva contra a mulher de Vaccari, Giselda Rousie de Lima, e a filha Nayara de Lima Vaccari, investigadas por movimentações financeiras suspeitas. A cunhada do ex-tesoureiro do PT, Marice Corrêa de Lima, teve sua prisão temporária decretada, mas não foi detida porque estava num congresso da CUT no Panamá. Ao voltar da viagem cinco dias depois, ela se apresentou à PF de Curitiba. Ficou presa menos de cinco dias.

A 12ª fase teve como objetivo avançar nas investigações sobre os pagamentos de propina na Diretoria de Serviços da Petrobras. Segundo os delatores Alberto Youssef, Paulo Roberto Costa, Pedro Barusco e Eduardo Leite, Vaccari seria o responsável por intermediar o recebimento dos valores oriundos das fraudes nas licitações destinados ao PT. O petista nega o recebimento de dinheiro ilegal. Os depoimentos são parte das provas utilizadas pelo MPF para solicitar a prisão. Em seu despacho, Moro salientou que o "poder e influência política" de Vaccari é ilustrado "pelo fato de não ter sido afastado até o momento, e há notícia de que houve solicitações de membros do partido nesse sentido".

Uma das suspeitas sobre Vaccari era a de que ele teria solicitado o pagamento de propina às empreiteiras em forma de doação legal de campanha. A tese encontrava amparo no depoimento de um dos doadores, o delator Augusto Ribeiro de Mendonça Neto. Para o juiz Moro, consta que 4,2 milhões de reais "foram repassados, entre 23/10/2008 e 08/03/2012, a pedido de Renato Duque e por intermédio de João Vaccari Neto, como doações eleitorais registradas ao Partido dos Trabalhadores – PT. As doações foram feitas por empresas controladas por Augusto Mendonça, PEM, Projetec e SOG". A tese foi corroborada por outro delator, o ex-dirigente da Camargo Corrêa Eduardo Leite. Segundo ele, em 2010 Vaccari solicitou que alguns pagamentos atrasados relacionados à propina fossem efetuados em forma de doação oficial ao PT.

Além das doações, Augusto informou aos investigadores ter realizado repasses para Vaccari por meio de uma gráfica. Diz o despacho de Moro: "A pedido de João Vaccari, teria também efetuado repasses, por serviços total ou parcialmente simulados, à Editora Gráfica Atitude. O Ministério Público Federal informou que, nos extratos bancários das empresas Tipuana e Projetec, controladas por Augusto Ribeiro, foram identificados pagamentos de R$ 1.501.600,00 entre 29/06/2010 e 19/08/2013 dessas duas empresas para a Editora Gráfica Atitude, com transferências mensais em torno de R$ 93.850,00 e de R$ 187.700,00". De acordo com o MPF, há indícios de ligações entre a gráfica Atitude e o PT que devem "explicar a solicitação de João Vaccari" de repasses à empresa.

No pedido de prisão, o MPF elenca como indício contra Vaccari e seus familiares a apreensão de uma planilha na qual Alberto Youssef aponta duas entregas de valores em um endereço na cidade de São Paulo. "Segundo verificado pela Polícia Federal, no referido endereço da Rua Penaforte Mendes, 157, apartamento 22, em São Paulo, reside Marice Corrêa de Lima, que é irmã de Giselda Rousie de Lima, esta que, por sua vez, é cônjuge de João Vaccari Neto", diz o despacho do juiz. A tal entrega de valores, completa Moro, se deu "em atendimento à solicitação da OAS, empreiteira envolvida no esquema criminoso da Petrobras".

No caso da cunhada de Vaccari, Marice Corrêa de Lima, os investigadores desconfiam da compra de dois apartamentos sem o necessário lastro financeiro. "Na quebra de sigilo bancário, não foi igualmente identificado qualquer lançamento de crédito de 240 mil reais, compatível com o valor por ela declarado como recebido a título de indenizações por rescisão de contrato de trabalho, PDV, acidente de trabalho ou FGTS. O mais próximo deste valor são depósitos mensais entre março e novembro de 2011 do escritório de advocacia Luis E. G. S/C, que totalizam 200 mil reais, mas sem esclarecimento da natureza ou do propósito desses pagamentos", escreve Moro. O escritório citado é de outro petista, o advogado e ex-deputado Luiz Eduardo Greenhalgh.

Por sua vez, a esposa do tesoureiro, Giselda, entrou na mira dos investigadores após a declaração do Imposto de Renda de 2008 apontar a aquisição de um apartamento em São Paulo, no valor de 500 mil reais. "A quebra de sigilo bancário revelou que Giselda recebeu da CRA Comércio de Produtos Agropecuários, em 19/11/2008, 400 mil reais em sua conta corrente. Em 27/11/2008, foi compensado cheque de 300 mil reais destinados a Fernando Rodrigues Liberado, proprietário do apartamento adquirido. A transação causa estranheza, uma vez que a CRA pertence a Carlos Alberto Pereira da Costa, funcionário de Alberto Youssef", disse Moro. A quebra de sigilo da filha de Vaccari, Nayara, mostrou que seu acréscimo patrimonial está relacionado às doações do pai, de 131 mil reais; da mãe, de 280 mil reais; e da tia, de 345 mil reais.

Para o juiz Sergio Moro, "estes fatos envolvendo a quebra do sigilo fiscal e bancário de João Vaccari, Marice Corrêa de Lima, Giselda de Lima e Nayara de Lima demandam aprofundamento da investigação, não sendo totalmente conclusivos. Entretanto, assiste razão ao MPF ao apontar que eles revelam indícios de enriquecimento ilícito de familiares de João Vaccari, e ainda em episódios com ligações com pessoas envolvidas no esquema criminoso da Petrobras, como o caso de Carlos Alberto Pereira da Costa e da OAS".

"Também há prova documental do pagamento de pelo menos R$ 1.501.600,00 por empresas controladas por Augusto Ribeiro à Editora Gráfica Atitude e que teriam sido feitos por solicitação de João Vaccari Neto em espécie de doação não contabilizada. Observo que, para esses pagamentos à Editora Gráfica Atitude, não há como se cogitar, em princípio, de falta de dolo dos envolvidos, pois não se trata de doações eleitorais registradas, mas pagamentos efetuados, com simulação, total ou parcial, de serviços prestados por terceiro, a pedido de João Vaccari Neto", disse o juiz Moro."Por outro lado, há prova independente, decorrente da interceptação telemática, de pelo menos uma entrega de grande quantidade de dinheiro em espécie a Marice Corrêa de Lima, cunhada de João Vaccari Neto, por Alberto Youssef em atendimento à solicitação da OAS, empreiteira envolvida no esquema criminoso da Petrobras", diz Moro em outro trecho.

No despacho em que determinou a prisão do tesoureiro do PT, Moro rebateu de antemão a acusação de partidarismo: "Não se trata aqui de prisão contra a agremiação partidária à qual ele pertence. A corrupção não tem cores partidárias. Não é monopólio de agremiações políticas ou de governos específicos", escreveu Moro. "A gravidade concreta da conduta de João Vaccari Neto é ainda mais especial, pois a utilização de recursos de origem criminosa para financiamento político compromete a integridade do sistema político e o regular funcionamento da democracia. O mundo do crime não pode contaminar o sistema político-partidário", disse o juiz destacando que, até a data da prisão, Vaccari estava no cargo de tesoureiro do Partido dos Trabalhadores, posição de poder e de influência. Para o juiz, era um sinal de que ele poderia continuar cometendo crimes e manipulando testemunhas, pois permanecia no cargo. Dias depois, Vaccari deixou o cargo de tesoureiro do PT. E seguiu preso.

Naquele momento, a Operação Lava Jato já tinha mais de um ano e começava a ganhar a forma e o tamanho imaginados por Sergio Moro. Eram dezenas de processos, uma enorme e complexa investigação que tentava enfrentar um gigantesco esquema de corrupção. Mas os advogados de defesa estavam longe de se considerar derrotados. Eles ainda iriam lutar muito nos tribunais para conter a Lava Jato. Uma das vitórias mais importantes da defesa no processo estava prestes a acontecer.

Empreiteiros em liberdade

No dia 28 de abril de 2015, a Segunda Turma do Supremo Tribunal Federal concedeu prisão domiciliar aos executivos de empreiteiras presos na Superintendência da Polícia Federal em Curitiba desde novembro de 2014. Os ministros entenderam que a prisão preventiva não pode ser uma sentença antecipada e que eles já estavam havia muito tempo na cadeia. A decisão foi tomada a partir de um pedido da defesa do presidente da UTC, Ricardo Pessoa, e depois estendida a outros executivos de empreiteiras que estavam presos desde novembro. Em uma sustentação até hoje elogiada por seus pares, o advogado Alberto Zacharias Toron defendeu que o empresário não representava risco à continuidade das investigações. A UTC estava até afastada das licitações da Petrobras e todas as provas já haviam sido colhidas para a denúncia do Ministério Público Federal. Pessoa foi denunciado à Justiça Federal em Curitiba sob a acusação de coordenar o funcionamento do cartel entre as empreiteiras com contratos com a Petrobras, por meio do pagamento de propina a ex-diretores da estatal.

Para Toron, a prisão preventiva de Pessoa estava, em última análise, antecipando o cumprimento de uma pena ainda não imposta: "A prisão preventiva para evitar fuga não pode se apoiar na condição financeira do paciente. Do contrário, se criará uma modalidade de prisão processual por classe social." O advogado alegou que seu cliente era sexagenário, "com passado limpo e ligado ao trabalho e à família, e dois meses antes da prisão já havia se colocado à disposição do juiz e da polícia". Toron lembrou que Pessoa tinha sido preso em sua casa e assegurou que ele não representava risco à sociedade, pois não era mais nem dirigente da empresa UTC, que estava proibida de prestar serviços à Petrobras.

O ministro Zavascki considerou a prisão preventiva uma "medida extrema" e mandou substituí-la por medidas cautelares, como afastamento das empresas, recolhimento domiciliar no período noturno, apresentação à Justiça a cada 15 dias, proibição de deixar o país e uso de tornozeleiras eletrônicas.

Com a decisão, foram soltos o presidente da OAS, José Aldemário Pinheiro Filho, o Léo Pinheiro, e os executivos da construtora José Ricardo Nogueira Breghirolli, Agenor Franklin e Mateus Coutinho. Os investigadores tinham esperança de que Pinheiro se tornasse delator e contasse se e como ajudou a reformar o sítio de Atibaia, no interior de São Paulo, frequentado pelo ex-presidente Lula. Também desejavam obter esclarecimentos sobre as obras do Edifício Solaris, na Praia das Astúrias, no Guarujá, litoral sul de São Paulo, onde a mulher do ex-presidente Lula admitiu ter comprado uma cota de um apartamento. As obras da Cooperativa Habitacional dos Bancários de São Paulo (Bancoop) nesse prédio ficaram paralisadas em decorrência de problemas financeiros até que foram retomadas e finalizadas pela OAS, que reformou um tríplex.

Além dos executivos da OAS, foram postos em liberdade também Sérgio Mendes (Mendes Júnior), Gerson Almada (Engevix), Erton Medeiros (Galvão Engenharia) e João Ricardo Auler (Camargo Corrêa). Todos entregaram os passaportes à Justiça Federal do Paraná. A ordem era que ficassem recolhidos em casa em período integral. Só deveriam sair para comparecer às audiências determinadas pelo juiz Sergio Moro.

Ao conceder o habeas corpus aos executivos, os ministros do STF entenderam que, mesmo diante da gravidade dos crimes praticados, a prisão preventiva não pode ser aplicada como sentença antecipada. Esse argumento deu mais força aos advogados de defesa. Os executivos das empreiteiras haviam sido presos em novembro de 2014 por determinação de Moro, com base, em parte, em acusações colhidas em depoimentos de delação premiada do doleiro Alberto Youssef e do ex-diretor de Abastecimento da Petrobras Paulo Roberto Costa. Segundo eles, os executivos pagavam propina a ex-diretores da estatal em troca de contratos para construção de obras.

A ministra Cármen Lúcia, no entanto, entendeu que Ricardo Pessoa, presidente da UTC, deveria continuar preso até o fim dos depoimentos marcados pela Justiça Federal em Curitiba. Para ela, o afastamento voluntário do executivo da gestão da empreiteira não era garantia de que ele não voltaria a cometer os crimes. O representante do Ministério Público pediu a permanência de Pessoa na prisão, insistindo que a organização criminosa que atuava na Petrobras não havia sido totalmente desvendada e que ele tinha um papel de liderança no esquema. A maioria dos ministros do STF não pensou assim.

Os empreiteiros, que estavam todos no Complexo Médico-Penal, uma unidade do sistema penitenciário do estado do Paraná, deixaram as celas e começaram uma romaria ao prédio da Justiça Federal em Curitiba. Foram colocar as tornozeleiras eletrônicas antes de ir para casa. Ao receber o equipamento que iria monitorar seus passos, cada um assinou um termo de instrução sobre o uso da peça. Todos eram obrigados a usar a tornozeleira eletrônica 24 horas por dia. Não poderiam tirá-la nem para dormir ou tomar banho. Também não poderiam deixar ninguém abri-la ou danificá-la. E era responsabilidade deles manter a bateria carregada e não sair da área determinada, geralmente nos limites de casa. O monitoramento seria feito a distância, de uma sala em Curitiba.

Muitos diziam que, ao ir para casa, os empreiteiros se calariam. Depois de sair da cadeia, porém, Ricardo Pessoa decidiu fazer sua delação premiada. Falou aos procuradores em Brasília no período de 25 a 29 de maio. Seus depoimentos ocuparam 80 páginas. Primeiro grande dono de empresa a colaborar com as autoridades, Pessoa apresentou provas documentais de repasses em dinheiro a três partidos: PP, PT e PMDB. Na campanha de Lula em 2006, a UTC doou oficialmente 1,2 milhão de reais, e mais 2,6 milhões de reais por fora. Pessoa revelou aos investigadores que Vaccari se referia às propinas como "pixuleco", termo que ganhou destaque nacional e acabou batizando o boneco inflável de Lula vestido de presidiário, usado nas manifestações populares.

O empreiteiro também deu declarações sobre a campanha de Dilma em 2014. Ele contou que Edinho Silva, secretário de Comunicação Social do governo Dilma que tinha sido tesoureiro da campanha de reeleição da presidente, lhe pedira 20 milhões de reais. Pessoa pagou um total de 7,5 milhões de reais em duas remessas, a primeira de 5 milhões e a segunda de 2,5 milhões. Aos procuradores, Pessoa entregou uma planilha com o sugestivo título "Pagamentos ao PT por caixa 2", em que relacionou o nome dos petistas que receberam os pagamentos ilegais em 2010 e 2014.

Os procuradores estavam começando a investigar mais a fundo as doações eleitorais. Diziam que elas eram uma maneira de dissimular o pagamento de vantagens indevidas a partidos políticos e garantiam a continuidade do esquema. Era uma outra forma de lavar dinheiro. Para provar isso de maneira incontestável, seria preciso avançar muito. O novo delator foi fundamental nessa frente. A negociação para que colaborasse, no entanto, foi bem difícil, demorou semanas. No fim, diante da possibilidade de ser condenado a uma pena pesada, o empresário capitulou.

Ricardo Pessoa assinou o acordo de delação premiada perante o procurador-geral da República, na mesa grande de reuniões do gabinete dele em Brasília. Estava feliz naquele dia. Achava que tinha fechado um bom acordo, com benefícios importantes. Os procuradores do grupo de trabalho também estavam satisfeitos. A colaboração do coordenador do clube das empreiteiras seria muito importante. Quando Rodrigo Janot estava pegando o acordo assinado, Pessoa fez um comentário inesperado.

– Eu sempre fui muito curioso para saber como era este prédio, a construção. Isso é Niemeyer, não é? – perguntou o dono de uma das maiores construtoras do país.

O procurador Douglas Fischer respondeu:

– Nós temos uma maquete que fica no outro prédio. Eu posso levá-lo lá para o senhor ver, estruturalmente, a construção.

Como Pessoa não poderia ficar passeando para lá e para cá, pelo risco de ser visto, Douglas o levou até uma sala onde funciona o Memorial do MPF, atravessando um corredor espelhado que liga o prédio A, onde fica o gabinete de Janot, ao prédio B. Olhando a maquete e comparando com o que via pela janela, o empreiteiro foi percebendo a maneira como o prédio de formas arredondadas e vão livre no térreo tinha sido construído.

– Estou entendendo o que foi montado aqui – comentou o empreiteiro.

Os dois ficaram uns dez minutos conversando. Na volta, um jornalista viu Ricardo Pessoa passando pelo corredor e tirou uma foto, que foi ao ar no *Jornal Nacional* daquela noite. Estava confirmado o acordo de Pessoa. Mas, até por causa daquela foto, os depoimentos foram tomados em outro prédio, fora da PGR, para evitar vazamentos.

Nessa mesma época, animados com a decisão do Supremo que concedeu aos empresários prisão domiciliar, os advogados de defesa de presos da Lava Jato intensificaram os ataques e subiram o tom das críticas a Sergio Moro. Alguns disseram que ele era "ditador", por mandar prender sem que os réus fossem ainda condenados. Outros afirmaram que era "torturador", por mandar prender preventivamente, durante longo período, para que o acusado acabasse fazendo uma delação premiada.

Moro escreveu um artigo publicado num jornal paulista em parceria com Antônio César Bochenek, presidente da Associação de Juízes Federais do Brasil (Ajufe), que deu o que falar entre os advogados. Moro e Bochenek defenderam a proposta de manter em prisão réus condenados em primeira instância, independentemente dos recursos que possam ser apresentados em tribunais superiores. Atualmente, os réus que não representam risco para a convivência social têm o direito de responder em liberdade. Se a ideia de Moro vingasse, isso não seria mais possível. A repercussão do artigo foi grande no meio jurídico.

"A Constituição prevê que ninguém será considerado culpado até a condenação transitar em julgado", disse Thiago Bottino, professor da Fundação Getúlio Vargas. "A presunção de inocência é cláusula pétrea da Constituição", acrescentou. O Supremo mudaria esse entendimento em fevereiro de 2016. Pierpaolo Bottini, professor da USP, que defende réus da Lava Jato, disse que a proposta de Moro eliminaria definitivamente a presunção de inocência: "Moro prefere um inocente preso a um culpado solto."

Outro advogado de presos da Lava Jato, José Luís de Oliveira Lima, o Dr. Juca, disse que o juiz Sergio Moro só vê culpados em todos os processos: "Todos os presos já estão condenados, independentemente do que suas defesas venham a apresentar." O advogado Fábio Tofic Simantob, outro defensor de réus do processo, queixou-se de que Moro estava criando um clima de "caça às bruxas" ao propor uma legislação que aumentaria o poder dos juízes de primeira instância.

Nesse mar de críticas, uma voz sempre estava presente: a da Odebrecht. Fosse por meio de notas de advogados ou entrevistas à imprensa, a construtora criticava duramente o juiz e a investigação. Um dos pontos atacados eram as delações premiadas aceitas pelo Ministério Público Federal. Segundo uma petição encaminhada ao Supremo pela defesa de um executivo da empresa, o MPF, antes de verificar a veracidade das declarações dos delatores, "apressou-se em assinar acordos de colaboração que, num passe de mágica, evitam prisões preventivas ou as transformam em domiciliares". A discussão pública em torno da Lava Jato continuaria por semanas, mas o que os advogados não sabiam era o próximo movimento que a Justiça Federal faria: o dono da maior construtora do país também seria preso pela Polícia Federal.

Capítulo 7

O DIA D NA CIDADELA

19 de junho de 2015

Odebrecht na mira da PF

Por volta das 6h45 da manhã um táxi entrou na rua Lemos Monteiro, em São Paulo, onde fica o edifício da Odebrecht, levando um funcionário que tinha dormido mal e decidira ir mais cedo para o trabalho. Chovia fininho e uma neblina pairava ao redor do prédio que é a cidadela da maior empreiteira do país, o segundo maior grupo privado brasileiro. Fundada em 1944, a tradicional empresa baiana é administrada atualmente pela terceira geração da família. Seu presidente, Marcelo Odebrecht, dera declarações três dias antes ao maior jornal econômico do país de que estava muito "irritado" por se encontrar "na linha de fogo do embate político". E lembrou que a empresa criava dezenas de milhares de empregos.

O local estava quieto àquela hora da manhã. O táxi embicou na frente do prédio e, em meio ao clima de filme de mistério, o funcionário finalmente enxergou o tamanho da confusão. Quatro enormes jipes e outros veículos da Polícia Federal bloqueavam o acesso, mas sem barrar ninguém. Quem quisesse podia entrar tanto na portaria quanto no estacionamento. Lá dentro a ordem era: todos podiam ir para suas salas, exceto se fossem no 7º andar (servidores), 11º (América Latina) e 15º e 16º (holding). Aqueles eram os locais onde a Polícia Federal fazia seu trabalho desde as primeiras horas daquela sexta-feira que ficaria marcada como o dia em que, segundo o jornalista Elio Gaspari, a Operação Lava Jato chegaria ao topo do andar de cima.

Dentro da empresa, silêncio nas salas e nos corredores. Muitos estavam surpresos. Alguns funcionários não puderam trabalhar por causa das buscas da polícia e foram orientados a voltar para casa. Os que ficaram na empresa procuravam seus chefes para entender o que estava acontecendo. Os mais graduados não eram encontrados. Estavam em reunião ou em local ignorado. Segundo o funcionário que chegara de táxi e assistia a tudo perplexo, "os serviços do prédio entraram em colapso. O e-mail parou. Foi trancado pelas buscas da PF. O telefone funcionava mal. O restaurante foi fechado. A limpeza do banheiro ficou pela metade. A cadeia de comando também se esfacelou. Sem comunicação confiável e provavelmente com medo de usar o celular, a empresa virou uma grande confusão. A gente recebia ordens sem ter certeza exatamente de quem tinham partido ou por que haviam sido dadas".

A cada nova ordem, os funcionários corriam andares atrás do responsável pelo comando. "Nessas andanças, vi uma cena incrível. Todos os andares do prédio que abriga a maioria das empresas da Odebrecht e a holding do grupo estavam praticamente vazios. Quem estava lá dentro, se não era policial ou do Ministério Público, era gente do jurídico ou da comunicação", relatou o funcionário.

Apesar de ter dado ordens para que ninguém entrasse nos quatro andares alvo das buscas e apreensões, a Polícia Federal esqueceu de isolá-los. Foi assim que um funcionário que tentava achar seu chefe acabou entrando no 15º andar, onde fica a sala da presidência. Nenhum policial o barrou. Os agentes já haviam passado pelo escritório de Marcelo Odebrecht. Não estava revirado, mas dava a impressão de que tinha sido devassado. À primeira vista estava tudo arrumado, mas nada estava em seu lugar. Lá dentro, um policial remexia nas gavetas. Um advogado observava.

Durante o resto daquela sexta-feira, os funcionários ouviram de seus superiores que as acusações eram frágeis e que os primeiros indícios que apareceram estavam sendo mal interpretados. Mesmo os chefes às vezes paravam de falar porque sentiam que estavam sendo pouco convincentes. A verdade é que a maioria dos funcionários sempre ouvira seus chefes dizerem que a Odebrecht nunca agira como as outras empreiteiras. E agora as pessoas se perguntavam: O que isso significa? O que ela fazia de diferente?

Os policiais resolveram batizar a 14ª fase da Operação Lava Jato de Erga Omnes porque, como disse o delegado Igor Romário de Paula, eles queriam passar um "recado claro de que a lei vale efetivamente para todos, não importa o tamanho da empresa, não importa o seu destaque na sociedade, sua capacidade de influência, seu poder econômico". Naquele dia, 220 policiais, em quatro estados, cumpriram oito mandados de prisão preventiva, quatro de prisão temporária e nove de condução coercitiva, além de 59 mandados de busca e apreensão. A PF estava indo atrás das duas últimas peças do cartel apontado pelos delatores. E não tinha sido fácil chegar até ali. Primeiro foi preciso desvendar todo um novelo de operadores e contas secretas no exterior, uma estrutura criminosa muito sofisticada. Isso levou meses. Além disso, na reta final, tiveram que superar mais dificuldades. Precisavam checar o endereço de cada um dos envolvidos que seriam alvo da operação. Ir lá, tirar foto da entrada, estudar o melhor caminho para chegar. Em pouco tempo o trabalho estava pronto, a não ser por um detalhe: a residência de Marcelo Odebrecht.

Considerado um dos dez homens mais ricos do país, com uma fortuna perto dos 10 bilhões de reais, Marcelo Odebrecht mora em uma casa, avaliada em mais de 30 milhões de reais, no luxuoso Jardim Pignatari, no Morumbi, em São Paulo. Um condomínio fechado, de alto padrão, apontado por alguns como o mais seguro de São Paulo, onde não era fácil entrar. As fotos de satélite registravam umas 45 casas por trás dos muros altos de pedra. Qual seria a de Marcelo? O número da casa dele era 319. Para conferir a numeração e não ir à casa errada, o que seria desastroso para a operação, os policiais tinham que entrar no condomínio. O escolhido para a missão foi um delegado que, brincavam os colegas, tinha mais cara de rico. Para não despertar suspeitas, ele ligou para um corretor de imóveis e disse que estava interessado em uma casa anunciada na internet pelo preço de 19 milhões de reais. Como não é todo dia que aparece um cliente para esse tipo de imóvel, o corretor imediatamente marcou uma visita à propriedade. O delegado colocou uma roupa requintada, pegou um BMW emprestado e seguiu o carro do funcionário da imobiliária. No caminho, foi repassando mentalmente o que poderia dizer para se fazer passar por milionário. À porta, parou na vaga de visitantes e, no carro do corretor, entrou no luxuoso condomínio. Na primeira rua já começou a reparar na numeração. A casa de Marcelo não era para aquele lado. Visitou o imóvel que estava à venda, achou tudo muito espaçoso, o mármore muito bonito, foi dizendo que preferia apartamento, mas a mulher é quem decide, reclamou do trânsito e na saída perguntou inocentemente:

– Podemos dar uma volta pelo condomínio?

– Claro, vamos por essa rua – disse o corretor.

Ao passar pelos terrenos, continuou a puxar papo com o corretor:

– Quem são os meus vizinhos?

– Ah, tem vários empresários aqui.

O indiscreto vendedor começou a dizer o nome dos moradores do condomínio, até que de longe apontou:

– Ali mora o pessoal da Odebrecht.

Era uma casa maior que as outras, pegava dois terrenos e tinha um gramado do lado. A PF já tinha mais uma pista. Com essas informações, eles voltaram às fotos de satélites, decifraram a numeração, contaram as casas e o endereço bateu. Era mesmo aquela grandona com um gramado ao lado. Com mais duas ou três checagens, pronto, tinham certeza da casa. Mas como entrar no condomínio? Os porteiros poderiam simplesmente não abrir. Os portões eram blindados; se eles tentassem pular, poderia haver um tiroteio. Além disso, era possível que o condomínio tivesse uma saída que eles não conheciam, e o alvo aproveitasse para fugir. A solução foi deixar um helicóptero preparado para decolar, com agentes prontos para ganhar a casa se eles perdessem tempo nos portões. Os primeiros minutos da busca são fundamentais. Naquele caso, poderiam ser mais ainda.

– Bom dia, Polícia Federal. Temos um mandado de busca para cumprir aí dentro – informou o agente quando os carros pretos com o logotipo da Polícia Federal chegaram à entrada do condomínio.

– Na casa de quem?

– Você vai saber na hora que a gente estiver aí dentro.

Eram seis da manhã e ainda estava escuro. Por sorte, os policiais não tiveram problemas na entrada e o helicóptero ficou no chão, mas eles queriam chegar logo e pegar o celular de Marcelo. Os carros voaram pelas ruas do condomínio, enquanto um deles ficava ao lado do porteiro, para que não avisasse ninguém. Em 30 segundos, bateram na porta da casa.

O próprio Marcelo atendeu. Ele já estava acordado fazendo exercícios desde 5h30, como de costume. A voz ainda estava um pouco grave.

– Podem entrar – disse ele, que só reclamou do fuzil que um policial levava. A arma foi guardada no carro.

Marcelo Odebrecht deixou a porta aberta para os policiais e ficou esperando. Logo no hall, uma escultura de Frans Krajcberg na parede.

O pé-direito era muito alto. Ele quis ver os mandados; só lhe mostraram o de busca, devidamente assinado pelo juiz Sergio Moro, da 13ª Vara Federal da Justiça Federal do Paraná. Ele começou a ler atentamente. Não esperava que a Lava Jato chegasse a tanto. Nos últimos meses, pelo que a PF concluíra das mensagens e anotações feitas por ele próprio, Marcelo vinha tentando desmontar o trabalho dos procuradores e dos delegados da operação. Mas não conseguira. A esposa de Marcelo, Isabela, chegou e falou com os policiais que as filhas ainda estavam dormindo. Um agente perguntou a Marcelo sobre o celular dele, uma das coisas mais importantes a serem apreendidas. Os policiais tinham tido muita dificuldade em localizar e monitorar o aparelho usado por ele: estavam todos em nome da empresa.

– Vamos até o seu telefone que a gente vai apreender ele, seu Marcelo. A gente vai apreender seu telefone – disse o policial.

Ele saiu andando e entrou na cozinha. Não estava ali o celular.

– Está lá em cima, eu posso ir lá pegar. Eu vou lá ver a menina e o senhor espera aqui – Marcelo sugeriu.

– Não, eu vou acompanhar o senhor daqui pra frente. Eu preciso do seu telefone agora – disse o policial, firme.

Ele continuou andando. O agente atrás. Ele subiu. Na porta do quarto, parou de novo.

– Está lá dentro, espera aí que eu vou buscar – disse Marcelo.

– Não, eu vou junto – disse o agente. E entrou com ele no quarto, foi até o banheiro, sem tirar de vista as mãos de Marcelo, que continuava sério. O celular estava na bancada. O agente o pegou e desligou. Estava apreendido. Naquele celular, os peritos achariam muitas informações para a investigação.

Em outro canto da casa, os policiais também encontraram um compartimento secreto, como na casa de Renato Duque. Mas o local estava limpo, não havia nada importante.

Ao final da busca, Marcelo Odebrecht foi comunicado da prisão. Seria levado para a carceragem da PF em Curitiba. A prisão era preventiva. Não tinha data certa para terminar. A esposa fez uma pequena mala com objetos pessoais e algumas roupas e tentou entregar aos delegados. Eles olharam e acharam engraçado. Não iam carregar aquilo. Ele que o fizesse.

Além de Marcelo, foram presos naquela manhã outros quatro diretores da Odebrecht: Márcio Faria da Silva, Rogério Araújo, César Rocha e Alexandrino de Salles Ramos de Alencar. Márcio Faria e Rogério Araújo foram denunciados pelo ex-diretor de Abastecimento da Petrobras Paulo Roberto Costa em depoimento do processo de sua delação premiada, ainda em setembro de 2014. Segundo o ex-diretor da Petrobras, ele recebeu 23 milhões de dólares em propinas da Odebrecht na Suíça por determinação dos dois diretores. Eles foram presos ao raiar do dia e a notícia logo se espalhou na cúpula da empresa.

Às 6h03, César Rocha, outro diretor que seria preso e que estava fora de casa naquele momento, recebeu um telefonema de Marta Pacheco Kramer, também da Odebrecht.

– Oi, Marta! – atendeu César ao primeiro toque.

– Bom dia, tudo bem?

– Tudo.

– Está havendo operação lá no escritório. Tem umas viaturas da polícia. Tô indo pra lá. Quando eu tiver notícias, aviso vocês – disse Marta, indo direto ao ponto.

– Estão no Márcio, tá? – respondeu César.

– Alô? A ligação está muito ruim. Te dou notícias assim que eu tiver, tá?

– Estão na casa do Márcio!

– Ah, tá bom.

– Tchau.

Para os policiais, César Rocha tentou fugir da prisão. Entre 6h03 e 6h21, de acordo com o rastreamento do telefone, Rocha estava perto de seu endereço residencial. Os policiais, que chegaram num carro descaracterizado, sem o logotipo da Federal, só conseguiram entrar na casa porque deram de cara com a mulher do executivo, Márcia da Rocha Tourinho, na porta da garagem. Dentro do porta-malas do carro havia uma sacola com roupas, um passaporte em nome de César Ramos, com visto válido para os Estados Unidos até 2020, cartões Travel Money, passes de trem da Europa e cartões de crédito. Sinais de que ele poderia fugir do país. A mulher disse que a mala era para encontrar o marido na praia do Engenho, em São Sebastião. Mas ele não estava lá. César só se apresentou à PF de São Paulo às 12h20, acompanhado da advogada da Odebrecht, Dora Cavalcanti.

Outro diretor da Odebrecht, Alexandrino de Alencar, foi acordado às 6h06 em sua casa. Mas não pela Polícia Federal. Por um telefonema de Marta Pacheco Kramer.

– Alô – atendeu Alexandrino.

– Alexandrino?

– Eu.

– Bom dia. Marta. Desculpa te acordar.

– Sim.

– Estou te ligando pra saber se tá tudo bem aí com você.

– Por quê? – estranhou Alexandrino.

– Tem umas viaturas no escritório, a gente acha que é uma operação de busca, tamos indo pra lá. Aí estou checando com algumas pessoas pra saber se tá tudo bem – disse Marta.

Alexandrino ouve um barulho vindo da sala.

– Eu estou achando que tem alguém batendo na minha porta aqui agora.

– Verdade?

– EU! – Alexandrino gritou para fora do quarto.

– É? – perguntou Marta.

– HEIN? Espera só um minuto, tá bom, vou ver, qualquer coisa eu te ligo – disse Alexandrino.

– Tem gente aí? – perguntou Marta.

– Acho que é minha empregada. Tá bom! – concluiu Alexandrino, ainda sem saber o que estava acontecendo.

– Tá bom, me liga – disse Marta antes de desligar.

Às 6h48, Alexandrino telefonou para Marta. Caiu na caixa postal. Ele não poderia telefonar de novo, então deixou um recado:

– Alô, Marta, está tendo uma busca e apreensão aqui na minha casa, tá bom? Alexandrino, tchau tchau...

A polícia ainda deixou o diretor fazer outras duas chamadas. Ele ligou para os advogados.

A PF já vinha monitorando o telefone de Alexandrino há dias e, em um relatório sobre a interceptação, a polícia informou ao juiz federal Sergio Moro que o ex-presidente Lula falara três minutos por telefone com Alexandrino em 15 de junho de 2015, quatro dias antes da prisão do executivo da Odebrecht. Primeiro ligou uma pessoa identificada como Moraes de um telefone registrado em nome do Instituto Lula. Eram 20h06.

– Alô.

– Dr. Alexandrino, boa noite, é o Moraes, o senhor pode falar com o presidente? – perguntou Moraes.

– Lógico – respondeu Alexandrino. Moraes passou o telefone.

– Alô – disse o ex-presidente Lula.

– Como vai? – perguntou Alexandrino.

– Tudo bem? – retrucou Lula.

– Joia.

Os dois conversaram rapidamente a respeito de um seminário do jornal *Valor Econômico* sobre exportação de serviços e Lula comentou que o economista Delfim Netto iria escrever um artigo sobre o assunto.

– Eu falei com Delfim Netto hoje, ele vai publicar um artigo amanhã no *Valor* dando o cacete – informou Lula. (No artigo, Delfim critica a "combinação trágica de eventos gestados pelo governo em 2014 para conseguir a reeleição", mas defende os empréstimos para exportação de serviços de engenharia e diz que é um "erro grave" dar publicidade às minúcias das operações do BNDES.)

Ao final do telefonema, Alexandrino falou de Paulo, que a Polícia Federal achou que se tratava de Paulo Okamotto, presidente do Instituto Lula.

– E eu conversei hoje com Paulo, pra gente conversar essa semana pra acertar, pra acertar o posicionamento nosso junto com o de vocês, tá? Combinado? – perguntou Alexandrino.

– Tá bom, tá bom. Um abraço, meu irmão. Tchau – respondeu Lula antes de desligar o telefone.

– Outro, tchau, tchau.

Sobre o trecho em que se fala em "acertar o posicionamento", os policiais escreveram o seguinte no relatório: "Causa estranheza a esta equipe de análise o fato de as partes estarem acertando posicionamentos institucionais." A polícia já suspeitava de uma possível reunião há alguns dias. Em 10 de junho, Alexandrino ligou no meio da tarde para a secretária e perguntou:

– Qual é o endereço que vou? Qual é o nome da rua que eu vou agora, hein?

– Agora? Pouso Alegre, 21 – respondeu Vilma, a secretária.

– Tá bom, ok, obrigado. Tchau, tchau – disse Alexandrino.

O endereço do Instituto Lula é rua Pouso Alegre, 21, Ipiranga, São Paulo.

Primeiro dia na cadeia

Quando chegou à Polícia Federal, Marcelo Odebrecht foi encaminhado a um auditório para triagem. Outros executivos de empreiteiras presos também tinham passado por ali em fases anteriores da Lava Jato. Marcelo estava agitado, parecia muito irritado. Os advogados de defesa estavam a caminho. Eles diriam que as prisões foram injustas e desnecessárias, que a Odebrecht estava colaborando, atenta e submissa às demandas do processo. E que as provas apresentadas pelo juiz Sergio Moro como justificativa já eram conhecidas. Tinham sido citadas em outros momentos ao longo do andamento dos vários processos da Lava Jato. Mas Sergio Moro entendeu que havia provas suficientes para a prisão naquele momento. E Marcelo estava preso.

Quando os advogados de Marcelo Odebrecht chegaram à PF, se reuniram com ele em um dos cantos do auditório. Marcelo era assertivo, dizia o que queria e como gostaria que fosse feito. Fora educado, desde a primeira infância, para mandar. Estava acostumado a dar ordens. E foi o que fez até com os advogados. Na frente dos delegados, o engenheiro dizia aos seus defensores o que deviam fazer. Dava ordens diretas e orientações. Seus advogados não faziam sugestões, apenas ouviam e anotavam. Em conversa com os delegados, Marcelo admitiu que esperava que algo acontecesse, mas achava que os policiais iriam bater na empresa, e não na casa dele, e que iriam investigar a construtora, e não a holding, que reúne 49 empresas.

A certa altura, a polícia deu a ele 15 minutos de prazo para que encerrasse a conversa com seus defensores. Eles ficaram 20, 22 minutos... Os policiais estavam tirando todos os advogados. Dora Cavalcanti, da Odebrecht, pediu mais tempo. Cinco minutos se passaram e nada de ela sair. Teve de ser gentilmente retirada.

Durante a busca na casa de Marcelo Odebrecht, a polícia encontrou dois telefones num quarto de uso privado dele, um no escritório, quatro no quarto do casal, um no de estudos e mais três no resto da casa. Onze telefones. Alguns a PF já vinha monitorando há semanas, sem resultado nenhum. Os telefones, em sua maioria, tinham ficado desligados nesse período ou simplesmente não tinham sido usados por ele. Marcelo deveria estar falando por outros telefones, imaginavam os agentes. Em busca do número dele, a PF monitorou o celular da esposa. E, no dia da prisão de Marcelo, duas ligações chamaram a atenção da PF. Os telefonemas foram tornados públicos no processo. Uma das ligações ocorreu por volta das 10h30.

Enquanto Marcelo esperava na PF, uma de suas filhas ligou do colégio para a mãe, Isabela. Apesar da manhã conturbada, era dia de prova. As filhas viram a polícia chegar, mas saíram antes do fim da busca. Assim que terminou a primeira prova, a menina ficou sabendo pelas amigas que seu pai tinha sido preso. Ficou nervosa, pegou o celular e quis saber como estavam as coisas em casa.

– Deixa eu só te falar uma coisa, você tá me vendo nervosa, filha? – começou a mãe.

– Não, hoje, tipo, eu só tomei susto – respondeu a filha.

– Você tomou susto, sua mãe te explicou (...) Agora, se voltar chorando ou você sair correndo, a gente é culpado. A gente é culpado de alguma coisa?

– Não – disse a filha.

– Seu pai, o que foi que seu pai te avisou a vida toda? Que, se pegassem alguém dele, ele ia fazer o quê? – falou Isabela.

– Ia lá.

– O dia que ele quis esconder, ele escondeu aonde? Ele trouxe Rogério pra casa de quem? Aqui, não foi?!

Isabela continuou tentando acalmar a filha:

– Então, assim, levante seu coração, acalme sua vida. O que seu pai não pode, posso te falar a única coisa que ele pediu?

– O quê?

– Que vocês estivessem bem. Se seu pai souber que você tirou uma nota baixa por ele...

– Não, eu fui bem na prova.

Isabela disse que iria pegar as filhas no colégio à uma da tarde, como se nada tivesse acontecido, e elas iriam ajudar a arrumar a bagunça que tinha ficado na casa. A menina quis saber do pai, onde ele estava.

– Ele tava bem?

– Seu pai? Rapaz, seu pai é empesteado, só de perto pra eu te contar.

– Que horas ele volta, mãe?!

– Hum?

– Que horas ele volta?

– Não, ele não vai voltar hoje, não vai voltar hoje. Filha, ele tinha te avisado, ele vai ter que responder tudo isso que vão perguntar a ele, ele vai ficar lá respondendo.

– Tá bom.

– Rapaz, minha filha, reaja. Se você chora aí, a galera vê você com cara de choro, você vai estar dando corda, tá maluco?

– Eu tô bem, vou pra outra prova agora.

Isabela ainda falou com a outra filha, que também estava em dia de prova. Tentou passar uma força, disse para elas ficarem de cabeça erguida. A psicóloga do colégio tinha ido conversar com elas, que estavam bem apesar do susto. Foi duro para as filhas de Marcelo irem fazer as provas naquele dia, assim como para a esposa ficar em casa esperando notícias dos advogados. Quando deu cinco da tarde, Isabela não aguentou e ligou para a cunhada, Monica Odebrecht, irmã de Marcelo.

– Oi.

– Você já conseguiu descansar um pouquinho? – perguntou a cunhada.

– Ainda não – foi a resposta.

– Olhe, meu amor, acabei de falar com Celo, viu?

– Você viu ele? – perguntou a esposa.

– Não, eu falei com ele pelo telefone – respondeu a irmã.

– Por que você pôde falar com ele?

– Porque ele ligou pra dar umas orientações aqui, mas foi um segundo, não deu pra falar nada, eu te explico aí. Deixa eu só te falar, eu vou praí e vou levar um negócio que você pediu, para você ficar tranquila.

– Tá.

– Você não precisa se preocupar com nada disso, você sabe, absolutamente nada, tá? Então assim que Maurício me orientar o que eu tenho que fazer, eu vou praí pra conversar com as meninas.

– Quem tá com ele lá? Mas quem tá com ele lá dentro? – perguntou preocupada a esposa.

– Estão todos, Bela, estão todos. Teve uma vez que eu liguei e a Dora tava levando lanche pra eles, fique tranquila, ele vai ficar bem, certo? A gente tá vendo quem vai amanhã. Maurício vai, e aí eu te informo tudo dele, de noite, tá?

– Ele já tá saindo agora, né? – insistiu Isabela, em busca de mais detalhes.

– É capaz de não terem conseguido sair, por conta do tempo, mas enfim, a gente vai ficar sabendo a hora que ele chegou, tudo, tá?!

A divulgação dessas conversas gerou protestos de Marcelo Odebrecht, que entrou com uma ação de indenização contra a União por danos morais, acusando a Lava Jato de dar publicidade indevidamente a informações de natureza íntima dele e de seus familiares. Os advogados da Odebrecht pediram que se apurasse quem tinha permitido a divulgação e que o juiz determinasse o sigilo dos áudios. O pedido foi acatado, mas as conversas já tinham chegado à imprensa. Em maio de 2016, Moro solicitou à defesa que indicasse quais diálogos deveriam ser apagados do processo. Para o advogado de Marcelo, Nabor Bulhões, houve um erro na divulgação de conversas íntimas da família em um momento de dor e aflição. "O próprio Sergio Moro questionou a PF e o MPF sobre os motivos para inseri-las nos autos já que não eram do interesse da investigação", afirmou Bulhões.

O noticiário daquele dia mostraria uma cena que muita gente achava que nunca veria: Marcelo Odebrecht preso. Executivo arrojado e bem preparado para o desafio, comandava a empresa desde 2009. Sob sua gestão, a Odebrecht tinha se consolidado no setor petroquímico com a subsidiária Braskem, hoje líder de mercado. Também ampliara suas fronteiras para 21 países, livrando-se ainda mais da dependência do Brasil.

Ao seu lado, na cadeia, estava o poderoso executivo e presidente da Andrade Gutierrez Otávio Azevedo, que comandou o processo que levou a empreiteira mineira para a telefonia, ao integrar o consórcio que comprou a Telemar. Durante muito tempo, Otávio foi presidente do Conselho de Administração da telefônica e representante dos donos. Naquele dia, também tinha sido preso o diretor da Andrade Elton Negrão, e o ex-dirigente da construtora, Paulo Roberto Dalmazzo, se entregaria à noite na sede da PF em Curitiba.

As gigantes Andrade Gutierrez e Odebrecht têm obras no Brasil e em dezenas de outros países: são rodovias, hidrelétricas, sondas de perfuração, usinas nucleares e até estádios de futebol. Juntas são responsáveis por mais de 400 mil empregos. As duas empresas fizeram a reforma do Maracanã para a Copa do Mundo de 2014. No ano da Copa, o grupo Odebrecht faturou 107 bilhões de reais, sendo que só a sua construtora teve receita de 33 bilhões, enquanto a Construtora Andrade Gutierrez faturou outros 7,5 bilhões. Naquele momento os presidentes das duas empreiteiras estavam em prisão preventiva. Seriam levados para a gelada Curitiba, onde os advogados corriam para providenciar cobertores e casacos.

Quando os empreiteiros finalmente aportaram na sede da PF na capital do Paraná, já era tarde da noite. Estava muito frio. Seis graus. Os 12 presos foram divididos em três celas de uma das alas da carceragem da Polícia Federal. Cada um ganhou um cobertor e um lençol. Os advogados trouxeram outros cobertores, mas isso não tornou a primeira noite na cadeia mais aconchegante. As celas, de 12 metros quadrados, acomodavam quatro presos, mas um deles teve que dormir no chão porque só havia três camas de concreto armado com um colchonete por cima. A torneira da cela de Marcelo estava pingando. No dia seguinte, acordaram cedo e lhes serviram café e pão com manteiga por volta das sete horas da manhã. Eles não tinham contato com os outros presos da Lava Jato, como Alberto Youssef e Nestor Cerveró, que foram levados para outra ala.

Hipoglicêmico, Marcelo Odebrecht comia barrinhas de cereal a cada duas horas. Como era sábado e não havia expediente na PF, eles não podiam receber visitas, nem de advogados. A única movimentação aconteceu de manhã, quando os 12 presos foram levados ao Instituto Médico Legal para o exame de corpo de delito. Entraram em fila indiana, de braços para trás. Alguns escondiam o rosto. Marcelo Odebrecht e Otávio Azevedo, os primeiros da fila, enfrentaram o batalhão de fotógrafos de cabeça erguida. Depois voltaram para a carceragem.

Ao mandar prender os dirigentes das duas maiores empreiteiras do país, o juiz Sergio Moro foi claro. "Considerando a duração do esquema criminoso, pelo menos desde 2004, a dimensão bilionária dos contratos obtidos com os crimes junto à Petrobras e o valor milionário das propinas pagas aos dirigentes da Petrobras, parece inviável que ele fosse desconhecido dos presidentes das duas empreiteiras, Marcelo Bahia Odebrecht e Otávio Marques de Azevedo", escreveu Moro. No despacho que determinou as prisões, Moro afirmou que "de toda a análise probatória, cabe concluir, em cognição sumária, pelo envolvimento de dirigentes da Odebrecht e da Andrade Gutierrez no esquema criminoso de cartel, fraude à licitação e pagamento de propinas em contratos e obras da Petrobras".

Para o MPF, Marcelo Odebrecht e Otávio Azevedo não apenas participavam ativamente da atuação da Odebrecht e da Andrade Gutierrez no clube, como tinham controle das ações envolvendo o cartel e conhecimento do pagamento de vantagens indevidas aos agentes públicos.

Moro explica na decisão que as duas construtoras adotaram modos mais sofisticados para a prática dos crimes, com pagamento de propinas principalmente no exterior e através de contas secretas. Elas mandariam dinheiro para fora, para bancos na Suíça, em Mônaco e no Panamá, e de lá fariam os pagamentos para executivos ligados à Petrobras. Com Paulo Roberto Costa foi assim, como ele mesmo afirmou em depoimento: "Os valores da Suíça, que foram depositados lá, todos esses valores foram feitos através da Odebrecht."

A defesa reagiu dizendo que não cabia decretar uma prisão com base em conjecturas e presunções. E chamou atenção para o fato de os delatores até então ouvidos, inclusive Paulo Roberto Costa, relatarem que Marcelo Odebrecht não participava dos ilícitos atribuídos às empresas do grupo investigadas na Lava Jato. Aos procuradores, Costa disse: "Nunca tratei de nenhum desses assuntos com ele. Não põe o nome dele aí porque ele não participou disso." Em nota publicada nos jornais no dia 22 de junho de 2015, a Odebrecht dizia que, em mais de um ano de investigação, a Lava Jato não havia apresentado qualquer fato que justificasse a "medida de força". Falava em "afronta ao Estado de Direito", rebatia cada ponto da acusação como sendo fruto de confusão dos investigadores e terminava dizendo que "a verdade virá à tona" e a "Justiça prevalecerá". Em 2016, a situação era totalmente outra e a nota foi considerada um erro de estratégia.

A operação contra a Odebrecht e a Andrade Gutierrez fechava o cerco em torno do suposto cartel da Petrobras.

"Destruir e-mail sondas"

Na prisão Marcelo Odebrecht demonstrou ser disciplinadíssimo. Estabeleceu rotinas e as seguia à risca. Comia, lia, malhava, escrevia, comia, lia, malhava, escrevia. Tentava se ocupar o dia inteiro. Não aparentou em nenhum momento estar deprimido. Embora tenha saído de uma casa cercada de luxos, pela qual pagava só de condomínio 19.800 reais, para uma cela fria e sem privacidade na carceragem da PF de Curitiba, estabeleceu uma rotina para se adaptar à nova situação. Ao observar seu hábito de escrever, os investigadores intuíram que suas anotações poderiam fornecer pistas preciosas.

Num dos primeiros dias de cadeia, Marcelo Odebrecht aproveitou para escrever uma carta a seus advogados Dora Cavalcanti e Augusto de Arruda Botelho. Quando saiu da cela com algo escrito num papel, um carcereiro perguntou por que essa mania. Ele respondeu que era para não esquecer o que devia fazer. Naquela tarde, quando terminou, Marcelo pediu a um policial que entregasse o manuscrito aos seus advogados. O agente penitenciário federal Alexandre Ribeiro, que tinha vindo do presídio de Catanduvas para reforçar a equipe, fez como de praxe na cadeia: pegou o papel e leu. Logo lhe chamou a atenção o trecho em que Marcelo havia escrito "Destruir e-mail sondas". O agente tirou uma cópia xerox do documento antes de entregá-lo a um dos muitos advogados de Marcelo. Depois mostrou a cópia a um colega. O agente Daniel da Silva achou a letra ruim, mas conseguiu ler "Destruir e-mail sondas". O agente mostrou para outro, que também conseguiu ler a frase e achou Marcelo ingênuo por pensar que eles não iriam estranhar aquilo. O bilhete foi então entregue a um delegado, que intimou os advogados da Odebrecht a explicar o que significavam as anotações.

Na carta, Marcelo Odebrecht estava se referindo a um assunto levantado por um e-mail apreendido nos computadores da Odebrecht em novembro de 2014, durante a sétima fase da Lava Jato. Nesse e-mail, Roberto Prisco Ramos, da Braskem, subsidiária da Odebrecht, conversa com ele sobre o fato de a empresa cobrar de 20 a 25 mil dólares por dia de "sobrepreço" num contrato de operação de sondas para a Petrobras. E Marcelo dá uma orientação no sentido de acelerar as tratativas com duas empreiteiras concorrentes. Segundo o juiz Sergio Moro, isso mostrava o quanto Marcelo participava das decisões do cartel das empreiteiras.

A advogada da Odebrecht, Dora Cavalcanti, explicou ao juiz Sergio Moro e aos delegados que, ao falar em "destruir e-mail sondas", Marcelo queria dizer "rebater" o argumento do sobrepreço na operação das sondas.

Para ela, o sobrepreço não era superfaturamento, era lucro. O e-mail sobre as sondas já havia sido apreendido pela PF muito tempo antes e, portanto, estava em poder da Justiça. Não teria por que ser destruído. A PF ponderou que ele poderia estar se referindo à destruição de e-mails relativos a esse caso na caixa de Roberto Prisco Ramos e que ainda não haviam sido entregues à Justiça na data em que Marcelo deu a ordem aos seus advogados. Dora Cavalcanti disse que estava sendo cerceada em sua profissão. O bate-boca durou dias. O juiz Sergio Moro então decidiu que este bilhete deveria ser retirado do inquérito e investigado em separado.

Quando os empreiteiros já estavam há quase um mês na prisão, a PF pediu autorização ao juiz Sergio Moro para transferi-los da carceragem para o Complexo Médico-Penal, uma unidade do sistema prisional do estado, na região metropolitana de Curitiba. Marcelo Odebrecht foi transferido. A mudança não alterou em nada sua rotina de malhar, ler e escrever.

Nessa mesma época, a PF concluiu a análise dos celulares do presidente da Odebrecht. E o que os peritos descobriram surpreendeu Sergio Moro. Debaixo de um tópico que começava com "Assunto: LJ", escrito no aplicativo calendário do celular de Marcelo Odebrecht, havia uma série de anotações que os investigadores acreditaram ser sobre a Operação Lava Jato. Esta é uma delas: "MF/RA: não movimentar nada e reembolsaremos tudo e asseguraremos a família. Vamos segurar até o fim. Higienizar apetrechos MF e RA.Vazar doação campanha. Nova nota minha mídia? GA, FP, AM, MT, Lula? E Cunha?"

Moro escreveu sobre isso em um despacho dias depois da descoberta: "MF e RA aparentam ser referências aos coinvestigados e subordinados de Marcelo Odebrecht, Márcio Faria e Rogério Araújo. Aparentemente, a anotação indica que ambos estariam sendo orientados a não movimentar suas contas e que, no caso de sequestro e confisco judicial, seriam reembolsados. A referência a 'higienizar apetrechos MF e RA' sugere destruição de provas, com orientação para que os aparelhos eletrônicos utilizados por Márcio Faria e Rogério Araújo fossem limpos, ou seja, que fossem apagadas mensagens ou arquivos eventualmente comprometedores. 'Vazar doação campanha' é algo cujo propósito ainda deve ser elucidado, mas pode constituir medida destinada a constranger os beneficiários."

Outra anotação chamou a atenção de Moro: "Trabalhar para parar/

anular (dissidentes PF...)." A esse respeito, ele escreveu em seu despacho: "O trecho mais perturbador é a referência à utilização de 'dissidentes PF' junto com 'trabalhar para parar/anular' a investigação. Sem embargo do direito da Defesa de questionar juridicamente a investigação ou a persecução penal, a menção a 'dissidentes PF' coloca uma sombra sobre o significado da anotação." O juiz concluiu pedindo explicações aos advogados: "Considerando a aparente gravidade dessas anotações, antes de extrair as possíveis consequências jurídicas, resolvo oportunizar esclarecimentos das Defesas dos executivos da Odebrecht, especialmente das de Marcelo Odebrecht, Márcio Faria e Rogério Araújo, acerca das referidas anotações."

Em nota divulgada à imprensa na época, a Odebrecht declarou que a interpretação da PF sobre as mensagens estava errada. As informações estariam fora de contexto. "Em relação a Marcelo Odebrecht, o relatório da Polícia Federal traz interpretações distorcidas, descontextualizadas e sem nenhuma lógica temporal de suas anotações pessoais. A mais grave é a tentativa de atribuir a Marcelo Odebrecht a responsabilidade pelos ilícitos gravíssimos que estão sendo apurados e envolveriam a cúpula da Polícia Federal do Paraná, como a questão da instalação de escutas em celas dentre outras", disse a empresa.

A Odebrecht estava se referindo à descoberta de um grampo na cela de Alberto Youssef na primeira fase da Lava Jato. O caso ainda estava sendo investigado e, meses antes, tinha ganhado um novo capítulo.

Em 4 de maio de 2015, o delegado Mário Renato Fanton, recém-integrado à equipe e que tinha participado da prisão de André Vargas, decidiu tomar o depoimento de Dalmey Fernando Werlang, o agente responsável por instalar equipamentos de captação de áudio e vídeo da Polícia Federal do Paraná. Nesse depoimento, feito no hotel onde Fanton estava hospedado, Dalmey falou que em 2014 foi procurado pelo delegado Rosalvo Ferreira, superintendente da PF no Paraná, e pelos delegados Igor Romário de Paula e Márcio Anselmo, para que instalasse com urgência uma escuta ambiental em uma cela da custódia da PF. Dalmey declarou que foi até a cela onde ficaria Alberto Youssef e instalou o equipamento antes da chegada dele. Depois passou a entregar as gravações para o delegado Márcio. Nesse depoimento, Dalmey disse que estava viajando quando soube que o preso tinha encontrado o equipamento na cela. Ainda de acordo com suas declarações, ao voltar de viagem, ele perguntou a Igor se havia alvará autorizando a escuta na cela de Youssef e a resposta teria sido "pior que não". Só nesse momento, como consta no depoimento, o agente teria ficado sabendo que a escuta era ilegal.

Esse depoimento gerou uma grande polêmica na Polícia Federal não só pelo fato de ter sido colhido em um hotel de uma maneira nada usual. Mas também porque, dias antes, o delegado Fanton tinha procurado o superintendente Rosalvo e dito que não confiava na equipe da Lava Jato e que os delegados deveriam ser trocados.

Rosalvo não fez isso, preferiu manter a equipe que estava desde o começo e afastou Fanton e Dalmey da operação. Ele abriu uma sindicância interna para apurar toda a confusão. Havia informações contraditórias. As investigações apontavam que a escuta tinha sido instalada na época em que Fernandinho Beira-Mar fora preso. O caso acabou sendo transferido para Brasília e até abril de 2016 não tinha sido concluído. A suspeita de alguns investigadores era de que a Odebrecht poderia de alguma maneira estar envolvida nesse episódio.

No indiciamento, a PF disse que Marcelo Odebrecht e seus diretores tinham conhecimento e participação direta nos crimes apurados na Lava Jato, além de terem tentado atrapalhar as investigações. Ao serem chamados para prestar depoimento e apresentar as suas versões dos fatos, todos preferiram ficar em silêncio, com exceção de Marcelo Odebrecht. Perguntado se gostaria de dizer algo em seu favor, o executivo pediu que ficasse registrado que sempre estivera à disposição da Justiça, que já tinha prestado depoimento em Brasília e por isso acreditava que a sua prisão não seria necessária e, por fim, que continuava confiando em seus companheiros, ou seja, nos executivos que foram detidos. Ele disse que acreditava na presunção de inocência deles.

Ao aceitar a denúncia contra os executivos do grupo, Sergio Moro citou seis contratos da Petrobras em que a Odebrecht teria pago propina para diretores e gerentes da estatal. E também mencionou as contas secretas descobertas pelo Ministério Público Federal no exterior, onde a propina era entregue. A documentação vinda da Suíça seria a prova material do caminho que o dinheiro fez de contas controladas pela Odebrecht para as de dirigentes da Petrobras. Era muito significativo.

Os procuradores afirmaram que os diretores Rogério Araújo e Márcio Faria, sob as ordens de Marcelo Odebrecht, fizeram cerca de 115 transações financeiras consideradas de lavagem dinheiro para pagar propina a diretores e gerentes da Petrobras como Paulo Roberto Costa, Renato Duque e Pedro Barusco. O esquema durou de 2006 a 2014. O principal operador da empreiteira para essas contas no exterior, de acordo com as investigações, era Bernardo Freiburghaus. O esquema de múltiplos depósitos bancários feitos em contas de diversas empresas e pessoas para apagar rastros começou a ser desvendado com a ajuda dos delatores. Primeiro Paulo Roberto, depois Pedro Barusco.

Mas a prova final veio da Suíça. Os procuradores brasileiros estavam preparando a denúncia quando chegaram os documentos pedidos em cooperação internacional. Eram as contas e os extratos que demonstravam o percurso do dinheiro da propina. Os suíços encontraram esses documentos e pediram aos brasileiros apenas algumas diligências aqui para completar a investigação que estava sendo feita por lá. "Foi um acontecimento bem importante porque as informações chegaram faltando três dias para a gente apresentar a denúncia. Gerou uma comoção aqui, um 'Salve a Suíça!'", conta um dos procuradores da força-tarefa.

O primeiro a falar de contas na Suíça e em outros países foi o ex-diretor de Abastecimento da Petrobras. Paulo Roberto Costa informou em um depoimento dentro do acordo de delação premiada que tinha recebido 23 milhões de dólares da Odebrecht no exterior. Os pagamentos da empresa eram para manter um "bom relacionamento" com ele. Paulo Roberto até reproduziu um diálogo que teve com o diretor Rogério Araújo, que lhe sugeriu abrir uma conta fora do Brasil e indicou o nome de Bernardo Freiburghaus para fazer as operações "sem passar por qualquer partido político". De acordo com Costa, Rogério Araújo teria lhe dito: "Paulo, você é muito tolo, você ajuda mais os outros que a si mesmo. Esses políticos que você ajuda, a hora em que você precisar de algum deles, eles vão te virar as costas."

O ex-diretor contou também que os depósitos da Odebrecht eram feitos a "cada dois ou três meses". Na época em que esse depoimento veio a público, em fevereiro de 2015, a Odebrecht soltou uma nota oficial refutando veementemente as acusações de envolvimento com o esquema, que já tinham sido reforçadas também pelos depoimentos de Youssef. "A

Odebrecht nega as alegações caluniosas feitas pelo ex-diretor da Petrobras e por doleiro igualmente réu confesso em investigação em curso na Justiça Federal do Estado do Paraná. A Odebrecht nega em especial ter feito qualquer pagamento ou depósito em suposta conta de qualquer político, executivo ou ex-executivo da estatal", diz a nota.

A defesa da Odebrecht manteve a postura de confronto com a investigação ao longo de meses, inclusive depois da prisão de Marcelo. Uma parte da estratégia era atacar o juiz Sergio Moro. O que não chegava a ser uma novidade, já que durante todo o processo os advogados sempre tentaram acusá-lo de excessos. Foi nessa linha que a Odebrecht trabalhou. Em todas as manifestações públicas dos advogados da empresa e nos pedidos de habeas corpus, foram feitas críticas ao juiz Sergio Moro por supostos abusos praticados por ele.

Quatro dias depois da operação e em meio às acusações dos advogados, a Associação dos Juízes Federais (Ajufe) saiu em defesa de Moro: "A Ajufe não vai admitir alegações genéricas e infundadas de que as prisões decretadas nessa 14ª fase da Operação Lava Jato violariam direitos e garantias dos cidadãos. A Ajufe também não vai admitir ataques pessoais de qualquer tipo, principalmente declarações que possam colocar em dúvida a lisura, eficiência e independência dos magistrados federais brasileiros." Os juízes também atestaram que tudo estava sendo feito dentro do devido processo legal.

As críticas mais pesadas partiram da advogada da empresa, Dora Cavalcanti. Em entrevista ao jornal *O Globo*, Dora disse que empreiteiros estavam sendo presos antes mesmo de formalizada a denúncia pelo Ministério Público e, sobretudo, sem uma condenação definitiva: "São prisões baseadas numa análise antecipada de uma acusação que não está posta. O que me parece que existe na Operação Lava Jato, e isso já foi objeto de análise no Supremo Tribunal Federal, é uma concepção equivocada sobre prisão preventiva."

Na entrevista, a advogada chegou a dizer que Moro estava desrespeitando os acusados: "Achamos que está havendo violação dos direitos humanos mais básicos do cidadão. Estamos analisando, do ponto de vista da legislação brasileira e internacional, com a premissa de que você vem a público esclarecer e um juiz de Direito vê isso como motivo para manutenção de prisão das pessoas físicas. Estou estudando como fazer uma denúncia até internacional pela violação de direitos humanos dos meus clientes. O que está acontecendo é muito grave."

Dora também lamentou que muitas das acusações estivessem sendo feitas com base em depoimentos dos delatores: "A Operação Lava Jato vai entrar para o 'Guinness' como a investigação que mais teve delatores. E o interessante é que cada delator vai ajustando o próprio relato para salvar a sua delação. Temos longa cadeia de delatores que vão refrescando a memória gradualmente, vão lembrando pouco a pouco das coisas. E temos o delator que, em face do que o outro disse, tem que reajustar o que disse inicialmente. E tem ainda um terceiro tipo de delator, que inclui na delação dele o que ele ouviu dizer de outro delator. A meu ver, a delação criminal, da forma que está acontecendo na Lava Jato, é um verdadeiro incentivo à mentira."

Depois de criticar especificamente o comportamento do juiz, sugerindo que ele estava penalizando pessoas físicas por atos indeterminados de pessoa jurídica, Dora disse que "não se pode transferir a raiva que você tem de uma empresa para as pessoas físicas restringindo a liberdade delas". O repórter de *O Globo* pergunta, então, se a advogada está dizendo que o juiz tem raiva da Odebrecht. Dora Cavalcanti dá uma resposta evasiva: "Não diria assim porque eu não quero aumentar o conflito com ele."

Foi a vez de os procuradores da Lava Jato reagirem. No dia seguinte à publicação da entrevista, a força-tarefa do MPF divulgou uma nota dizendo que, quando a advogada afirmava que iria recorrer às cortes internacionais, estava sugerindo fortemente que "os dez delegados, os nove procuradores, o juiz federal, a corte de primeira instância, os desembargadores do Tribunal Regional Federal da 4ª Região e os ministros do Supremo Tribunal Federal estão mancomunados para violar os direitos de seus clientes". A nota era longa e citava o farto material que as investigações estavam revelando contra a empreiteira. Esclareceram que, "ao contrário do que sugere a advogada, os acordos de colaboração premiada são de responsabilidade do Ministério Público Federal, não do juiz".

À medida que a Lava Jato avançava, Moro, mesmo se mantendo em silêncio, tornava-se cada vez mais o centro do debate. Era ele que advogados, acusados, suspeitos e políticos tinham em mente o tempo todo.

Além das anotações comprometedoras, Marcelo Odebrecht também deu uma declaração à CPI que repercutiu muito mal. Apesar dos apelos de seus defensores para que ficasse em silêncio quando os deputados da CPI foram a Curitiba ouvir alguns presos, Marcelo decidiu falar. Disse que ensinava as filhas a não dedurar: "Eu talvez brigasse mais com quem dedurou do que com quem fez o fato." Nesse momento um advogado o cutucou e ele emendou: "Para dedurar alguém é preciso ter o que dedurar. Não é o que acontece aqui." Ficou a impressão de que ele tinha muito a dizer, mas não o faria.

Um mês depois, em outubro de 2015, pela primeira vez um ex-executivo da Odebrecht, João Antônio Bernardi Filho, assinou um acordo de delação premiada em que admitiu que abrira uma offshore, de nome Hayley, no Uruguai, com uma filial no Brasil, para administrar e esconder uma fortuna secreta do ex-diretor de Serviços da Petrobras Renato Duque. Bernardi contou que em 2009 foi procurado por Duque. O ex-diretor da Petrobras disse que tinha "valores a receber no exterior" e pediu que ele administrasse esse dinheiro. Ele aceitou e por isso abriu a Hayley. Bernardi também contou uma história que os investigadores acharam engraçada: em 2011, quando estava quase chegando à Petrobras para entregar 100 mil reais de propina a Renato Duque, ele foi assaltado e perdeu o dinheiro. O assaltante tirou a sorte grande. Bernardi não pôde procurar a polícia. A acusação reforça as provas contra Duque.

"Camarilha dos quatro"

Com os presidentes das duas maiores construtoras do país na cadeia, a Lava Jato fechava o cerco sobre o cartel que atuava na Petrobras. Mas ainda faltava uma peça nessa engrenagem. O quarto diretor. Assim, na manhã de 2 de julho de 2015, o sucessor de Nestor Cerveró na Diretoria Internacional da Petrobras, Jorge Luiz Zelada, foi preso na 15ª fase da Lava Jato, a Conexão Mônaco. Na busca, os policiais encontraram um macacão da Petrobras autografado por Dilma Rousseff e pelo ex-presidente da Petrobras José Sérgio Gabrielli. Um deles comentou, em tom de brincadeira: "Leva para leiloar no Criança Esperança." O preso chegou a Curitiba à tarde e, do aeroporto Afonso Pena, foi levado diretamente para o Instituto Médico Legal. Ele estava sendo acusado de fazer transferências bancárias de dinheiro suspeito no exterior, inclusive após o início das investigações. Ao todo, foram enviados

11 milhões de euros para Mônaco e 350 mil dólares para a China. O dinheiro de Mônaco já estava bloqueado.

O procurador Carlos Fernando dos Santos Lima, um dos mais experientes da Lava Jato, disse que, com a prisão de Zelada, a investigação fechava um ciclo em torno dos quatro diretores que um dia comandaram o esquema de corrupção na Petrobras: Paulo Roberto Costa, Renato Duque, Nestor Cerveró e Jorge Luiz Zelada. O procurador chamou o grupo de "Camarilha dos quatro". A palavra camarilha era usada no passado para se referir a um grupo de cortesãos que conviviam com um soberano e procuravam influir nos negócios públicos. Por extensão de sentido, o termo hoje se aplica às pessoas que convivem com autoridades importantes e buscam influir nas suas decisões. "Todos os quatro atuaram como diretores da estatal e constituíram o núcleo principal das investigações e das falcatruas do desvio de dinheiro público na Petrobras", explicou Carlos Fernando. "Eu não vou dizer que está encerrada a investigação, mas posso afirmar que a quadrilha que se apossou da diretoria da Petrobras já está presa." Era um momento importante da Lava Jato.

Zelada substituiu Nestor Cerveró na área Internacional da Petrobras em 2008. Ficou no cargo até 2012. Foi apontado pelo ex-diretor de Abastecimento Paulo Roberto Costa e pelo ex-gerente Pedro Barusco como um dos beneficiários do esquema de corrupção na estatal. Barusco disse que entregou pessoalmente 120 mil reais a Zelada em três visitas à casa dele no Rio. Os procuradores suspeitavam que Zelada também tivesse recebido propina nos contratos de operação de navios-sonda, que envolviam valores acima de 1 bilhão de dólares. "Há fortes indícios disso", afirmou Carlos Fernando. "Todos os diretores dessas áreas recebiam comissões por negócios que facilitavam dentro da Petrobras, seja na área de refinarias e gasodutos, seja na área de navios-sonda e plataformas", disse o procurador.

Novas fronteiras da investigação

E, se um ciclo se fechava na Lava Jato, outro estava começando. A investigação começava a romper as fronteiras da Petrobras. Até um respeitado oficial da Marinha, uma das maiores autoridades em energia nuclear no Brasil, o vice-almirante Othon Pinheiro da Silva, foi preso. Era a Operação Radioatividade, a 16ª fase da Lava Jato. O superintendente da Eletronuclear, estatal que está construindo a Usina de Angra 3, no Rio, tinha se afastado temporariamente da direção da empresa ao perceber que os investigadores poderiam chegar ao seu nome. Delatores começaram a falar de corrupção no setor elétrico, e o almirante logo se tornou suspeito de ter recebido propinas no valor de 4,5 milhões de reais das empreiteiras Andrade Gutierrez e Engevix, por meio de empresas intermediárias, algumas com características de serem de fachada. O dinheiro foi parar na Aratec, empresa de consultoria de Othon. O vice-almirante ainda tentou argumentar que a Aratec estava em nome de sua filha Ana Cristina Toniolo, que teria prestado serviços de tradução para essas empresas. Mas a filha desmentiu o pai em depoimento à PF. Disse que não realizou nenhum serviço, só emitiu as notas, tudo "a mando do pai".

O procurador Athayde Ribeiro Costa, da força-tarefa da Lava Jato no MPF do Paraná, disse que a organização criminosa que eles investigavam não estava restrita à Petrobras, mas se espalhava por outros órgãos da administração pública. "A corrupção no Brasil é endêmica e está em processo de metástase", comparou Athayde.

Quando a Polícia Federal chegou à casa do vice-almirante, ele resistiu à prisão. Othon estava dormindo e o delegado pediu que a empregada fosse acordá-lo. Muito nervoso, o oficial gritou de dentro do quarto trancado que era um vice-almirante da Marinha e que exigia ser tratado com respeito. O delegado deu dois chutes na porta e disse que iria arrombar. Othon respondeu que, se fizessem isso, iria "meter bala". Foi um momento tenso. Os policiais estavam armados. Em seguida, Othon abriu a porta e pulou em cima de um dos agentes. Houve uma breve luta e os policiais tiveram de imobilizá-lo e algemá-lo. "Mesmo imobilizado e algemado, o senhor Othon continuou inquieto, gritando que não podíamos agir daquela forma, que ele é um vice-almirante da Marinha e que deveria haver no mínimo um vice-almirante da Marinha no local", relatou um policial.

Aos poucos, os agentes conseguiram acalmar o militar. Depois de um tempo, quando ele aceitou conversar, a primeira preocupação foi achar suas armas. Othon indicou o esconderijo onde guardava uma pistola ponto 40 e um revólver calibre 38, que tinham registro, e um revólver Colt 357, uma pistola Glock 9mm, um Taurus 38 e uma pistola Bayard calibre 6.35, sem registro. Othon explicou que as duas últimas armas encontradas tinham pertencido a um cunhado, já falecido. Na busca, a PF também encontrou muitos documentos da Eletronuclear e de outras empresas, além de informações referentes à Operação Lava Jato. Ele acompanhava diariamente o noticiário, como se estivesse esperando a sua vez. No escritório dele, também foram encontrados 45 mil reais em dinheiro vivo numa mala. Othon Silva disse ser para emergências. O dinheiro acabou sendo deixado no local, porque no mandado de Sergio Moro só havia ordem de apreender valores acima de 100 mil reais. Por ser militar, Othon não ficou preso na carceragem da PF do Paraná. Foi para uma unidade do Exército em Curitiba. Depois de ser indiciado pela Polícia Federal e denunciado pelo MPF por corrupção, o almirante pediu demissão formal do seu cargo na Eletronuclear, de onde estava apenas afastado.

O ex-presidente da Camargo Corrêa, Dalton Avancini, disse em delação premiada que as empresas envolvidas na construção de Angra 3 teriam que pagar propinas para Othon Pinheiro da Silva e para o PMDB. Avancini contou que, pouco antes da assinatura dos contratos para a retomada das obras de Angra 3, em agosto de 2014, houve uma reunião na sede da UTC, em São Paulo, coordenada pelo presidente da empresa, Ricardo Pessoa. Nela, ficou claro para ele que o percentual da propina era o mesmo: 1% do valor dos contratos para o PMDB e para os diretores da Eletronuclear. Avancini não disse, porém, quem eram os dirigentes do PMDB que receberiam as propinas da usina.

Por causa das descobertas que levaram à prisão do vice-almirante Othon Pinheiro da Silva, a Polícia Federal ainda iria deflagrar, no dia 21 de setembro de 2015, a 19ª fase da Lava Jato, que acabou sendo conhecida por Nessun Dorma – nome da famosa ária do último ato da ópera *Turandot*, que em português quer dizer "Ninguém durma". Foram cumpridos 11 mandados judiciais, sendo um de prisão temporária, um de preventiva, sete de busca e apreensão e dois de condução coercitiva.

José Antunes Sobrinho, um dos donos da Engevix, uma das empreiteiras de Angra 3, teve a prisão decretada. Ele estava sendo investigado por suspeita de ter pago mais de 1 milhão de reais em propina à direção da Eletronuclear. Os pagamentos foram feitos pela Engevix à Aratec entre 2011 e 2013. Antunes Sobrinho foi preso em casa, em Florianópolis, e chegou à sede da PF em Curitiba no início da tarde. O executivo já era réu da

Lava Jato pelos crimes de corrupção ativa e lavagem de dinheiro na mesma ação que envolvia o ex-ministro da Casa Civil José Dirceu. O ex-ministro respondia pelos crimes de organização criminosa, corrupção passiva qualificada e lavagem de dinheiro.

Com a prisão de alguns dos maiores empresários brasileiros, a Lava Jato em tese tinha pegado não só os corruptos, mas também os corruptores. Havia fechado o cerco contra as empresas do cartel. E ainda tinha prendido mais um diretor da Petrobras. Agora avançava para dentro de outras estatais, seguindo o rastro do dinheiro deixado pela quadrilha. Era talvez a primeira vez na história brasileira em que a Justiça atacava um esquema de corrupção em toda a sua extensão e complexidade. Ao concentrar esforços na raiz econômica da corrupção, a Lava Jato tinha ido tão fundo que alguns diziam que poderia pôr em xeque até o modelo de capitalismo brasileiro, que pratica o pagamento de propina em troca de favores do governo há séculos.

O que a Lava Jato, o juiz Sergio Moro e os investigadores estavam dizendo ao longo dos meses, com atos e palavras, é que a corrupção não está na essência da alma brasileira. Há um sistema que favorece o êxito dos corruptos – e o fracasso dos honestos. Em outros países foi possível mudar isso. O desafio fora lançado. Mas a batalha estava longe do fim. Era preciso atacar de vez o lado mais poderoso do problema: o núcleo político do esquema. Onde tudo começou. A Lava Jato faria história mais uma vez.

Capítulo 8

"AQUI ESTAMOS", AVISA O PROCURADOR-GERAL

14 de julho de 2015

53 mandados de busca contra políticos

Rodrigo Janot praticamente não dormiu naquela noite. Havia ficado até tarde no trabalho e uma das medidas tinha sido tomada durante a madrugada. O último pedido urgente do Ministério Público Federal chegou às 23 horas ao Supremo. O presidente do STF, ministro Ricardo Lewandowski, reclamou. Disse que só decidiria no dia seguinte. Rodrigo Janot telefonou, insistiu e o ministro, contrariado, se pronunciou. Em seguida, foi dormir. Mas o MPF descobriu mais um endereço importante. Era necessário outro mandado. Coube ao juiz auxiliar acordar o ministro Lewandowski para solicitar essa decisão. Com jeitinho, conseguiu fazer o ministro analisar o pedido, que ele deferiu às duas e meia da manhã. Uma hora depois, o procurador-geral fez uma reunião só com sua equipe. Às 4h40, a maioria dos procuradores saiu do prédio da PGR e foi ao encontro dos delegados da PF.

Como procurador do caso, era até natural que Janot participasse da reunião em que seriam combinados os últimos detalhes da maior operação policial já autorizada pelo Supremo contra políticos. Mas foi um susto. Os policiais federais não esperavam ver aquilo: o procurador-geral da República, Rodrigo Janot, em pessoa, no briefing que sempre é feito antes de os carros partirem. Eram quase cinco horas da manhã de 14 de julho de 2015.

Ele entrou e ficou esperando em pé o início da reunião. Foi reconhecido. Um agente que esperava para saber quais seriam os alvos – uma informação que normalmente só é dada dentro do carro em movimento – comentou em tom de brincadeira com um delegado: "Olha quem está aí! Acho que nós vamos prender o Lula e a Dilma."

Janot tinha ido passar uma mensagem aos policiais: "Nós estamos ao lado de vocês. Eu pessoalmente estarei de plantão até acabar isso tudo, para resolver qualquer problema que vocês tiverem." Em breve equipes da PF em sete estados iriam fazer buscas e apreensões na casa de parlamentares da ativa, em apartamentos funcionais do Senado e escritórios de políticos. E não eram parlamentares sem expressão. Eram nomes importantes. Entre eles estavam um ex-presidente da República, o senador Fernando Collor de Mello; um ex-ministro do governo Dilma, senador Fernando Bezerra Coelho; e o presidente do Partido Progressista, senador Ciro Nogueira. Além deles, líderes do PP, como Eduardo da Fonte, Mário Negromonte e João Pizzolatti, eram alvo da nova operação.

Batizada de Politeia, que significa República em grego, referência à famosa obra de Platão sobre uma cidade onde a ética e a virtude devem imperar, a operação visava buscar provas dos desvios investigados desde janeiro de 2015 pelo grupo de trabalho montado por Janot para apurar a participação de políticos no esquema de corrupção montado na Petrobras. Ao todo, 53 mandados de busca foram emitidos pelo Supremo Tribunal Federal, que nunca fizera algo dessa envergadura antes. Por causa do recesso da Justiça, os pedidos tinham sido decididos por diferentes ministros. Além de Teori Zavascki, atuaram no caso Celso de Mello e Ricardo Lewandowski.

Após o briefing, as equipes partiram nos carros da PF com as luzes giratórias ligadas, mas sem sirene. Em silêncio, cruzaram as ruas ainda escuras da capital em direção à casa dos parlamentares. O procurador-geral foi para seu gabinete e ficou trabalhando até a última equipe cumprir o último mandado naquele dia. De sua sala, Janot acompanhava tudo o que estava acontecendo em um grande telão com o mapa do Brasil. Dados de georreferenciamento acendiam uma bandeirinha onde estava sendo cumprido cada mandado. Se a operação estava em andamento, a bandeira ficava amarela. Se enfrentava problemas, tornava-se vermelha. Quando terminava, ficava verde.

Os procuradores também recebiam informações por meio de um aplicativo de mensagens considerado seguro, em que as conversas são criptografadas. Um grupo incluía procuradores de sete estados. E cada equipe também tinha o seu próprio grupo de mensagens para detalhes mais operacionais. Assim, os problemas eram resolvidos na hora em que se tomava conhecimento deles. Num dos endereços de Collor em Alagoas, por exemplo, a porta de entrada tinha travas imensas, coisa de cofre mesmo. "É mais fácil derrubar a parede", disse o técnico. Janot não autorizou. O especialista teve de desarmar trava por trava. Em São Paulo os policiais descobriram que o endereço de um mandado de busca estava errado. Foi preciso conseguir um novo mandado com urgência. Foi assim o dia inteiro. A última ordem de busca começou a ser cumprida às 17h30. Quase se perdeu o prazo. A lei proíbe esse tipo de ação durante a noite. Mesmo sendo tarde, a decisão foi entrar.

O momento mais tenso do dia, porém, foi num prédio de apartamentos funcionais onde moram alguns senadores, o bloco G da quadra 309 da Asa Sul, em Brasília. A Polícia Federal e a Polícia do Senado, que faz a segurança do local, se estranharam. O mal-entendido foi resultado direto do ineditismo da situação. Como uma operação dessas nunca tinha acontecido, ninguém sabia bem como agir. A PF havia combinado chegar o mais discretamente possível. Os agentes foram de terno, em carros descaracterizados, sem os adesivos da Polícia Federal. Ao chegar, quiseram entrar logo, como sempre fazem. Os policiais do Senado, que não tinham sido avisados da operação, resistiram, pediram para ver a ordem judicial de busca, alegaram que ali era uma "dependência do Senado" e chamaram reforços. Carros do Congresso pararam embaixo do prédio. Os delegados da PF disseram que não mostrariam nada, iam apenas cumprir a ordem e se recusaram a apresentar o documento. Por longos minutos, ficou o impasse. Os dois grupos estavam armados. A discussão quase descambou em gritaria. Mas as buscas enfim começaram a ser cumpridas. No entanto, a Polícia do Senado não se deu por vencida. O advogado-geral do Senado, Alberto Cascaes, foi acionado e deu entrevistas criticando a ação da PF. Ele dizia que, nesses casos, normalmente a polícia legislativa é avisada e acompanha as buscas. "Trouxeram o chaveiro, arrombaram a porta, pegaram o que queriam e foram embora sem dar satisfação", contou o advogado aos jornalistas.

No apartamento de Fernando Collor de Mello, os delegados e agentes da Polícia Federal tiveram outros momentos de estresse. O senador não estava, mas os policiais do Senado bateram na porta quatro vezes durante a busca, sempre insistindo para entrar e acompanhar. Numa delas, quase houve um novo bate-boca entre agentes da PF e integrantes da polícia legislativa. A Polícia Federal não deixou ninguém entrar em nenhuma das tentativas. Eles sempre começavam pedindo para ver o mandado. E ouviam a mesma resposta.

– Não é pra você que eu tenho que entregar o mandado. Com certeza o senador já sabe do inquérito a que responde no STF; pede para o advogado dele procurar o STF. Eu só estou cumprindo uma ordem – disse a delegada na porta.

– Se eu tivesse sido avisado, se tivessem nos solicitado algo, não haveria problema – insistiu o policial do Senado.

– Esse não é o procedimento da Polícia Federal, a gente não precisa avisar à Polícia do Senado. O mandado de busca é sigiloso com relação ao senador. Entendo o lado de vocês, mas, por favor, entendam o meu. O senhor não é o destinatário do mandado.

– Ele está aí? – perguntou o policial do Senado.

– Não, mas esse é o procedimento-padrão. Não é porque o senador não está que eu vou entregar para qualquer pessoa que aparece – respondeu a delegada, já demonstrando um pouco de irritação com a insistência.

– Eu sei, senhora, só quero saber se ele está aí, porque eu tenho o dever funcional de protegê-lo.

– Não está. Então o senhor está no lugar errado. Ele não está aqui – disse a delegada em tom levemente irônico.

– Eu estou no lugar errado? – retrucou, irritado, o servidor do Senado.

– O senhor está falando que tem que protegê-lo, eu estou dizendo que ele não está aqui, o senhor está no lugar errado. Eu compreendo que o senhor está fazendo o seu trabalho, mas eu tenho que fazer o meu. Espere que estamos acabando. O senhor vai ter todo o tempo para entrar depois, se quiser, tá bom? Obrigada – disse a delegada, já fechando a porta.

O policial do Senado ainda tentou falar alguma coisa, mas a porta bateu na cara dele. Na hora de sair, novo impasse. Os policiais do Senado não queriam deixar a equipe da PF sair do prédio. O clima azedou de vez e os ânimos se acirraram. Um delegado ligou para a sede e falou em cárcere privado. Ameaçou prender todo mundo. Foi preciso entrar a turma do deixa--disso para não dar confusão. Por pouco a situação não fugiu ao controle.

No Lago Sul, outro bairro de Brasília, uma equipe chegou à Casa da Dinda – residência da família Collor, famosa desde os tempos em que as despesas do jardim eram pagas pelo ex-tesoureiro de campanha Paulo César Farias – sem saber se o senador estava em casa ou se tinha ido para Alagoas.

– O senador está? – perguntou o policial.

– Sim – respondeu um dos militares que fazem a segurança dele, privilégio que Collor tem por ser ex-presidente do Brasil. – Aguardem aqui – disse o segurança.

– Não é para aguardar, não. Temos que entrar – respondeu um dos investigadores, já entrando na casa do senador.

– Não, aguardem aqui, o presidente vai vir – pediu o militar, mandando prender os cachorros.

Os delegados ficaram na expectativa de como ele iria reagir. "Eu pensei: 'Isso vai dar merda.' Achei que ele fosse ser truculento, mas ele estava meio passado", contou um dos presentes. Collor chegou vestido de moletom e, meio bocejando, perguntou do que se tratava. Ainda estava acordando. Só depois de um tempo Collor começou a perguntar dos carros e, principalmente, dos documentos que estavam sendo apreendidos. Uma pasta cheia de papéis antigos indicava contas no exterior. O senador alegou que era de muito tempo atrás. Os investigadores julgaram que era importante, talvez a conta ainda estivesse ativa, talvez houvesse alguma informação interessante. O material foi levado. Um passeio pelo escritório e logo alguém achou uma nota promissória de 5 milhões de dólares, assinada por Cláudio Vieira e com Paulo Octávio de testemunha, e lembrou da Operação Uruguai, uma suspeita antiga de evasão de divisas que rondou o passado de Collor. "Leva para um museu da corrupção", sugeriu um jovem agente. Até o testamento de Collor foi encontrado. Ele pediu que não levassem, tinha cópia no cartório, alegou. Os investigadores cederam, mas tiraram fotos do documento e depois foram ao cartório.

Muitos documentos foram apreendidos. Foram encontrados contratos, currículos de procuradores, pareceres e minidossiês. Um papel surpreendeu os investigadores. Era uma folha com a foto de todos os integrantes do Conselho Nacional do Ministério Público, inclusive uma de Rodrigo Janot. Só que justo a do procurador-geral da República tinha um círculo em volta feito com força à caneta. Os delegados consultaram os procuradores se era para confiscar aquilo também, mas eles decidiram que não, não era indício de crime.

Naquele dia, além de milhares de documentos, foram apreendidos mais de 3,5 milhões de reais em dinheiro vivo e belos carros de luxo, alguns de Fernando Collor. Na Casa da Dinda, a PF encontrou uma Ferrari vermelha, um Porsche e um Lamborghini. A Ferrari, modelo 458 Itália, motor V8 de 570 cavalos, vai de 0 a 100 km em 3,4 segundos e chega a 325 km/h. Mas não é o carro mais exclusivo de Collor. O Lamborghini Aventador é mais sofisticado. O modelo de Collor tem uma pintura especial e um teto removível que o tornam mais caro, por exemplo, que o modelo do empresário Eike Batista, também apreendido pela Justiça – mas depois devolvido – em processo de reparação de danos a investidores da petroleira OGX. Os pneus do Lamborghini de Collor não são originais. O senador os trocou por outros mais esportivos. E o carro ainda é mais veloz que a Ferrari. Vai de 0 a 100 km em 2,9 segundos e chega a atingir velocidade máxima de 350 km/h. Na hora de levar os carrões até o depósito da PF, os policiais enfrentaram um problema: nenhum deles sabia ou queria dirigir aquelas máquinas possantes, que, para piorar, não tinham seguro, considerado muito caro. O Lamborghini e a Ferrari acabaram sendo conduzidos por funcionários da segurança de Collor, mais acostumados a guiá-los. Em cada carro, foi um policial no banco do carona.

Na hora de seguir para o depósito, os seguranças sugeriram uma saída lateral para evitar a imprensa, mas o caminho passava por um trecho de estrada de terra. Para não danificar os automóveis, os policiais preferiram sair pelo portão da frente mesmo. As fotografias dos carros passando pelo portal com a inscrição "Casa da Dinda" correram o mundo. Do alto, os helicópteros das televisões acompanharam todo o trajeto dos veículos até o depósito da polícia. A suspeita era de que os carros – que valiam mais de 5 milhões de reais na época e deviam fortunas em IPVA atrasado – foram comprados para lavar dinheiro. Eles estão em nome da empresa Água Branca – de propriedade de Collor e de sua mulher, Caroline – que, de acordo com as investigações, serviria para esconder o patrimônio do senador.

A Lava Jato tinha apontado indícios de que o ex-presidente Fernando Collor de Mello também teria se beneficiado do esquema de propinas na Petrobras. O doleiro Alberto Youssef disse que um dos seus carregadores de dinheiro, Rafael Angulo Lopez, entregou uma remessa na casa do senador. Rafael confirmou a versão do chefe. Relatou na delação premiada uma entrega de 60 mil reais a Collor em seu apartamento num prédio de luxo no Bairro Bela Vista, em São Paulo. Ele descreveu a sala com móveis antigos onde o senador o encontrou. Collor trancou a sala e o recebeu em outro ambiente, uma antessala. O senador perguntou, então o motivo da visita, e Rafael disse que tinha ido entregar "um documento". Ele perguntou se Collor sabia quantas páginas tinha, ao que o parlamentar respondeu: "O senhor que deve saber." O entregador disse: "Eu trouxe 60." Eram notas de 100 reais que estavam escondidas no paletó e nos bolsos da calça. O esquema de Collor, segundo os investigadores, era na BR Distribuidora, subsidiária da Petrobras para a qual o senador teria indicado diretores. Os mais de 3,5 milhões de reais apreendidos na Politeia foram encontrados no escritório do dono de uma rede de postos de gasolina que, de acordo com as investigações, teria pago propina ao senador para operar com a bandeira BR, da Petrobras.

Assim que chegaram as notícias das primeiras buscas, o assunto explodiu no Congresso. Só se falava disso. Os deputados e senadores terminaram a manhã andando de um lado para outro, reunião atrás de reunião. O comentário geral era que, se os ministros do Supremo tinham analisado e autorizado os seis pedidos do MPF que reuniam as 53 buscas, é porque estavam muito bem embasados. Tinham muita prova. Rapidamente se espalhou no Congresso o medo de prisão de parlamentares.

Ainda pela manhã, o procurador-geral da República soltou nota dizendo que "as medidas são necessárias ao esclarecimento dos fatos investigados no âmbito do STF, sendo que algumas se destinaram a garantir a apreensão de bens adquiridos com possível prática criminosa". A última palavra da nota à imprensa assinada por Rodrigo Janot naquele dia era em latim: *Adsumus* – que quer dizer "Aqui estamos". A palavra, que quase foi usada para batizar a operação, acabou virando hashtag no Twitter do procurador Vladimir Aras e circulou em vários tuítes que elogiavam a operação.

A essa altura, Collor já tinha começado a se manifestar. Soltou uma nota nas redes sociais repudiando com veemência a "aparatosa" operação. Reclamou que se colocara à disposição por duas vezes e seu depoimento fora desmarcado de véspera. "A medida invasiva e arbitrária é flagrantemente desnecessária, considerando que os fatos investigados datam de pelo menos mais de dois anos, a investigação já é conhecida desde o final do ano passado e o ex-presidente jamais foi sequer chamado a prestar esclarecimentos", publicou Collor em sua página no Facebook. E, por fim, o senador disse uma coisa que chamou a atenção dos investigadores: "Se nem os membros do Senado Federal estão livres do arbítrio, que dirá o cidadão comum, à mercê dos Poderes do Estado."

Os advogados de defesa de outros envolvidos também fizeram críticas à operação, alegando principalmente que ela era desnecessária. "O senador se colocou à disposição, ofereceu sigilos, prestou depoimento. Infelizmente, no Brasil de hoje, os atos invasivos passam a ser a regra", disse o advogado de Ciro Nogueira, Antônio Carlos de Almeida Castro, o Kakay. O escritório de advocacia de outro investigado nessa fase, Tiago Cedraz, filho do presidente do Tribunal de Contas da União, Aroldo Cedraz, disse considerar as medidas de busca contra ele uma "violência sem precedentes". Tiago Cedraz foi citado pelo empreiteiro Ricardo Pessoa em sua delação premiada como fonte de informações privilegiadas. "Delação premiada negociada por um réu confesso que mente a fim de se beneficiar", acusou Tiago em nota à imprensa.

Entre os alvos da Politeia não estava o presidente da Câmara, Eduardo Cunha. O inquérito contra ele avançava a passos largos na Procuradoria-Geral da República, mas naquele dia os alvos de busca eram outros. Ele poderia respirar aliviado. Mas essa sensação iria durar pouco, muito pouco. No dia seguinte à deflagração da Operação Politeia, a maior já feita a mando do Supremo, explodiu mais uma bomba na Lava Jato. E essa estava no colo de Eduardo Cunha.

Lava Jato incendeia o Congresso

Em depoimento ao juiz Sergio Moro na Justiça Federal do Paraná, no dia 15 de julho de 2015, o delator Júlio Camargo, ex-consultor da Toyo Setal e operador do esquema, disse com todas as letras que foi pressionado pelo presidente da Câmara, Eduardo Cunha, a pagar 10 milhões de dólares em propinas para que um contrato de operação de dois navios-sonda da Petrobras fosse viabilizado. Do total do suborno, contou o delator, Cunha disse que era "merecedor" de 5 milhões de dólares. Além desse dinheiro diretamente para ele, o presidente da Câmara teria exigido pagamento de outros 5 milhões de dólares ao lobista Fernando Soares, o Fernando Baiano, velho intermediário do PMDB em negócios fraudulentos na Petrobras.

O caso dos navios-sonda aconteceu nos anos de 2006 e 2007. A Petrobras pagou 1,2 bilhão de dólares por dois navios da Samsung, da Coreia. Júlio Camargo era o representante da empresa no Brasil e, por isso, ficaria com uma comissão de 40 milhões de dólares, para ser dividida com o PMDB e com o ex-diretor da área Internacional da Petrobras Nestor Cerveró. Só que Júlio atrasou os pagamentos. E a eleição de 2012 começava a se aproximar. O PMDB precisava do dinheiro.

"Tivemos um encontro. Deputado Eduardo Cunha, Fernando Soares e eu. O deputado Eduardo Cunha é conhecido como uma pessoa agressiva, mas confesso que comigo foi extremamente amistoso, dizendo que ele não tinha nada pessoal contra mim, mas que havia um débito meu com o Fernando do qual ele era merecedor de 5 milhões de dólares. E que isso estava atrapalhando", contou Júlio Camargo em depoimento ao juiz Sergio Moro. "Era véspera de campanha, se não me engano, era uma campanha municipal, e que ele tinha uma série de compromissos. Ele disse que eu vinha alongando esse pagamento há bastante tempo e que ele não tinha mais condições de aguardar", relatou Camargo.

O operador e ex-consultor da Toyo Setal disse ainda que Eduardo Cunha era "sócio oculto" de Fernando Baiano: "O deputado Cunha não aceitou que eu pagasse somente a parte dele. 'Olha, Júlio, eu não aceito que você faça uma negociação para pagar só a minha parte. Você até pode pagar o Fernando mais dilatado, mas o meu preciso rapidamente. Eu faço questão de você incluir no acordo aquilo que falta pagar ao Fernando.' E aí chegou um SMS: 'Entre 8 milhões e 10 milhões de dólares', uma coisa assim."

Como o operador estava sem dinheiro para pagar a propina, Cunha ameaçou fazer um requerimento na Câmara, solicitando informações e pedindo que os contratos dos navios-sonda fossem enviados ao Ministério de Minas e Energia para avaliação e eventual remessa para o Tribunal de Contas da União. Sentindo-se ameaçado por Cunha, Camargo disse que procurou o titular das Minas e Energia, ministro Edison Lobão, também do PMDB. Paulo Roberto Costa intermediou o encontro. Ligou para Lobão e, depois, de volta para Júlio. Disse que ele estava com sorte, que o ministro estava no Rio de Janeiro e poderia recebê-lo na base aérea do Galeão. Júlio Camargo voou para lá.

Em seu depoimento a Sergio Moro ele contou como foi o encontro: "Eu disse a Lobão: 'Está acontecendo algo desagradável. Existe um requerimento disso, de uma empresa que eu represento, que eu acho que só traz benefícios para o país, tem trazido dinheiro japonês barato.' E a reação imediata dele foi a seguinte: 'Isso é coisa do Eduardo.'" Camargo falou que Lobão ligou para Cunha na hora: "Ele pegou o celular e ligou para o deputado Eduardo Cunha na minha frente. Disse: 'Eduardo, estou aqui com o Júlio Camargo, você está louco?' Não sei qual foi a resposta do deputado, mas ele disse: 'Você me procure amanhã cedo no meu gabinete em Brasília que quero conversar com você.' Desligou o telefone e disse: 'Júlio, o que te preocupa nesse requerimento? Existem coisas erradas?' Falei: 'Ministro, não tem nada errado.'" Lobão teria, então, acalmado Júlio, dizendo que não havia com o que se preocupar, que isso terminaria o mais rápido possível.

Assim que soube da nova denúncia, Eduardo Cunha questionou os motivos de Júlio Camargo. "O delator já fez vários depoimentos, onde não havia confirmado qualquer fato referente a mim, sendo certo ao menos quatro depoimentos. Desminto com veemência as mentiras do delator e o desafio a prová-las", escreveu o peemedebista em nota divulgada à imprensa. Depois, em entrevista coletiva no Salão Verde da Câmara, Cunha declarou guerra ao governo e se disse oposição a partir daquele momento. Acusou o Palácio do Planalto e o procurador-geral da República, Rodrigo Janot, de estarem por trás da acusação feita contra ele por Júlio Camargo, na véspera de um pronunciamento dele em cadeia de rádio e televisão e um dia depois da Operação Politeia: "O delator foi obrigado a mentir. E acho muito estranho as acusações serem feitas na véspera do meu pronunciamento e na semana em que parte do Poder Executivo tenha agido com aquela fanfarronice toda no cumprimento dos mandados de busca e apreensão na casa de políticos investigados pela Lava Jato."

A Procuradoria-Geral da República respondeu com uma nota informando que o depoimento de Júlio Camargo não tinha relação com os inquéritos em tramitação no Supremo Tribunal Federal, um deles contra o deputado Eduardo Cunha. Mas o fato é que Camargo já tinha corrigido seu depoimento na PGR. O operador, que fechara acordo de delação premiada com o MPF meses antes e passara informações sobre o esquema de corrupção que desviava dinheiro da Petrobras e sobre a prática de cartel das construtoras, não tinha falado de Eduardo Cunha. E os investigadores descobriram isso. Ele ficou em uma situação delicada. Poderia perder os benefícios recebidos, como nunca ter sido preso, e passar a dormir atrás das grades. E o pior, com uma pena bem alta para cumprir.

Diante dessa possibilidade, Júlio Camargo fez como no começo da história. Apresentou-se e falou tudo. Dessa vez, no entanto, não foi a Curitiba. Prestou depoimento em Brasília, para a equipe do procurador-geral da República. "Eu me lembro do dia. Ele chegou aqui, olhou lá pra fora e disse que tinha uma correção a fazer. Que não tinha falado do Eduardo Cunha antes porque tinha medo. Mas agora ia falar", conta um dos procuradores que o viu chegar. E dessa vez ele revelou detalhes da participação de Cunha no esquema de corrupção da Petrobras. Detalhes que, na audiência com o juiz Sergio Moro, estava apenas repetindo. Mas pouca gente tinha ouvido, quase ninguém sabia.

O curioso é que aquela audiência não estava marcada. Tinha sido feita a pedido da defesa de Fernando Baiano. Como os advogados não sabiam das novas revelações que Júlio Camargo estava fazendo, pediram a audiência. E saíram com mais um problema nas mãos. Além de implicar severamente Eduardo Cunha, Camargo tinha complicado a vida de Fernando Baiano ao revelar detalhes comprometedores de sua participação no episódio.

O advogado Nelio Machado, que defendia Fernando Baiano, disse depois da audiência considerar "muito estranho" que um delator "mude a sua versão" dez meses depois de fazer seu primeiro depoimento. Na visão do criminalista, essa suposta mudança de versão "deixa mal a credibilidade do delator, do MPF e do Judiciário, que acreditaram em alguém que muda a sua história ao sabor dos eventos". Ao revelar o nome de Eduardo Cunha e corrigir uma grave omissão em seu depoimento, Júlio Camargo conseguiu evitar mais uma vez a sua prisão. Mas ele ainda permaneceria no olho do furacão. Afinal, tinha informado também, entre outras coisas, que emprestara várias vezes seu jatinho para outro importante líder desta história: o ex-ministro José Dirceu.

A nova queda de José Dirceu

Quase três semanas depois da Politeia e do depoimento de Júlio Camargo sobre Eduardo Cunha, chegou a vez de José Dirceu, ex-ministro-chefe da

Casa Civil no governo Lula, cair nas garras da Lava Jato. Investigado desde janeiro de 2015 por suspeita de corrupção e lavagem de dinheiro, ele foi detido em casa, em Brasília. Dirceu já havia sido condenado no processo do mensalão do PT por corrupção ativa e, desde novembro de 2014, cumpria pena de 7 anos e 11 meses em regime domiciliar. Durante o dia podia sair e tinha um emprego. Era assistente administrativo em um escritório de advocacia na área central de Brasília, cargo cujo salário era de 4 mil reais por mês.

José Dirceu estava em casa quando a polícia chegou no dia 3 de agosto de 2015. Os delegados estavam um pouco apreensivos porque, curiosamente, segundo o monitoramento policial, o celular do ex-ministro tinha sido usado em um apartamento em outro bairro de Brasília durante a madrugada. Dirceu recebeu os delegados com cordialidade. Já esperava por isso. Há semanas tentava provocar o juiz Sergio Moro com seguidas petições que relatavam as notícias de sua prisão iminente. Agora estava acontecendo. Sabia o que fazer. Ficou preocupado apenas com a filha de 5 anos. Pediu que ela não o visse sendo preso. Os policiais então orientaram a família a tirar a menina de casa com uma roupa simples, sem mochila, antes do fim da busca. E assim foi feito. No carro, Dirceu disse que estava preparado para mais uma longa temporada na cadeia. Foi um duro golpe para quem ainda planejava limpar a imagem depois de cumprida a pena do mensalão. Até mesmo seus assessores estavam pessimistas. Era a pá de cal no mito que teve papel central na chegada do PT ao poder.

A 17ª fase da Lava Jato ficou conhecida como Operação Pixuleco, nome dado à propina pelo ex-tesoureiro do PT João Vaccari Neto. Cerca de 200 policiais federais participaram da ação. Em janeiro, a juíza Gabriela Hardt, substituta de Moro, decretara a quebra do sigilo bancário e fiscal da JD Assessoria e Consultoria, e as investigações revelaram vários pagamentos de companhias ligadas ao esquema de corrupção para a empresa do petista. A JD tinha faturado 29 milhões de reais em contratos de consultoria com cerca de 50 empresas nos últimos anos. Desse total, 11 milhões de reais vieram de construtoras investigadas pela Lava Jato. A polícia acreditava que, na verdade, o dinheiro saía dos cofres da Petrobras, e queria saber se a empresa de José Dirceu realmente prestara os serviços de consultoria a empreiteiras que desviaram dinheiro da estatal ou se os contratos eram apenas uma maneira de disfarçar repasses do esquema de corrupção.

Um relatório da Receita Federal revelou que, entre 2006 e 2013, a JD recebeu dinheiro de pelo menos cinco empresas implicadas na Lava Jato – as construtoras OAS, Galvão Engenharia, Camargo Corrêa, UTC e Engevix. Além de repasses dessas empresas, a consultoria de Dirceu também recebeu depósitos milionários do empresário Milton Pascowitch, acusado de ser um dos operadores do PT que atuavam na Diretoria de Serviços da Petrobras. Milton Pascowitch tinha sido apontado pelo ex-gerente da Petrobras Pedro Barusco como o pagador de propina da Engevix.

A PF tinha prendido Pascowitch em uma fase anterior da Lava Jato, a dos operadores, e, depois de algum tempo na cadeia, ele também fez acordo de delação premiada. Os depoimentos de Pascowitch foram fundamentais para que os delegados encontrassem provas da participação de José Dirceu em mais esse escândalo de corrupção. Para os procuradores do MPF, eram fortes as suspeitas de que Dirceu foi "instituidor e beneficiário do esquema da Petrobras", mesmo durante e após o julgamento do mensalão. "José Dirceu recebia valores nesse esquema criminoso enquanto era investigado no mensalão e durante a sua prisão. Seu irmão fazia o papel de ir até as empresas para pedir esses valores", disse o procurador Carlos Fernando dos Santos Lima ao anunciar a prisão do ex-ministro.

O mandado assinado pelo juiz Sergio Moro foi de prisão preventiva, por tempo indeterminado. Os procuradores identificaram a mesma raiz nos dois grandes esquemas de corrupção. Os delegados suspeitavam que Dirceu começara a articular o esquema na Petrobras quando ainda era ministro-chefe da Casa Civil do primeiro governo Lula. "O DNA é o mesmo. Nós temos o DNA de compra de apoio parlamentar com dinheiro do Banco do Brasil, no caso do mensalão, e com o da Petrobras, no caso da Lava Jato", afirmou o procurador. Mas havia uma diferença fundamental. "José Dirceu aparece aqui como beneficiário, de maneira pessoal – não mais de maneira partidária –, enriquecendo pessoalmente", disse Carlos Fernando.

O irmão do ex-ministro, Luiz Eduardo de Oliveira e Silva, também foi preso. Estava em Ribeirão Preto, onde mora. Sócio de Dirceu na JD Assessoria e Consultoria, Luiz Eduardo foi interrogado sobre a contabilidade da empresa e sobre o destino do dinheiro. A PF já sabia que, depois de começar a receber os depósitos das empreiteiras, José Dirceu dera 400 mil de entrada na compra do prédio onde funcionava sua empresa no bairro de Moema, São Paulo; pagara 500 mil reais por uma casa que comprara para a filha Camila e reformara o apartamento que está em nome do irmão Luiz Eduardo, pagando 1,2 milhão de reais à construtora Halembeck. O apartamento era usado por Dirceu quando ele ia a São Paulo. Milton Pascowitch pagou também 1,3 milhão de reais à arquiteta Daniela Facchini pela reforma de uma das duas casas de José Dirceu num condomínio fechado em Vinhedo. A JD Consultoria também estava sendo investigada por suspeita de receber propinas de empresas terceirizadas da Petrobras, como a Hope, que atuava na área de recursos humanos, e a Personal, que prestava serviços de limpeza. As duas fecharam contratos com a Diretoria de Serviços da estatal, em que o ex-ministro supostamente tinha influência por ter indicado Renato Duque para o cargo. O irmão de José Dirceu, no entanto, pouco contribuiu. As respostas para as perguntas mais importantes não estavam com ele.

José Dirceu foi levado para a Superintendência da Polícia Federal em Brasília e lá ficou esperando uma decisão do Supremo sobre o seu destino. O juiz Sergio Moro tinha pedido a sua transferência para o Paraná, mas, como Dirceu já havia sido condenado e estava cumprindo pena fixada pelo STF, o ministro Luís Roberto Barroso teve de ser consultado. Isso levou tempo. De tarde, antes da sessão, o ministro disse que provavelmente apreciaria o pedido naquele dia. Logo em seguida chegou o ministro Gilmar Mendes e comentou a prisão de José Dirceu: "O chocante é que, enquanto estávamos a julgar e investigar o mensalão, essa prática estava permeando todas as atividades governamentais e administrativas." O ministro se dizia impressionado com o que os procuradores da Lava Jato haviam descoberto: "Me parece que há uma mesma raiz tanto para o fenômeno do mensalão quanto para este do chamado petrolão, e agora eletrolão, e quantos ãos venham ainda. Me parece que há uma mesma matriz, é uma forma de governar, é um modelo de governança." Gilmar lembrou que a investigação do mensalão deixou vários fios soltos. "A procuradoria não deu prosseguimento às investigações que a própria CPMI (Comissão Parlamentar Mista de Inquérito) recomendou em relação ao mensalão. Ficamos com aquele número cabalístico de 170 milhões de reais desviados, mas agora isso não dá nem um Barusco, não é? Então a gente vê o tamanho", afirmou, acrescentando que a Lava Jato tinha tomado proporções inimagináveis.

A defesa de José Dirceu disse que a prisão dele era injusta e desnecessária. "Não há risco de fuga porque José Dirceu cumpre prisão domiciliar. Ele não está atrapalhando as investigações, ele não está destruindo provas", explicou o advogado Roberto Podval. Além disso, seu cliente não era perigoso e havia se colocado à disposição das autoridades. Sobre os pagamentos de empreiteiras, Podval garantiu que a movimentação tinha sido comunicada à Justiça pelo próprio Dirceu. Naquela tarde, a defesa do ex-ministro da Casa Civil apresentou um pedido para que ele continuasse em Brasília, em alguma unidade do sistema prisional local. O advogado comentou extraoficialmente com os delegados da PF que Dirceu tinha feito um exame de saúde no dia anterior que o proibia de viajar de avião. E disse que iria pedir ao médico dele um laudo explicando isso. Pouco depois, um delegado da PF foi até José Dirceu e disse que já estava providenciando as passagens de ônibus.

– Seu advogado disse que você não pode ir de avião, então vamos ter de ir de ônibus – disse o policial.

– Doutor, eu conheço o Paraná, daqui até lá são mais de 11 horas de viagem – respondeu José Dirceu.

– Não, acho que é mais, porque não estou conseguindo ônibus direto, ele vai parando – comentou.

Coincidência ou não, o laudo do médico de José Dirceu atestou que ele estava apto a viajar de avião. Só que teria que esperar o próximo voo. No fim da tarde, o avião da Polícia Federal já tinha decolado do aeroporto de Brasília com alguns dos presos em direção a Curitiba, com escala em São Paulo. Ele só iria no dia seguinte. O ministro Luís Roberto Barroso autorizou a transferência de noite. Chegou-se a cogitar a possibilidade de levar Dirceu em um voo comercial, mas, diante do risco de manifestações espontâneas de passageiros, foi usada mais uma vez a aeronave da PF. Dirceu decolou às duas da tarde do dia 4 de agosto de 2015. Em seu escritório, o advogado Roberto Podval se debruçou sobre o processo para analisar as provas.

Nessa hora, a executiva do PT, incluindo seu presidente nacional, Rui Falcão, estava reunida na sede do partido, no centro de Brasília. O encontro tinha começado ainda no fim da manhã, mas oficialmente o assunto não era José Dirceu. Era a meta de superávit primário e o recente ataque ao Instituto Lula, de acordo com Rui Falcão, econômico nas palavras ao comentar a prisão do ex-ministro. "O partido não está abandonando nenhum companheiro", declarou secamente. Em defesa do colega de partido, Falcão disse apenas que Dirceu, assim como qualquer um, "é inocente até que se prove o contrário". O presidente do PT falou ainda que a prisão de Dirceu era uma tentativa de desviar o foco do noticiário do atentado ao Instituto Lula.

Na carceragem da Polícia Federal em Curitiba, José Dirceu logo se acostumou com a rotina. Quando o carcereiro chegava, por exemplo, ele ia para o fundo da cela. Se alguém chamava, se aproximava com as mãos para trás. Cumpria ordens, sem dar problemas. "Ele perguntou para mim: 'O que eu posso e o que eu não posso fazer aqui?' Disse que não ia criar problema, não tinha problema de saúde, não tinha problema pra comida e realmente ele é bem disciplinado", conta um policial. No Paraná, assim como na penitenciária da Papuda, em Brasília, onde já cumpriu pena, Dirceu manteve o hábito de ler muito. Assim conseguia lidar com a imensa pressão sobre ele.

No despacho de prisão de José Dirceu, o juiz Sergio Moro escreveu que o ex-ministro "teria insistido" em receber dinheiro de propina em contratos da Petrobras mesmo após ter deixado o governo, em 2005. O lobista Fernando Moura, também preso durante a Operação Pixuleco, fez um acordo de delação e disse que foi ele que sugeriu o nome de Renato Duque para Dirceu. O relato de Moura, um operador que se dizia representante do ex-ministro na Petrobras, ia ao encontro do de outro operador, Milton Pascowitch, o primeiro a confirmar a ligação de José Dirceu com o esquema. Pascowitch, no entanto, foi além em seus depoimentos. Disse que já tinha entregado 10 milhões de reais em dinheiro vivo na sede do PT em São Paulo. Segundo as investigações, Pascowitch também pagava propina ao ex-tesoureiro do PT João Vaccari Neto. Milton, que depois do acordo passou a cumprir prisão domiciliar, explicou que os repasses iam para o próprio Vaccari, em espécie, ou para o PT, via doações legais. Cabia a Gerson Almada, ex-vice-presidente da Engevix, dizer para ele como os repasses seriam feitos a cada vez. A propina paga por apenas um contrato somou cerca de 14 milhões de reais, entregues entre 2009 e 2011, segundo os investigadores. Desse dinheiro saíram os 10 milhões de reais em espécie que foram deixados na sede do PT em São Paulo.

Surge o caso Consist

Nessa fase, a PF prendeu também o empresário Pablo Alejandro Kipersmit, presidente da Consist Software. A Consist tinha sido escolhida, sem licitação, para prestar serviços de informática no âmbito do acordo técnico entre o Ministério do Planejamento, a Associação Brasileira de Bancos (ABBC) e o Sindicato das Entidades Abertas de Previdência Privada (SINAPP). O delator Milton Pascowitch disse que a Consist havia simulado um contrato de prestação de consultoria com a empresa dele e do irmão, a Jamp Engenheiros, para repassar dinheiro ao PT por meio de João Vaccari Neto. A Consist pagou 10,7 milhões de reais a Milton Pascowitch entre 2011 e 2013, e o destino final desse dinheiro, de acordo com as investigações, era Vaccari.

A Consist Software se tornaria muito importante na história da Lava Jato. Mas, para entender seu papel no esquema, a empresa seria alvo de uma investigação mais profunda. O depoimento do presidente da Consist acabou detonando a 18ª fase da Lava Jato, a Pixuleco II, dez dias depois da prisão de José Dirceu. Para não perder tempo e tentar evitar uma possível destruição de provas, a Polícia Federal saiu em campo no dia 13 de agosto de 2015 com o objetivo de prender uma única pessoa: o ex-vereador de Americana Alexandre Romano, que tinha ligações com o PT e o PDT. O político, conhecido pelo apelido de Chambinho, teria sido um dos intermediários de um acordo entre o Ministério do Planejamento e a Consist para que a empresa fornecesse um software para cálculo de crédito consignado a mais de 2 milhões de servidores públicos federais. Para isso, o governo precisou lhe dar acesso ao sistema de informática do ministério. Os dados, que estavam sob a responsabilidade do então ministro do Planejamento, Paulo Bernardo, permitiam à Consist gerir o sistema de consignados do Ministério do Planejamento. O acordo foi fechado sem licitação e a Consist começou a trabalhar.

Para o presidente da Consist, Pablo Kipersmit, Romano foi a pessoa-chave para a celebração do contrato firmado por meio de entidades bancárias e de previdência privada. O empresário afirmou à Polícia Federal que, para pagar a propina exigida, emitiu diversas notas fiscais para empresas indicadas por Alexandre Romano, todas baseadas em contratos falsos de prestação de serviço. O mesmo modelo usado pelas empreiteiras investigadas na Lava Jato. Chambinho estava sendo acusado de ter arrecadado e distribuído propinas no valor de 52 milhões de reais desviadas desse contrato. Parte do dinheiro tinha ido parar também nas mãos de João Vaccari Neto, o tesoureiro do PT. Segundo as investigações, para lavar o dinheiro, Romano teria usado notas fiscais de 18 empresas de diversas áreas, inclusive escritórios de advocacia.

No despacho em que determinou a prisão temporária de Romano, o juiz Sergio Moro afirmou que aparentemente várias dessas empresas são de fachada. Para a Polícia Federal, a ação de Romano revelou para a Lava Jato um novo modelo de desvio de dinheiro: por meio de escritórios de advocacia. Alexandre Romano é advogado e sócio de um escritório que recebeu 7,9 milhões de reais da Consist entre 2010 e julho de 2015. A Consist também fez depósitos para outros advogados, entre eles Guilherme Gonçalves, que recebeu 7,2 milhões de reais, aparentemente sem justificativa. Os pagamentos foram feitos a título de honorários advocatícios, mas a PF não conseguiu encontrar nenhum processo em que esses advogados defenderam a Consist. Por isso, os escritórios foram alvo de mandados de busca e apreensão na operação.

O advogado Guilherme Gonçalves é de Curitiba e trabalhou como coordenador jurídico em algumas campanhas eleitorais no Paraná, inclusive na eleição da senadora Gleisi Hoffmann, do PT, ex-ministra da Casa Civil de Dilma e mulher do ex-ministro Paulo Bernardo (do Planejamento, no governo Lula, e das Comunicações, no governo Dilma). A partir da análise de documentos apreendidos no escritório de advocacia de Guilherme Gonçalves, surgiram suspeitas sobre a senadora. A PF descobriu, por exemplo, que o motorista particular de Gleisi era pago com dinheiro do escritório de Gonçalves. Para se justificar, a senadora disse que o advogado era seu amigo pessoal e, por isso, quando ela estava em Curitiba, usava o motorista dele.

Guilherme Gonçalves informou que os depósitos feitos pela Consist eram pagamentos por serviços prestados por dois escritórios seus, mas os investigadores acreditavam estar diante de mais um sistema criado para lavar dinheiro. "Trata-se de um novo modelo, uma nova frente a ser explorada. Já lidamos com empresas de fachada de publicidade, de consultoria. Agora aparecem as empresas de advocacia", explicou o delegado Igor Romário de Paula. Igor chamou a atenção para um fato que ele considerou um "desafio às instituições do país": a quadrilha tinha continuado a distribuir propina até julho de 2015, ou seja, "após pelo menos 15 fases da Lava Jato". O procurador Roberson Pozzobon, da força-tarefa do Ministério Público Federal, também declarou que os últimos fatos demonstravam que "o esquema ficou mais complexo, uma característica do crime organizado".

De acordo com as investigações, Alexandre Romano teria dito que parte dos pagamentos deveria ser feita à Jamp, empresa de Pascowitch. Milton Pascowitch, por sua vez, afirmou em depoimento de delação premiada que os pagamentos que a Jamp recebeu da Consist eram propinas para o PT. O ex-tesoureiro do PT João Vaccari Neto teria chamado a Jamp para fazer os repasses porque estava tendo problemas com o operador anterior, que era Alexandre Romano.

Em seu despacho, o juiz Sergio Moro escreveu que, com a confissão de Pascowitch, todos os pagamentos feitos pela Consist a Romano se tornaram suspeitos: "É possível que os pagamentos sem causa da Consist a Milton Pascowitch e a Alexandre Romano estejam relacionados ao benefício por ela obtido junto ao Ministério do Planejamento." E o caso não parou por aí: surgiram sinais de que outros políticos estavam envolvidos.

Em documento enviado ao Supremo Tribunal Federal alguns dias depois da Pixuleco II, o juiz Sergio Moro disse que a investigação da Lava Jato tinha encontrado "indícios de que a senadora Gleisi Hoffmann seria beneficiária de valores de possível natureza criminosa". Os investigadores haviam descoberto pagamentos de 50 mil reais, aparentemente sem justificativa, para a senadora e pessoas ligadas a ela. Cerca de 10% do faturamento da Consist tinha sido repassado ao escritório de Guilherme Gonçalves, e o advogado consultava o ex-ministro Paulo Bernardo, marido de Gleisi, sobre como poderia usar o dinheiro, destinado ao pagamento de despesas de pessoas ligadas a Gleisi. Em depoimento à PF, o advogado alegou que usava os honorários que recebia para pagar despesas "urgentes" de clientes. Mas um detalhe chamou a atenção da Justiça: esses valores nunca foram ressarcidos, nem cobrados por ele.

Como o caso envolvia uma senadora, autoridade com foro privilegiado, Moro remeteu-o para o Supremo Tribunal Federal. "Na busca e apreensão realizada no escritório de advocacia de Guilherme Gonçalves, foram colhidos documentos que indicam que os valores recebidos da Consist teriam sido em parte utilizados para efetuar pagamentos em favor da senadora", apontou o juiz no documento enviado ao ministro Teori Zavascki.

A senadora, que já estava sendo investigada no Supremo por suspeitas de ligação com o esquema da Petrobras, divulgou uma nota alegando desconhecer "qualquer doação ou repasse de recursos da empresa Consist à minha campanha". No entanto, as suspeitas que rondavam a ex--ministra da Casa Civil do governo Dilma já tinham aumentado. O caso Consist, como ficou conhecido, provocou uma forte movimentação de bastidores em Brasília. Nos corredores do Ministério do Planejamento, o que se comentava é que essa investigação poderia pegar a Esplanada dos Ministérios em cheio. O governo temia que o avanço das investigações levasse o escândalo para dentro do Palácio do Planalto. Agora a Lava Jato rondava um ministério dos mais importantes. Era preciso fazer alguma coisa, e rápido, diziam os assessores do governo. Mas não seria fácil. Era preciso uma boa estratégia. Os advogados de defesa se reuniram em busca de um caminho.

O realismo de Moro

Entre politeias e pixulecos, o país apostava na Operação Lava Jato como tábua de salvação, como se dela pudesse sair a solução mágica para os problemas dos brasileiros. Coube mais uma vez ao juiz Sergio Moro indicar que os pés deveriam ficar no chão e a cabeça se manter fria. No dia 20 de agosto de 2015, quando foi a São Paulo falar no Simpósio de Direito Empresarial, aproveitou o palanque para dar seu recado, da mesma forma que faz ao proferir suas sentenças: "Não raramente, eu encontro pessoas que me dizem que 'este caso vai mudar o país'. Eu espero que sim, mas confesso que não tenho poderes de premonição a respeito do que vai acontecer no futuro, sequer no próximo mês."

Ao trabalhar com Rosa Weber no julgamento do mensalão, Moro tinha testemunhado a mesma onda de esperança e quis combater as expectativas exageradas nesse evento: "Eu ouvia também há dois, três anos, comentários generalizados de que o caso julgado pelo Supremo Tribunal Federal, a Ação Penal 470, ia mudar o país. Eu não sei se mudou ou não mudou. Evidentemente é uma decisão que merece todos os elogios, mas fico me perguntando se por vezes nós não estamos adotando uma postura muito cômoda em pensar que estes casos vão ser uma espécie de salvação nacional, uma espécie de sebastianismo de decisão judicial."

Na frase havia uma crítica à própria sociedade que o aplaudia – e que naquele mesmo evento o cobrira de pedidos de selfies –, mas que pouco fazia para buscar soluções. Ele alertava contra a velha tendência, herdada dos portugueses, de se esperar por um D. Sebastião – o jovem rei de Portugal que desapareceu em combate no Marrocos, em 1578, dando origem ao mito de que sobrevivera e voltaria para salvar a pátria.

Sempre discreto e pouco afeito a aparições públicas, Moro escolhe a dedo os eventos a que comparece e só o faz se atenderem a seus propósitos. Por isso, ele aproveitou sua participação no simpósio de Direito Empresarial para defender que os advogados de empresas deveriam incentivar seus clientes a fazerem colaborações à Justiça.

"No meio da corrupção você tem dois culpados: quem paga e quem recebe", disse, lembrando que a tendência é sempre culpar apenas o setor público, mas que a iniciativa privada pode mudar muito mais rapidamente. Moro disse que, mesmo quando a culpa parece evidente e as provas são "mastodônticas", é difícil ter a cooperação das empresas envolvidas. Os advogados presentes receberam o recado passado publicamente pelo juiz.

Poucos dias depois, esses mesmos advogados, críticos de Moro, teriam uma chance de enfrentá-lo em debate promovido no encerramento do 21º Seminário Internacional do IBCCRIM, o Instituto Brasileiro de Ciências Criminais. A entidade, respeitada entre juristas, registra em seu estatuto o objetivo de defender a Constituição, o Estado Democrático de Direito e conter o sistema punitivo dentro de seus limites constitucionais. É vista pelos advogados de defesa como uma base de resistência ao poder punitivo do Estado. Seria o palco perfeito para um embate entre advogados de defesa e o juiz que eles enfrentavam nos tribunais, mas o convite a Moro gerou enorme polêmica. Choveram críticas e advogados de renome retiraram seu apoio, inclusive financeiro, ao evento. Alguns convidados para debater com Moro se recusaram a participar. Mesmo assim, a direção do instituto decidiu arcar com o eventual desgaste e manteve o convite.

Pouco antes de o evento começar, ainda havia uma inquietação na plateia, como se ela fosse se manifestar também. Na fala de abertura, um dos fundadores do instituto defendeu a troca de ideias e foi aplaudido de pé. O escolhido para debater com Moro foi o professor e jurista Lenio Luiz Streck. Só que, para decepção de muitos, ele foi convidado a falar primeiro. Palestrante experiente, Lenio logo ganhou a plateia, expôs seus argumentos com clareza e foi elegante com Moro, mas o esperado enfrentamento não ocorreu. O prestigiado jurista disse que a delação premiada pode servir como mecanismo de pressão sobre o delator e que vem servindo como instrumento para decisões "consequencialistas". "Com a finalidade de combater a criminalidade, justifica-se a flexibilização de garantias processuais", afirmou Lenio. O jurista foi além: "É uma nova magistratura, um novo Ministério Público e uma nova Polícia Federal. O futuro dirá se tenho razão. E dirá se eles têm razão, uma vez que existe uma queixa na comunidade jurídica de que a Lava Jato atropela garantias, com excesso de prisões e o uso da delação como instrumento de pressão. Nessa mudança de imaginário, quero dizer ainda que a maior derrotada no mensalão foi a dogmática jurídica. E também está sendo a maior derrotada na Lava Jato."

Logo depois foi a vez de Sergio Moro falar e defender a delação premiada. "É bom conversarmos sobre esse tema, especialmente com a advocacia, porque observo que a colaboração premiada por vezes é contaminada por inflexões fundadas em certos preconceitos e às vezes até mesmo com base em dados imprecisos. O instituto já existe há um bom tempo na nossa legislação, mas na prática é muito pouco usado e recentemente vem tendo esse emprego mais intenso. Mesmo nos países que o utilizam com bastante frequência, como os Estados Unidos, é sem dúvida polêmico e apresenta problemas, mas nós não conseguiremos discuti-lo com seriedade se partirmos de estereótipos", disse Moro.

O juiz não negou que o instituto da delação pode ser controvertido, mas o considerou uma ferramenta útil para que os investigadores consigam entrar no mundo do crime, sempre cercado de segredo. "Afirmar que é um instrumento importante não significa que seja válido em qualquer caso nem que deva ser adotado sem uma série de regras. Por vezes, vejo ainda na advocacia uma resistência um pouco preconceituosa. Já vi advogados afirmando que seu escritório não fazia acordo de colaboração premiada por uma questão de ética. Esse tipo de frase me causava certo espanto: que ética, afinal de contas? A de jamais colaborar com a Justiça, jamais confessar a prática de crimes?", questionou o juiz. Para Moro, talvez a Lava Jato ajude a aumentar a aceitação da delação como instrumento jurídico: "Se nós eventualmente não formos pensar na colaboração premiada como método válido para a resolução desses casos, eu conclamaria a necessidade de se discutir outras mudanças dentro do nosso sistema da Justiça Criminal, porque o nosso sistema atual não está funcionando a contento."

Ao final da palestra, Moro foi cercado, como sempre, e saiu tranquilo. Para alguns, ficou um gosto de quero mais. O enfrentamento que esperavam acabou não acontecendo. Mas Sergio Moro sabia que os embates seguiriam nos processos que corriam na Justiça.

A melancólica CPI

Enquanto isso, a Lava Jato continuava a produzir cenas curiosas. No final de agosto, Paulo Roberto e Alberto Youssef voltaram a se encontrar. Dessa vez, na CPI da Petrobras. Convocados para uma acareação – para esclarecer contradições em seus depoimentos –, ficaram sentados frente a frente, bem próximos, diante da Mesa Diretora da comissão. Cada advogado sentou atrás de seu cliente, perto o suficiente para poder soprar uma orientação no ouvido, se fosse necessário. Bem ao lado deles, a primeira fileira de deputados.

Um deputado perguntou por que Paulo Roberto Costa tinha feito delação premiada. "A decisão foi da minha família", explicou o ex-diretor, sem titubear. Tinha sido mesmo. Mas ele concordara e estava satisfeito com a escolha que fizera. Alberto Youssef falou de Júlio Camargo. Os deputados queriam saber mais detalhes do homem que tinha entregado o presidente da Câmara, Eduardo Cunha. Youssef não revelou nada de muito importante, mas contou que ele não era um bom pagador. Por várias vezes, o doleiro teve de ir pessoalmente, com Paulo Roberto Costa, cobrar de Júlio o pagamento de repasses atrasados.

Em dado momento, Alberto Youssef foi provocado a falar quem era o "pau-mandado" de Eduardo Cunha. Pouco tempo antes, o doleiro tinha dito em uma audiência que sua família estava sofrendo uma tentativa de intimidação de "um deputado pau-mandado de Eduardo Cunha", que pedira a quebra de sigilo bancário de suas filhas. A pergunta de Celso Pansera, do PMDB, foi respondida com firmeza pelo doleiro.

– É Vossa Excelência mesmo – disse Youssef olhando o deputado nos olhos.

A discussão continuou um pouco, mas não teve maiores desdobramentos. No final da sessão da CPI, Paulo Roberto e Alberto Youssef se abraçaram como velhos amigos, o que já não eram, e cada um seguiu seu caminho. Paulo voltou para casa, onde estava em prisão domiciliar; Youssef, para a carceragem da Polícia Federal. E Celso Pansera virou, tempos depois, ministro do governo Dilma. A CPI continuava a ser palco de muita espuma e poucas revelações.

Outro episódio nebuloso foi a convocação da advogada Beatriz Catta Preta pela CPI. O requerimento foi apresentado com o objetivo alegado de perguntar à criminalista que conduziu vários acordos de delação premiada na Lava Jato de onde vinha o dinheiro de seus honorários. Foi aprovado por unanimidade e provocou reação imediata de entidades como a Ordem dos Advogados do Brasil, que considerou a convocação ilegal.

Numa história que nunca ficou bem explicada, no final de julho, em uma entrevista ao repórter César Tralli no *Jornal Nacional*, da TV Globo, Catta Preta afirmou que fora ameaçada. A criminalista, que já tinha advogado para nove investigados, falou que havia abandonado os clientes da Lava Jato por se sentir intimidada por integrantes da CPI. Disse ainda que fechara o escritório e largara a carreira de advogada depois de receber ameaças "veladas" feitas por membros da comissão, que tinham votado a favor da sua convocação. Chegou a chorar ao comentar sua decisão. Os parlamentares queriam saber de onde vinha o dinheiro que ela ganhava dos investigados pelas fraudes na Petrobras. Alguns passavam informações de que ela tinha recebido mais de 20 milhões de reais em honorários. "Não ganhei nem metade dos 20 milhões de reais estimados pelos parlamentares", disse Catta Preta ao *JN*.

Na entrevista, a advogada contou que a intimidação a ela e à sua família começara depois que o empresário Júlio Camargo acusou o presidente da Câmara, Eduardo Cunha, de receber 5 milhões de dólares em propina para viabilizar contratos com a Petrobras. Ela explicou que Camargo não tinha citado Cunha nos primeiros depoimentos por medo, mas que depois ele apresentou provas, inclusive documentos, contra o deputado. Apesar da denúncia de Catta Preta, o presidente da CPI, Hugo Motta, disse que a convocação da advogada estava mantida. "O requerimento de convocação está previsto em lei, previsto pelo Regimento Interno da Casa e não configura qualquer ameaça. A CPI não ameaça. Investiga", afirmou ele. Motta disse ter estranhado as declarações da advogada sobre ameaças e considerou a entrevista uma tentativa de "vitimização para esconder atos ilícitos". Segundo Motta, a CPI não iria admitir essas ilações: "A CPI vai continuar seu trabalho, vai continuar as investigações. Esta vitimização não vai nos intimidar. Quem tem que prestar esclarecimentos sobre as ameaças que recebeu agora é ela, e a CPI pode ser grande palco para ela dizer quem a está ameaçando."

O presidente da CPI levantou dúvidas sobre as reais motivações de Catta Preta para não querer se apresentar diante da comissão parlamentar: "Se ela recebeu honorários lícitos e declarou à Receita, qual o receio de vir à CPI? Você já viu algum advogado no país abandonar casos por ser questionado sobre a origem dos honorários? Isso só corrobora a dúvida da CPI. Tem alguma coisa errada nisto." Para preservar a criminalista, a OAB apresentou pedido de habeas corpus ao Supremo Tribunal Federal e ganhou. O presidente do STF, ministro Ricardo Lewandowski, concedeu liminar para que a advogada fosse desobrigada de prestar esclarecimentos à CPI. Ela poderia até ir e ficar em silêncio durante o depoimento. "O ministro Lewandowski não tirou o dever de ela vir, apenas de não falar sobre honorários", disse Hugo Motta, que, no final das contas, nunca marcou a data do depoimento. Desde que concedeu a entrevista ao *Jornal Nacional*, Catta Preta saiu de cena. Os amigos diziam que ela iria morar em Miami, nos Estados Unidos, onde tem um escritório de advocacia, mas ela negou. Depois mudou o número de telefone e sumiu.

Outro exemplo curioso da atuação da CPI foi o contrato, sem licitação, fechado com a consultoria Kroll para investigar e identificar recursos desviados da Petrobras que estivessem em contas secretas no exterior não descobertas pela Lava Jato. Anunciado com toda a pompa e circunstância pelo presidente da comissão, o contrato, que custou mais de 1 milhão de reais aos cofres da Câmara, não deu em nada.

De acordo com o deputado Hugo Motta, a investigação feita pela Kroll serviria para invalidar acordos de delação premiada caso fosse descoberto algum dinheiro extra que não tivesse sido informado pelos investigados. "Isso pode derrubar uma delação porque a pessoa terá mentido e não poderá ser beneficiada pela redução de pena", disse Motta a jornalistas. Realmente, seria uma chance de os denunciados questionarem o teor das acusações. Alguns parlamentares chegaram a levantar suspeitas sobre o trabalho da consultoria. "Quais são as tarefas da Kroll? Qual o seu objetivo?", perguntava o deputado paulista Ivan Valente, do isolado PSOL, em quase toda sessão. Motta rebatia as acusações com o argumento de que a contratação estava sendo feita de acordo com as leis brasileiras.

A Kroll trabalhou para a CPI da Petrobras de 8 de abril a 10 de junho. Procurou imóveis e dinheiro de 12 investigados pela Lava Jato em 33 países. Mapeou 39 contas bancárias, material que não foi nem usado pela CPI em seu relatório final. Entre os investigados estavam três ex-diretores da Petrobras, empreiteiros, o doleiro Alberto Youssef e o ex-tesoureiro do PT João Vaccari Neto. Não havia qualquer parlamentar na lista. O relatório da Kroll não trouxe provas contra ninguém. Não dava certeza de que os investigados tinham dinheiro no exterior. Apenas apontava caminhos que poderiam levar a algum patrimônio fruto de corrupção escondido lá fora. Para muitos deputados, esse levantamento preliminar foi uma decepção. Diante da repercussão negativa, a Kroll informou que não celebraria novo contrato com a CPI por não ter chegado a um acordo, mas disse que "a CPI ficou satisfeita com o trabalho realizado".

Desgastada, a CPI acabou meses depois de forma melancólica, sem grandes revelações, sem recuperar nenhum dinheiro desviado, inocentando Eduardo Cunha e atacando as delações premiadas.

A CPI acabou em pizza, mas o Ministério Público Federal, com ajuda de órgãos de fiscalização de outros países, estava conseguindo resultados inéditos na tarefa de recuperar o dinheiro desviado. Os 97 milhões de dólares no exterior, do ex-gerente da Petrobras Pedro Barusco, já tinham sido repatriados e estavam em conta judicial do processo. Algo sem precedentes na história do Brasil. Com a Lava Jato, muito dinheiro estava sendo recuperado. Esse, inclusive, foi um dos trunfos do procurador-geral da República, Rodrigo Janot, em sua campanha pela recondução ao cargo.

O mandato de Janot na PGR estava chegando ao fim e ele desejava ficar mais dois anos. Tinha o discurso perfeito. Sob seu comando, o MPF alcançara grandes resultados e, para consolidar esse trabalho, ele precisava de mais tempo. Seu nome foi o mais votado da lista tríplice encaminhada pela Associação Nacional de Procuradores da República para escolha final da presidente Dilma Rousseff. Apesar das pressões contrárias do PMDB e do próprio PT, Dilma indicou Janot para permanecer no cargo. O fato foi comemorado na procuradoria, mas sem muito alarde. Ainda havia um obstáculo. A sabatina pela qual Janot teria que passar no Senado.

Aos senadores caberia confirmar a indicação de Dilma e aprovar o nome de Janot em duas votações, uma na Comissão de Constituição e Justiça e outra no plenário. Será que Janot teria os votos necessários? Afinal, entre os investigados da Lava Jato havia grandes líderes do Senado, como o presidente Renan Calheiros e o senador Romero Jucá.

Capítulo 9

O IMPÉRIO DA LEI

20 de agosto de 2015

Sentenças e denúncias

Quando agosto se aproximava do fim, cinco meses depois da abertura dos primeiros inquéritos da Lava Jato no Supremo Tribunal Federal, Rodrigo Janot se viu diante de um dilema. Dentro de poucos dias seria sabatinado pelo Senado e seu nome teria de ser aprovado em duas votações. Mas sua equipe trabalhara bem, alguns casos tinham avançado rápido e duas denúncias estavam prontas. Se fossem apresentadas logo, isso poderia atrapalhar sua recondução ao cargo de procurador-geral da República. Se deixasse para fazê-las depois, seria criticado por ter esperado a sabatina. Janot decidiu não aguardar e no dia 20 daquele mês fez as denúncias contra o presidente da Câmara, Eduardo Cunha, e o senador Fernando Collor de Mello.

As suspeitas contra o deputado Eduardo Cunha tinham surgido em um depoimento de Alberto Youssef no fim de 2014. O doleiro disse que Cunha usara requerimentos na Câmara dos Deputados para pressionar pelo pagamento de propina com recursos desviados da Petrobras. Os fatos foram investigados e a procuradoria conseguira provas de que os requerimentos eram mesmo dele. Depois, veio o depoimento de Júlio Camargo, que deixaria mais clara a participação do deputado no esquema investigado pela Lava Jato. Assim foi embasada a primeira denúncia do Ministério Público Federal contra o presidente da Câmara por envolvimento no escândalo da Petrobras.

As investigações da PGR apontaram 60 operações financeiras para lavar o dinheiro de propina entregue a Eduardo Cunha. Várias remessas para contas bancárias no exterior, dinheiro em espécie entregue por funcionários de Alberto Youssef e até depósitos para igrejas feitos a mando de Cunha. A ex-deputada Solange Almeida também foi denunciada por corrupção passiva por supostamente ter ajudado na pressão pelo pagamento de propina. Além da condenação por corrupção e lavagem de dinheiro, o procurador-geral pediu a restituição do dinheiro desviado, no valor de 40 milhões de dólares, e uma indenização a título de reparação dos danos causados à Petrobras, também no valor de 40 milhões de dólares.

Em longa nota à imprensa, Eduardo Cunha se disse absolutamente sereno: "Refuto com veemência todas as ilações constantes da peça do procurador-geral da República. Sou inocente e com essa denúncia me sinto aliviado, já que agora o assunto passa para o Poder Judiciário. Como eu já disse anteriormente, fui escolhido para ser investigado e, agora, ao que parece, estou também sendo escolhido para ser denunciado, e ainda, figurando como o primeiro da lista." Em outro trecho, o presidente da Câmara escreveu: "Estou com a consciência tranquila e continuarei realizando o meu trabalho como Presidente da Câmara dos Deputados com a mesma lisura e independência que sempre nortearam os meus atos, dentro do meu compromisso de campanha de ter uma Câmara independente. Esclareço, ainda, que o meu advogado responderá sobre fatos específicos referidos na denúncia. Em 2013, por outro motivo, fui denunciado pelo Ministério Público Federal. A denúncia foi aceita pelo pleno do Supremo Tribunal Federal por maioria e, posteriormente, em 2014, fui absolvido por unanimidade. Isso corrobora o previsto na Constituição Federal, da necessidade do Princípio da Presunção da Inocência. Por fim, registro ainda que confio plenamente na isenção e imparcialidade do Supremo Tribunal Federal para conter essa tentativa de injustiça."

Eduardo Cunha já esperava a denúncia. Na véspera, o burburinho em Brasília era tão forte que o próprio deputado dava a acusação do Ministério Público como favas contadas. Ele tinha ficado sabendo da possibilidade pouco antes do almoço e, à tarde, se reuniu com cerca de dez líderes de vários partidos. Estava meio tenso, mas garantiu aos seus aliados que era inocente e que ia conseguir provar isso. Antes de ir para o plenário comandar a sessão, deu uma entrevista comentando a ameaça que alguns partidos tinham feito de pedir seu afastamento caso ele fosse realmente denunciado.

"Eu não farei afastamento de nenhuma natureza, vou continuar exatamente no exercício para o qual fui eleito pela maioria da Casa. Absolutamente tranquilo e sereno com relação a isso. Exercerei meu papel de presidente da forma que institucionalmente eu tenho que exercer. Eu não faço papel de retaliação nem tomo atitudes por causa de atitudes dos outros", disse Cunha. A pressão sobre ele aumentaria nas semanas seguintes.

O senador Fernando Collor de Mello foi denunciado ao Supremo – junto com Pedro Paulo Leoni Ramos, que foi ministro no governo dele, e outros três funcionários – por crimes como corrupção, lavagem de dinheiro e evasão de divisas. Segundo o MPF, entre 2010 e 2014, Collor tinha recebido 26 milhões de reais em propina por contratos firmados na BR Distribuidora, uma subsidiária da Petrobras. Um empregado do doleiro Alberto Youssef, Rafael Angulo Lopez, disse que o senador Fernando Collor tinha recebido pessoalmente 60 mil reais em notas de 100. Os investigadores relataram indícios de que parte da propina poderia ter sido usada para comprar, em nome de empresas de fachada, os carros de luxo que foram apreendidos pela Polícia Federal, como a Ferrari e o Lamborghini.

Em nota, o senador Fernando Collor de Mello, que vinha fazendo discursos no plenário para dizer que era inocente e atacar a Procuradoria-Geral da República, criticou a denúncia: "O senador Fernando Collor reitera sua posição acerca dessa denúncia, que foi construída sob sucessivos lances espetaculosos. Como um teatro, o PGR encarregou-se de selecionar a ordem dos atos para a plateia, sem nenhuma vista pela principal vítima dessa trama, que também não teve direito a falar nos autos. Por duas vezes, o senador solicitou o depoimento, que foi marcado e, estranhamente, desmarcado às vésperas das datas estabelecidas. Se tivesse havido respeito ao direito de o senador se pronunciar e ter vista dos autos, tudo poderia ter sido esclarecido. Fizeram opção pelo festim midiático, em detrimento do direito e das garantias individuais."

Os advogados de Collor disseram que "é sintomático e preocupante o oferecimento de denúncia contra qualquer cidadão sem que antes lhe seja dado o direito de ser ouvido, circunstância ainda mais gravosa quando o destinatário da acusação exerce mandato parlamentar, com representação legitimada nas urnas".

A sabatina de Janot

Fernando Collor se preparou para estar frente a frente com Janot na sabatina. Seria a oportunidade perfeita para questionar e tentar desmoralizar o seu acusador. Em discurso em plenário, Collor disse que as acusações do MPF eram mentirosas e que Janot estava tentando intimidar o Senado às vésperas da sabatina. "Ele quer fazer do Senado Federal uma casa de eunucos, mas isso ele não conseguirá, ele haverá de saber respeitar as instituições e, sobretudo, uma Casa revisora da importância do Senado Federal. Gostaria de dizer a Vossas Excelências que tudo isso que o senhor Rodrigo Janot vem fazendo em relação à minha pessoa de nada adiantará, porque ele não me calará. Eu estarei todos os dias, todos os minutos, todos os instantes na sua cola, bem próximo dele, ouvindo e sabendo o que ele anda fazendo, as traquinagens que anda praticando para poder, desta tribuna, denunciar alguém que é um engodo, alguém que vem se fantasiando de arauto da moral, dos bons costumes, dono da verdade, o que ele não o é", afirmou Collor.

No dia da sabatina, o senador Fernando Collor foi o primeiro a chegar à sala da Comissão de Constituição e Justiça do Senado. Sentou na primeira fileira, ainda completamente vazia. Ajeitou os papéis com calma. De onde estava, veria Rodrigo Janot bem de frente. Poderia olhar nos olhos do procurador-geral da República. Collor já tinha feito vários discursos contra Janot nas semanas anteriores. Em um deles, logo depois da apresentação da denúncia contra ele ao STF, o ex-presidente deixou escapar um palavrão. Chamou, entre dentes, o procurador-geral de "filho da puta". No plenário do Senado, servidores surpresos se perguntavam: "Pode isso?" Um xingamento dessa magnitude pronunciado da tribuna do Senado Federal por si só já seria quebra de decoro, mas ninguém se deu ao trabalho de levantar essa hipótese. Até aquele momento, Collor havia apresentado quatro petições defendendo o impedimento de Janot.

Quando Rodrigo Janot chegou para ser sabatinado, percebeu a manobra do senador. Mas não deixou transparecer qualquer emoção. E começou a responder às perguntas. Toda a equipe dele acompanhava a sessão, ali ou na PGR. Muitos dos que estavam na sessão passaram o tempo todo de pé, acompanhando os movimentos de Collor. Naqueles dias, na procuradoria, alguns amigos brincavam com Janot, lembrando o caso de Arnon Affonso de Farias Mello, pai de Fernando Collor, que dera um tiro em um desafeto no plenário. "Cuidado, essa família é fogo. Tem um precedente de violência nas dependências do Senado", diziam. O procurador-geral ria. Os seguranças de Janot, no entanto, o alertaram seriamente sobre a possibilidade de Collor estar armado naquele dia. Janot falou sobre isso com o presidente do Senado, Renan Calheiros.

– Olhe, a minha segurança fez um alerta. Mas eu acredito na República, no Senado e em Vossa Excelência que uma coisa dessas não vai acontecer no Congresso. Eu não vou usar colete à prova de balas – disse Janot.

– Fique tranquilo, vou conversar com o Collor, fique tranquilo – respondeu Renan.

A história acabou virando piada. O senador Aécio Neves disse ao pessoal da equipe de Janot que não se preocupassem porque ele iria se sentar ao lado de Collor. Qualquer coisa, seguraria o braço dele. Aécio realmente se sentou na primeira fila, onde também estava o senador alagoano. Na sabatina, Fernando Collor não era o primeiro inscrito, mas as perguntas dele eram as mais esperadas pelos jornalistas. Ele continuava a olhar fixamente para o procurador-geral, para aflição dos seguranças.

Janot começou dizendo que ia "continuar firme no combate à corrupção" e foi respondendo uma a uma às perguntas dos senadores. Voltou a negar a possibilidade de um acordão para abafar as investigações e defendeu o instituto da delação premiada. Quando finalmente chegou a vez de Collor, o senador fez várias acusações. Disse que, sob a batuta de Janot, o MPF tinha alugado uma casa no Lago Sul para ser usada para reuniões e que isso tinha dado prejuízo aos cofres públicos. Questionou a contratação de um assessor de comunicação e afirmou que Janot hospedou um parente que estava sendo investigado. O procurador não se abalou e rebateu os questionamentos um por um. Em certo momento, quando Collor começou a fazer comentários durante suas respostas, Janot não se segurou. "Não me interrompa", disse, olhando irritado para o senador. Ele só se recusou a responder a uma pergunta, sobre seu irmão: "Em respeito aos mortos, não vou participar da exumação de uma pessoa que não pode se defender."

Mineiro, Rodrigo Janot citou um ditado popular ao falar que todos merecem o mesmo tratamento da Justiça: "A régua da Justiça deve ser isonômica, e sua força deve se impor aos fortes e fracos, ricos e pobres, sem acepção de pessoas. Tal mensagem que a linguagem simples do povo traduz no 'Pau que dá em Chico dá em Francisco' transmite à sociedade mensagem essencial de igualdade, de republicanismo, de isenção de privilégios, de impessoalidade e, antes de tudo, de funcionamento regular do Estado." O plenário ouviu em silêncio.

No final da sessão, na hora de responder a mais uma bateria de perguntas de Collor, Janot disse uma frase que tinha endereço certo: "Nós vamos continuar firmes no combate à corrupção. Não há futuro viável se condescendermos com a corrupção. Não há país possível sem lei. Todos são iguais perante a lei." Após dez horas de sabatina, a recondução de Janot foi aprovada pelos senadores na comissão e, na mesma noite, no plenário. De Curitiba, o juiz Sergio Moro acompanhou a repercussão da sabatina de Janot e gostou das palavras do procurador-geral. Era o que ele estava buscando: o império da lei para todos.

As primeiras sentenças

No final de setembro de 2015, um ano e meio depois do início da Operação Lava Jato, Sergio Moro já tinha condenado à prisão boa parte dos personagens mais importantes da organização criminosa que se alojou na Petrobras. Os processos tinham andado rápido. Os condenados já estavam cumprindo pena, fixada de acordo com o peso das provas do processo, e alguns já haviam apelado das sentenças à segunda instância. Tudo tinha seguido um ritmo cuidadosamente determinado pelo juiz. De todas as ações penais sobre os desvios na Petrobras, a primeira que ficou pronta para a sentença final de Sergio Moro foi justamente a que nasceu da primeira suspeita de corrupção descoberta pela Lava Jato: o caso dos desvios na construção da Refinaria Abreu e Lima, em Pernambuco. A construção da refinaria, ainda inacabada, foi orçada inicialmente em 2,5 bilhões de reais, mas, de acordo com o MPF, na época da denúncia os custos já tinham ultrapassado os 20 bilhões de reais. As investigações apontavam indícios de corrupção e lavagem de dinheiro.

A sentença fora proferida no dia 22 de abril de 2015, dois dias antes de o primeiro passo da ação penal – a denúncia oferecida pelo MPF – completar um ano. Dos 10 denunciados, oito foram condenados por desvios na construção da Refinaria Abreu e Lima, entre eles Alberto Youssef e Paulo Roberto Costa. Aquela era a primeira condenação de Paulo Roberto na Lava Jato. E ele era o primeiro funcionário da Petrobras a ser sentenciado por Sergio Moro. Pegou 7 anos e 6 meses de prisão em regime semiaberto. Como tinha feito o acordo e já havia passado 5 meses e 17 dias na carceragem da PF, iria cumprir um ano de prisão domiciliar a partir de 1º de outubro de 2014. Depois, mais um ano podendo sair de dia, mas tendo que ficar em casa de noite e nos feriados e fins de semana, sempre usando uma tornozeleira eletrônica. Durante o período em que ficou preso, Paulo Roberto leu vários livros, inclusive a Bíblia, que ele nunca tinha lido inteira.

Nesse mesmo processo, Alberto Youssef foi condenado a 9 anos e 2 meses de prisão em regime fechado pelo crime de lavagem de dinheiro – mais precisamente pela lavagem, só nesse caso, de 18,6 milhões de reais, pulverizados em diversas operações, uma delas de 1,9 milhão de reais. Na sentença, o juiz Sergio Moro diz que ficou comprovado que o desvio do dinheiro da Petrobras ocorreu por meio de repasses do Consórcio Nacional Camargo Corrêa, responsável pela obra da refinaria, para seis empresas de fachada controladas por Youssef, como a MO Consultoria e Laudos Estatísticos, a RCI Software, a GFD e a Empreiteira Rigidez. Em seu acordo de delação, no entanto, ficou definido que ele só iria cumprir três anos em regime fechado, a contar do dia 17 de março de 2014. Ao justificar a aplicação de penas mais leves para os criminosos colaboradores, Sergio Moro citou o caso de Youssef: "Embora seja elevada a culpabilidade de Alberto Youssef, a colaboração demanda a concessão de benefícios legais, não sendo possível tratar o criminoso colaborador com excesso de rigor, sob pena de inviabilizar o instituto da colaboração premiada."

Os outros acusados de ajudar Youssef a operar empresas de fachada foram condenados a penas diferentes, de acordo com o grau de culpa e colaboração de cada um. Os irmãos Leandro e Leonardo Meirelles, que foram testas de ferro de Youssef na empresa de medicamentos Labogen, usada para fazer remessas ilegais de divisas para o exterior, inclusive Hong Kong, colaboraram espontaneamente com a Justiça e até se dispuseram a viajar para a China a fim de trazer documentos. Por isso, receberam penas de 6 e 5 anos em regime semiaberto pelo crime de lavagem de dinheiro e logo foram soltos. Por outro lado, quem o juiz considerou que tinha uma participação mais central nos crimes de lavagem e organização criminosa, como Márcio Bonilho, da Sanko Sider, fornecedora da Camargo Corrêa, e

Waldomiro de Oliveira, que administrava as empresas de Alberto Youssef, recebeu uma sentença mais dura. Sergio Moro deu a ambos uma pena de 11 anos e 6 meses de prisão em regime fechado. Dois outros acusados, contadores da Sanko Sider, foram absolvidos. Ao refletir sobre esse caso e preparar sua sentença, Sergio Moro não viu ali desenhada uma ampla quadrilha, com estrutura rígida e hierarquia, tanto que poucos foram condenados por esse crime nesse processo da Refinaria Abreu e Lima. A organização criminosa só ficaria mais clara na sentença seguinte, a primeira em que empreiteiros iam ser condenados.

A condenação dos empreiteiros

A ação envolvendo executivos da Camargo Corrêa tramitou ainda mais rápido do que o processo da Refinaria Abreu e Lima. Da denúncia do MPF à sentença, emitida no dia 20 de julho de 2015, foram apenas 7 meses e 9 dias. Dos nove réus, seis foram condenados, entre eles Dalton dos Santos Avancini, ex-presidente da construtora; Eduardo Hermelino Leite, ex-vice-presidente; e João Ricardo Auler, ex-presidente do Conselho de Administração. Dalton Avancini e Eduardo Leite tinham passado pouco mais de 4 meses na prisão, sendo libertados depois de prestarem os depoimentos necessários. Ao sair, tinham deixado Auler – único dos três que não havia feito acordo de colaboração – na cadeia, sem perspectivas. Cerca de um mês depois, ele foi beneficiado por uma decisão do Supremo que permitiu a vários empreiteiros investigados cumprir prisão domiciliar.

Dalton Avancini e Eduardo Leite foram condenados à pena de 15 anos e 10 meses de prisão em regime fechado por crime de corrupção, lavagem de dinheiro e participação em organização criminosa. No entanto, como fizeram acordos de delação premiada e colaboraram com a Justiça, a pena privativa de liberdade limitou-se ao período em que estiveram presos em Curitiba: 4 meses e 16 dias. Além disso, teriam que cumprir mais um ano em prisão domiciliar, com tornozeleira eletrônica, a contar do dia 14 de março de 2015. Depois dessa data, se tudo corresse bem, poderiam progredir para o regime semiaberto diferenciado, com tornozeleira eletrônica e recolhimento domiciliar nos fins de semana e durante a noite, por um período de dois a seis anos. O resto da pena seria em regime aberto. Já para João Ricardo Auler, que não colaborou, a pena foi de 9 anos e 6 meses de prisão, em regime fechado, pelos crimes de corrupção e participação em organização criminosa.

Segundo a denúncia do Ministério Público Federal, a Camargo Corrêa havia formado um cartel com outras importantes empreiteiras brasileiras que teriam, de forma coordenada, fraudado sistematicamente as licitações da Petrobras para a construção de grandes unidades a partir de 2006, entre elas a Refinaria Abreu e Lima, em Pernambuco, a Refinaria Presidente Getúlio Vargas, mais conhecida como Repar, no Paraná, e o Complexo Petroquímico do Rio de Janeiro. As construtoras se reuniam em torno de algo que denominavam de clube, ajustavam previamente suas propostas e decidiam quem sairia vencedor em cada licitação da Petrobras. E ainda eram contratadas pelo maior preço admitido pela estatal. Para aumentar o sucesso do cartel, as empreiteiras também corromperam diversos empregados do alto escalão da Petrobras, entre eles o ex-diretor Paulo Roberto Costa, pagando percentual sobre o contrato em troca de convites para as licitações e informações privilegiadas. Por meio do esquema, ainda de acordo com a denúncia dos procuradores da Lava Jato, a Camargo Corrêa saiu vencedora em licitações para obras na Repar e na Refinaria Abreu e Lima, executadas em consórcio com outras empresas lideradas por ela. Em troca da ajuda na Petrobras, os diretores da Camargo Corrêa teriam desviado cerca de 1% do valor dos contratos e aditivos para o esquema, parte entregue diretamente ao então diretor de Abastecimento Paulo Roberto Costa. Depois que ele se aposentou, continuou recebendo dinheiro da propina com a simulação de contrato de consultoria com sua empresa, a Costa Global.

A segunda empreiteira que teve executivos condenados foi a OAS, em 5 de agosto de 2015. Das nove pessoas denunciadas, sete foram condenadas por corrupção, lavagem de dinheiro e participação em organização criminosa. Os executivos da OAS foram considerados culpados por fraudar licitações da Petrobras, em cartel, a partir de 2006. O presidente da OAS, José Aldemário Pinheiro, conhecido como Léo Pinheiro, foi condenado a 16 anos e 4 meses de prisão. Durante o inquérito, a polícia encontrou provas de que Youssef fez operações com a OAS até os últimos dias antes de ser preso. Em relatório, a PF revelou que foram apreendidos documentos e mensagens de diretores da empreiteira. E essas mensagens geraram muito constrangimento. Em mais de uma delas, Léo Pinheiro se refere ao ex-

Cassiano Rosário/Futura Press

Em junho de 2015, na 14ª fase da Lava
Jato, chamada Erga Omnes, a PF prendeu
os presidentes das maiores empreiteiras
do Brasil: Marcelo Odebrecht (acima), da
construtora Odebrecht, e Otávio Azevedo,
da Andrade Gutierrez. Os dois foram
apontados por delatores como responsáveis
pelo pagamento de propina a dirigentes
da estatal e políticos. Em fevereiro de
2016, Azevedo fechou acordo de delação,
admitindo ter participado do esquema.

Folhapress/Folhapress

Acima, o ex-tesoureiro do Partido dos Trabalhadores, João Vaccari Neto, preso em 15 de abril de 2015, na 12ª fase da Lava Jato, foi apontado como responsável por intermediar o recebimento de valores oriundos de fraudes nas licitações da Petrobras. Vaccari se referia à propina que recolhia das empresas como pixuleco, segundo o delator Ricardo Pessoa, dono da UTC. Em julho de 2015, foi a vez do diretor Jorge Luiz Zelada, sucessor de Cerveró na área Internacional da Petrobras, ser preso em razão de movimentações financeiras suspeitas no exterior.

André Dusek/Estadão Conteúdo

José Dirceu, ex-ministro da Casa Civil do governo Lula, foi preso em 3 de agosto de 2015 na 17ª fase da Lava Jato, a Operação Pixuleco. Ele estava cumprindo prisão domiciliar por corrupção ativa no processo do mensalão. Segundo delatores da Lava Jato, ele forjou trabalho de consultoria para receber dinheiro desviado da Petrobras.

Rodrigo Félix Leal/Futura Press

Os procuradores da força-tarefa da Lava Jato identificaram o mesmo DNA nos esquemas de corrupção do mensalão e da Lava Jato. Segundo o procurador Carlos Fernando dos Santos Lima, a diferença fundamental na atuação de Dirceu no esquema da Petrobras foi que ele agora tinha se beneficiado "de maneira pessoal, enriquecendo pessoalmente".

Dida Sampaio/Estadão Conteúdo

Dida Sampaio/Estadão Conteúdo

Pedro Ladeira/Folhapress

Em 14 de julho de 2015, a Polícia Federal e a Procuradoria-Geral da República realizaram a Operação Politeia, com o cumprimento de 53 mandados de busca e apreensão em casas e gabinetes de políticos envolvidos no esquema de corrupção da Petrobras. Os senadores Ciro Nogueira (acima, à direita) e Fernando Collor estavam entre os alvos da operação. Na Casa da Dinda, que foi residência oficial da presidência da República durante o governo Collor, foram apreendidos um Porsche, um Lamborghini e uma Ferrari.

O procurador-geral da República e o senador Fernando Collor protagonizaram embate durante a sabatina de Rodrigo Janot para ser reconduzido ao cargo, em agosto de 2015. No final da sessão, Janot deu seu recado: "Nós vamos continuar firmes no combate à corrupção. Não há país possível sem lei. Todos são iguais perante a lei."

Preso em novembro de 2014, o operador Fernando Baiano (acima) se tornou um dos delatores da Operação Lava Jato. A delação dele foi usada na denúncia contra o presidente da Câmara, Eduardo Cunha (página ao lado). Baiano contou que Cunha teria sido beneficiário de propina de um contrato de navio-sonda da Petrobras.

PETROBRAS 10000

PETROBRAS 10000

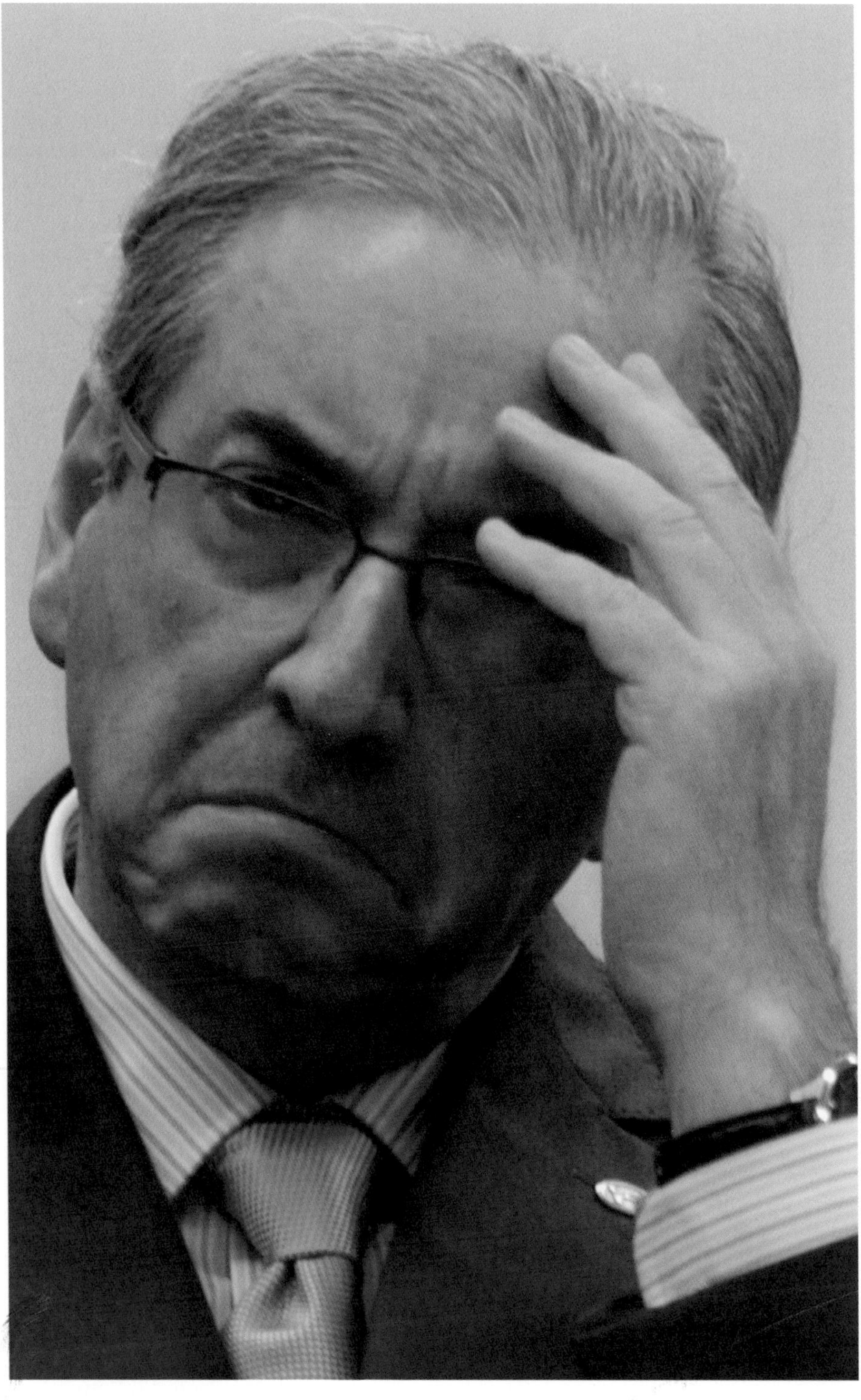

Ed Ferreira/Estadão Conteúdo

Em novembro de 2015, a Polícia Federal e a Receita deflagraram a Operação Passe Livre, 21ª fase da Lava Jato. O empresário José Carlos Bumlai, amigo do ex-presidente Lula, foi preso preventivamente em Brasília. Ele admitiu que tomou 12 milhões de reais de empréstimo no Banco Schahin, em 2004, para o PT.

Em 25 de novembro, numa decisão histórica do STF, o senador Delcídio do Amaral (no alto), líder do governo, foi preso no exercício do mandato. No mesmo dia, o banqueiro André Esteves (abaixo à esquerda), dono do BTG Pactual, também foi preso pela Polícia Federal. Uma gravação feita por Bernardo Cerveró, filho de Nestor Cerveró, serviu como base para a acusação de que os dois estariam envolvidos em um esquema para evitar a delação premiada do ex-diretor da área Internacional da Petrobras.

Nelson Jr./SCO/STF

Agência Brasil

A decisão de prender o senador Delcídio do Amaral, tomada pelo ministro Teori Zavascki, foi confirmada pela Segunda Turma do STF, em 25 de novembro de 2015. A fala da ministra Cármen Lúcia repercutiu em todo o país: "Na história da nossa pátria, houve um momento em que a maioria de nós acreditou no mote segundo o qual a esperança tinha vencido o medo. Depois, descobrimos que o cinismo tinha vencido aquela esperança. Agora, parece se constatar que o escárnio venceu o cinismo. O crime não vencerá a Justiça. Não passarão sobre os juízes e juízas do Brasil. Não passarão sobre novas esperanças do povo brasileiro." O ministro Celso de Mello também foi firme: "Imunidade parlamentar não é manto para proteger senadores da prática de crime."

O publicitário João Santana e sua mulher, Mônica Moura, foram presos em 23 de fevereiro de 2016, na 23ª fase da Lava Jato, batizada de Acarajé. As investigações apontam que eles teriam recebido da Odebrecht recursos ilícitos em contas no exterior para pagamentos por serviços prestados para campanhas presidenciais.

A edição de 3 de março de 2016 da revista IstoÉ, com trechos da proposta de delação premiada do senador Delcídio do Amaral, até então sob sigilo, provocou alvoroço. A matéria trazia revelações explosivas, entre elas a de que a presidente Dilma teria interferido nas investigações da Lava Jato e que o ex-presidente Lula seria o mandante dos pagamentos à família de Nestor Cerveró.

Marcos Bizzotto/Raw Image/Agência O Globo

No dia 4 de março de 2016, a Polícia Federal cumpriu um mandado de condução coercitiva contra o ex-presidente Lula, que foi levado para prestar depoimento no salão presidencial do aeroporto de Congonhas, em São Paulo. Depois de depor, Lula foi para o diretório do PT, onde falou aos militantes: "Se quiseram matar a jararaca, não bateram na cabeça, bateram no rabo e a jararaca está viva como sempre esteve."

A Lava Jato vinha se aproximando de Lula. No início de 2016, foi deflagrada a Operação Triplo X, que investigava se apartamentos do edifício Solaris, no Guarujá, tinham sido usados para lavagem de dinheiro de corrupção em empresas estatais. O Ministério Público de São Paulo seguia a mesma trilha e suspeitava que o ex-presidente era o verdadeiro dono de um tríplex no condomínio.

Moacyr Lopes Júnior/Folhapress

O sítio Santa Bárbara, em Atibaia, também entrou no radar do juiz Sergio Moro, que autorizou a abertura de um inquérito para investigar reformas que teriam sido pagas por empreiteiras na propriedade de 170 mil metros quadrados frequentada por Lula.

Na imagem ao lado, exibida em março pelo Jornal Nacional, da TV Globo, o ex-presidente Lula aparece visitando o tríplex do Guarujá junto com o ex-presidente da OAS, Léo Pinheiro (de costas). O apartamento foi todo reformado pela empreiteira OAS.

Pedro Kirilos/Agência O Globo

No dia 13 de março de 2016, manifestantes tomaram a avenida Paulista, em São Paulo, para protestar contra a presidente Dilma e o ex-presidente Lula e apoiar a Lava Jato e o juiz Sergio Moro. Ao todo, segundo a PM, 3,6 milhões de pessoas foram às ruas de todo o país pedir o fim da corrupção.

Em 17 de março de 2016, segundo aniversário da Lava Jato, o ex-presidente Lula toma posse no Palácio do Planalto como ministro-chefe da Casa Civil de Dilma, em meio ao clima conturbado pela divulgação de conversas suas com diversas autoridades. As gravações deram margem à interpretação de que sua ida para o ministério visava obter foro privilegiado. Por decisão judicial, Lula não pôde assumir o cargo.

Manifestantes a favor do governo e do ex-presidente Lula tomam a Esplanada dos Ministérios, em Brasília, no dia 18 de março, criticando a atuação do juiz Sergio Moro e a Lava Jato.

Depois de 28 fases em dois anos de intenso trabalho, a Lava Jato tinha feito muito mais do que combater a corrupção na Petrobras. A mais bem-sucedida investigação da história do país havia colocado em xeque todo o sistema político brasileiro, alimentando a esperança de que seria possível um dia vencer a corrupção. Mas essa escolha está nas mãos da sociedade brasileira.

-presidente Lula pelo apelido de "Brahma". Era mais uma menção, mais um indício. A Lava Jato se aproximava do maior líder do PT. Vários outros executivos de construtoras foram condenados pelo juiz Sergio Moro. Sérgio Mendes, da Mendes Junior, recebeu pena de 19 anos e quatro meses por corrupção, lavagem de dinheiro e organização criminosa. Gerson Almada, da Engevix, também foi sentenciado a 19 anos de prisão pelos mesmos crimes. Erton Medeiros da Fonseca recebeu pena de 12 anos e cinco meses. Em maio de 2016, os processos estavam em fase de recurso.

A dura pena de Renato Duque

No dia 21 de setembro de 2015, chegou às mãos de Sergio Moro, pronto para a sentença, o primeiro processo contra o ex-diretor de Serviços da Petrobras Renato Duque. As suspeitas eram de lavagem de dinheiro, corrupção e associação criminosa para desviar dinheiro da Petrobras e pagar propinas ao PT. Dez pessoas foram condenadas, entre elas o próprio Duque, o ex-tesoureiro do PT João Vaccari Neto e outros envolvidos, como Augusto Mendonça, Júlio Camargo e Pedro Barusco.

Renato Duque recebeu a pena mais alta de todas, 20 anos e 8 meses de prisão em regime fechado pelos crimes de corrupção passiva, lavagem de dinheiro e associação criminosa. Na decisão, Sergio Moro falou em prejuízo à democracia: "A lavagem gerou impacto no processo político democrático, contaminando-o com recursos criminosos, o que reputo especialmente reprovável. Talvez seja esse, mais do que o enriquecimento ilícito dos agentes públicos, o elemento mais reprovável do esquema criminoso da Petrobras, a contaminação da esfera política pela influência do crime, com prejuízos ao processo político democrático."

A segunda maior condenação nesse processo foi de Pedro Barusco, gerente da área de Serviços e administrador das contas de Duque no exterior. Ele pegou 18 anos e 4 meses por corrupção, lavagem e associação criminosa. Na decisão, Sergio Moro citou o recebimento de mais de 20 milhões de reais em um único crime de corrupção: "A corrupção com pagamento de propina de dezenas de milhões de reais e tendo por consequência prejuízo equivalente aos cofres públicos merece reprovação especial." Moro, no entanto, ressalta o valor recorde devolvido por Barusco depois de fazer um acordo de colaboração: "O acordo envolveu o compromisso de pagamento de restituição de cerca de 98 milhões de dólares, o que estabelece provável recorde em processos criminais no Brasil, considerando acordos com pessoas naturais. Os valores já foram restituídos, sendo boa parte já repassada à Petrobras, o que garantirá a recuperação pelo menos parcial dos recursos públicos desviados, em favor da vítima, a Petrobras."

Como Barusco fez colaboração premiada, apesar da pena alta, o regime fechado foi substituído pelo regime aberto diferenciado: ele tem autorização para sair de casa de dia, mas é obrigado a se recolher nos dias úteis, entre oito da noite e seis da manhã, e nos fins de semana. Além disso, tem que usar uma tornozeleira eletrônica pelo período de dois anos e prestar serviços à comunidade. O resto da pena será cumprido em regime aberto.

Nesse processo, o ex-tesoureiro do PT João Vaccari Neto foi condenado a 15 anos e 4 meses de prisão em regime fechado por corrupção passiva, lavagem de dinheiro e associação criminosa. Sergio Moro frisou o uso de doações eleitorais para o pagamento de propina: "A lavagem, no presente caso, envolveu especial sofisticação, com a utilização de recursos criminosos para a realização de doações eleitorais registradas, conferindo a eles uma aparência de lícito de uma maneira bastante inusitada e pelo menos, da parte deste Juízo, até então desconhecida nos precedentes brasileiros sobre o tema."

Em sua sentença, Sergio Moro explicitou a institucionalização do esquema: "Entende este Juízo que a associação criminosa em questão perdurou pelo menos até a saída de Renato Duque da Diretoria de Serviços da Petrobras, em abril de 2012, tendo havido pagamento de propina no mês imediatamente anterior." Por fim, Moro lembrou a necessidade das prisões, se referindo ao gigantismo da Lava Jato: "Em um esquema criminoso de maxipropina e maxilavagem de dinheiro, é imprescindível a prisão cautelar para proteção da ordem pública, seja pela gravidade concreta dos crimes, seja para prevenir reiteração delitiva, incluindo a prática de novos atos de lavagem do produto do crime ainda não recuperado." O juiz citou o exemplo de Renato Duque, preso duas vezes na Lava Jato: "Entre a primeira e a segunda prisão preventiva, foi descoberta a manutenção por ele de fortuna mantida em contas secretas no Principado de Mônaco e que vinham sendo mantidas ocultas das autoridades brasileiras e não foram informadas por ele nas anteriores impetrações de habeas corpus. Durante a investigação, no ano de 2014, ele chegou a esvaziar suas contas na Suíça, tentando colocar o produto do crime fora do alcance das autoridades brasileiras, estas já em cooperação com a Suíça."

Ao apontar que "há registro de transferências vultosas para outras contas nos Estados Unidos e em Hong Kong, que podem igualmente ser controladas por Renato Duque e ainda são mantidas fora do alcance das autoridades brasileiras", Moro chamou atenção para um detalhe importante: o dinheiro de Duque sequestrado no exterior somava cerca de 20 milhões de euros, enquanto o valor devolvido por Pedro Barusco, subordinado dele, ultrapassava os 97 milhões de dólares. Para o juiz, isso era um indício de que ainda poderia haver contas ocultas no exterior mantidas por Duque. "A colocação dele em liberdade, assim como dos demais acusados presos preventivamente, antes de todos os fatos estarem elucidados e recuperado todo o produto do crime, coloca em risco as chances de sequestro e confisco pela Justiça criminal e a aplicação da lei penal, havendo risco de que o condenado se evada e ainda fique com o produto de sua atividade criminal", alertou o juiz.

Por fim, Sergio Moro citou que contra João Vaccari ainda estavam surgindo novas suspeitas, na época dessa sentença, de que a atuação dele no recolhimento de propinas e na lavagem de dinheiro transcendia em muito o esquema criminoso da Petrobras. Nas mais recentes fases da Lava Jato, haviam sido levantadas provas que, numa primeira análise, indicavam o envolvimento de Vaccari no recebimento de propina da Consist Software em esquema criminoso junto ao Ministério do Planejamento. Para Moro, em casos como esse, em que as provas apontavam para "uma dedicação profissional e habitual à prática de delitos, a preventiva é um remédio amargo, mas necessário, para proteger a ordem pública e resguardar a aplicação da lei penal".

Remédio amargo para Cerveró

Sergio Moro prescreveu a Nestor Cerveró cinco anos de prisão ao condená-lo pelo crime de lavagem de dinheiro cometido ao comprar, em 2009, um apartamento na rua Nascimento Silva, em Ipanema, no Rio de Janeiro, com dinheiro de corrupção na Petrobras. Segundo Moro, havia inclusive risco de fuga: "Não se pode correr o risco de que autores de crimes graves contra a administração pública possam escapar da Justiça e ainda fruir, refugiados, do produto milionário de sua atividade criminal. Tal risco aqui é agravado pela dupla nacionalidade do condenado, o que coloca em dúvida o êxito de eventual pedido de extradição caso, solto, se refugie em outro país." Moro disse na decisão que Cerveró deveria permanecer preso durante o julgamento de eventuais recursos da defesa, "como, no entendimento deste julgador, deveria ser a regra em casos de crimes graves praticados contra a administração pública, especialmente quando não recuperado em sua integralidade o produto do crime".

Cerveró perdeu o apartamento de Ipanema, que foi destinado a leilão para ressarcir os cofres públicos. Na decisão, Moro destaca uma frase do ministro Newton Trisotto ao negar um habeas corpus para um réu da Lava Jato: "Nos últimos 20 anos, nenhum fato relacionado à corrupção e à improbidade administrativa, nem mesmo o famigerado mensalão, causou tanta indignação, tanta 'repercussão danosa e prejudicial ao meio social', quanto estes sob investigação na Operação Lava Jato – investigação que a cada dia revela novos escândalos."

Essa não foi, no entanto, a única condenação de Cerveró na Lava Jato. Ele também foi considerado culpado no processo que apurou o pagamento de propina em dois contratos para operação de navios-sonda da Petrobras, assinados respectivamente em 2006 e 2007.

No primeiro caso, segundo o MPF, Júlio Camargo, representante do estaleiro coreano Samsung Heavy Industries, conseguiu que a empresa fosse contratada pela Petrobras para fornecer um navio-sonda para perfuração em águas profundas, o *Petrobras 10000*, pagando 15 milhões de dólares de propina à Diretoria Internacional da Petrobras, ocupada por Nestor Cerveró, com a intermediação de Fernando Soares, o Fernando Baiano. Em vista do dinheiro, Cerveró recomendou à Diretoria Executiva da Petrobras a contratação da Samsung, o que foi feito ao preço de 586 milhões de dólares. Júlio Camargo pagou a propina por meio de 34 transações financeiras que passaram por contas indicadas por Fernando Baiano.

No ano seguinte, 2007, eles repetiram a dose. A Petrobras contratou a Samsung para construir mais um navio-sonda, o *Vitória 10000*. Só que dessa vez o acordo previa pagar mais. Na verdade, era um ajuste de contas. No primeiro navio-sonda, Júlio teria prometido 20 milhões de dólares, mas só entregou 15 milhões. Agora, teria que pagar 25 milhões de dólares. Cerveró recomendou novamente à Diretoria Executiva da Petrobras a contratação da Samsung, e isso foi feito pelo preço de 616 milhões de dólares. Júlio pagou cerca de 5 milhões de dólares a Fernando Baiano e parou. Houve pressão, ele foi cobrado e teve de tirar do próprio bolso para honrar os compromissos. De qualquer maneira, de acordo com a decisão de Sergio Moro, ficou provado que Cerveró e Baiano receberam mais de 54 milhões de reais de propina, pela taxa de câmbio da época. Por isso, nesse caso, Nestor Cerveró, Júlio Camargo e Fernando Soares foram condenados a 12, 14 e 16 anos de prisão, respectivamente. Cerveró ainda teria que responder a mais uma acusação. Segundo a PF e o MPF, ele teria ganhado um Range Rover Evoque de Baiano, avaliado em 220 mil reais. Segundo a denúncia, o presente foi comprado na mesmo concessionária em que Youssef adquiriu um carro da mesma marca para Paulo Roberto Costa. Em fevereiro de 2016, o sucessor de Cerveró na Diretoria Internacional, Jorge Zelada, foi condenado a 12 anos e 2 meses de prisão por corrupção passiva e lavagem de dinheiro.

Políticos condenados

O primeiro político que apareceu na Lava Jato também foi o primeiro a ser condenado. Pegou 14 anos e 4 meses de prisão. André Vargas, ex-vice--presidente da Câmara dos Deputados, foi considerado, pelo juiz Sergio Moro, culpado por crimes de corrupção cometidos ao receber propina de Ricardo Hoffmann, da agência Borghi Lowe. O irmão dele, Leon Vargas, também foi condenado por intermediar o pagamento da vantagem. Os três foram condenados por 64 crimes de lavagem de dinheiro porque fizeram 64 repasses de dinheiro desviado de contratos de publicidade assinados com a Caixa Econômica Federal para as empresas de fachada Limiar e LSI entre junho de 2010 e abril de 2014.

Ao fixar a pena de André Vargas, Moro escreveu:

"A culpabilidade é elevada. O condenado recebeu propina não só no exercício do mandato de deputado federal, mas também da função de vice--presidente da Câmara dos Deputados, esta entre os anos de 2011 a 2014, período em que praticou a maior parte dos fatos criminosos objeto desta ação penal (06/10 a 04/14). A responsabilidade de um vice-presidente da Câmara é enorme e, por conseguinte, também a sua culpabilidade quando pratica crimes. A vetorial personalidade também lhe é desfavorável. Rememoro aqui o gesto de afronta do condenado ao erguer o punho cerrado ao lado do então presidente do Supremo Tribunal Federal, o eminente ministro Joaquim Barbosa, na abertura do ano legislativo de 2014, em 04/02/2014, e que foi registrado em diversas fotos. O parlamentar, como outros e talvez até mais do que outros, tem plena liberdade de manifestação. Protestar contra o julgamento do Plenário do Supremo Tribunal Federal na Ação Penal 470 é algo, portanto, que pode e poderia ter sido feito por ele ou por qualquer um, muito embora aquela Suprema Corte tenha agido com o costumeiro acerto. Entretanto, retrospectivamente, constata-se que o condenado, ao tempo do gesto, recebia concomitantemente propina em contratos públicos por intermédio da Borghi Lowe. Nesse caso, o gesto de protesto não passa de hipocrisia e mostra-se retrospectivamente revelador de uma personalidade não só permeável ao crime, mas também desrespeitosa às instituições da Justiça."

Moro determinou que André Vargas ficasse em regime fechado no início do cumprimento da pena de 14 anos. Para conseguir mudar de regime para o semiaberto, por exemplo, Vargas teria que seguir o que está escrito no Código Penal: o condenado por crime contra a administração pública terá a progressão de regime condicionada à reparação do dano que causou ou à devolução do produto do crime. No caso de Vargas, isso significava devolver todo o dinheiro que, segundo a Justiça, ele lavou nas sucessivas operações para esconder a sua origem pública. Exatos 1.103.950,12 reais. "A lavagem de expressiva quantidade de dinheiro merece reprovação especial", concluiu Moro.

Outro político sentenciado por Sergio Moro na Lava Jato foi Pedro Corrêa, do Partido Progressista, também condenado no mensalão. Quando foi preso por ordem de Moro, Corrêa estava cumprindo pena em uma penitenciária de Pernambuco, sua terra natal. A Polícia Federal só teve o trabalho de pegá-lo e levá-lo para o Paraná. Depois de meses preso, chegara a hora de sua sentença. A essa altura, o juiz sabia que Pedro Corrêa estava negociando um acordo de colaboração com o MPF, mas definiu a sentença antes de esperar o fim das conversas entre ele e os procuradores. Se Corrêa depois colaborasse, ele poderia rever a decisão. Assim, condenou o ex-deputado por corrupção. Apenas nesse processo da Lava Jato, ele era acusado de receber 11,7 milhões de reais de propina. "A corrupção com pagamento de propina de dezenas de milhões de reais e tendo por consequência prejuízo equivalente aos cofres públicos merece reprovação especial. O mais perturbador, porém, em relação a Pedro Corrêa, consiste no fato de que recebeu propina inclusive enquanto estava sendo julgado pelo Plenário do Supremo Tribunal Federal na Ação Penal 470, havendo registro de recebimentos até outubro de 2012. Nem o julgamento condenatório pela mais Alta Corte do País representou fator inibidor da reiteração criminosa, embora em outro esquema ilícito. Agiu, portanto, com culpabilidade extremada, o que também deve ser valorado negativamente", decretou Sergio Moro, lembrando o julgamento do mensalão e registrando a sua especial reprovação à conduta de Corrêa. Naquele processo da Lava Jato, o ex-deputado tinha cometido o crime de corrupção 72 vezes. O crime de lavagem, 328 vezes, segundo as contas de Sergio Moro. Por causa dessa quantidade de delitos cometidos, ele foi condenado a 20 anos, 3 meses e 10 dias de prisão. Uma das penas mais altas da Lava Jato. Para começar a cumprir em regime fechado. Assim como Vargas, Corrêa só poderia pedir para mudar para o semiaberto depois de devolver o que tinha roubado aos cofres públicos.

Já Luiz Argôlo, um dos políticos mais próximos de Alberto Youssef, foi condenado a 11 anos e 11 meses de prisão pelos crimes de corrupção passiva e lavagem de dinheiro. Ele recebeu, segundo a sentença, quase um milhão e meio de reais do esquema controlado por Alberto Youssef. Além disso, o deputado e o doleiro tinham negócios juntos. Em depoimento, Youssef disse que via em Luiz Argôlo uma chance de crescer politicamente, por isso resolveu prestar ajuda financeira. O juiz decidiu manter Argôlo preso porque, entre outros motivos, ele ainda era suplente de deputado federal: "Em liberdade, pode, a depender das circunstâncias, assumir o mandato parlamentar, o que seria intolerável. Não é possível que pessoa condenada por crimes possa exercer mandato parlamentar e a sociedade não deveria correr jamais o risco de ter criminosos como parlamentares." Argôlo ainda foi condenado a devolver à Petrobras cerca de 1,5 milhão de reais a título de indenização e teve o seu helicóptero Robinson, comprado com recursos do esquema, confiscado.

Nas primeiras sentenças da Lava Jato, dadas ainda em 2014, Sergio Moro tinha tratado dos primeiros núcleos da quadrilha que foram identificados, um deles ligado à lavagem de dinheiro de tráfico de drogas. Outro núcleo sentenciado logo foi o de Nelma Kodama. Grande doleira do mercado de câmbio paralelo de São Paulo, Nelma foi julgada por ter criado e operado uma verdadeira instituição financeira, com movimentação de até 300 mil dólares por dia em operações ilegais no mercado paralelo de câmbio. Ela atuou por um período de pelo menos oito anos. Só parou porque foi presa. Foi condenada a 18 anos de prisão. Na sentença, Moro lembrou que no apartamento dela foram encontradas 12 obras de arte de alto valor. Esses quadros, ao fim do processo, seriam doados ao Museu Oscar Niemeyer, em Curitiba. A ação julgada em 2015 – da empresa Dunel, de Hermes Magnus – foi a que deu início a todo o processo da Lava Jato. A investigação, que começou com uma denúncia dele, terminou com a primeira condenação de Alberto Youssef no caso. Três anos, por causa do acordo de delação premiada. Carlos Habib Chater, dono do posto de gasolina que deu nome à operação, recebeu uma pena de 4 anos de prisão.

Assim, em novembro de 2015, ou seja, um ano e oito meses depois do início da Lava Jato, Sergio Moro já tinha dado 12 sentenças e 54 pessoas tinham sido condenadas. As investigações revelaram que, em quase todo grande contrato da Petrobras com seus fornecedores, havia pagamento de vantagem indevida a dirigentes da estatal, calculada em bases percentuais. Em apenas cinco ações penais, ficou provado que empresas como Camargo Corrêa, OAS e Mendes Júnior pagaram dezenas de milhões de reais de propina a dirigentes como Paulo Roberto Costa, Nestor Cerveró, Renato Duque e Pedro Barusco, valendo-se dos serviços de intermediação e lavagem de dinheiro de operadores como Alberto Youssef, Júlio Camargo e Fernando Soares. O esquema tinha sido desmantelado e alguns dos principais responsáveis, punidos. Ao longo de todo o caminho, Sergio Moro precisou superar dificuldades que não pararam de aparecer. Nada indicava que seria diferente no futuro.

Delação questionada

Um dia, no final de agosto, por exemplo, chegou ao plenário do Supremo Tribunal Federal um ação inédita da defesa, uma nova estratégia: os advogados de Erton Medeiros Fonseca, da Galvão Engenharia, apresentaram um pedido de habeas corpus para anular a delação premiada de Alberto Youssef, um dos pilares da investigação da Lava Jato. O argumento era o de que Alberto Youssef já havia quebrado um acordo anterior, no caso Banestado, e que não podia fazer um novo. Além disso, a defesa afirmava que Youssef é um "criminoso contumaz" e que as informações dele não eram confiáveis. O advogado José Luís de Oliveira Lima, que representava Erton Medeiros Fonseca, criticou a atuação do Ministério Público Federal no caso. "O MP induziu a erro o ministro Teori Zavascki ao omitir taxativamente que, sete dias antes de ser celebrado acordo com Alberto Youssef, o acordo anterior tinha sido quebrado por outro magistrado. Como cidadão e advogado, quero que os fatos sejam investigados e que os culpados paguem por isso. Mas a defesa quer que essas provas e julgamentos sejam feitos dentro do estado democrático de direito."

A subprocuradora Ela Wiecko defendeu o acordo assinado entre o Ministério Público Federal e Alberto Youssef na Lava Jato: "A circunstância (quebra do acordo anterior) foi considerada para limitar os benefícios no segundo acordo. O MP apresentou condições mais rígidas. Enquanto outros colaboradores se encontram em prisão domiciliar, Youssef permanece em regime fechado e assim permanecerá."

O relator do pedido, Dias Toffoli, fez um voto de duas horas sobre o tema. Disse, entre outras coisas, que o ministro que homologa uma delação não pode analisar a credibilidade do delator: "Ao homologar acordo de delação, o juiz não faz avaliação de depoimentos prestados antes ou depois. Não cabe ao Judiciário examinar aspectos como conveniência ou condições, nem atestar a veracidade em fatos contidos." Toffoli destacou ainda que o colaborador necessariamente tem que integrar a organização criminosa e que o argumento de que ele é criminoso não deve ser levado em conta: "Dado o próprio conceito legal de associação criminosa, é natural que seus integrantes em tese possam apresentar uma personalidade desajustada ao convívio social, voltada à prática de crimes graves. Ora, o instituto da colaboração premiada aliás seria inócuo ou encontraria rara aplicação caso fosse voltado apenas a agentes de perfil psicológico favorável." No voto, o ministro disse que aceitava julgar o pedido da defesa, mas adiantou sua opinião. Considerava totalmente válido o acordo de delação premiada de Alberto Youssef. Foi seguido de imediato por outros dois ministros, Gilmar Mendes e Luiz Edson Fachin. Mas o dia acabou e o julgamento foi interrompido.

No dia seguinte, quando a sessão foi retomada, o tribunal decidiu por unanimidade que a delação de Alberto Youssef era válida. Foi uma vitória importante, mais uma dificuldade que a Lava Jato superava. Agora ninguém mais poderia questionar o depoimento de Youssef, um dos principais colaboradores. Os ministros destacaram que a delação premiada é só um meio de obtenção de prova contra os criminosos e que nenhuma delação pode ser usada como única maneira de se obter uma condenação. Mas alguns até elogiaram a alta eficácia da confissão do doleiro. "A delação permitiu penetrar nesse grupo que se apoderou do aparelho do Estado, promovendo um assalto imoral, criminoso ao erário e desviando criminosamente recursos que tinham outra destinação, a destinação socialmente necessária e aceitável. Os depoimentos desse agente como meio de obtenção de provas revelaram-se eficazes no afastamento desse véu que encobria esse conluio de delinquentes, que estão agora sofrendo a ação persecutória do Ministério Público", disse o ministro Celso de Mello.

Contas na Suíça

No final de setembro de 2015, as investigações contra o presidente da Câmara, Eduardo Cunha, ganharam novo impulso após um operador que seria ligado ao PMDB, o empresário João Augusto Henriques, dizer em depoimento à Polícia Federal que abrira uma conta na Suíça para pagar propina ao deputado. As suspeitas se ampliaram quando chegaram ao Brasil documentos encaminhados pelas autoridades daquele país. Cunha negou durante meses que tivesse contas no exterior, mas as provas apontavam no sentido contrário, o que deu início ao processo contra ele no Conselho de Ética da Câmara.

As insistentes negativas do parlamentar ficaram ainda mais estranhas quando a imprensa divulgou imagens do formulário de abertura de uma conta em um banco suíço em que constavam até imagens do passaporte dele. O endereço era de uma caixa postal nos Estados Unidos, sob o argumento de que morava num país em que o serviço postal não era confiável. No formulário do banco, Cunha respondeu, de próprio punho, que decidira abrir a conta porque tinha vontade de trabalhar na Suíça. O Banco Central fez uma investigação e mandou a conclusão para o Conselho de Ética afirmando que, acima de "qualquer dúvida razoável", o presidente da Câmara tinha contas na Suíça. Mesmo assim, ele continuou negando que fosse o titular das contas. Alegava que se tratava de "trusts" dos quais era "apenas" o beneficiário, ou melhor, o usufrutuário. Com a ajuda de aliados, ele começou uma longa luta para se defender no Conselho de Ética.

Os gastos da família Cunha no exterior também viraram notícia. Numa viagem a Paris, em fevereiro de 2015, o presidente da Câmara desembolsou em cinco dias mais de 27 mil dólares, sendo 15,8 mil de hospedagem no Hôtel Plaza Athénée e 8,1 mil na loja de roupas masculinas Textiles Astrum France. Nesta mesma viagem, sua mulher, Cláudia Cruz, fez compras no valor de 14,5 mil dólares nas lojas Louis Vuitton, Chanel, Charvet Place Vendôme e Hermès.

No réveillon de 2013, em Miami, a família Cunha gastou 42 mil dólares em hospedagem e refeições, o equivalente na época a 84 mil reais, uma extravagância para um homem que recebia 17,8 mil reais por mês. A filha de Cunha, Danielle, também fazia compras nas mesmas lojas e no mesmo patamar de gastos. Em sua denúncia contra Eduardo Cunha pelos crimes de corrupção, lavagem de dinheiro, evasão de divisas e falsidade eleitoral, o procurador-geral da República, Rodrigo Janot, considerou que tais despesas eram "incompatíveis com o patrimônio lícito e declarado do denunciado".

As investigações voltaram a causar rebuliço em Brasília quando o delegado Josélio de Sousa, da equipe da PF de Brasília, pediu ao Supremo Tribunal Federal autorização para que o ex-presidente Lula fosse ouvido no inquérito que investiga parlamentares envolvidos no esquema de corrupção. Em seu relatório, o delegado reconheceu que não havia ainda provas do envolvimento direto de Lula, porém defendeu o depoimento com o argumento de que a investigação "não pode se furtar, à luz da apuração dos fatos", a verificar se o ex-presidente foi ou não beneficiado pelo "esquema montado na Petrobras, obtendo vantagens para si, para seu partido, o PT, ou mesmo para seu governo, com a manutenção de uma base de apoio partidário sustentada à custa de negócios ilícitos na referida estatal".

O delegado lembrou que, ao comentarem o eventual papel de Lula no esquema da Petrobras, o doleiro Alberto Youssef e o ex-diretor de Abastecimento da Petrobras Paulo Roberto Costa "presumem que o ex-presidente da República tivesse conhecimento do esquema de corrupção", tendo em vista "as características e a dimensão do mesmo". Mas nada estava provado ainda. No entanto, Lula teria que depor à Polícia Federal.

Capítulo 10

OS FATOS, AS PROVAS, A LEI...
E A OPINIÃO PÚBLICA

30 de outubro de 2015

Um quebra-cabeça incompleto

O procurador Deltan Dallagnol sentou-se à mesa de um hotel em Caucaia, nas proximidades de Fortaleza, trazendo dois copos de água de coco para começar o café da manhã. Na mesa estavam dois colegas da força-tarefa do MPF na Lava Jato, Andrey Borges de Mendonça e Orlando Martello, além da também procuradora de Curitiba Letícia Martello, casada com Orlando. A manhã estava ensolarada e a praia de Cumbuco, tentadora, mas, apesar do clima descontraído, eles não estavam ali a lazer. Passariam as horas seguintes trancados em auditórios no XXXII Encontro Nacional dos Procuradores da República, cujo tema era "O controle social na rede de combate à corrupção", assunto que interessava aos quatro.

No fim da manhã, seria necessário mudar às pressas o local da palestra de Deltan para acomodar todos os que desejavam participar. Na plateia, estavam o ex-procurador-geral da República Roberto Gurgel e a subprocuradora Raquel Dodge, além de colegas do Brasil inteiro.

Mas, horas antes, ainda na mesa do café, o sorriso sumiu do rosto de Deltan quando Orlando lhe mostrou a tela do celular e perguntou:

– Viu isso?

– Não pode ser. Você está brincando! Não posso acreditar!

Era o dia 30 de outubro de 2015. A notícia que o colega tinha acabado de lhe mostrar era a de que o ministro Teori Zavascki decidira enviar mais uma parte do processo da Lava Jato para o Rio de Janeiro, tirando-a da força-tarefa do Paraná e da jurisdição de Sergio Moro. E agora? O que eles mais temiam estava acontecendo: o fatiamento do caso, com desmembramento e distribuição para outros ministros do Supremo Tribunal Federal, outros juízes e outros procuradores. Dessa vez era o caso da Eletronuclear, que investigava o vice-almirante Othon Pinheiro da Silva – o mesmo que reagira à prisão gritando que era militar e avisando à Polícia Federal que iria atirar – e o ex-ministro de Minas e Energia Edison Lobão.

As informações haviam sido conseguidas nas mesmas delações e os pagadores de propina eram os mesmos. O esquema de desvio também seguia o mesmo padrão: um percentual era tirado dos valores pagos pela estatal contratante, e o dinheiro, repartido entre políticos e gestores das empresas. A única diferença era que a corrupção não ocorrera na Petrobras, e sim na estatal de energia nuclear.

– É como um quebra-cabeça do qual se começa a tirar peças. Ele fica incompleto – lamentou Deltan.

– Calma, Deltan, calma. Vamos agravar – disse Douglas Fischer, um dos líderes da equipe de procuradores que assessoram o procurador-geral, que também estava no hotel.

– Vamos como?

– Já estou preparando. Recebemos orientação do Janot, vamos fazer um agravo a todo o plenário.

– Você vai mandar um memorial para cada ministro? – perguntou Deltan.

– Mais do que isso. Vamos dar todas as informações. Pode deixar, já estou preparando.

O sol continuava convidando para a praia, mas os procuradores, reunidos num canto do restaurante, discutiam o passo seguinte em um momento delicado. Letícia sorriu e pensou que tinha acertado quando entrara, quase dois anos antes, na sala de Deltan dizendo que ele tinha que trabalhar na Lava Jato, uma oportunidade histórica no combate à corrupção. Ele havia relutado, mas acabara aceitando ser coordenador da força-tarefa do MPF. Naquela manhã no Ceará, por um minuto Deltan pareceu desanimado, talvez porque tivesse dormido pouco durante a noite.

– Isso não pode acontecer, nos enfraquece. Não é que só nós sabemos fazer as coisas, é que um colega de outro estado tem outras prioridades e não está tão familiarizado quanto nós com cada minúcia da investigação. Além disso, tudo é o mesmo esquema.

O primeiro fatiamento

A primeira parte fatiada foi a da Consist, que envolvia os ex-ministros Paulo Bernardo e Gleisi Hoffmann, senadora pelo PT do Paraná. O caso fora para São Paulo, apesar de pertencer ao mesmo conjunto de processos que formavam a Lava Jato e de o casal de políticos ser de Curitiba. Um dos procuradores viajou a São Paulo para entregar o processo e sentiu que lá não havia o mesmo senso de urgência. Os procuradores paulistas tinham seus próprios processos, e os prazos com os quais trabalhariam poderiam não seguir o ritmo forte do andamento da Lava Jato. Desde que a decisão tinha sido tomada, em 23 de setembro, esse era um dos medos dos investigadores. Depois o MPF reforçou a equipe que cuidava do caso em São Paulo.

Horas antes de começar aquela sessão do Supremo Tribunal Federal que decidiria se o juiz Sergio Moro e o ministro Teori Zavascki seriam responsáveis por todos os processos da Lava Jato ou somente pelos relacionados a fraudes na Petrobras, procuradores trocavam mensagens entre si. Era evidente a preocupação com a possibilidade de processos importantes, como fraudes no Ministério do Planejamento, no Ministério da Saúde, na Eletronuclear e na usina hidrelétrica de Belo Monte, serem tirados de Sergio Moro. O temor era de que partes do processo mais importante do país poderiam sair das mãos de quem tinha o conhecimento acumulado do esquema criminoso. Iriam então para magistrados que teriam que refazer o caminho já percorrido. No mínimo, se perderia tempo.

Na entrada da sala de sessões do Supremo, o procurador-geral da República, Rodrigo Janot, estava aparentemente tranquilo. Chegou sorridente, brincando com jornalistas que o aguardavam. "Fala com a gente, procurador, só um minutinho", pediu um repórter. Janot se virou, fez o gesto de "um" com o dedo, respondeu "Falo. Só um minutinho!" e entrou aos risos. Mas aquele não era um dia comum. Até o chefe de gabinete de Janot, Eduardo Pellela – homem de confiança do procurador e muito atuante no grupo de trabalho da Lava Jato –, que não costuma acompanhar as sessões, foi à Suprema Corte. Saiu pouco antes do fim, quando já se desenhava o primeiro fatiamento da investigação.

O Supremo discutiria se um processo iniciado no Paraná, na 18ª fase da Lava Jato, a Pixuleco II, deveria ser dividido. Se fosse, a citação contra a senadora Gleisi Hoffmann ficaria na Suprema Corte, e o restante, contra o ex-vereador do PT Alexandre Romano – de Americana, São Paulo –, iria para a primeira instância. O ministro Teori Zavascki havia declinado da competência sobre o caso de Gleisi. Afirmou que o inquérito não era dele porque não abordava fraudes na Petrobras, e sim no Ministério do Planejamento. Em se tratando de casos que não têm vinculação evidente, é preciso redistribuir para outro relator.

O presidente do Supremo, Ricardo Lewandowski, também achou que não havia conexão e mandou sortear novamente o caso entre os outros ministros. Dias Toffoli foi o escolhido. A Procuradoria-Geral da República recorreu. Se Teori deixasse de ser o juiz natural de fatos da Lava Jato que não tratassem da Petrobras, Moro perderia automaticamente a competência para os desdobramentos que não se referissem à estatal. O julgamento começou com a fala de Dias Toffoli, relator, que primeiro fez apenas um resumo do episódio. Em seguida, a palavra foi dada ao Ministério Público. Rodrigo Janot defendeu a unificação dos casos com um juiz.

"Existe uma operação de mesma maneira, mesmos atores, mesmos operadores econômicos, que atuaram no fato empresa Consist (que tinha contratos com o Ministério do Planejamento) e no fato empresa Petrobras. Não estamos investigando empresas nem delações, mas uma enorme organização criminosa que se espraiou para braços do setor público", afirmou o procurador.

Após a fala de Janot, veio o voto do relator, e foi um baque para os integrantes da Lava Jato. Toffoli era a favor do fatiamento. Se o voto dele fosse seguido pela maioria, Teori não seria mais o relator de casos que não envolvessem a Petrobras. Toffoli disse que, como o crime, nesse caso, ocorrera em São Paulo, sede da maioria das empresas envolvidas, a legislação indicava que o caso deveria ser julgado lá, onde o delito fora cometido. Ou seja, para Toffoli, Sergio Moro deveria perder um pedaço da operação. Não era o trecho mais relevante, mas era muito importante. E a decisão abria caminho para que os advogados começassem a questionar a competência do juiz em vários outros casos, buscando tirar de sua jurisdição mais pedaços da Lava Jato.

Os ministros Gilmar Mendes e Luís Roberto Barroso questionaram Rodrigo Janot. Se o procurador achava tão relevante manter a unidade da Lava Jato, por que, poucos dias antes, tinha sido a favor de retirar de

Teori as investigações sobre as supostas fraudes em prestações de contas do ministro da Casa Civil, Aloizio Mercadante, e do senador Aloysio Nunes Ferreira, do PSDB? As denúncias feitas pelo empresário Ricardo Pessoa, da UTC, que relatou ter usado dinheiro sujo para financiar candidatos na campanha de 2010, acabaram nas mãos do ministro Celso de Mello.

Janot respondeu a essa e a uma série de outras perguntas. Argumentou, inclusive, que duas empresas que teriam repassado dinheiro a Gleisi Hoffmann ficavam em Curitiba e, por isso, os investigados sem foro privilegiado deveriam ficar sob aquela jurisdição. Mas Dias Toffoli rebateu. Disse que, ao denunciar Alexandre Romano, a Procuradoria escreveu claramente que o crime fora cometido em São Paulo. E se o crime fora cometido em São Paulo, o processo deveria ir para lá. O debate seguiu até que o procurador-geral ficou sem respostas. Nessa hora, Dias Toffoli declarou que não se poderia fazer da Justiça do Paraná o "juízo universal" para os casos de corrupção. "Nenhum órgão jurisdicional, portanto, pode se arvorar em juízo universal de todo e qualquer crime relacionado a desvio de verbas para fins político-partidários, à revelia das regras de competência. Não se cuida, à evidência, de censurar ou obstar as investigações, que devem prosseguir com eficiência para desvendar todos os ilícitos praticados. E há Ministério Público, há Polícia Federal, há juiz federal em todos os estados do Brasil, com uma capilaridade enorme. E não há que se dizer que só há um juízo que tenha idoneidade para fazer uma investigação ou para o seu devido julgamento. Só há um juízo no Brasil? Estão todos os outros juízos demitidos de sua competência? Vamos nos sobrepor às normas técnicas processuais?"

Teori Zavascki deu força ao argumento. Para ele, era uma questão técnica. Se não tem ligação com a Petrobras, o cerne da investigação, deve ir para outros juízos. O ministro Gilmar Mendes foi a voz dissonante: "É questão de grande relevo, senão não haveria disputa no âmbito desta Corte. No fundo, o que se espera é que processos saiam de Curitiba e não tenham a devida sequência em outros lugares. É bom que se diga em português claro." Gilmar Mendes lembrou, mais uma vez, que se tratava "do maior caso de corrupção do mundo". "Pode mandar um processo para a vara de Cabrobó. Não terá o mesmo apoio. Sem falar no fio da meada e no conhecimento acumulado durante a investigação."

O fio da meada. Este era o ponto. Não que se quisesse fazer de Moro o "juízo universal", mas ele mergulhara no assunto e tinha puxado todos os fios daquele complexo novelo. Mesmo assim, ao final, por oito votos a dois (vencidos Gilmar Mendes e Celso de Mello), o Supremo entendeu que Teori Zavascki não era o juiz natural de fatos que não se relacionassem especificamente a fraudes na Petrobras. Por sete votos a três, os ministros decidiram tirar a investigação sobre fraudes no Ministério do Planejamento das mãos de Sergio Moro. Além de Gilmar Mendes e Celso de Mello, Luís Roberto Barroso foi contra, por entender que cabia ao próprio juiz do Paraná se declarar incompetente ou não para prosseguir. Mas eles foram votos vencidos.

Enquanto os jornalistas corriam para enviar as informações do julgamento para as redações, o procurador-geral da República, Rodrigo Janot, saía às pressas do tribunal. Somente uma repórter, do jornal *O Estado de S. Paulo*, chegou a tempo de alcançar o procurador, que se dirigia para o carro oficial. Ela perguntou o que ele havia achado do julgamento. E ouviu de Janot: "*Roma locuta, causa finita*." Ou seja, quando Roma fala, o caso está encerrado. O procurador fechou a porta do carro e saiu rápido.

Um balanço da Lava Jato

Nessa época a Lava Jato já havia produzido um volume de fatos, informações, investigados, enfim, de resultados que surpreendia até os procuradores. A operação quebrara paradigmas e entregara ao país princípios que sempre pareceram distantes dos cidadãos comuns. *Erga omnes* é o oposto da lógica do privilégio para os mais ricos. O país em que os que têm poder, influência e dinheiro sempre foram poupados da dureza da lei mostrava que, sim, a lei era para todos. A Lava Jato fortaleceu o Ministério Público, por isso o auditório em que Deltan daria uma palestra naquele encontro no Ceará, junto com o procurador Diogo Castor de Mattos, ficou lotado. O tema de sua palestra foi "MPF e o combate à corrupção". Havia ali procuradores ligados às questões ambientais, à educação e à Justiça de Transição, que busca punição para os crimes da ditadura militar. São muitas as áreas nas quais o Ministério Público atua, mas nos últimos anos os escândalos em série e a indignação da sociedade indicavam que era preciso mais dedicação ao combate à corrupção.

O mensalão colocou na prisão um ex-ministro e um ex-tesoureiro do

PT, entre vários outros condenados, mas quando o caso começou a ser investigado, a partir da denúncia do ex-deputado Roberto Jefferson, muita gente estava convencida de que não iria adiante. Uma engenharia financeira semelhante, com o mesmo objetivo de tirar dinheiro de negócios com o Estado para entregar a pessoas e partidos, já fora montada na Petrobras na época. Quando estourou o mensalão, essa outra frente continuou em atividade. Os sete anos do processo foram surpreendendo o país, mas, pelo que se viu nas investigações, não intimidaram os envolvidos na Lava Jato. Durante todo esse tempo, eles continuaram extraindo dinheiro da Petrobras. A certeza da impunidade tem raízes profundas no país. *Erga omnes* nunca foi um princípio com o qual o país tenha se acostumado a conviver. A Lava Jato tentou quebrar essa tradição.

"Quero dizer, para começar, que esta não é uma investigação partidária. Não somos contra o partido A, B ou C. Estamos combatendo uma prática velha no Brasil", explicou Deltan no início da sua palestra aos colegas. O procurador falou sobre como a investigação conseguiu chegar mais longe do que outras, mas também sobre o que é preciso fazer para ir além da Lava Jato, para que investigações como essa não sejam uma exceção, e sim a regra. Em busca desse objetivo, Deltan Dallagnol acabou se envolvendo na campanha "As 10 medidas contra a corrupção". Alguns dos seus colegas discordavam e achavam que esse não era o papel do Ministério Público.

– Nós somos técnicos, Deltan, isso quem tem que fazer é a sociedade, e não nós – dissera Orlando no café da manhã antes da palestra.

– Se ninguém se interessasse, eu deixaria de lado, mas há mais de 400 mil assinaturas – respondera Deltan.

As 10 medidas surgiram a partir de estudos desenvolvidos pelos procuradores da força-tarefa da Lava Jato. Comissões de trabalho foram montadas pelo MPF para preparar as propostas de mudanças com o objetivo de combater a corrupção. Depois foi lançada uma campanha para reunir 1,5 milhão de assinaturas e apresentar as 10 medidas em projetos de lei de iniciativa popular. O número de assinaturas continuaria aumentando rapidamente nas semanas e meses seguintes.

O objetivo é atacar a corrupção em várias frentes ao mesmo tempo e torná-la um crime de alto risco. As medidas começam com mais prevenção, controle e transparência dentro do governo e das empresas e, depois do crime cometido, com penas mais duras e o fechamento de brechas na lei, que hoje abrem caminho para a impunidade por meio de infinitos recursos ou anulações de processos. O condenado fica mais tempo preso, até para garantir que o dinheiro desviado seja recuperado e devolvido aos cofres públicos. Há também mudanças, como a criação de testes de integridade e a criminalização do enriquecimento ilícito de funcionário público. A corrupção de altos valores passa a ser crime hediondo. A campanha ganhou o apoio imediato de várias personalidades, artistas, intelectuais e, ao longo dos meses, foi conseguindo se aproximar de seu objetivo. No Natal de 2015 chegou a 1 milhão de assinaturas. Perto do Carnaval, a 1,5 milhão, o mínimo exigido por lei. Mas no final de março de 2016, quando as assinaturas foram entregues ao Congresso, esse número já alcançava o recorde de 2 milhões e 28 mil. As propostas se transformaram em um projeto de lei de iniciativa popular que começou a tramitar no Congresso. "Nós temos que mudar essa cultura de que uns são mais iguais que os outros perante a Justiça", dizia Deltan nas palestras, incentivando uma velha esperança.

Essa é a mesma convicção do juiz Sergio Moro: que a ação da Justiça tem que ser neutra, igualitária, republicana. Ao longo dos seus caudalosos despachos, Moro foi firmando princípios, ressaltando valores que devem organizar a vida dos cidadãos brasileiros. Um deles é o de que a Justiça é igual para todos. Até maio de 2016, Sergio Moro já tinha dado 19 sentenças condenando 75 pessoas. As penas somadas ultrapassavam os 1.000 anos de prisão. Faltava julgar 33 ações penais. E duas ações ele tinha perdido para outros tribunais por causa do fatiamento: o processo do caso Consist e o da Eletronuclear. Mas Moro estava satisfeito naquele momento. Se a Lava Jato acabasse ali, já teria deixado um legado. Nunca tanta gente poderosa tinha ido para a cadeia, nunca se revelara tanto sobre o funcionamento da máquina da corrupção no Estado brasileiro, nunca tantos decidiram contar o que sabiam, entregaram tanto dinheiro roubado e passaram a ser colaboradores da Justiça, termo técnico para o que a imprensa chama de delatores. A operação teve idas e vindas, momentos de sobressalto e avanços inéditos. Tudo foi superlativo na Lava Jato. O balanço parcial mostrava que, de 17 de março de 2014 até maio de 2016, tinham acontecido 30 fases, 39 ações penais haviam sido instauradas e 13 ações desmembradas.

Outro princípio defendido por Moro foi o da transparência, de que os processos deveriam ter publicidade, ou seja, tudo o que puder ser divulgado tem que estar ao alcance dos cidadãos porque, como ele disse, "a Justiça não pode ser a guardiã de segredos sombrios". Moro não é o único juiz que pensa assim ou que é capaz de conduzir um processo dessa envergadura. Mas ele conseguiu. Ele e os procuradores estão convencidos de que é preciso informar a opinião pública de tudo o que for possível. Isso incomoda os investigados e os advogados de defesa, que durante todo o tempo acusam Moro e os procuradores de "vazamentos seletivos". O trabalho dos jornalistas sempre foi intenso: houve e há muita competição entre os veículos e muito foi publicado sobre partes do processo. Mas quase todo o material que chegou à imprensa veio da leitura cuidadosa do que estava exposto, dentro da lei, na divulgação eletrônica. Como explicava Moro: a publicidade tem que ser a regra em qualquer processo. Apenas o que está sob segredo de Justiça deve ser mantido em sigilo, ou seja, o que ainda está sendo investigado não é divulgado. Mas tudo o que não está pode ser acessado, na íntegra. É da leitura dessa grande quantidade de informações que a imprensa retira a maioria das matérias mais importantes.

Segundo as críticas de alguns dos advogados de defesa, o processo tinha mais delatores que investigados. É verdade que a Lava Jato conseguiu um número inédito de colaborações, mas ao fim de quase dois anos, desde seu início oficial, havia mais de 140 investigados e cerca de 60 delatores. Durante os primeiros dois anos, a República brasileira tremeu, torceu, tomou sustos. Houve um momento em que realmente se podia dizer que ninguém dormia, *Nessun Dorma*, como na ária da ópera de Puccini. Pelo menos a Justiça não parecia dormir. Foram muitas as manhãs que começaram com as surpresas de mais uma fase da Lava Jato nas ruas, batendo em endereços antes nunca visitados pela Justiça. Entre ações penais, inquéritos, mandados de quebra de sigilo fiscal, bancário, telemático, telefônico, busca e apreensão, prisão, pedidos de compartilhamento de informações, sequestro de bens, representações criminais e outros procedimentos, foram mais de 1.200 autos ou processos.

Outra vitória das mais importantes: nunca na história se conseguiu recuperar tanto dinheiro roubado como nessa investigação. Antes da Lava Jato, a maior quantia que o país tinha recebido de dinheiro desviado em um único processo era de 45 milhões de reais. Em abril de 2016, a Lava Jato já recuperara, em acordos de colaboração, 2,9 bilhões de reais. Entre os condenados, Barusco foi o que devolveu a maior quantia, 97 milhões de dólares. O dinheiro fica em uma conta à disposição da Justiça e depois é devolvido aos cofres da empresa lesada. Em 2015, a Petrobras recebeu duas devoluções, que chegaram a quase 300 milhões de reais.

Não foi a primeira, nem será a última operação contra a corrupção, mas, a partir dela, ficará difícil repetir com a mesma tranquilidade um esquema de roubo aos cofres de uma estatal. E não foi uma empresa qualquer, foi a maior delas. A Petrobras perdeu valor de mercado, teve troca de diretoria, ficou meses sem balanço auditado, perdeu o grau de investimento, teve um prejuízo recorde. A operação ajudou a estancar a retirada de recursos em cada contrato da empresa, por isso não pode ser acusada pelos problemas atuais. Pelo contrário. A fragilidade financeira da Petrobras foi resultado dos crimes desvendados. A Lava Jato é, na verdade, a possibilidade de recuperação da empresa.

O sucesso da Lava Jato se deve, em parte, ao bom ritmo que Moro imprimiu aos processos em sua vara. Mas, num país em que sempre se criticou a Justiça por morosidade, o juiz foi acusado do contrário: de tomar decisões rápido demais, de ser açodado e de fazer todo o trabalho, assumindo em sua vara o que deveria estar em outros estados ou instâncias. Moro trabalhou sempre com um grupo reduzido. A vara que sacudiu o Brasil tem apenas 15 funcionários, um assessor e o juiz. Ele tinha prometido celeridade, e foi o que entregou ao país. Mas isso teve um custo.

Em outubro de 2015, em um seminário em São Paulo realizado pela revista inglesa *The Economist*, Moro admitiu que estava cansado. Com razão. Foi um tempo intenso, de muito trabalho e muita pressão, desde o primeiro passo do caso, que foi a quebra do sigilo do Posto da Torre, em Brasília, no dia 11 de julho de 2013. Oficialmente, como se sabe, a Lava Jato começou em 17 de março de 2014, mas desde julho de 2013 até o fim de outubro de 2015, em que ele falava para uma plateia de empresários, jornalistas estrangeiros e economistas, um turbilhão passara pela vida do juiz e do país. E tudo em menos de dois anos e meio. Pouco tempo para muitos acontecimentos e revelações. Pediram no evento que Moro falasse do caso mais famoso dos últimos tempos. No tom sereno de sempre, ele fez um rápido balanço:

"Esse caso começou, como todo caso, com uma menor dimensão. Estávamos investigando, na verdade a Polícia Federal e o Ministério Público estavam investigando, quatro supostos doleiros e um deles em especial, o Alberto Youssef. O aprofundamento das investigações acabou trazendo outros fatos, entre eles a Petrobras. No fundo é como se fosse puxar um fio e de repente vem um novelo e depois do novelo vem um... eu ia falar um gato, mas aparentemente veio um monstro. Difícil. Claro que quando começou a investigação ninguém tinha ideia exata da dimensão dos fatos que seriam revelados por ela. É difícil prever o que acontecerá no futuro, depende-se muito das provas que forem surgindo. A investigação criminal muitas vezes leva a pistas, mas outras vezes se chega a becos sem saída. É um pouco imprevisível. Gostaria, até por uma questão pessoal... confesso que estou um pouco cansado do trabalho... que estivéssemos chegando perto de algum final."

Moro falou ainda sobre os parâmetros que devem ser seguidos nos processos:

"O que determina a ação do juiz são os fatos, as provas e a lei. Em processos envolvendo crimes complexos, envolvendo personagens poderosos, economicamente ou politicamente, a opinião pública é fundamental para que o juiz possa fazer valer a lei, as provas e os fatos. Não tenho nenhuma dúvida de que a opinião pública tem se posicionado majoritariamente a favor dos trabalhos que têm sido feitos, e ela tem sido fundamental."

Na mesa, um dos representantes da revista, com forte sotaque britânico, perguntou se tudo aquilo poderia ser definido como "uma expedição de pesca", em que ele esperava para ver o que sairia. Sua resposta arrancou gargalhadas da plateia, mostrando mais uma vez que, apesar da cara sempre séria, Moro tem um senso de humor afiado: "Tem vindo bastante peixe."

Julgando peixes grandes

Alguns dos maiores empresários da construção pesada sentaram-se diante do juiz Sergio Moro. Foram dirigentes de empresas tradicionais, como Odebrecht, Andrade Gutierrez e Camargo Corrêa, ou de grupos com uma história mais curta porém de rápida ascensão no ramo dos negócios com o governo, como a Engevix. Todos demonstraram o mesmo respeito ao juiz definido como inflexível. Ao ficar frente a frente com Moro, só Marcelo Odebrecht se comportou como se ainda estivesse na cabeceira da mesa e fosse o CEO que mandava em todo mundo. O neto do fundador da maior empreiteira do Brasil entregou a Moro um texto por escrito em que fazia a si mesmo 60 perguntas e depois as respondia. Era um réu diante do juiz, mas dizia, com seus gestos e palavras, que só aceitava responder a perguntas feitas a ele por ele mesmo. Sergio Moro não se abalou nem nos mais irritantes momentos dessa audiência, como naquele em que o empresário pediu para fazer considerações iniciais e se recusou a responder às perguntas do juiz.

Esse depoimento, no dia 30 de outubro de 2015, é um exemplo da linha de defesa deste grande empreiteiro. Quando Moro fez a pergunta-padrão – se ele permaneceria em silêncio ou falaria –, Marcelo disse que falaria. Mas não respondeu às perguntas. No que chamou de "considerações iniciais", ele acusou o Ministério Público de não ouvi-lo, a Justiça de não permitir que seus advogados tivessem acesso a documentos do processo e até de terem quebrado o sigilo telefônico de suas filhas menores. Moro contestou a quebra de sigilo dos telefones das filhas. Diante da interrupção, Marcelo pediu que o juiz o deixasse falar. Moro perguntou a que documentos sua defesa não tivera acesso. Ele não respondeu e de novo pediu para continuar fazendo suas considerações iniciais. E assim foi. Só ele falava, não permitia contestação às suas afirmações, não respondia às perguntas de Moro. Acusou a Justiça de "publicidade opressiva", de "perigoso prejulgamento". Disse que discordava do formato de respostas orais a perguntas cheias de ilações. Moro ouviu tudo sem perder a calma. O empreiteiro estava dizendo ao juiz que as perguntas que ele faria teriam ilações e que ele discordava do formato estabelecido pela lei para o processo. Marcelo Odebrecht assumia, portanto, os dois papéis – de juiz e de réu.

– Por isso estou encaminhando, por escrito e de forma de-ta-lha-da, respostas a todos os questionamentos, absolutamente todos os fatos que me são imputados.

Moro apenas repetia "Ahã". Já passava de dez minutos que Marcelo Odebrecht estava fazendo suas considerações iniciais e ainda não aceitara responder a qualquer pergunta do juiz. Alegou que era inocente de tudo, exaltou a política empresarial da Odebrecht, disse que 150 mil famílias dependiam da empresa, e indiretamente um milhão de famílias, mas, quando Moro perguntou pelas contas no exterior, ele simplesmente disse que continuaria fazendo suas considerações iniciais. Depois de falar por 11 minutos e 35 segundos, o empresário aceitou ouvir a primeira pergunta do juiz. Mas não a respondeu, alegando que já tinha encaminhado todas as respostas por escrito. Moro ponderou que as respostas orais eram mais relevantes do ponto de vista probatório, mas perguntou ao advogado:

– Ele vai responder às perguntas ou não? Essa é a questão.

O advogado insistiu na mesma linha, dizendo que ele já havia respondido tudo. Mas o juiz nem sequer fizera as perguntas.

– O senhor é presidente da holding Odebrecht? – perguntou Moro.

– É uma das perguntas já respondidas – disse Marcelo.

– Uma dúvida temporal: quando o senhor assumiu a Odebrecht?

– Também já está respondida.

O juiz quis saber sobre as contas na Suíça, dando o nome delas. Marcelo Odebrecht disse que já havia respondido. Depois de várias perguntas sem resposta, Moro passou a palavra ao Ministério Público, que também quis saber sobre as contas na Suíça, e, de novo, o empresário alegou já ter respondido. Em notas oficiais, a Odebrecht negara a propriedade das contas, mas o MP tinha provas de que contas oficiais da empresa nos Estados Unidos enviaram recursos para as da Suíça. Perguntado sobre isso, ele disse que não lhe cabia responder pela construtora. A empresa faz parte da holding que ele presidia. Foram 22 minutos em que o dono da maior empreiteira do país se mostrou alheio às demonstrações da Justiça, da Polícia Federal e do Ministério Público Federal de que é preciso dar um basta ao roteiro da impunidade no Brasil.

O curioso é que o empresário Marcelo Odebrecht começara dizendo que o Ministério Público não o ouvira, apesar de seu interesse em colaborar. No entanto ali, diante do juiz e do Ministério Público, o que ele dizia é que só responderia às próprias perguntas. Meses depois, Marcelo Odebrecht foi condenado a 19 anos e 4 meses de prisão neste processo. Na decisão, o juiz Sergio Moro diz que, "embora a presente sentença não se dirija contra o próprio grupo Odebrecht, tomo a liberdade de algumas considerações que reputo relevantes". Em seguida, faz algumas recomendações à empresa:

"O grupo Odebrecht, por sua dimensão, tem uma responsabilidade política e social relevante e não pode fugir a elas, sendo necessário, como primeiro passo para superar o esquema criminoso e recuperar a sua reputação, assumir a responsabilidade pelas suas faltas pretéritas." E conclui: "A admissão da responsabilidade não elimina o malfeito, mas é a forma decente de superá-lo, máxime por parte de uma grande empresa." A defesa recorreu dessa decisão com o argumento de que houve um grave erro da Justiça porque todos os delatores ouvidos e as testemunhas inquiridas no processo isentaram Marcelo Odebrecht.

Quando o caminho é falar

Outros envolvidos na Lava Jato, como Ricardo Pessoa, dono da UTC, não tiveram o mesmo comportamento de Marcelo Odebrecht e resolveram colaborar com a Justiça. Por isso estão em situação completamente diferente. Uma vida ainda restrita, mas muito mais confortável.

A tornozeleira eletrônica que Ricardo Pessoa usa é quase imperceptível. No acordo de delação premiada homologado pela Justiça, Pessoa foi autorizado a trabalhar, mas tem várias regras a seguir. Se deixar de cumpri-las, volta para a cadeia. Por exemplo, não pode se encontrar com os demais acusados da Lava Jato e não pode sair do escritório nem para ir ao dentista sem autorização do juiz. Ele chega diariamente à sede da UTC/Constran, na Chácara Santo Antônio, em São Paulo, às oito da manhã e tem que voltar para casa até as dez da noite. Por isso, entre oito e nove da noite, deixa a empresa para jantar em casa com a mulher e duas filhas. Está proibido de viajar, principalmente para o exterior. Entregou o passaporte à Justiça.

Pessoa faz o trajeto de ida e volta ao trabalho em seu novo carro blindado. Até ter sido preso, no dia 14 de novembro de 2014, dirigia um Honda 2008. Mas, quando ganhou a liberdade, em junho de 2015, os diretores da UTC lhe compraram um carro blindado zero. Temem que ele seja alvo. Afinal, depois que ganhou habeas corpus para sair da cadeia, Ricardo Pessoa, de 63 anos, optou por colaborar com a Justiça, delatando políticos e amigos empresários. Por ele, diz, continuaria com o carro velho mesmo. Não gosta de ostentação. Tanto que ainda não mandou trocar o vidro trincado do relógio de pulso.

Sempre mascando chiclete de nicotina – era fumante inveterado e parou de fumar na carceragem da Polícia Federal de Curitiba, onde ficou preso durante seis meses –, Pessoa emagreceu 15 quilos desde o dia da sua prisão. Tem sempre o semblante preocupado. Como vice-presidente do Conselho Administrativo da UTC, se concentra em estudar como salvar sua empresa. A UTC faturava 5 bilhões de reais por ano e agora fatura só 2 bilhões. Tinha 26 mil funcionários e hoje tem menos de 15 mil. A empresa está proibida de realizar novos contratos com a Petrobras, que era sua maior cliente. Os negócios não vão bem, embora ele não pense em pedir recuperação judicial como fizeram OAS, Galvão e Alumini. Ainda tem duas grandes obras em andamento: a do Aeroporto Internacional de Viracopos, em Campinas, e a da Linha 6 do Metrô de São Paulo. Está renegociando algumas dívidas junto a bancos.

Embora preocupado com o futuro, sobretudo da empresa, o empresário acha que fez um bom negócio ao fechar acordo de colaboração premiada. Sentia-se "torturado" na cadeia, tendo que dividir uma cela minúscula de 12 metros quadrados com outros quatro presos e com apenas uma latrina no chão para que todos fizessem ali suas necessidades.

"Eu me sinto aliviado por ter feito a delação", disse o empresário a amigos na UTC. E explicou que agora sabe que, qualquer que seja a pena imposta pelo juiz Sergio Moro, cumprirá a sentença em prisão domiciliar e com grande redução no tempo de condenação. Sem a delação, acabaria pegando uma pena de pelo menos 20 anos de cadeia.

Na delação, Pessoa contou como funcionava o clube das empreiteiras que atuava na Petrobras, mas fica revoltado quando dizem que ele era o chefe do clube VIP, o coordenador das empreiteiras.

"Como é que o dono de uma empreiteira de 5 bilhões de reais pode ser chefe de um clube do qual participam outras empresas que faturam 100 bilhões de reais, como a Odebrecht? Eu não era chefe de nada. Na verdade, nas reuniões eu era o único presidente de uma das empresas e as demais mandavam diretores. Como eu fui presidente da Abemi, tinha certa liderança sobre os demais, mas chefe não. Tanto assim que a melhor obra da Petrobras, a Rnest [mais conhecida como Refinaria Abreu e Lima], em Pernambuco, avaliada em 60 bilhões de reais, não tem um prego da UTC. Se eu mandasse tanto como dizem, a UTC teria pego obras na Rnest", costuma explicar Pessoa a assessores.

De uma coisa Pessoa se arrepende profundamente. Foi de ter criado uma divisão de incorporação de imóveis. A empresa se associou à GFD, do doleiro Alberto Youssef, na construção de hotéis em Porto Seguro e em Aparecida, São Paulo. Além disso, os dois montaram também um empreendimento imobiliário em Lauro de Freitas, na Bahia, cujas obras ainda não terminaram. "Embora o negócio tenha sido todo legal, fui acusado de ter me associado ao Youssef em empreendimentos para lavagem de dinheiro. Todo o dinheiro investido no projeto foi feito com TED bancária, tudo por dentro. Inclusive o dinheiro aplicado pelo Youssef, mas ficou a pecha de negócio obscuro", costuma lamentar-se Pessoa.

Paulo Roberto Costa é outro que lamenta não ter feito algumas coisas de forma diferente no caso da Lava Jato. Mesmo assim, chegou ao fim de 2015 em uma situação confortável, morando em Itaipava, região serrana do Rio. A pena foi de permanecer em prisão domiciliar até 1º de outubro de 2016, data marcada para a progressão para o regime aberto. Sua rotina é tranquila, a não ser pelas viagens para prestar depoimentos. Uma das mais cansativas foi para Curitiba, onde teria de enfrentar um velho conhecido: Fernando Baiano.

Foi uma longa acareação. Paulo Roberto e Baiano chegaram a Curitiba às duas da tarde de uma quinta-feira e foram direto do aeroporto, sem almoço, para a Polícia Federal, na esperança de que lá conseguissem ao menos um sanduíche. Só havia café, água e alguns chocolates que o delegado tinha na mesa para oferecer às visitas. Assim as horas passaram. Só depois das nove da noite começou a segunda acareação, especificamente sobre o ex-ministro Antonio Palocci e a doação de 2 milhões de reais para a campanha de Dilma Rousseff em 2010. E ela durou três horas.

O momento mais tenso do longo dia foi quando Baiano contou que tinha ido a Brasília e passeado pela Esplanada dos Ministérios com Paulo Roberto Costa em um carro oficial da Petrobras. Paulo Roberto disse que nunca, jamais, iria andar com Fernando Baiano por Brasília em um carro oficial da estatal. A acareação só terminou na madrugada de sexta-feira. Como Paulo Roberto Costa teria mais um compromisso com a Lava Jato na terça-feira seguinte, a Polícia Federal decidiu que era melhor que ele ficasse em Curitiba. Passaria o fim de semana trancado em um hotel, sob escolta da PF.

Ao longo dos meses, várias vezes, quando menos se esperava, uma nova porta se abria na investigação e um novo mundo se revelava aos investigadores. Foi assim quando um dia, na carceragem da PF em Curitiba, mais um importante personagem da Lava Jato, Pedro Corrêa, decidiu fazer delação premiada. O ex-deputado federal e ex-líder do Partido Progressista, que admitia aos amigos, em tom de brincadeira, que cometia ilegalidades desde sempre, sentou-se com os procuradores e fez uma longa lista de coisas sobre as quais poderia falar. Longa mesmo, a maior da Lava Jato até aquele momento. Se Alberto Youssef tinha se disposto a detalhar suas denúncias em cerca de 60 temas, ou 60 anexos, Pedro Corrêa, como se comentava na época, chegaria a mais de 200 possíveis anexos. Este número depois caiu para algo em torno de 70. Os procuradores contavam que ele chegara a apontar uma denúncia publicada na imprensa e dizer: "Sobre isso eu posso falar, sobre isso eu sei." Alberto Youssef brincava com ele na carceragem. "Esse aí tá entregando coisa até do tempo do general Figueiredo", dizia, referindo-se ao governo do general João Baptista Figueiredo, último presidente da ditadura militar. Assim, nesse clima, foi feita uma nova lista, a lista de Pedro Corrêa.

Mas não foi tão fácil quanto parece. Em certos momentos, Pedro Corrêa relutou em assinar o acordo, firmado finalmente em março de 2016. Durante muito tempo ele resistiu à ideia: não queria entregar amigos, como o ex-deputado João Pizzolatti e o deputado Eduardo da Fonte. Por fim, acabou se convencendo de que era o melhor a fazer. Mais velho e cansado, estava diante da possibilidade de passar o resto da vida atrás das grades, pois no final de outubro de 2015 fora condenado a mais de 20 anos. Conversou com vários acusados na prisão, inclusive com José Dirceu, e ouviu de todos que não havia muita saída para ele. Até Alberto Youssef o aconselhou a fazer o acordo e ainda disse que apostava que, caso Pedro Corrêa fizesse uma delação, o MPF assinaria o acordo e a Justiça o homologaria. Corrêa tinha medo por causa do episódio de Ivan Vernon, um dos investigados da Lava Jato que negociou, falou e no fim não conseguiu fechar o acordo de delação. Mesmo com esse antecedente, o ex-líder do PP fez sua enorme lista e acabou assinando o acordo. E a confissão ganhou ares de resgate histórico. Para os investigadores, dali poderia surgir uma nova operação.

Entre o que ele prometeu de mais importante aos procuradores estava a descrição de alguns eventos mostrando a interferência direta do ex--presidente Lula em escolhas para a Petrobras que seguiriam critérios duvidosos. De acordo com reportagem da revista *Veja*, ao fazer a lista para a delação, Corrêa citou uma reunião de Lula com José Eduardo Dutra, então presidente da Petrobras. Nela, Lula teria determinado a Dutra que nomeasse Paulo Roberto Costa para a diretoria da Petrobras, para atender o deputado Janene. Segundo Corrêa, Dutra argumentou que, naquele caso, não era tradição nomear alguém daquela forma, até porque outro diretor havia assumido menos de um ano antes. Lula então disse que o pedido de Janene tinha que ser atendido. E concluiu: "Tradição por tradição, nem você poderia ser presidente da Petrobras nem eu presidente da República. É para nomear o Paulo Roberto. Tá decidido."

Segundo a *Veja*, Pedro Corrêa também prometeu detalhar na delação um episódio que teria acontecido, em 2011, no início do governo Dilma, quando Paulo Roberto Costa parou de pagar propina a deputados do PP. Como Janene já havia morrido e Youssef tinha assumido de vez a "tesouraria" do esquema para o partido, Corrêa procurou o doleiro e foi informado de que Paulo Roberto só voltaria a pagar propina se tivesse um aval do Planalto. Youssef teria deixado claro que manteria o esquema com as empreiteiras, mas só liberaria dinheiro para o PP se o Planalto desse sinal verde. Pedro Corrêa contou que procurou o então secretário-geral da Presidência, Gilberto Carvalho, do Paraná como ele, e a senadora Ideli Salvatti e explicou o caso. Disse que Paulo Roberto Costa só voltaria a liberar o dinheiro do esquema se o Palácio do Planalto confirmasse a ordem. Depois dessa conversa, de acordo com Pedro Corrêa, o PP voltou a receber o dinheiro. O ex-deputado não possuía provas de que tivesse havido uma autorização superior, mas ponderou que nem Gilberto Carvalho nem Ideli Salvatti teriam poder para resolver aquela situação. Essas histórias eram apenas uma amostra do que Pedro Corrêa tinha para contar. Uma confissão com potencial de, mais uma vez, levar ao limite o sistema político do Brasil.

Quem sabe se por isso, ou pelo que se veria semanas depois, circulou no Supremo Tribunal Federal a informação, publicada pela *Folha de S.Paulo*, de que o ministro Teori Zavascki teria comentado com colegas que, na Lava Jato, o pior ainda estava por vir.

A hora do amigo de Lula

Quando parecia que o intenso ano da Lava Jato estava começando a se acalmar, tudo recomeçou. Na manhã do dia 24 de novembro, uma terça-

-feira, a Polícia Federal prendeu o pecuarista José Carlos Bumlai, grande amigo do ex-presidente Lula, que durante seu governo tinha entrada franca no Palácio do Planalto. Na época, havia um comunicado na porta da sede do governo avisando que ele poderia entrar quando quisesse. Por isso, a 21ª fase da Operação Lava Jato foi batizada de Passe Livre. Bumlai era o principal alvo. Os pedidos de prisão e de busca foram solicitados pelos procuradores do Ministério Público Federal que acompanhavam seus movimentos desde que ele foi citado pela primeira vez em um depoimento de Paulo Roberto Costa, em 2014. Naquela terça, além de prender o pecuarista em um hotel de Brasília, os policiais levaram seis pessoas para prestar depoimento. Entre elas, estavam dois filhos e uma nora do empresário. As investigações incluíam a família.

Eles eram suspeitos de participar de um complexo esquema de corrupção que, de acordo com as investigações, funcionava assim: o PT tinha uma dívida, o empresário se endividou para pagar a dívida, o banco deu um empréstimo que foi quitado quando a empresa de engenharia do banco ganhou um contrato sem licitação com a Petrobras. Mas as versões e as histórias que surgiram depois são ainda mais espantosas.

Os investigadores começaram puxando o fio da contratação da Schahin Engenharia para operar o navio-sonda *Vitória 10000*. De acordo com os procuradores do MPF, o contrato só foi assinado pela Petrobras porque o Banco Schahin aceitou quitar, de forma fraudulenta, o empréstimo de 12 milhões de reais concedido formalmente a José Carlos Bumlai, mas que se destinava, na verdade, ao Partido dos Trabalhadores. A contratação do navio-sonda e a escolha, por Cerveró, da Schahin como a operadora da sonda foi objeto de auditoria interna na Petrobras. O relatório da auditoria mostra que todas as etapas do negócio quebraram regras da empresa. A denúncia é que Bumlai teria organizado a engenharia financeira que quitou a dívida do PT e, depois, a Petrobras deu o contrato bilionário à empresa do Banco Schahin. A PF investigava também o envolvimento de Bumlai em outros casos suspeitos de corrupção e lavagem de dinheiro.

O juiz Sergio Moro considerou a prisão de Bumlai necessária para "estancar o potencial de dano à reputação do ex-presidente". A suspeita era de que o pecuarista teria usado o nome de Lula para obter vantagens. Nesse trecho do despacho, Moro aproveita para dizer que ali não havia provas contra Lula. "Não há nenhuma prova de que o ex-presidente da República estivesse de fato envolvido nesses ilícitos, mas o comportamento recorrente do investigado José Carlos Bumlai levanta o natural receio de que o mesmo nome seja de alguma maneira, mas indevidamente, invocado para obstruir ou para interferir na investigação ou na instrução. Fatos da espécie teriam o potencial de causar danos não só ao processo, mas também à reputação do ex-presidente, sendo necessária a preventiva para impedir ambos os riscos", escreveu o juiz.

Depois de preso, José Carlos Bumlai foi levado à Superintendência da PF em Curitiba, como muitos outros investigados antes dele. Não foi ouvido imediatamente. Os dias foram passando e ele aguardava. Na esperança de conseguir a liberdade, Bumlai pediu ao juiz Sergio Moro para ser ouvido em audiência. Mas Moro negou e ele foi ouvido pela PF, porém não aproveitou a oportunidade. Contou uma versão mentirosa sobre o empréstimo de 12 milhões de reais. Disse que pegou o dinheiro emprestado para dar um sinal na compra de uma fazenda do grupo Bertin e negou qualquer repasse ao PT.

As provas que levaram à prisão do amigo de Lula eram muito robustas. Foram colhidas por meio de um profundo e detalhado trabalho da Receita Federal e reforçadas por depoimentos de colaboradores, como Eduardo Musa, ex-gerente da área Internacional da Petrobras. Musa foi fundamental para a investigação porque revelou que, desde o começo das negociações do contrato de operação do navio-sonda *Vitória 10000*, já estava certo que a empresa escolhida seria a Schahin Engenharia. Musa tinha ouvido isso da boca do seu chefe na época, o ex-diretor da área Internacional Nestor Cerveró. Musa contou que o ex-diretor lhe disse que havia recebido uma orientação "de cima" para fazer isso, justamente por causa do empréstimo de 12 milhões de reais contraído por Bumlai junto ao banco para quitar dívidas do PT.

O lobista Fernando Soares, o Fernando Baiano, acrescentou novos detalhes e mais veracidade à história quando contou, em depoimento, que, desde o final de 2004, Bumlai vinha tentando emplacar o projeto da Schahin na Petrobras para quitar o empréstimo, contraído naquele mesmo ano. Fernando Baiano disse que surgiram dúvidas na diretoria da estatal sobre a capacidade financeira da Schahin, mas que Bumlai teria procurado diretamente o então presidente da empresa, José Sérgio Gabrielli, para superar essas dificuldades. A PF interrogou o ex-presidente do banco, Sandro Tordin, e ele disse que o ex-ministro José Dirceu e o ex-tesoureiro do PT Delúbio Soares também pediram para agilizar a liberação do empréstimo. Por fim, o próprio Salim Schahin, patriarca da família dona do banco, resolveu colaborar e deu os últimos detalhes que faltavam para os investigadores confirmarem que o empréstimo de 12 milhões para José Carlos Bumlai foi mesmo fraudulento. Só uma dúvida permanecia: em que teria sido usado esse dinheiro?

O fio da meada parecia levar muito mais longe, a um caso mais antigo. Fernando Soares e Eduardo Musa disseram que o dinheiro servira para quitar dívidas da campanha presidencial. Porém o publicitário Marcos Valério, condenado no mensalão, contara uma versão diferente. Em um depoimento até hoje não totalmente esclarecido, dado depois da sua condenação e em uma tentativa de reduzir a pena de 40 anos de prisão que recebeu, Marcos Valério contou que esse dinheiro foi usado para pagar um empresário de Santo André que ameaçava fazer revelações bombásticas sobre a morte do prefeito de Santo André Celso Daniel.

Para quitar o empréstimo, foi montado um esquema complexo, cuidadosamente desvendado pelos investigadores. No final de 2005, para pagar "formalmente" a dívida, uma empresa da família de Bumlai que estava inativa, a Agro Caieiras, administrada por Maurício Bumlai, filho de José Carlos, contraiu um segundo empréstimo junto ao Banco Schahin, de 18 milhões de reais. Esse empréstimo também não foi pago e, em 2007, o banco teve de passar a dívida para a securitizadora do grupo ou teria que registrar o valor correspondente como prejuízo. Mas a solução para o impasse estava sendo construída. A essa altura o lobby para a contratação da Schahin como operadora do navio-sonda *Vitória 10000* já estava a pleno vapor. Até o tesoureiro do PT, João Vaccari Neto, estava envolvido nas negociações, segundo Salim Schahin.

O acordo demorou a sair. No começo de 2009, cerca de cinco anos depois do empréstimo intermediado por Bumlai para o PT, o contrato com a Petrobras foi assinado, quase no mesmo dia em que a dívida do pecuarista foi quitada formalmente numa operação que envolveu notas promissórias e uma fictícia venda de embriões para as fazendas da família Schahin. Os embriões nunca foram entregues. Se tivessem sido, haveria outra irregularidade. A fazenda do grupo Schahin que consta no contrato como a que receberia os supostos embriões, a Agropecuária Alto do Turiaçu, fica na terra indígena Awá-Guajá, no Maranhão. Ocupação de terra indígena, como se sabe, também é crime. Mas, segundo as investigações, não houve entrega alguma: tudo aquilo era um esforço para encobrir a fraude. Em 28 de janeiro de 2009, a Schahin ganhou o contrato de operação do navio-sonda. Duração: 30 anos. Valor: 1,6 bilhão de dólares. Os valores começaram a ser pagos pela Petrobras todo mês e a propina foi distribuída. O ex-gerente Eduardo Musa, por exemplo, recebia, em contas na Suíça, depósitos de Fernando Schahin.

A PF também quebrou o sigilo bancário de Bumlai e descobriu coisas que chamaram a atenção, como um grande volume de empréstimos em bancos à beira da falência e dezenas de saques em espécie de valores acima de 100 mil reais, sem justificativa aparente. Como se não bastasse, suas empresas, mesmo em dificuldades financeiras, receberam empréstimos do BNDES. Assim surgiu a suspeita de que ele poderia estar envolvido em várias operações de lavagem de dinheiro, ou seja, Bumlai poderia ser também um operador do esquema de corrupção descoberto pela Lava Jato.

O BNDES admitiu que emprestou para a São Fernando Açúcar e Álcool um total de 395 milhões de reais, em 2008 e 2009. As garantias foram dadas por outras empresas do grupo e pela Bertin. Em 2012, outros 101,5 milhões de reais foram emprestados pelo BNDES, através do Banco do Brasil e do BTG Pactual, para a São Fernando Energia. O BNDES negou as notícias de favorecimento e também a concessão de empréstimo a empresas em dificuldades financeiras ou que estivessem inativas na Receita. Mas a São Fernando entrou em recuperação judicial e, em 2015, o próprio BNDES requereu a falência da empresa.

Diante de diversas provas de irregularidades, em meados de dezembro, mais precisamente no dia 14, José Carlos Bumlai foi interrogado pela Polícia Federal e deu nova versão para o empréstimo. A história que contou é cheia de fatos estranhos. Antes de ser questionado, foi informado de que acabara de ser denunciado pelo Ministério Público Federal pelos crimes de corrupção e lavagem de dinheiro. A notícia foi dada aos advogados por um delegado da Polícia Federal, o que irritou muito a defesa do empresário. O advogado Arnaldo Malheiros Filho protestou: "Não é nada usual e pode ser chamada de temerária a apresentação de uma acusação formal contra quem não foi ouvido, especialmente quando novos esclarecimentos poderiam contribuir para o esclarecimento da verdade", disse o experiente advogado. Mas Bumlai sabia que, naquele momento, ali na Polícia Federal, não havia muito a fazer senão responder às perguntas do delegado. O depoimento durou seis horas e meia.

José Carlos Bumlai admitiu no interrogatório que tomou o empréstimo de 12 milhões de reais no Banco Schahin para repassar o dinheiro ao PT. E mais: apontou o nome de dois ex-tesoureiros do partido, Delúbio Soares e João Vaccari Neto, como envolvidos no negócio, apesar de isentar totalmente o ex-presidente Lula. Delúbio teria sido o primeiro contato sobre esse episódio, em que todos se comportam de forma pouco usual, como mostra o depoimento do pecuarista.

Bumlai disse que, numa noite de outubro de 2004, foi chamado para uma reunião urgente com o presidente do Banco Schahin em Campo Grande. Delúbio já estava lá com dois marqueteiros de campanhas eleitorais que ele conhecia. O pecuarista disse aos policiais que, ao chegar, perto de nove da noite, não sabia o motivo do encontro. O então presidente do banco, Sandro Tordin, explicou que "havia necessidade urgente de se angariar recursos junto ao Banco Schahin". Bumlai afirmou aos policiais que ninguém disse a ele objetivamente o destino dos recursos. Os dois marqueteiros falaram que estavam entrando no segundo turno das eleições municipais e precisavam pagar alguns serviços, mas que devolveriam o dinheiro logo depois. Delúbio afirmou que era uma "questão emergencial" e garantiu que iria pagar logo. Não revelou a razão dessa necessidade urgente de dinheiro. O delegado fez a pergunta que ocorreria a qualquer pessoa: por que ele resolveu atender a esse pedido e contrair uma dívida de 12 milhões de reais a troco de nada? Ele disse que o PT tinha "muita força no cenário nacional" e ele não queria se indispor com seus integrantes. E, por fim, segundo ele, porque não acreditava que o empréstimo sairia. Afinal, naquela noite ele foi embora sem assinar papel algum.

No entanto, dias depois, o presidente do banco em pessoa apareceu na sua casa em Campo Grande, na hora do almoço, com todos os papéis debaixo do braço. Bumlai assinou e seus filhos assinaram também. Durante o almoço, o presidente do banco o chamou de lado e sugeriu que ele transferisse o dinheiro para o PT via Bertin, um grupo que foi sócio de Bumlai em alguns negócios e que poderia ajudar. Era uma maneira de disfarçar a origem do dinheiro. Bumlai pediu a seu velho amigo Natalino Bertin que deixasse o dinheiro passar pelas contas dele e fizesse os depósitos para as contas indicadas pelo presidente do Schahin. Meses depois, em janeiro de 2005, quando venceu a primeira parcela da dívida, Bumlai foi ao Banco Schahin conversar com seu presidente. Sandro Tordin disse que não seria possível quitar a dívida. Segundo ele, a Schahin Engenharia havia conseguido um contrato com a Petrobras, mas em um valor menor do que o necessário para cobrir o empréstimo. Na versão do pecuarista, só então ele soube que a contrapartida da Schahin seria um contrato da Petrobras. Bumlai disse que foi para casa, naquele dia, pensando em pagar ele mesmo esse empréstimo, mas só voltou a tratar desse assunto meses depois, quando estourou o escândalo do mensalão.

Ele conta que, diante da repercussão do mensalão, chamou os filhos e revelou tudo sobre o empréstimo que eles haviam assinado. Os filhos então teriam decidido quitar o empréstimo com parte de uma propriedade da família. Mas o banco não aceitou. Preferiu mantê-lo como "refém", segundo a descrição de Bumlai, por causa da amizade que tinha com o ex-presidente Lula. Foi nessa hora que ele procurou o tesoureiro do PT, que na época já era João Vaccari Neto. Ele contou tudo, inclusive a participação de Delúbio na primeira reunião. Vaccari ouviu calado e disse que ia ver o que poderia fazer. Algum tempo depois, Vaccari voltou com a resposta. A Schahin estava negociando a operação do navio-sonda *Vitória 10000*. O empréstimo seria quitado quando ela conseguisse o contrato. Foi o que aconteceu. Um dia antes da assinatura do contrato da Schahin com a Petrobras, em 2009, Bumlai e o banco criaram a ficção da transferência de embriões de gado para saldar a dívida. O valor emprestado pelo Banco Schahin nunca foi pago formalmente. Ele foi dado como "quitado" sem qualquer pagamento de juros. Afinal, o contrato era uma compensação pelo valor repassado em 2004. No depoimento, no entanto, José Carlos Bumlai descartou a participação do ex-presidente Lula no episódio. Afirmou que é amigo de frequentar a casa dele no fim de semana, mas nunca o procuraria para que interferisse em algum negócio seu. E voltou para a sua cela. Bumlai passou o Natal de 2015 e o ano-novo na cadeia.

Sua versão está cheia de comportamentos estranhos: banqueiro que tem pressa de emprestar e não quer receber de volta; empresário que aceita fazer uma dívida para um partido sem fazer perguntas; um empréstimo de 12 milhões de reais que, para ser quitado, precisa de um contrato bilionário com a Petrobras. E permanece a dúvida sobre a razão da pressa do então tesoureiro do PT Delúbio Soares em ter aquele dinheiro, a ponto de fazer reunião à noite com o banqueiro.

Para resolver conflitos de versões, foi preciso fazer acareação em alguns casos, como no dia 14 de janeiro de 2016 entre o lobista Fernando Baiano e o pecuarista José Carlos Bumlai. Baiano disse que Bumlai havia intermediado um encontro entre ele e o ex-diretor Paulo Roberto Costa com o ex-ministro Antonio Palocci para tratar de dinheiro para a campanha da presidente Dilma em 2010. Segundo Baiano, nessa reunião fechou-se um aporte de 2 milhões de reais para a campanha e teria sido acertada a permanência de Paulo Roberto na diretoria de Abastecimento da Petrobras, em que ele realmente ficou até o fim de março de 2012. A acareação foi necessária porque Bumlai negava – e continua negando – essa reunião. No entanto, ele confessou ter discutido com Fernando Baiano a permanência de Costa na diretoria da Petrobras. O fato que admitiu já é uma enorme irregularidade. Que poderes teriam um lobista e um amigo do presidente, nenhum dos dois membros do governo, para decidir a permanência de um diretor da Petrobras no cargo?

A prisão de Bumlai produziu enorme agitação. Afinal, por muitos anos ele foi visto como pessoa da intimidade do ex-presidente. Mas no dia seguinte à sua detenção aconteceria algo que abalaria muito mais o país. A Polícia Federal amanheceu no Senado Federal. Até aquele 25 de novembro de 2015, nunca um senador no exercício do mandato havia sido preso no Brasil. Seria a primeira vez na história.

Capítulo 11

UM FIM DE ANO COMO NINGUÉM ESPERAVA E UM INÍCIO COM GRANDES NOVIDADES

25 de novembro de 2015

Um senador preso no exercício do mandato

O senador Delcídio do Amaral, do PT de Mato Grosso do Sul, levou um susto quando desceu para tomar café da manhã e deu de cara com agentes da Polícia Federal circulando pelo hotel onde estava hospedado, perto do Palácio da Alvorada, em Brasília. Sem saber o motivo da presença dos policiais, ligou para a pessoa com quem se encontraria naquela manhã. Uma voz desconhecida atendeu dizendo que o dono do aparelho – Maurício Bumlai, filho de José Carlos Bumlai – não poderia falar. Delcídio leu no tablet que José Carlos tinha acabado de ser preso e Maurício fora levado coercitivamente para depor. O senador, que tinha apresentado Bumlai a Lula, tomou café sozinho naquela terça-feira, 24 de novembro, pensando em tudo o que estava envolvido naqueles acontecimentos.

A prisão de Bumlai era um fato grave, que teria consequências dentro do grupo no poder. Não se sabia qual seria o próximo desdobramento, mas alguém com ligação direta com o ex-presidente acabara de ser preso. Delcídio passou o dia acompanhando o desenrolar dos fatos e, por força do cargo que ocupava, de líder do governo, de olho nas votações do Senado. Às dez horas da noite, continuava no plenário. Era um dos últimos ainda lá, assim como Renan Calheiros. Foi nessa hora que ficou sabendo que o ministro Teori Zavascki, do STF, havia convocado uma reunião extraordinária da Segunda Turma do Supremo, justamente a que julga os processos da Lava Jato. A reunião seria na manhã do dia seguinte.

O chefe de gabinete de Delcídio, Diogo Ferreira, chamou o senador num canto e perguntou:

– Você sabe por que o Teori pediu para fazer uma reunião de emergência no STF?

– Não, não sei – respondeu Delcídio.

– Mas é normal isso?

– Não, não é. Se está fazendo isso, é alguma coisa grave.

Antes de dormir, o senador comentou, nas redes sociais, que o governo havia vencido uma maratona de votações naquela terça e completou: "Amanhã tem mais." Foi deitar à uma hora, depois de tomar um uísque e comer camarão, sem imaginar que no dia seguinte, no mesmo hotel, haveria mais um fato estarrecedor. E ele seria o alvo. "Na verdade, era o meu caso mesmo, mas eu não sabia", disse Delcídio em entrevista para este livro.

Durante a madrugada o senador acordou com uma dor de cabeça violenta. Estranhou. Isso não costumava acontecer. Às 6h10, o telefone tocou.

– O senhor pode abrir a porta? – perguntou o recepcionista do hotel.

– Por que motivo? – quis saber Delcídio.

O recepcionista desligou. Na mesma hora o senador escutou uma batida forte na porta. Ele abriu ainda de pijama. Foi o seu segundo e maior susto. Os agentes entraram rapidamente, recolheram seu celular e tablet, fizeram uma busca no apartamento e descobriram uma mala preta trancada. Arrombaram o cadeado, mas só encontraram papéis sem importância. Delcídio acompanhava, atônito, quando o delegado se dirigiu a ele:

– Tem mais um despacho aqui do ministro Teori. O senhor quer ouvir em pé ou sentado?

Delcídio preferiu ouvir de pé a voz de prisão.

– Isso pode ser feito com um senador no exercício do mandato? – perguntou.

A resposta dos policiais foi que sim, podia. Sua prisão foi considerada "em flagrante" porque havia indícios de que ele tentava atrapalhar as investigações e ajudar na fuga de um condenado, Nestor Cerveró. Essa é uma das mais fortes justificativas previstas no Código Penal. Não cabia a ele reclamar. Nem era o momento. Ele obedeceu às ordens da polícia. Assim, o líder do governo foi levado para uma sala de 9 metros quadrados na Superintendência da Polícia Federal em Brasília, onde permaneceu preso. Ao sair do quarto, o senador só pediu aos policiais que despistassem a imprensa. Os delegados e procuradores concordaram, e Delcídio saiu com os policiais num carro da PGR, sem que os jornalistas percebessem. Os procuradores foram no carro da PF, sozinhos. Mesmo assim, Delcídio foi filmado de um helicóptero ao chegar à Superintendência. Seria a última imagem dele por um bom tempo. Seu chefe de gabinete, Diogo Ferreira, também foi preso.

Outro susto tomou o mercado financeiro. O banqueiro André Esteves também foi preso na mesma hora e sob a mesma acusação. Uma ordem foi expedida para prender o advogado Edson Ribeiro, que estava nos Estados Unidos. A Polícia Federal incluiu o nome dele na difusão vermelha da Interpol, uma lista de procurados usada pelas polícias de todo o mundo. Todos foram acusados de montar uma conspiração para interferir na delação premiada do ex-diretor da área Internacional da Petrobras Nestor Cerveró e ajudá-lo a fugir do país. A PF também fez buscas na casa de Delcídio em Campo Grande. No gabinete dele no Senado, para espanto geral, entraram 18 policiais e procuradores. Eles chegaram às seis horas da manhã e tentaram entrar pela Câmara dos Deputados, mas a Polícia Legislativa não deixou. Foi preciso esperar o pessoal do Senado chegar.

A manhã daquele dia 25 de novembro de 2015 paralisou o país. A ponto de todo mundo esquecer que, na véspera, fora presa uma pessoa da intimidade do ex-presidente da República. Agora os alvos eram um senador no exercício do mandato e um grande banqueiro. André Esteves era quase uma lenda no mercado financeiro e objeto de estudo, como caso de sucesso, nas escolas de administração: um jovem da classe média do Rio que, nos anos 1980, entrara como estagiário no Banco Pactual, do qual se tornara sócio e depois dono. Em seguida, vendera o banco ao grupo suíço UBS e fundara o BTG. Em 2009, durante a crise financeira mundial, aproveitara uma oportunidade, recomprara o banco dos suíços e formara o BTG Pactual, que se expandira por 18 países. O BTG se tornara a oitava maior instituição financeira do Brasil, com 154 bilhões de reais em ativos, e seu presidente entrara na lista dos homens mais ricos do país. Jovem, arrojado, agressivo, André Esteves até então era a síntese de todas as qualidades admiradas no mundo empresarial e financeiro. O grupo cresceu entrando em várias áreas. Nunca alguém o imaginara preso na Polícia Federal do Rio, para onde foi levado naquela manhã.

A sequência de fatos que levou à prisão desses ilustres personagens teve início durante a negociação da delação premiada de Nestor Cerveró. O filho dele, Bernardo Cerveró, que participava ativamente das negociações, começou a desconfiar que o advogado não estava defendendo os interesses de seu pai. Simulou participar de um acerto que envolvia o advogado e o senador Delcídio, que oferecia uma "ajuda" à família. Delcídio era um velho conhecido de seu pai, do qual fora chefe na Diretoria de Óleo e Gás da estatal. Os procuradores foram consultados e deram sinal verde. Bernardo, que é ator por profissão, armou a cena. Primeiro ligou para o chefe de gabinete de Delcídio, Diogo Ferreira, seu contato, pedindo uma conversa. Seria a segunda reunião deles. A primeira tinha sido meses antes, no começo do ano, semanas depois de seu pai ser preso. Agora era diferente. Seu pai estava tentando negociar um acordo com o MPF. Foi marcado então um encontro no dia 4 de novembro de 2015 no quarto do hotel onde Bernardo estava hospedado em Brasília.

A gravação

Bernardo tinha quatro gravadores escondidos para registrar a conversa com o senador. Sabia que, nessas reuniões, os celulares eram recolhidos e guardados longe, por isso tomou essa precaução. Deixou tudo preparado, mas, enquanto esperava os participantes, pegou no sono. Acordou com Delcídio e seu chefe de gabinete chegando ao quarto e não teve tempo de ligar todos os gravadores, só dois, um deles o do celular sobressalente que estava escondido no bolso. Assim que eles entraram, foi cumprido o ritual dos celulares. Diogo pegou o dele e colocou no armário. Começaram a conversar. Mas o filho de Cerveró contou depois que o chefe de gabinete de Delcídio desconfiou de alguma coisa e quase descobriu que o encontro estava sendo gravado. A certa altura, Diogo olhou a mochila de Bernardo e viu um chaveiro que tinha um gravador dentro. Por sorte, estava desligado. Mesmo assim, Diogo se postou ao lado da mochila, entre ela e o senador, e ainda ligou a TV e aumentou o volume. Bernardo levantou e guardou a mochila no armário. Tudo bem. Ele tinha mais um gravador escondido e conseguiu registrar uma hora e 34 minutos de conversa. Foi o suficiente para revelar a natureza daquela reunião. André Esteves, no entanto, não estava naquele quarto. Ele foi citado pelo senador Delcídio como parte interessada e suposto financiador do esquema.

Logo no começo da reunião, Edson Ribeiro, advogado de Cerveró, que tinha vindo para Brasília com Bernardo, deixou claro o combinado.

– Só pra colocar. O que eu combinei com o Nestor foi que ele negaria tudo com relação a você e tudo com relação ao (...). Tudo. Não é isso? – disse Edson, buscando a confirmação do filho de Cerveró.

– Sim – afirmou Bernardo.

– Tá acertado isso. Então não vai ter. Não tendo delação, ficaria acertado isso. Não tendo delação. Tá? E se houvesse delação, ele também excluiria. Não é isso? – perguntou de novo Edson.

– É isso – disse Delcídio.

O grupo oferecia 50 mil reais por mês para Nestor Cerveró não fechar delação ou, se fechasse, para não citar o nome do senador nem o do banqueiro André Esteves. E mais 4 milhões de reais que seriam repassados via advogado Edson Ribeiro. Para completar, o grupo prometeu fazer pressão no Supremo Tribunal Federal para ajudar a soltar Cerveró, que na época estava preso em Curitiba havia quase um ano e já tinha sido condenado. A menção aos ministros foi fatal para Delcídio.

– Agora, agora, Edson e Bernardo, eu acho que nós temos que centrar fogo no STF agora. Eu conversei com o Teori, conversei com o Toffoli, pedi pro Toffoli conversar com o Gilmar, o Michel conversou com o Gilmar também, porque o Michel tá muito preocupado com o Zelada, e eu vou conversar com o Gilmar também. Porque o Gilmar, ele oscila muito, uma hora ele tá bem, outra hora ele tá ruim, e eu sou um dos poucos caras... – disse Delcídio.

O senador ainda comentou que iria falar com o ministro Edson Fachin, que era o relator de um habeas corpus que pedia a anulação da delação premiada de Paulo Roberto Costa e que poderia derrubar várias colaborações.

– Diogo, nós precisamos, nós precisamos marcar isso logo com o Fachin, viu! – disse Delcídio.

– Hum hum!

– Fala com o Tarcísio lá.

– Tá!

– Pra ver se eu faço uma visita pro Fachin – completou Delcídio.

– Esse [HC] todo mundo devia cair em cima e pedir porque resolve tudo – disse o advogado Edson Ribeiro.

– Esse mata tudo... Quer dizer sobre o ponto de vista jurídico, em função do HC. Só tá faltando o Gilmar – afirmou Delcídio.

E assim o senador, seu chefe de gabinete e o advogado de Cerveró vão falando, com a maior naturalidade, sobre como influenciar a decisão de ministros do Supremo Tribunal Federal. Edson Ribeiro, o advogado, pergunta se ele vai pedir ajuda a Renan Calheiros também.

– Eu vou falar com ele...

– Hoje tem reunião de líderes – lembrou o chefe de gabinete, Diogo Ferreira.

– Eu falo com o Renan hoje – disse Delcídio.

– Tá bom – concordou Edson.

– Hoje eu falo, porque acho que o foco é o seguinte: tirar. Agora, a hora que ele sair tem que ir embora mesmo – completou Delcídio, já falando do plano de fuga de Cerveró.

Depois que Cerveró fosse para prisão domiciliar, o plano era que eles o ajudariam a fugir do Brasil. Já tinha rota definida e avião escolhido: um Falcon 50, que tinha autonomia para fazer um voo direto para a Espanha, sem ter que parar para reabastecer. A ideia da Espanha surgiu porque Cerveró tem dupla cidadania e poderia não ser extraditado. No máximo, cumpriria a pena no país europeu. Nos bastidores do Supremo, o "plano" foi considerado risível. Até o próprio Delcídio reconheceu depois que não fazia sentido: "Era uma conversa louca do cacete, absurdamente irracional."

Quando terminou a reunião, Bernardo tinha uma prova forte do que se conspirava. Havia gravado a conversa com o senador petista, o chefe de gabinete dele e o advogado de seu pai. Uma conversa mais do que comprometedora. A família, que temia que ele fosse condenado a penas muito altas e há meses tentava negociar uma delação premiada, teria uma nova chance. Logo um procurador da força-tarefa da Lava Jato recebeu um telefonema de uma advogada que falava pelo filho de Cerveró e pela família do ex-diretor da Petrobras. O procurador que recebeu a informação olhou para o colega ao lado e disse:

– Sabe o filho do Cerveró?

– Sim.

– Então, gravou o senador.

A notícia caiu como uma bomba no grupo de trabalho da Lava Jato na Procuradoria-Geral da República e fez com que todo mundo parasse o que estava fazendo. A partir daquele momento, aquela passara a ser a prioridade número 1 da investigação. A primeira coisa a fazer era ouvir a conversa. A advogada viajou a Brasília para mostrar a gravação aos procuradores. Ao ouvi-la, eles não tiveram dúvidas. As provas eram mais do que contundentes. Dois procuradores partiram imediatamente para Curitiba, para assinar o acordo de delação premiada de Cerveró e começar a colher os depoimentos. Outros dois foram para o Rio ouvir o depoimento de Bernardo Cerveró. Enquanto isso, a gravação foi transcrita.

Aos investigadores, Bernardo disse que Delcídio do Amaral contou ter estado até com Dilma para tentar ajudar o pai dele, Nestor Cerveró. No dia 1º de fevereiro de 2015, Delcídio teve uma primeira reunião com Bernardo, em um hotel de luxo em São Paulo. Nela, prometeu movimentar-se politicamente para ajudar o pai de Bernardo e sugeriu que a família também procurasse Renan Calheiros e Edison Lobão, porque Nestor teria "trabalhado com essas pessoas". De acordo com Bernardo, Delcídio dizia que "tinha entrada no Supremo", que "esteve com Dilma", que "esteve com lideranças", sempre procurando convencê-lo de que poderia haver uma melhoria da situação de seu pai a partir desses contatos políticos. O filho do ex-diretor esperava que o senador, sozinho ou com a ajuda de outros políticos, convencesse um ou mais juízes a conceder habeas corpus a seu pai. O advogado dele, Edson Ribeiro, dizia sempre que um habeas corpus era viável do ponto de vista jurídico, que tinha pensado em contratar um parecer de um jurista de renome. Mas, além da possibilidade jurídica, era preciso haver "boa vontade" de parte dos ministros do Supremo.

No voo de volta, depois de pegarem o depoimento de Bernardo, os dois investigadores conversavam sobre o que fazer a partir dali. A ideia de pedir a prisão de um senador era polêmica. Todos diziam que não era possível. Mas um deles participara anteriormente de uma prisão também inédita: a do então governador do Distrito Federal José Roberto Arruda, em 2009. A prisão de Arruda tinha sido justamente por atrapalhar uma investigação. Ele tentara comprar uma testemunha. Quando o promotor Sérgio Bruno perguntou ao colega Marcelo Miller o que ele achava de um pedido de prisão, Miller respondeu: "Já tenho uma proposta na cabeça." Eles estavam decididos a fazer aquilo.

Ao chegar à PGR, os dois pediram ao chefe de gabinete de Janot que analisasse o caso. Falaram sobre a prisão. A primeira reação de Pellela foi dizer que não dava. Mas levou para casa o áudio e ouviu a gravação. Ficou convencido. Não havia jeito. O caso era de prisão. No dia seguinte de manhã, ele falou sobre isso com Janot. O procurador-geral foi logo dizendo que a chance de prisão era pequena, mas seguiu a sugestão de Pellela e levou o áudio para escutar em casa. No outro dia, a primeira pessoa que Janot encontrou no trabalho foi seu chefe de gabinete. Depois de ouvir a conversa e ler a transcrição, Janot não parava de repetir: "Tenho que pedir a prisão, vou ter que pedir a prisão." E foi conversar com o ministro Teori Zavascki, que estava no Supremo Tribunal Federal.

Teori, ao ouvir as primeiras palavras, já foi logo dizendo:

– Vocês não vão me pedir a prisão de um senador, certo?

Eles iriam. No pedido feito pela PGR, os procuradores escreveram: "Há, aí, componente diabólico de embaraço à investigação: ultimado o acordo financeiro, Nestor Cerveró passaria a enfrentar dificuldades praticamente intransponíveis para conciliar-se com a verdade. Seu silêncio compraria o sustento de sua família, em evocação eloquente de práticas tipicamente mafiosas." Assim o MPF sustentou o pedido de prisão: "Outras medidas cautelares menos gravosas afiguram-se insuficientes: o senador Delcídio do Amaral e o banqueiro André Esteves são pessoas poderosas e influentes nas respectivas esferas de atuação e têm o interesse comum em evitar que a Operação Lava Jato as envolva. Não há dúvida de que, fora do cárcere, os dois seguirão dispondo de multiplicidade de meios para condicionar resultados da investigação e da aplicação da lei penal, como concreta e demonstradamente tentaram fazer no caso de Nestor Cerveró." Esse pedido chegou ao gabinete de Teori Zavascki ainda no domingo.

A decisão do Supremo

Àquela altura, o juiz auxiliar de Teori, Marcio Schiffer, já havia lido a transcrição passada pelos procuradores e parecia convencido. Só faltava convencer o ministro. O promotor Sérgio Bruno lembrou a Schiffer que, na prisão de Arruda, o ministro-relator levou o caso para o plenário do tribunal para referendar sua decisão. O juiz auxiliar ficou na dúvida quanto a levar ao plenário; achou que seria melhor apresentar a situação à turma dedicada ao tema da Lava Jato.

Na terça-feira, 24, véspera da prisão de Delcídio, Teori ligou para cada um dos cinco ministros da Segunda Turma – e para o presidente do tribunal – avisando que algo muito grave havia acontecido. Aquela decisão cabia unicamente a Teori, como relator, mas ele fez questão de informá-los e marcou uma reunião em seu gabinete. Todos compareceram. Quando Teori começou a falar, eles ficaram chocados. Um dos ministros perguntou o que todos também se questionavam: "Mas é um senador. Vai ser preso?" O relator, então, colocou para rodar a gravação e eles ouviram. Foi estarrecedor para os ministros. Cármen Lúcia ficou revoltada, Celso de Mello também. A sorte de Delcídio estava selada. Foi quando eles decidiram que não havia o que fazer senão prender o senador Delcídio do Amaral por atrapalhar as investigações. As evidências pulavam da gravação. Uma sessão extraordinária da Segunda Turma foi marcada para o dia seguinte para referendar oficialmente a decisão. A Polícia Federal estava preparada para realizar a operação na quinta-feira. Mas, depois da reunião de Teori com os ministros, não havia outra escolha. Teria de ser antecipada para a quarta-feira. E foi. Apesar de toda a correria da 21ª fase, que prendera José Carlos Bumlai, as equipes da Polícia Federal estariam de novo no mesmo hotel no dia seguinte. E, dessa vez, para prender Delcídio.

Às nove horas da manhã, o ministro Teori Zavascki apresentou o caso na reunião extraordinária da Segunda Turma de ministros do Supremo, que julga os processos da Lava Jato, para confirmar a decisão de prender um senador da República. Ele decretara a prisão sozinho, mas queria ouvir outros ministros porque se tratava de um parlamentar e envolvia uma busca no Senado Federal. Teori começou narrando as razões que o levaram a tomar aquela decisão inédita. Depois disse que o senador Delcídio, o banqueiro André Esteves e o advogado Edson Ribeiro estavam tecnicamente em "estado de flagrância", por embaraçar as investigações da Lava Jato. "Os graves fatos narrados na presente peça não deixam dúvidas de que o senador Delcídio do Amaral, seu assessor Diogo Ferreira e o advogado Edson Ribeiro integram a organização criminosa no âmbito da Operação Lava Jato", disse Teori. Ele fez questão de ressaltar que as investigações revelaram que Delcídio dava a entender na conversa que tinha influência sobre os ministros do Supremo.

André Esteves, o banqueiro, foi preso por suspeita de corrupção ativa e vazamento de documento sigiloso. Esteves tivera acesso à minuta do acordo de colaboração premiada de Nestor Cerveró, o que mostrava, segundo os investigadores, um "canal de vazamento na Operação Lava Jato que municia pessoas em posição de poder com informações do complexo investigatório". No plano relatado pelo senador, o banqueiro arcaria com o custo financeiro do acordo para que Cerveró não fizesse delação ou omitisse informações sobre Delcídio e Esteves. Já o advogado Edson Ribeiro foi acusado do crime de patrocínio infiel, que significa trair o dever profissional de proteger, sobretudo, os interesses de seu cliente. Naquele momento, Edson estava efetivamente protegendo os interesses de Delcídio do Amaral, e não os de Cerveró. Diogo Ferreira foi acusado de colaborar para a execução do plano ao combinar os encontros com Bernardo Cerveró e, durante a reunião, tentar evitar que Bernardo gravasse a conversa. Em resumo, Teori Zavascki deixou claro que havia razões suficientes para a inusitada medida.

"O requerimento de prisão preventiva demonstra de maneira robusta, com base no material indiciário colhido até o momento e indicando, com margem suficiente, a possível existência de graves crimes contra a Administração da Justiça, contra a Administração Pública, organização criminosa e mesmo lavagem de dinheiro, para a consecução dos quais teria havido supostamente importante participação dos requeridos", disse o ministro. "O fundamento principal é, como não poderia deixar de ser, a garantia da instrução criminal, tendo em vista a apontada tentativa de cooptação de réu colaborador, a fim de evitar que fatos e pessoas fossem delatados mediante pagamento de vantagens. Visam os nominados, portanto, a impedir a jurisdição criminal. Nesta seara, está nitidamente demonstrada a necessidade de garantir a instrução criminal, as investigações e a higidez de eventuais ações penais vindouras, tendo em vista a concreta ocorrência e a possibilidade de interferência no depoimento de testemunhas e na produção de provas, circunstâncias que realmente autorizam a decretação da custódia cautelar." Estava sacramentada a prisão de Delcídio, senador no exercício do cargo e da liderança do governo.

Os ministros, de maneira contundente, deixaram clara a indignação da Suprema Corte brasileira.

"Quem transgride tais mandamentos [da democracia], não importando posição, não importando se patrícios ou plebeus, se expõe às leis penais e por tais atos deve ser punido nos termos da lei. Ninguém, nem mesmo o líder do governo no Senado da República, está acima das leis que regem este país. Imunidade parlamentar não é manto para proteger senadores da prática de crime", disse Celso de Mello.

"Na história recente da nossa pátria, houve um momento em que a maioria de nós, brasileiros, acreditou no mote segundo o qual a esperança tinha vencido o medo. Depois, nos deparamos com a ação penal 470 e descobrimos que o cinismo tinha vencido aquela esperança. Agora, parece se constatar que o escárnio venceu o cinismo. O crime não vencerá a Justiça. Aviso aos navegantes destas águas turvas de corrupção e das iniquidades: criminosos não passarão a navalha da desfaçatez e da confusão entre imunidade e impunidade e corrupção. Não passarão sobre os juízes e as juízas do Brasil. Não passarão sobre novas esperanças do povo brasileiro, porque a decepção não pode estancar a vontade de acertar no espaço público. Não passarão sobre a Constituição do Brasil", completou Cármen Lúcia. Essa fala da ministra repercutiu ao longo de todo o dia nas redes sociais, como um aviso aos corruptos de que, finalmente, a lei prevalecia no Brasil.

Os ministros da Segunda Turma confirmaram a prisão de Delcídio por unanimidade. Durante o dia disseram ter ficado espantados com o que ouviram. Edson Fachin comentou que considerava lamentável a utilização do nome de ministros do Supremo como tentativa de mostrar influência. Em nota oficial, a defesa do senador se disse inconformada com a decisão da Segunda Turma do Supremo Tribunal Federal, mas também convicta de que o entendimento inicial seria revisto. Assinada pelo advogado Maurício Silva Leite, a nota questionava a imposição de prisão a um senador da República contra quem não havia sequer acusação formal: "A Constituição Federal não autoriza prisão processual de detentor de mandato parlamentar e há de ser respeitada como esteio do Estado Democrático de Direito." A última esperança de Delcídio agora estava nas mãos de seus colegas senadores.

Congresso levado ao extremo

O clima no Congresso era de agitação e medo naquela manhã. Logo depois das prisões, bem cedo, o procurador-geral da República, Rodrigo Janot, telefonara para o presidente do Senado, Renan Calheiros, para formalmente informá-lo da decisão do Supremo e das diligências sobre o senador Delcídio do Amaral. Janot lembrou-o de que, de acordo com o artigo 53 da Constituição Federal, em caso de prisão de senador, o plenário do Senado é chamado a fazer uma votação. Pode confirmar ou rejeitar a prisão do colega. Ou seja, naquele momento, Delcídio ainda tinha uma chance de sair da cadeia. Bastava que seus colegas senadores derrubassem o decreto de prisão e ele estaria livre. Renan Calheiros pediu a gravação. Queria ouvi-la. Janot enviou o áudio para o Senado. O procurador-geral também encaminhou, por cortesia, uma cópia para o então ministro da justiça, José Eduardo Cardozo. Renan disse que ficaria esperando a remessa dos documentos do processo e avisou os líderes dos partidos e membros da Mesa Diretora de que, naquele dia, haveria uma reunião extraordinária.

Assim que o pedido de prisão de Delcídio chegasse, Renan queria levá-lo ao plenário. Pouco depois das nove da manhã, deputados entravam e saíam da liderança do PT na Câmara buscando informações com o líder da bancada, Sibá Machado. Todos se diziam perplexos e apreensivos, alguns questionavam a forma pela qual fora feita a prisão. Outros torciam pelo amigo. "É claro que, com um fato desse, a gente não pode deixar de ficar abalado. Até porque é um amigo, é um senador atuante e todo mundo se pergunta: 'O que fazer agora?'", explicou o líder do governo na Câmara, José Guimarães.

Nos gabinetes da oposição, o líder do PPS, deputado Rubens Bueno, dava declarações à imprensa exigindo que o Senado confirmasse a decisão do Supremo de prender o líder do governo da presidente Dilma Rousseff. "Se tiverem o mínimo de responsabilidade e decência, os senadores vão confirmar a prisão do Delcídio. Agir de outra maneira, mandar soltar o senador, seria a desmoralização total", dizia o deputado. Os jornalistas também perguntaram ao presidente da Câmara, Eduardo Cunha, o que ele tinha achado da prisão do senador. Ele respondeu lacônico: "Seria uma deselegância da minha parte comentar o que eu não vi." Um repórter quis saber se ele temia ser preso também. "Não vou fazer comentário sobre isso", disse, ríspido.

Haveria uma sessão do Congresso naquele dia para tratar de temas do ajuste fiscal, mas ela foi desmarcada por falta de clima. A expectativa pela chegada dos documentos vindos do Supremo Tribunal Federal era enorme. Por lei, o prazo para o encaminhamento dos documentos era de 24 horas, mas Renan tinha sido avisado de que chegariam antes. Foi convocada uma sessão no Senado apenas para deliberar sobre isso. O Senado decidiria se o que o STF autorizara seria confirmado ou suspenso. Era o Senado contra o Supremo.

– A prisão pegou o Senado de surpresa? – perguntou um jornalista ao presidente Renan Calheiros.

– Pegou de surpresa porque não havia sequer investigação formal contra o senador Delcídio do Amaral. Mas nós ainda não temos todas as informações das investigações. Vamos aguardá-las, em seguida vamos ouvir os líderes e a Mesa Diretora, e o Senado, por sua maioria, decidirá de acordo com a necessidade – respondeu Renan.

Não havia prazo para definir sobre a manutenção da prisão de Delcídio, mas teria que ser rápido. Alguém perguntou se a votação seria aberta ou fechada. Renan evitou dar sua posição naquele momento:

– Eu não sei se é aberta ou fechada, vou dar uma analisada agora.

Quando Renan estava saindo, um repórter perguntou:

– Diante da prisão de Delcídio, o senhor fica preocupado?

O presidente do Senado não gostou, olhou irritado para o jornalista e disse:

– Obrigado, hein, pessoal, muito agradável a entrevista com vocês...

Pairava no ar uma forte apreensão.

O advogado do senador Delcídio, Maurício Leite, desembarcou em Brasília por volta de meio-dia e meia e foi direto para o STF pedir a liberdade de seu cliente. Afinal, a Constituição não autoriza a prisão de um parlamentar em exercício do mandato, ainda mais um senador que não era formalmente acusado de nada. Ele ensaiou os primeiros ataques a Cerveró: disse que as acusações partiam de um delator já condenado que buscava se favorecer atacando os outros. Quase à uma hora da tarde, começaram a circular informações de que, nos bastidores, o PT estava articulando com Renan para que a votação sobre a prisão de Delcídio fosse secreta. Era o que Renan queria também, mas havia resistências. Um senador da oposição, Ronaldo Caiado, entrou com um mandado de segurança no Supremo para que a votação fosse aberta.

Os blogs, jornais on-line e canais de notícias faziam uma cobertura intensa dos eventos, levantando informações de bastidores e colhendo declarações sobre o fato que capturara todas as atenções. O Blog do Noblat postou a transcrição do que fora gravado por Bernardo Cerveró e o Blog do Matheus Leitão postou o áudio. Quem ouvia ficava estarrecido com a naturalidade com que o senador falava sobre pressionar o Supremo, impedir a delação premiada e até propor detalhes da fuga, como o uso do Falcon 50.

Às quatro da tarde, chegou a informação de que o ofício do Supremo sobre a prisão de Delcídio acabara de ser protocolado no Senado. O presidente Renan Calheiros marcou imediatamente uma sessão extraordinária para as cinco da tarde. Pauta única: a prisão de Delcídio. O senador, já na PF, conversava com o advogado sobre as acusações e acompanhava os desdobramentos pela TV. Seu destino estava para ser decidido. Sua mulher, Maika do Amaral, contou que o presidente do Senado ligara para ela prestando solidariedade e ouvira um pedido: "Ajude a soltar meu marido." Segundo Maika, Renan respondeu: "Vou fazer o possível." Delcídio ainda tinha esperança.

A sessão começou quando o relógio do plenário marcava 17h45. O semblante do senador Renan Calheiros, também envolvido em investigações da Lava Jato, não escondia seu profundo constrangimento. Todos sabiam que, no fundo, o que se discutia ali era como proteger vários dos representantes do Senado, inclusive o presidente da Casa, de enfrentar no futuro o mesmo destino. Renan indicou que sua intenção era optar pela sessão fechada e o voto secreto. Isso provocou um burburinho e o debate começou intenso. Os eventos daquela tarde no Senado eram acompanhados, país afora, como se fossem o capítulo decisivo de uma série de TV ou novela. Se a sessão fosse fechada, com votação secreta, Delcídio poderia se salvar. Mas como aquela decisão repercutiria na população?

O senador Cássio Cunha Lima, do PSDB da Paraíba, levantou uma questão de ordem e defendeu que a votação fosse aberta. Renan prometeu responder em seguida. Outro senador, Randolfe Rodrigues, também fez a mesma defesa e reforçou os argumentos que Cássio Cunha Lima tinha apresentado. Os dois defendiam a votação aberta alegando que o termo "secreto" fora retirado da Constituição. E o regimento interno do Senado não pode prevalecer sobre a carta magna.

O senador Jader Barbalho pediu a palavra e, num inflamado discurso, defendeu a votação fechada. "O que está em jogo neste momento não é o drama por que passa o nosso colega Delcídio. O que está em jogo é a vida da instituição, é a vida do Senado Federal. Deus poupe o Senado e o Congresso de viver outros episódios assim. E se não poupar? Deus queira que não tenhamos o constrangimento, a dificuldade de examinar outros episódios. Me perdoem os que não concordam comigo, me recuso a interpretar a Constituição subtraindo um poder que entendo seja do Senado e de responsabilidade de cada senadora e de cada senador. Eu não tenho, depois de tantos anos de vida pública, nenhum constrangimento, até porque não tenho dono. Estou aqui pelo voto secreto do povo do meu estado, como estão as senhoras e os senhores. Não preciso ser peado, não preciso ser guiado. O que está em jogo hoje não é o senador Delcídio, que, eu creio, todos nós lamentamos o fato ocorrido com ele. O que está em jogo é o Senado da República", disse Jader.

Renan conduzia a sessão permitindo o debate, que foi ficando cada vez mais favorável ao voto aberto. O senador Cristovam Buarque foi ao microfone do plenário e disse que abria seu voto. Queria que o dele fosse aberto. O senador Ricardo Ferraço repetiu o gesto. Eram dois senadores de partidos da base do governo defendendo que o país acompanhasse aquela votação dramática, em que senadores decidiriam o destino de um colega.

Afável no trato e plural nos contatos, Delcídio sempre fora capaz de dialogar com todos os partidos e tendências. Suas qualidades foram exaltadas tanto nos discursos em defesa do voto aberto quanto a favor do voto secreto. Nada contra ele, diziam os que pediam o voto aberto. Não pelo senador, mas em defesa do Senado, diziam os que pediam sessão fechada e voto secreto. Os dois lados digladiavam. A tensão aumentava. Os que queriam o voto aberto lembravam que o país acompanhava o que se decidia ali. Nas mídias sociais, o debate era ainda mais intenso. Cobrava-se transparência do Senado. Os que queriam o voto fechado lembravam sempre que um senador no exercício do mandato estava preso, fato inédito na história do Brasil, e que o Senado tinha que fazer valer suas prerrogativas. Investigados da Lava Jato eram vistos nas cenas que mostravam o plenário. Fernando Collor sempre sentado, em silêncio, com o rosto crispado e atento. A senadora Gleisi Hoffmann em conversas ao pé do ouvido com os senadores da base do governo.

Já eram quase oito horas da noite quando Renan anunciou que ouvira atentamente todas as questões de ordem apresentadas e decidira que a votação seria secreta. No entanto, submeteria ao plenário a sua decisão, para que ela fosse referendada ou não pela maioria dos senadores:

"Eu queria lembrar aos senadores e às senadoras, antes de começarmos a votação, que uma coisa é nós discutirmos essa decisão do Supremo Tribunal Federal, hoje referendada pela turma que tem como presidente o ministro Toffoli, discutir o mérito, como alguns aqui discutiram, se as gravações que vieram a público hoje, do ponto de vista do seu conteúdo, contêm crime ou não. Nós não podemos fazer esse julgamento. O Supremo Tribunal Federal é insubstituível nesse julgamento. Se nós formos fazer esse julgamento, estaremos grilando funções do Judiciário, do Supremo Tribunal Federal. Não nos cabe fazer esse julgamento, se as gravações contêm ou não crime ou impropriedade. Não nos compete fazer esse julgamento. O julgamento que nos compete fazer é se pode o Supremo Tribunal Federal, como faz hoje, por decisão de uma turma, prender preventivamente um senador no exercício do mandato sem que tenha culpa formada em crime inafiançável. É essa decisão que é a primeira da República. É a primeira da República. Nós temos que defender igualmente que o Supremo julgue o crime que o áudio contém. É o Supremo que vai julgar, mas que o Senado Federal não abra mão da sua prerrogativa de não permitir que o que todas as constituições do Brasil estabeleceram, inclusive a que está em vigor por quase 30 anos, que é a mais longeva de todas: que o Supremo Tribunal Federal prenda um senador ou um congressista no exercício do seu mandato. É essa a decisão que o Senado vai tomar. Que o senador Delcídio vai ter que ser julgado pelo Supremo Tribunal Federal, é isso que todos nós defendemos. Querer discutir isso aqui, permitam-me os senhores e as senhoras, é tentar grilar a competência constitucional do Supremo Tribunal Federal. Eu sei que este é um dia muito triste para todos nós, muito triste, por significar ou a revogação da prisão, ou a permissão para que a prisão aconteça. Nós estaremos não apenas fazendo o noticiário de amanhã. Nós estaremos abrindo mão de uma prerrogativa do Legislativo que vai, não tenho dúvida nenhuma, causar muito dano à democracia e à separação dos poderes, que é fundamental."

Ao mesmo tempo, no STF, tramitavam pedidos de liminar para que o tribunal garantisse a votação aberta. Era um momento de extrema tensão entre os poderes da República. Os pedidos caíram para o ministro Teori Zavascki por sorteio, mas ele se declarou impedido. O processo foi parar no gabinete do ministro Edson Fachin, que chegou a conceder uma liminar impondo o voto aberto, com o argumento de que, como a Constituição não diz expressamente que a votação tem de ser secreta, o Senado não tinha liberdade para escolher, já que a Constituição prevê a publicidade dos atos do poder público. Era uma decisão dura e perigosa, que aumentaria o confronto de poderes. Ninguém saberá, no entanto, qual teria sido a reação do Senado. Isso porque, enquanto Fachin redigia sua decisão, o plenário do Senado já havia se manifestado.

Quando Renan Calheiros pôs em votação a própria decisão de sessão e voto fechados, ele perdeu. Por 52 votos a 20 e uma abstenção, o plenário decidiu que a votação não seria secreta. O destino de Delcídio pode ter sido selado ali. Muitos avaliam que esse foi o momento que definiu o resultado da votação daquela noite. Se a sessão fosse secreta, o resultado poderia ser favorável ao senador Delcídio e ele seria solto, para responder ao processo em liberdade. Mas, com a votação aberta, ele mesmo sabia, não tinha muita chance: "Eu ia para o espeto de qualquer jeito." Na segunda votação, sobre manter ou não a prisão de Delcídio, o resultado seguiu mais ou menos a mesma tendência. Por 59 votos a favor e 13 contra, foi mantida a prisão de Delcídio do Amaral. Era uma decisão grave e inédita. Entre os que votaram contra a prisão estavam alguns investigados na Lava Jato como Gleisi Hoffmann, Fernando Collor e Humberto Costa. Entre os que votaram a favor, alguns que Delcídio considerava amigos pessoais, como Aécio Neves. Quando o resultado foi anunciado, houve silêncio no plenário. Em geral, ao fim das votações mais quentes todos saem falando alto. Naquele dia, os senadores saíram em silêncio. O Senado acabara de confirmar a prisão de um senador. O clima era de abatimento, até entre os vitoriosos.

A triste realidade da prisão

O resultado da sessão foi mais um baque para Delcídio. Agora ele estava definitivamente diante da rotina da prisão. Iria dormir entre cadeiras, mesas e armários de escritório da sala de trabalho usada para recebê-lo na Superintendência da Polícia Federal em Brasília. Em um canto, a PF improvisou um lugar para ele descansar. Na sala não havia banheiro. O senador tinha de usar o dos funcionários, sempre escoltado por dois agentes, mesmo na hora do banho. Foi servido da mesma comida dos outros detentos. Do lado de fora, na rua, em frente à Superintendência, manifestantes passaram o dia comemorando a prisão do senador. Soltaram fogos de artifício, deram parabéns a todos os policiais que chegavam ou saíam do prédio, gritaram palavras de ordem e exibiam cartazes.

Na manhã seguinte, logo cedo, o assessor de imprensa de Delcídio, Eduardo Marzagão, foi à PF visitá-lo. Levou café com leite, suco de laranja, misto quente, maçã e pera. Delcídio já havia tomado o café oferecido pela Polícia Federal, mas agradeceu a gentileza do amigo de muitos anos. E conseguiu ter com ele um breve diálogo. Um dos guardas deixou o senador vir até a porta da sala onde estava, perto da recepção. Marzagão achou Delcídio com uma cara melhor, menos abatido. O encontro foi rápido, menos de um minuto, tempo apenas para o assessor perguntar como Delcídio estava. O senador respondeu que estava bem, que tinha dormido bem, que estava confiante e sereno. "Fique com Deus", disse o assessor, ao se afastar.

Delcídio prestou depoimento a um grupo de procuradores e delegados naquele dia. A audiência ia bem, com o senador sendo confrontado o tempo todo com o áudio da conversa, mas sempre negando envolvimento no caso, até que houve um estresse entre ele e os procuradores que tomavam o depoimento. Delcídio disse que o depoimento não poderia seguir daquele jeito, o que irritou os procuradores. "Isso aqui não é uma audiência, é um depoimento, senador", disse rispidamente um deles. O tom subiu e quase começou uma discussão. O advogado pediu um tempo e o depoimento foi interrompido. Depois falou que queria retirar uma parte do que o cliente tinha dito, o que não foi autorizado. O advogado pediu para conversar com Delcídio separadamente por um momento.

Enquanto esperavam, um procurador e um delegado ficaram conversando sobre o caso. Um agente que estava na sala ao lado entreouviu a conversa e resolveu lhes mostrar uma notícia que tinha acabado de ler na internet: o ex-presidente Lula, ao saber da prisão de Delcídio, tinha chamado o senador de idiota. A entrada do policial os surpreendeu, mas eles leram a notícia e a deixaram de lado. Quando Delcídio e o advogado voltaram, o senador percebeu o papel na mesa. Pegou, leu e deixou transparecer a forte irritação:

– Ele está com medo do BTG – comentou.

Os investigadores fizeram uma provocação:

– O que o senhor achou da nota do PT, senador?

No dia da prisão, o PT soltara uma nota contra Delcídio. Assinada por Rui Falcão, ela não deixava dúvidas de que o partido tinha acabado de abandonar um de seus principais líderes:

"O presidente Nacional do PT, perplexo com os fatos que ensejaram a decisão do Supremo Tribunal Federal (STF) de ordenar a prisão do senador Delcídio do Amaral, tem a dizer o seguinte:

1- Nenhuma das tratativas atribuídas ao senador tem qualquer relação com sua atividade partidária, seja como parlamentar ou como simples filiado;

2- Por isso mesmo, o PT não se julga obrigado a qualquer gesto de solidariedade;

3- A presidência do PT estará convocando, em curto espaço de tempo, reunião da Comissão Executiva Nacional para adotar medidas que a direção partidária julgar cabíveis.

Brasília, 25 de novembro de 2015,
Rui Falcão, presidente Nacional do PT"

Delcídio fez uma cara de poucos amigos e disse: "Esse povo é foda, mas eles não sabem com quem estão mexendo." O senador, então, pediu novamente para interromper o depoimento, que já durava cerca de quatro horas. Os delegados argumentaram que algumas perguntas não tinham sido respondidas. O senador e o advogado disseram que precisavam discutir alguns assuntos antes de responder às perguntas e insistiram que o depoimento continuasse outro dia. Os investigadores concordaram.

Ao sair da PF, o advogado Maurício Leite disse que o senador Delcídio do Amaral confirmara que a voz na gravação era dele, mas negara ter tentado impedir a delação premiada de Nestor Cerveró ou atrapalhar as investigações. O advogado disse que a conversa gravada tinha outro contexto, que iria ser mais bem detalhado depois. Mas afirmou que Delcídio havia explicado que só tinha aceitado se reunir com Bernardo Cerveró por uma "questão humanitária", para "dar uma palavra de conforto", e negou ter cometido irregularidades.

Naquela mesma noite, o banqueiro André Esteves foi transferido da sede da Polícia Federal, no Centro do Rio, para o presídio Bangu 8, na Zona Oeste da cidade. O Supremo autorizara sua transferência. As ações do BTG haviam despencado no dia anterior. O banco agiu rápido: anunciou que André Esteves estava temporariamente afastado da presidência. O economista Pérsio Arida, um dos autores do Plano Real, sócio do banco, assumiu a presidência. Além disso, anunciou uma operação de recompra de ações, ou seja, quem quisesse vender, o BTG compraria. Era uma forma de dizer ao mercado que a instituição estava sólida e confiante. Esteves, em depoimento, admitiu que tivera cinco encontros com Delcídio nos meses anteriores. Mas negou envolvimento com a tentativa de cooptar Cerveró. O advogado Edson Ribeiro seria preso no dia seguinte às oito horas da manhã, ao desembarcar no aeroporto do Galeão vindo dos Estados Unidos. Ele teve o visto americano cassado e só não foi preso em Miami porque a polícia, que o estava monitorando, viu que ele havia comprado uma passagem de volta para o Rio de Janeiro e preferiu detê-lo em território brasileiro.

Delcídio continuava na cadeia, sendo visitado por parentes e assessores, que se esforçavam para minimizar seu sofrimento. Um dia, um deles trouxe um lanche do McDonald's: um Big Mac e uma Coca-Cola. Esse mesmo assessor já trouxera um bolo caseiro e café com leite. Nessa época, Delcídio já havia adotado um hábito muito comum entre os presos da Lava Jato, a leitura, e estava terminando o livro *A origem do Estado Islâmico*, de Patrick Cockburn. Mas, apesar de todo o esforço dos amigos e das filhas, ele estava muito abatido. Enfrentara, nos primeiros dois dias, uma sucessão de más notícias – a decisão do Senado, a prisão, a nota do PT, a declaração de Lula.

O impacto era ainda maior porque o senador via sua base política desmoronar. Ao longo das semanas seguintes, estaria totalmente desintegrada. Anos de trabalho perdidos. Ele era um homem público, uma liderança nacional desde que tinha despontado como presidente da CPMI dos

Correios, que investigara o escândalo do mensalão. Atual líder do governo no Senado, era um dos mais próximos auxiliares da presidente Dilma Rousseff. Formado em engenharia elétrica, casado e pai de três filhas, Delcídio foi diretor de Gás e Energia da Petrobras nos anos 2000 e 2001. Em 2002, já transformado em político, foi eleito senador com cerca de 500 mil votos. Era um dos homens públicos mais importantes de seu estado, Mato Grosso do Sul. Agora, depois da prisão, ninguém sabia prever seu futuro. Pairava no ar a dúvida sobre se Delcídio poderia se tornar um novo colaborador da Justiça. Ele, com certeza, sabia muito. E suas informações interessavam ao Ministério Público Federal.

De acordo com sua delação premiada, quando foi preso, Delcídio integrava um seleto grupo de pessoas que dialogavam com o ex-presidente Lula sobre a Operação Lava Jato. Eles se encontravam quase toda semana, em Brasília ou São Paulo, e ele atuava como uma espécie de bombeiro nos bastidores, contendo os danos do escândalo que atingira seu partido. Uma de suas principais missões era justamente monitorar Nestor Cerveró, ex-diretor da Petrobras, que tinha sido seu subordinado na época em que ele também ocupava um cargo de direção na estatal. Na última reunião que teve com Lula, em 12 de novembro, o ex-presidente estava preocupado com a notícia de que o empresário Salim Schahin tinha feito delação premiada e contara sobre a participação de Bumlai no empréstimo de 12 milhões de reais. Depois da prisão de Bumlai, Delcídio chegou a marcar mais uma conversa com Lula, mas, por motivos óbvios, não pôde comparecer.

Pressão para Delcídio confessar havia de sobra. Nestor Cerveró assinou, dias antes da prisão dele, um acordo de colaboração premiada com o MPF. E, logo no primeiro termo de depoimento, falou em um caso de corrupção envolvendo Delcídio, durante o processo de compra de navios-sonda e da Refinaria de Pasadena pela Petrobras. Cerveró também citaria, em seus depoimentos, corrupção de André Esteves, que teria pagado propina ao senador Fernando Collor no contrato de troca de bandeira de 120 postos de São Paulo que pertenciam ao BTG.

Delcídio assustou o governo ao contratar o advogado de Alberto Youssef, Antonio Figueiredo Basto. Ele é especialista em delação premiada. O senador, no entanto, decidiu, a princípio, não usar essa arma.

Só a contratação ficava como um aviso prévio de que ele podia, mesmo, contar o que sabia.

Não era fácil, também, a vida de André Esteves. A ação do BTG Pactual valia 30,89 reais no dia 24 de novembro, véspera da prisão do banqueiro. No dia 25, caíra para 24,40 reais e, no dia 10 de dezembro, estava em 12,10 reais, uma queda de 60% em doze pregões. Seus advogados pediram a revogação da prisão temporária, mas o pedido foi recusado. E, pior, no domingo, dia 29, o ministro Teori Zavascki transformou-a em prisão preventiva. Era o sinal que os outros acionistas esperavam para lançar mão de uma cláusula do acordo de sócios que estabelecia que, "no caso de impedimento" de André Esteves, haveria uma conversão de ações. Eles haviam pensado em quase tudo quando negociaram o acordo de sócios: morte, doença grave, incapacidade de qualquer natureza. Jamais em prisão.

Mas quando os outros sete maiores sócios se reuniram, após saber que a prisão não tinha data para terminar, admitiram: aquilo era um impedimento. E acionaram a cláusula: a partir daquele momento André não era mais o controlador da instituição sobre a qual, até o dia 24 de novembro, tinha amplos poderes. Ele possuía 29% das ações, mas era detentor também de uma ação de classe especial que lhe dava poder de veto em decisões estratégicas. E, na verdade, era mais do que isso. Seu poder sobre o conglomerado no qual o banco havia se transformado era total. Em caso de impedimento, os sete grandes assumiriam. E foi o que aconteceu. Da cadeia, André renunciou aos cargos de presidente e CEO do banco. Na sede da instituição em São Paulo, liderados por Pérsio Arida, que assumiu a presidência, os sócios fizeram uma troca de ações. André perdeu o controle. A direção do banco colocou ativos à venda para capitalizar a instituição e, no dia 4 de dezembro, pediu um empréstimo de 6 bilhões de reais ao Fundo Garantidor de Crédito. A estratégia era ter dinheiro em caixa para enfrentar qualquer turbulência e, assim, sobreviver.

A prisão de André Esteves teve repercussão também no exterior, pois a saúde financeira do BTG Pactual afetava instituições fora do Brasil. Prova disso foi que, depois da prisão dele, o presidente do Banco Central da Suíça ligou para o presidente do BC brasileiro, Alexandre Tombini, para perguntar o que estava acontecendo e saber qual seria a evolução provável do banco e se ele corria o risco de quebrar. Não era uma simples curiosidade.

O BTG tinha comprado um banco na Suíça. Os presidentes dos bancos centrais do Peru e do México também telefonaram para Tombini, preocupados. A todos eles, o presidente disse que o Banco Central estava vigilante desde o primeiro instante e que o banco tinha liquidez para atravessar a tormenta.

Esteves, no entanto, teve sua situação aliviada graças ao próprio Delcídio. O senador disse, num dos depoimentos, que André Esteves estava preocupado com as citações a seu nome e chegou a concordar com o esquema para impedir a delação de Cerveró, mas que o banqueiro desistiu e não chegou a efetuar pagamentos à família dele. No dia 17 de dezembro o ministro Teori mandou soltar Esteves.

Poucos dias antes do Natal, os advogados pediram a liberdade de Delcídio. Janot disse que não havia motivo para soltá-lo. O Supremo concordou e, mesmo depois de libertar André Esteves, manteve Delcídio preso. Na manifestação do Ministério Público Federal, Rodrigo Janot escreveu que "há de se compreender que este tipo de agente criminoso, violando de forma extremamente grave as funções relevantíssimas que lhe foram confiadas pelo voto popular, não media esforços (e certamente assim continuará, já deixou bem claro seu modo de atuação) para atingir os fins ilícitos que lhe aproveitavam pela ganância em ter recursos desviados dos cofres públicos para interesses exclusivamente privados". Assim, ficou selada a decisão que fez com que um senador da República passasse o Natal e o ano-novo na cadeia.

Quando 2016 começou, sem perspectivas de sair da prisão, até por causa do recesso do Judiciário, Delcídio se dedicou a estudar o próprio processo profundamente. Nas tardes chuvosas de janeiro, em Brasília, pouquíssimas pessoas o visitavam. Apenas a família, os amigos próximos e os advogados. Mais ninguém. A todos que queriam saber notícias dele, mandava dizer que, em fevereiro, quando fosse solto, toparia conversar. Naquele momento, não. A prioridade era arrumar um jeito de sair da cadeia. Um dos movimentos que fez na prisão foi escrever cartas aos ministros do Supremo desculpando-se pelo que dissera na gravação e alegando que tudo não passara de "bravata". Delcídio precisava apagar a impressão que deixara na conversa gravada em que dissera que pressionaria alguns ministros da Corte. Afinal, eles poderiam vir a julgá-lo no futuro. André Esteves já estava solto e ele tinha uma forte esperança de que, ao fim do recesso, seria libertado também. Nas suas contas, sonhava com três votos a dois na Segunda Turma de ministros do Supremo: Gilmar Mendes, Dias Toffoli e Celso de Mello contra Teori Zavascki e Cármen Lúcia.

O governo também torcia por esse cenário, por um motivo óbvio: evitar uma delação premiada de Delcídio do Amaral. Ele tinha munição para pôr abaixo o governo, se a quisesse usar. O principal argumento para sustentar o cenário do relaxamento da prisão era que não havia uma organização criminosa clara. O próprio MPF, ao fazer a denúncia contra ele, tinha se concentrado na demonstração de como ele estava obstruindo a Justiça ao tentar destruir e falsear provas. Mas, para os advogados de Delcídio, o MPF não provou a formação de quadrilha.

Eduardo Cunha apresenta sua arma: o impeachment

O presidente da Câmara dos Deputados passou todo o ano sob holofotes. Ora como alvo da Lava Jato, ora como aquele que ameaçava iniciar o processo de impeachment da presidente Dilma. Ele vinha dizendo que em novembro decidiria sobre os vários pedidos que tinha recebido para iniciar um processo de impedimento da presidente. Nos dias seguintes ao da prisão de Delcídio, quando o mês marcado chegava ao fim, os jornalistas passaram a questioná-lo sobre quando sairia a decisão. Eduardo Cunha já havia negado alguns desses pedidos, mas deixara o mais importante para o final da fila: o dos juristas Hélio Bicudo, Miguel Reale Júnior e Janaína Paschoal. Quando lhe perguntaram se os pareceres das áreas técnicas da Câmara sobre o pedido já tinham sido entregues, ele disse que sim. E mandou um recado. Afirmou que sua decisão já estava quase tomada. O deputado, no entanto, não entrou em detalhes: "Novembro acaba segunda, calma. Ainda não estou inadimplente. Podem me cobrar a partir de segunda." Dezembro reservaria grandes surpresas. Até para Eduardo Cunha.

Quando virou o mês, o principal assunto nos jornais voltara a ser o presidente da Câmara. Ao contrário do que gostaria, estava na imprensa como alvo. Era acusado de fazer manobras, por meio de seus aliados no Conselho de Ética da Câmara, para evitar o andamento do processo que poderia cassar o seu mandato. E estava conseguindo. O conselho ficava dando voltas e nada decidia. A tropa de choque de Cunha seguia trabalhando. Chegou ao ponto em que seriam necessários apenas mais três votos para que a denúncia contra o presidente da Câmara fosse arquivada.

Só havia um problema: esses votos teriam que vir do PT. Dos deputados do partido que tinham assento no Conselho de Ética. Era só isso que faltava.

Durante um mês, Eduardo Cunha tentou negociar com o Planalto. Afinal, o governo queria destravar a pauta do plenário e aprovar matérias positivas contra a crise econômica. Em entrevista para este livro, Delcídio conta que chegou a aconselhar a presidente: "Dilma, chama o Eduardo, leva ele para tomar um café com você no Alvorada." Dilma não fez isso, disse que com ele só teria uma relação institucional. Segundo Eduardo Cunha, o ministro-chefe da Casa Civil, Jaques Wagner, teria lhe prometido ajuda em troca de apoio ao governo. Mas, na hora de o PT ajudar, isso não aconteceu. Ao contrário: o partido fechou questão no Conselho de Ética. Os deputados do PT anunciaram que votariam a favor do processo contra Cunha. Foi a gota d'água para derramar o pote de mágoas do presidente da Câmara. Naquele mesmo dia, 2 de dezembro, ele foi ao encontro dos repórteres no Salão Verde da Câmara e anunciou que aceitava o pedido de abertura de processo de impeachment da presidente Dilma Rousseff. Foi como apertar o botão da bomba atômica no cenário político brasileiro.

A presidente convocou imediatamente o seu conselho político. O ministro-chefe da Casa Civil, Jaques Wagner, reagiu, em entrevista: "Agora que a faca foi puxada, as coisas vão ficar mais claras. O volume de manifestações que recebemos é muito grande. As pessoas sabem que com democracia não se brinca. A eleição não acabou. Os que não gostaram do resultado sustentam o tapetão. A gente vai brigar muito pela democracia e acho que este é o sentimento que vai prevalecer." No Congresso, os partidos já começavam a se articular em torno de como seria a composição da Comissão Especial que iria analisar o pedido e fazer um parecer ao plenário. Pelas regras do impeachment, o pedido seria lido na sessão seguinte, depois uma comissão seria eleita.

No dia seguinte, uma quinta, coube ao deputado Beto Mansur, do PRB de São Paulo, primeiro-secretário da Câmara, ler o pedido de afastamento da presidente Dilma Rousseff, que listava a edição de decretos de aumento de gastos sem autorização do Congresso, as pedaladas fiscais e vários trechos de investigações feitas pela Lava Jato. A leitura durou mais de três horas e, ao final, o deputado chegou a se emocionar quando leu versos do Hino Nacional. Ficou para a semana seguinte a eleição da Comissão Especial e o país passou um fim de semana de extrema expectativa.

A sessão em que se deliberou sobre a escolha dos integrantes da Comissão Especial foi a mais violenta em muito tempo. Houve quebra-quebra no plenário. Deputados de um lado e de outro se enfrentaram. O presidente decidiu que o voto seria secreto e instalou cabines de votação. Contra isso se insurgiram os governistas. O plenário, a certa altura, virou uma confusão. Acabou aprovando uma chapa alternativa, com maioria de integrantes da oposição. A sessão foi tão polêmica que acabou no Supremo Tribunal Federal. O relator do caso, ministro Edson Fachin, confirmou a maioria das decisões tomadas pela Câmara, mas o ministro Luís Roberto Barroso apresentou um voto no sentido oposto, defendendo que não houvesse votação secreta e que fosse seguido o rito do impeachment do ex-presidente Collor. O voto de Barroso foi vencedor no plenário, o que deixou Eduardo Cunha irritado e o fez anunciar um recurso ao Supremo. Com isso, o tema foi jogado para 2016, reduzindo um pouco a tensão, que chegara ao auge em dezembro.

Nesse ponto, parecia que tudo o que poderia acontecer na Lava Jato em 2015 já havia acontecido. Ledo engano. No dia 16 de dezembro de 2015, o ex-presidente Lula compareceu à sede da PF em Brasília para prestar seu primeiro depoimento na Lava Jato. Lula respondeu às perguntas dos delegados. Disse que não indicou diretores da Petrobras. Que os nomes eram levados pelos partidos ao chefe da Casa Civil. "Ele colocou na conta do Zé Dirceu a função de receber as demandas dos partidos, escolher o nome e referendar", contou um dos delegados que participou da investigação. Lula falou também que não sabia dos casos de corrupção revelados pela operação, nem tinha conhecimento de doações ilegais para o PT. Por fim, disse que um dos motivos pelos quais pessoas ligadas ao governo estavam sendo investigadas era um "processo de criminalização do Partido dos Trabalhadores".

Nos últimos dias do ano, vários políticos foram alvo de buscas. A fase foi batizada de Catilinárias, em referência aos discursos feitos por Cícero, no antigo Senado romano, contra o senador Catilina, que ameaçava deflagrar um golpe contra a República. Cinquenta e três mandados de busca e apreensão foram expedidos. Entre os locais visitados pela PF estava a casa de Eduardo Cunha, residência oficial do presidente da Câmara, além de endereços ligados a outros políticos importantes do PMDB, como o presidente do Senado, Renan Calheiros, o senador Edison Lobão e os ministros da Ciência e Tecnologia, Celso Pansera, e do Turismo, Henrique Eduardo Alves.

Buscas na residência oficial do presidente da Câmara

Eduardo Cunha estava acordando quando a Polícia Federal chegou a sua casa. Escaldada com o embate com os seguranças do Senado durante a Operação Politeia, a PF levou seu grupo tático, o COT, para invadir a casa se os seguranças da Câmara dos Deputados esboçassem alguma resistência e impedissem a entrada dos investigadores. Os policiais estavam preparados. Pararam o trânsito nas redondezas e se aproximaram do endereço. Só havia um vigilante, de uma empresa de segurança terceirizada, que ficou assustado com a chegada da PF e a deixou entrar. Disse que o segurança da Câmara estava dormindo, era preciso avisá-lo. Os policiais federais mandaram chamá-lo, mas foram entrando. O policial legislativo chegou correndo e disse que precisava avisar seu superior. Eles concordaram, mas já estavam na sala. Não havia ninguém. Procuraram a porta da ala residencial e bateram. Nenhuma resposta. O quarto de Eduardo Cunha fica na parte mais interna da ala residencial. Eles ameaçaram invadir. Estavam dispostos a entrar à força, mas um empregado bateu na janela externa do quarto e o deputado atendeu.

Abriu a porta meio desarrumado, ainda com partes da camisa para fora da calça, e irritado. Fez perguntas mas foi ignorado. Os policiais apreenderam os celulares dele. Cunha demonstrou preocupação. Logo depois, um delegado puxou um papel do bolso de dentro do paletó que ele usava na noite anterior. Cunha tentou evitar sua apreensão, disse que não era nada importante, apenas uma ocorrência policial. O delegado insistiu em olhar e falou alto o nome da pessoa na ocorrência: Fausto Pinato. Justamente o deputado federal que, naquele momento, era o relator do caso dele no Conselho de Ética da Câmara. Na ocorrência, o deputado relatava ameaças que tinha sofrido por sua atuação na Câmara dos Deputados, onde manifestara intenção de apresentar relatório a favor da abertura de uma investigação que poderia levar à cassação do mandato de Eduardo Cunha. O que uma cópia do boletim de ocorrência feito por Fausto Pinato em São Paulo estava fazendo no bolso do paletó de Cunha?

O presidente da Câmara não quis responder a essa pergunta. Os investigadores não insistiram. Afinal, Eduardo Cunha tinha muito mais coisas a explicar. Essa seria apenas uma delas.

A casa do presidente da Câmara não é muito grande, e os investigadores passaram 80% do tempo no escritório, analisando documentos. Como se mudara havia um ano e tinha trazido muitos papéis, algumas caixas ainda estavam espalhadas pela sala e também seriam revistadas. Em meio à busca, os policiais escutaram algo tocando no bolso do deputado, que apressou o passo na tentativa de disfarçar o som do celular que havia escondido. Sem sucesso, ele entregou o aparelho pedindo desculpas. Fora isso, Eduardo Cunha acompanhou todo o trabalho sem causar problemas. Talvez estivesse com medo de haver também um mandado de prisão, além do de busca. Ele sabia que, nesses casos, os policiais fazem a busca primeiro e só depois dão a ordem de prisão. Fora assim com o senador Delcídio. Ele, no entanto, não deixava transparecer esse receio. Mostrou irritação apenas com os helicópteros das emissoras de televisão que sobrevoavam sua casa atrás de alguma imagem exclusiva dele. Isso limitava sua circulação pelo imóvel. Tanto que uma das poucas pessoas para quem ele telefonou, além de seus advogados e sua esposa, foi a assessora de imprensa.

O pedido de afastamento de Cunha

Naquele dia, os investigadores trabalharam ainda mais rápido que o habitual, por uma razão simples. No dia 16 de dezembro de 2015, a Procuradoria-Geral da República iria pedir o afastamento de Eduardo Cunha tanto do cargo de deputado federal quanto da presidência da Câmara. O resultado das buscas na casa dele tinham convencido a todos da necessidade da medida. Os motivos alegados eram graves: promover e integrar uma organização criminosa, obstruir e embaraçar as investigações. De acordo com o procurador-geral da República, Rodrigo Janot, Eduardo Cunha tinha usado indevidamente o mandato de deputado e o cargo de presidente da Câmara para constranger e intimidar testemunhas, colaboradores, advogados e agentes públicos. Tudo para atrapalhar e impedir a investigação contra ele e a quadrilha que integra.

No pedido, a procuradoria disse que o presidente da Câmara havia usado o cargo "unicamente com o propósito de autoproteção mediante ações espúrias" e afirmou que não havia "ressaibo de dúvidas" de que ultrapassara "todos os limites aceitáveis".

A lista de ações atribuídas a Eduardo Cunha começava com o uso de requerimentos da Comissão de Fiscalização Financeira e Controle da Câmara dos Deputados para pressionar um dos operadores do esquema, Júlio Camargo, que tinha atrasado o pagamento de propinas para ele. De acordo com essa investigação, que deu margem à primeira denúncia contra Cunha, em determinado momento o deputado pediu a uma de suas aliadas, Solange Almeida, que apresentasse pedidos de informação sobre a Mitsui, empresa que o operador Júlio Camargo representava no Brasil.

O segundo caso narrado era de arrepiar. O doleiro Lúcio Bolonha Funaro tinha uma disputa judicial com o grupo Schahin por causa do rompimento da barragem de Apertadinho, em Rondônia, em 2008. O doleiro era dono da hidrelétrica, que foi construída pela Schahin. Depois que a barragem se rompeu, gerando danos ambientais e sociais, os dois foram brigar na justiça sobre a responsabilidade pelo acidente. A partir dessa disputa judicial, a Schahin passou a ser alvo da Câmara dos Deputados. Foram mais de 30 requerimentos de informações, pedidos de auditoria e fiscalizações, convites para audiência em comissões, segundo os registros da Câmara. Em 2010, as estatísticas da Comissão de Fiscalização Financeira e Controle revelam que, das 40 reuniões, 12 foram para discutir temas relacionados à empresa Schahin, ou seja, 30% das sessões foram dedicadas a uma empresa só.

A sequência de convocações da empresa continuou na CPI da Petrobras, em que ela foi alvo de mais seis requerimentos. Durante a sessão destinada a ouvir os integrantes da família Schahin, um deputado ligado a Eduardo Cunha brandiu um dossiê que registrava a existência de 107 contas da família no exterior, com 500 milhões de dólares depositados. Milton Schahin atribuiu a Funaro as pressões contra a empresa dele vindas do Congresso. "Vejo como pura sacanagem do Funaro. Agora você me pergunta: como o Funaro pode ter tanta força? Porque o Eduardo Cunha está por trás. Temos uma pendência muito grande com Funaro, e a ligação de Cunha com ele é muito conhecida. O que é estranho é a Câmara se meter na briga entre duas empresas. O que deputados têm a ver com uma disputa judicial entre empresas?", disse ele ao jornal *O Globo*. Milton contou, em depoimento à Polícia Federal, que já fora ameaçado de morte por Funaro. Seu irmão Salim também sofreu ameaças.

Milton fez ainda uma representação por escrito à Procuradoria-Geral da República registrando uma nova ameaça de morte vinda de Lúcio Bolonha Funaro. Em entrevista à revista *Piauí*, em agosto de 2015, Funaro disse o seguinte sobre Milton: "Ele acha que já se fodeu tudo o que tinha para se foder? Pois está muito enganado. Eu só comecei a abrir minha caixa de ferramentas. Ele não entendeu que não tem roupa para essa festa." Eduardo Cunha nega a relação de proximidade com o doleiro. Mas os procuradores citaram provas de que Funaro comprou dois carros que estão em nome da empresa de Eduardo Cunha e da mulher dele, a C3 Produções Artísticas e Jornalísticas. Além disso, os planos de voo do avião de um dos operadores do esquema de corrupção na Petrobras, Júlio Camargo, revelam que Cunha viajou com Funaro entre São Paulo e Brasília.

O terceiro motivo apresentado pelos procuradores foi a convocação, pela CPI da Petrobras, da advogada Beatriz Catta Preta, responsável por conduzir várias delações premiadas na Lava Jato. O pedido fora feito por um aliado de Eduardo Cunha, o deputado Celso Pansera, do PMDB do Rio, que depois se tornaria ministro de Dilma. A aprovação ocorreu, curiosamente, depois que Júlio Camargo, então cliente de Beatriz Catta Preta, prestou um novo depoimento à Procuradoria-Geral da República no qual revelou que Eduardo Cunha recebera parte da propina relacionada aos navios-sonda vendidos pela Samsung Heavy Industries à Petrobras. Quando a notícia da convocação da criminalista veio à tona, causou surpresa, pois outros pedidos relevantes feitos meses antes, como o do comparecimento do próprio Júlio Camargo, continuavam sem decisão. Catta Preta acabou nunca indo à CPI. A reação foi forte. A Ordem dos Advogados do Brasil entrou com uma ação contra o depoimento dela no Supremo Tribunal Federal. Mas a convocação da advogada pesou contra Cunha.

Havia mais motivos na lista da PGR para justificar o afastamento de Cunha, como a contratação da Kroll, uma empresa que atua na área de investigação internacional, pela CPI da Petrobras. O contrato, de um milhão de reais, não deixava claro o objetivo da investigação, mas, para os procuradores, a razão era uma só: conseguir provas para anular as delações que ajudavam a sustentar as acusações da Lava Jato. Eles diziam nos bastidores que os alvos da investigação da Kroll eram justamente os que mais colaboravam para a elucidação dos fatos.

Em outro episódio narrado pela PGR, Eduardo Cunha se valeu de novo do deputado Celso Pansera para intimidar Alberto Youssef. Ele apresentou uma série de 12 requerimentos, entre eles pedidos de quebra de sigilo da ex-esposa, da irmã e das filhas de Youssef. O doleiro foi o primeiro colaborador da Lava Jato a tocar no nome de Eduardo Cunha. Em depoimento, Youssef reclamou da pressão.

Os procuradores disseram que Cunha também é suspeito de usar o cargo para aprovar medidas provisórias de interesse de bancos e empresas e cobrar por isso. Várias MPs que começaram a ser investigadas foram objeto de mensagens trocadas entre empresários, como Léo Pinheiro, da OAS, e Otávio Azevedo, da Andrade Gutierrez.

Por fim, os procuradores listaram as manobras no Conselho de Ética da Câmara para que ele não fosse julgado. Uma tropa de choque atuou abertamente em defesa de Cunha.

Novas suspeitas contra o presidente da Câmara continuavam a aparecer. No fim de dezembro, em outra operação no Rio de Janeiro, foi encontrado um documento com referência a Eduardo Cunha e Fábio Cleto, vice-presidente da Caixa Econômica Federal, indicado por ele. Para os investigadores, uma anotação descoberta naquele dia apontava que Cunha e Cleto cobraram propina em troca de liberação de financiamentos do FI-FGTS, numa situação muito semelhante aos fatos narrados por dois novos colaboradores, Ricardo Pernambuco e o filho, Ricardo Pernambuco Júnior, da construtora Carioca.

Em depoimento, pai e filho disseram que pagaram propina a Eduardo Cunha pela liberação de verbas para uma obra das Olimpíadas do Rio 2016: o Porto Maravilha. A obra foi responsabilidade de um consórcio formado por OAS, Odebrecht e Carioca, sendo que esta última tinha apenas 25% do negócio. Os dois empresários relataram ter pago mais de 50 milhões de reais a Cunha e apontaram os números de várias contas no exterior onde os depósitos teriam sido feitos. Contas secretas diferentes das que já haviam surgido, em outros bancos, como o Israel Discount Bank, e que o deputado, mais uma vez, não tinha declarado no Brasil. Nas mensagens de texto que Léo Pinheiro, da OAS, trocou com Cunha, eles também falam sobre a liberação de dinheiro do FI-FGTS.

Por tudo isso, a PGR pediu o afastamento do presidente da Câmara: "É urgente que Eduardo Cunha seja privado de seus poderes como deputado federal e como presidente da Câmara." Ele, contudo, resistia, convencido de que o cargo o protegeria.

Mar de lama

Às graves denúncias de corrupção somaram-se outras tragédias que abateram profundamente o ânimo dos brasileiros no fim de 2015. Em 5 de novembro, a barragem de Fundão, de propriedade da mineradora Samarco, se rompeu despejando 35 milhões de metros cúbicos de lama de rejeitos de minério sobre a comunidade de Bento Rodrigues, em Mariana, Minas Gerais. Um desastre ambiental sem precedentes na história da mineração brasileira que deixou 17 mortos, mais de 1.200 desabrigados e um rastro de destruição do rio Doce até o mar.

Para piorar, o país teve que enfrentar um surto de microcefalia – uma má-formação no cérebro de bebês – vinculado, de acordo com as primeiras evidências, ao vírus da zika, transmitido pelo mosquito *Aedes aegypti*, o mesmo da dengue. O ano terminou ainda com o governo federal e os governos estaduais na penúria por conta da queda da arrecadação.

O fio de esperança das tradicionais retrospectivas foi a Operação Lava Jato, que logo no início de 2016 demonstraria a mesma intensidade frenética de fatos, revelações e acordos de delação. Novos personagens, não citados até então, apareceram nas provas dos processos. Nos primeiros dez dias do ano, duas bombas. As mensagens de celular do ex-presidente da OAS, Léo Pinheiro, foram divulgadas, implicando, entre outros, o chefe da Casa Civil, Jaques Wagner, e o secretário de Comunicação Social do governo, Edinho Silva, ex-tesoureiro da campanha de Dilma. Por meio de Nestor Cerveró soube-se que um prédio faraônico fora construído na Bahia para abrigar a Diretoria Financeira da Petrobras, apesar de haver espaço na sede da empresa no Rio.

Em resposta às novas suspeitas contra políticos e integrantes do governo, a presidente Dilma Rousseff falou sobre a Lava Jato em sua primeira entrevista do ano: "Podem continuar me virando do avesso. Sobre a minha conduta não paira nenhum embaçamento."

No dia 8 de janeiro, o jornalista e escritor Nelson Motta publicou uma crônica no *Globo* definindo a Lava Jato como a melhor série do momento. Logo na abertura do texto ele provocava: "Que time de ficcionistas criaria uma história melhor e mais cheia de emoção, surpresas e mistérios?" Nelson Motta dizia que "certamente em um futuro próximo a Lava Jato será transformada em uma série de televisão, com a realidade superando a ficção na sensacional história de uma operação policial que mudou o país, comandada por um juiz justo e corajoso e uma brigada de jovens e bravos procuradores unidos a uma Polícia Federal honesta e eficiente, mas com seus traidores e corruptos, desvendando a trajetória de heróis e vilões, de chefões, delatores, de empresários poderosos e suas famílias, o drama de cada um, a trama de uma organização criminosa no coração do Estado, a teia de interesses que une políticos, partidos e corruptos profissionais para saquear o país". O artigo terminava com a frase "Enquanto isso em Curitiba...", deixando o leitor à espera de mais emoções e reviravoltas na vida real.

E naquele momento, em Curitiba, grandes empresários continuavam atrás das grades depois de passarem o ano-novo na prisão. O juiz Sergio Moro aproveitara o recesso do Judiciário e tinha viajado de férias para a Espanha com a família toda, mãe e sogra incluídas. A Polícia Federal havia reforçado seu time da Lava Jato, que já era considerado o maior da história dedicado a um assunto. No Ministério Público, o número de integrantes da força-tarefa, contando os 11 procuradores que trabalhavam no caso e o pessoal de apoio, chegava a 50.

Em Brasília, o governo federal baixou uma medida provisória permitindo acordos de leniência com empresas envolvidas em processos de corrupção que foi interpretada como uma forma de enfraquecer o Ministério Público e o Tribunal de Contas da União. Pelo menos foi esse o entendimento do procurador Carlos Fernando dos Santos Lima e do procurador de contas do TCU Júlio Marcelo de Oliveira. O então advogado-geral da União, Luís Adams, disse que os contrários à medida eram "profetas do caos".

A Lava Jato recebia aplausos, mas também duras críticas. Em meados de janeiro, mais de 100 advogados assinaram um manifesto intitulado "Carta aberta em repúdio ao regime de supressão episódica de direitos e garantias verificado na Operação Lava Jato". Um dos signatários, Antônio Carlos de Almeida Castro, disse que o objetivo era provocar uma reflexão:

"Esse manifesto não é só para chamar a atenção do Poder Judiciário. É muito mais para a reflexão da sociedade como um todo porque, de repente, o Brasil virou um país monotemático, onde só tem voz a acusação." O autor da carta foi Nabor Bulhões, advogado de Marcelo Odebrecht na Lava Jato. "Tivemos que reagir porque Moro passou a decretar seguidas prisões e operações para compelir o grupo a fazer leniência e delações", disse Nabor, em entrevista para o livro. A carta dizia que "nunca houve um caso penal em que as violações às regras mínimas para um justo processo estejam ocorrendo em relação a um número tão grande de réus e de forma tão sistemática". Em outro trecho, atacava os decretos de prisão: "É de todo inaceitável, numa Justiça que se pretenda democrática, que a prisão provisória seja indisfarçavelmente utilizada para forçar a celebração de acordos de delação premiada."

O texto criticava o chamado "ativismo judicial" de Sergio Moro, sem citar o seu nome: "É inconcebível que os processos sejam conduzidos por magistrado que atua com parcialidade, comportando-se de maneira mais acusadora do que a própria acusação." A carta terminava dizendo: "É fundamental que nos insurjamos contra estes abusos. O Estado de Direito está sob ameaça e a atuação do Poder Judiciário não pode ser influenciada pela publicidade opressiva que tem sido lançada em desfavor dos acusados." O juiz respondeu às críticas dizendo que o objetivo dele era seguir o rastro do dinheiro desviado.

A repercussão do manifesto foi forte, e a reação a ele também. Associações de juízes e de procuradores rebateram em nota as críticas dos advogados fazendo uma enérgica defesa da Lava Jato e chamando a atenção para o fato de que muitos dos signatários do manifesto eram defensores de réus da operação.

A delação de Delcídio

Na prisão, Delcídio arquitetava um plano que parecia perfeito. Ele era o pesadelo do governo e de inúmeros políticos. A pergunta que todos se faziam em Brasília era: o senador vai falar? Ele começou a contar o que sabia à Procuradoria-Geral da República logo depois da Quarta-feira de Cinzas. Delcídio prestou o primeiro de uma série de depoimentos devastadores na quinta, 11 de fevereiro. E continuou seus relatos até o domingo, dia 14. Em alguns momentos, demonstrava arrependimento de ter começado a falar. Pedia para parar. Depois retomava. Mas foi até o fim e acabou sendo solto em 19 de fevereiro. O temor se espalhou quando o senador saiu da prisão. Por que ele tinha sido solto? A dúvida aumentou ainda mais quando o ex-líder do governo pediu licença de 15 dias ao Senado. Políticos e jornalistas começaram a ligar para a mulher dele, Maika, e ela respondia: "Não, você está maluco, sou contra isso, é contra meus princípios."

O Globo publicou que ele fizera delação, mas todos negavam, inclusive e de forma veemente, o advogado. Era parte do plano. Ele negociara com a PGR que faria a delação, mas que ela deveria ser mantida em sigilo por seis meses. Isso permitiria que ele passasse pelo julgamento do Senado sem ser cassado. Desta forma permaneceria com foro privilegiado. Esses termos teriam que ser aceitos pelo STF. O Supremo poderia dizer não a esta cláusula de confidencialidade. Na prática, ela começou a ser derrubada quando saiu a primeira de duas reportagens na IstoÉ com trechos da delação, ainda protegida pelo segredo de Justiça. Nelas, Delcídio atacava a presidente Dilma, o ex-presidente Lula e o principal líder da oposição, Aécio Neves.

Enquanto o senador estava preso, o ministro da Educação, Aloizio Mercadante, ex-chefe da Casa Civil e pessoa forte no governo Dilma, convidou o assessor de Delcídio, Eduardo Marzagão, ao seu gabinete e ofereceu ajuda ao senador, mandando também um conselho para que ele não falasse. O ministro avisou ao assessor de Delcídio que a situação iria piorar: "Vai vir Andrade Gutierrez, não sei quem, o Zelada, o caralho, vai vir merda pra caralho toda hora."

Mercadante sugeriu que Delcídio ficasse quieto e esperasse, porque depois tudo esfriaria. Ofereceu ajuda para pagar advogado, se dispôs a falar com os presidentes do Senado e do Supremo para "construir uma solução" e pediu que Marzagão dissesse em que poderia ajudar. Mas avisou: "Eu acho que ele devia esperar, não fazer nenhum movimento precipitado."

A conversa estava sendo gravada. Delcídio entendeu que Aloizio Mercadante agia como emissário da presidente Dilma Rousseff e entregou a gravação feita por seu assessor para a PGR. A divulgação do áudio, numa terça-feira, 15 de março, caiu como uma bomba. Mais uma sobre o governo. Dilma soltou uma nota dizendo que aquela tinha sido uma "iniciativa pessoal" do ministro. Mercadante se defendeu e disse que estava tentando ser solidário e ressaltou partes do áudio em que dizia: "Ele se defende como achar que deve se defender... Eu não vou entrar nisso, a decisão é dele... Não tô nem aí se ele vai delatar."

A gravação parecia ser o grande escândalo do dia. Mas, de tarde, o assunto das manchetes já era outro. O ministro Teori Zavascki homologara a delação de Delcídio e suspendera o sigilo. Na delação, o ex-líder do governo no Senado citou várias vezes o ex-presidente Lula. Disse que fora procurado por Lula na época da prisão de Paulo Roberto Costa, logo no início da Lava Jato. Delcídio concordara que era preciso acompanhar o caso de perto porque o ex-diretor da Petrobras sabia de muita coisa. Mas nada foi feito para barrar a operação. "Na verdade, o governo subestimou aquela situação do Paulo Roberto. Deixou as coisas andarem", disse Delcídio em entrevista para este livro. Segundo Delcídio, no final de 2014, quando os primeiros grandes empresários foram presos, Lula tentou convencer o governo a criar um "gabinete de crise" para acompanhar a operação, mas Dilma não comprou a ideia. "Ele tinha noção, como eu também, de que esse troço iria explodir. Quando veio a sétima fase, ele insistiu mais. Mas ela botou na cabeça que não tinha nada a ver com isso e que o legado que iria deixar era ter combatido a corrupção", contou o senador. Delcídio revelou ainda que o ex-presidente o procurou em maio de 2015 e pediu que ajudasse a proteger seu amigo José Carlos Bumlai e a impedir a delação do ex-diretor Nestor Cerveró. O senador afirmou que Lula sabia de tudo, comandava o esquema. Contou que participara de uma reunião em São Paulo com Lula e os senadores Renan Calheiros e Edison Lobão para tratar da crise política provocada pela Lava Jato. Lula negou essas alegações e acusou Delcídio de mentir.

Em sua delação, o ex-líder do governo no Senado falou também que a presidente Dilma nomeara o ministro Marcelo Navarro Ribeiro Dantas para o Superior Tribunal de Justiça visando interferir nos rumos da Lava Jato e revelou que ela se reunira com o presidente do Supremo, Ricardo Lewandowski, com o mesmo objetivo. Contou também que os empreiteiros de Belo Monte pagaram propina para financiar campanhas eleitorais de Dilma em 2010 e 2014. Em seus depoimentos, Delcídio acusou o vice-presidente Michel Temer de ser ligado a um dos operadores presos, João Augusto Henriques, e ao ex-diretor da Petrobras Jorge Zelada. Também implicou o senador Aécio Neves num esquema de recebimento de propinas em Furnas e disse que os dados fornecidos pelo extinto Banco Rural à CPI dos Correios – que fora presidida por Delcídio – atingiriam o senador Aécio Neves se não tivessem sido "maquiados" pela instituição financeira.

Delcídio disse, em depoimento, que, quando a CPI dos Correios autorizou a quebra de sigilo de pessoas e empresas, inclusive do Banco Rural, Aécio enviou emissários à comissão para que o prazo de entrega das quebras de sigilo fosse "delongado", sob a justificativa de que não haveria tempo hábil para preparar as respostas. O ex-líder do governo relatou que, ao receber o material, percebeu "com surpresa" que "o tempo fora utilizado para maquiar os dados que recebera do Banco Rural" e que "atingiriam em cheio as pessoas de Aécio Neves e Clésio Andrade, governador e vice-governador de Minas Gerais". Os dois negaram tudo. Em nota, a assessoria de Aécio disse que ele "nunca manteve qualquer relação com o Banco Rural" e que o senador "jamais tratou com o delator Delcídio de nenhum assunto referente à CPMI dos Correios" nem pediu a ninguém que fizesse isso. A delação de Delcídio tornou o clima político ainda mais incandescente.

Capítulo 12

ALETHEIA – A BUSCA PELA VERDADE

4 de março de 2016

Lula no centro da Lava Jato

Às seis da manhã daquela sexta-feira, três delegados, dois escrivães e dez agentes da Polícia Federal bateram à porta do apartamento 122 do bloco 1 da avenida Prestes Maia, 1501, em São Bernardo do Campo, São Paulo. O clima era de tensão. Quem abriu a porta foi o próprio ex-presidente da República, Luiz Inácio Lula da Silva. Vestindo um abrigo de ginástica, ele olhou para os policiais e disse: "Bom dia."

O chefe da equipe, o delegado Luciano Flores de Lima, tomara todo o cuidado possível ao preparar aquela operação. Ele já tinha comandado muitas missões importantes na Lava Jato, como a prisão do ex-ministro José Dirceu, mas aquela era diferente. Estava diante de um ex-presidente da República. Mais do que nunca, tudo tinha sido pensado nos mínimos detalhes. No apartamento havia dois policiais armados e treinados para defender o ex-presidente. E se eles reagissem? Esse foi um dos cenários cogitados.

Por isso, enquanto uma equipe batia à porta de Lula, oito homens da tropa de elite da PF, o Comando de Operações Táticas (COT), aguardavam embaixo do prédio, na rua, dentro de uma van branca, para entrar em ação ao menor sinal de problema. Helicópteros estavam prontos para decolar no aeroporto de Congonhas.

Luciano foi o primeiro a entrar na casa de Lula. "Bom dia", respondeu o delegado. E arriscou até algo mais amistoso: "Prazer em conhecê-lo pessoalmente." Depois de se apresentar, anunciou com a voz mais calma que conseguiu: "Olha, a gente tem um mandado para fazer uma busca aqui na sua residência." Lula concordou e disse para o pessoal entrar.

Na casa só estavam Lula, a sua esposa, Marisa Letícia, e os dois seguranças pagos pela Presidência da República. O receio de que eles pudessem resistir à ordem de busca e apreensão e dificultar o trabalho dos policiais federais não se confirmou. Eles permitiram a entrada dos agentes. E, mais estranho: não pareciam surpresos. Era como se já tivessem sido alertados da possibilidade de isso acontecer. Foi um alívio para os policiais.

Lula, no entanto, estava visivelmente irritado. Acompanhou a entrada da equipe olhando para cada um dos homens, como se estivesse procurando alguém. "Mas vocês não trouxeram o Japonês da Federal também, né?", perguntou o ex-presidente. Nessa hora, apesar de toda a tensão, os policiais tiveram vontade de rir. O agente Newton Ishii, que ganhou fama ao ser fotografado conduzindo diversos presos da Lava Jato, estava de férias e não participou dessa operação. Newton, a essa altura, já tinha virado tema de marchinha de carnaval e boneco de Olinda. Um dos delegados presentes tinha ascendência japonesa, mas ninguém ousou fazer piada naquele momento. O clima não era para brincadeiras. O delegado Luciano tinha a missão de comunicar ao ex-presidente que ele teria de ser interrogado e que, para isso, seria preciso levá-lo para um lugar tranquilo, onde a inquirição pudesse ser feita sem maiores problemas.

Quando o delegado explicou a situação, Lula elevou o tom de voz: "Só saio daqui algemado. Se o senhor quiser me levar... Se o senhor quiser me ouvir, vai me ouvir aqui." Luciano argumentou que não poderia tomar o depoimento na casa dele, que não tinha condições adequadas. Era uma questão de segurança, haveria tumulto lá fora e isso com certeza iria atrapalhar o interrogatório e a busca no apartamento. Já havia uma sala especialmente preparada para ouvi-lo no aeroporto de Congonhas, o salão presidencial. Eles não iriam para a sede da Polícia Federal. Os carros não estavam com adesivos da instituição, eram descaracterizados, com películas escuras nos vidros laterais. O delegado também garantiu a Lula que ele poderia ficar tranquilo, pois não permitiriam que nenhuma imagem fosse feita durante o percurso. Era até melhor saírem logo, antes que a imprensa chegasse. Lula ficou ouvindo e nada respondeu.

Chegou então o momento em que o delegado usaria o argumento final. Luciano informou que tinha um mandado de condução coercitiva e deixou claro que, caso o ex-presidente se recusasse a acompanhá-lo, iria dar cumprimento a ele. Lula não tinha muita saída. Pediu que o chefe da segurança dele, tenente Valmir Moraes da Silva, ligasse para o advogado Roberto Teixeira. Falou com o advogado que a PF queria levá-lo para o aeroporto e tinha um mandado de condução coercitiva. Depois de ouvir suas orientações, disse que iria trocar de roupa e seguiria com os policiais para prestar depoimento. Lula tinha experiência e instinto político de sobra para saber lidar com aquela situação. E soube.

Às seis e meia da manhã, sete policiais saíram com Lula para o aeroporto e oito ficaram para fazer a busca na casa dele, acompanhados por Marisa Letícia. No carro da Polícia Federal, Lula sentou atrás do banco do motorista. Foi orientado a não olhar por entre os bancos da frente para evitar ser fotografado. A estratégia funcionou. No caminho, enquanto a van do COT seguia os veículos da PF, Lula evitou falar muito. Foi conversando em tom ameno sobre o noticiário, a mudança no Ministério da Justiça, os dilemas da presidente Dilma. A viagem durou 50 minutos.

De certa forma, todos os que acompanhavam a Lava Jato esperavam ou temiam que algo assim pudesse acontecer. Mas a condução coercitiva de Lula foi um susto nacional. A notícia pegou o país de ressaca depois das pesadas revelações da véspera, dia 3, quando a revista *IstoÉ* divulgara trechos da proposta de delação premiada do senador Delcídio do Amaral. O governo ficara em choque com as declarações que atingiam diretamente a presidente Dilma e o ex-presidente Lula. Pelo que Delcídio prometia contar nos termos da proposta de delação, Dilma sabia mais do que teria admitido sobre a polêmica compra da Refinaria de Pasadena e teria nomeado um ministro para o Superior Tribunal de Justiça com a incumbência de conceder habeas corpus para empresários presos. Já Lula estaria por trás da oferta de compra do silêncio de Nestor Cerveró. Não bastasse a crise provocada pela metralhadora giratória de Delcídio, o país ainda enfrentava a pior recessão em 25 anos, com a queda de 3,8% do PIB em 2015.

Com a 24ª fase nas ruas, a Lava Jato, que começara dois anos antes com o doleiro Alberto Youssef, se aproximava do maior líder popular do país. Para batizar a operação, a Polícia Federal tinha escolhido um nome com forte simbolismo: Aletheia, palavra grega que significa verdade e, para o filósofo alemão Martin Heidegger, pode ser entendida como "desvelamento".

Segundo a PF, o sentido da Operação Aletheia era a busca da verdade. E, para revelá-la, 200 agentes da instituição e 30 auditores da Receita Federal estavam cumprindo naquela sexta, 4 de março, 44 mandados judiciais, sendo 33 de busca e apreensão e 11 de condução coercitiva, no estado de São Paulo, no Rio de Janeiro e na Bahia.

Entre os locais visitados pelos agentes da Polícia Federal estavam o apartamento de Lula, em São Bernardo; a casa de seu filho Fábio Luís, o Lulinha, em Moema; o sítio de Atibaia; o tríplex do Guarujá e a sede do Instituto Lula, em São Paulo. Outras empresas e pessoas também estavam sendo investigadas, mas o alvo principal da 24ª fase seguia naquela manhã para o aeroporto de Congonhas. Enquanto o comboio da PF vencia o trânsito, a notícia de que o ex-presidente Luiz Inácio Lula da Silva estava sendo levado a depor corria o Brasil e o mundo e ganhava as primeiras páginas das versões on-line dos principais jornais do planeta.

Depoimento no salão presidencial

Eram oito horas da manhã quando Lula começou a prestar depoimento no salão presidencial do aeroporto de Congonhas. Ele chegara lá sem percalços e esperara até as 7h45 por seus advogados. Depois de conversar separadamente com eles por 15 minutos, o ex-presidente estava pronto. Pediu um lenço de papel para seu segurança, enxugou o rosto e se preparou para falar.

A notícia de que Lula estava em Congonhas se espalhou de boca em boca e muita gente decidiu ir para o aeroporto. Na sala reservada para o depoimento, estavam dois delegados, três agentes, dois procuradores, o ex-presidente Lula, um segurança dele, três advogados e um deputado federal que entrou de penetra, Paulo Teixeira, do PT de São Paulo. Quando os delegados descobriram que o registro de Teixeira na OAB estava suspenso, aceitaram fazer um acordo. Ele ficaria, mas ninguém mais entraria. Todos concordaram. Os policiais sabiam que logo apareceriam outros parlamentares, assim como militantes.

Os delegados tinham preparado mais de 120 perguntas e era preciso colher as declarações de Lula a despeito das seguidas distrações. O depoimento foi gravado em áudio e vídeo pela Polícia Federal. Um dos advogados do ex-presidente também registrou tudo com o celular. No longo depoimento, Lula se eximiu das suspeitas. Disse que nada sabia sobre as questões financeiras do Instituto Lula, que nunca pedira doações. O ex--presidente também não soube dizer exatamente quem fazia os pedidos de doação: "Isso tem que perguntar para quem conhece." No caso, era o presidente do Instituto Lula, Paulo Okamotto. O ex-presidente recorreu diversas vezes ao nome de Okamotto para dizer que só ele saberia responder às dúvidas da polícia, inclusive a respeito do pagamento feito pelo instituto à empresa de seu filho Fábio Luís Lula da Silva, o Lulinha. Paulo Okamotto também prestou depoimento naquele dia.

Lula falou sobre as palestras que deu, principal fonte de renda da LILS Palestras, Eventos e Publicações Ltda., da qual é sócio. Disse que cobrava 200 mil dólares por palestra porque se baseara no valor recebido pelo ex--presidente dos Estados Unidos Bill Clinton: "Nós fizemos mais do que ele, então merecemos pelo menos igual." Sobre as atividades do Instituto Lula, organização sem fins lucrativos, explicou que seu objetivo é divulgar o que ele fez em seu governo e desenvolver ideias, como a do programa Minha Casa, Minha Vida. Diante das perguntas mais técnicas a respeito de pagamentos do instituto, disse que não sabia responder. Não soube dizer, por exemplo, por que a empresa G4, do filho Fábio Luís, recebera mais de 1,3 milhão de reais do Instituto Lula em 2014. Na segunda vez em que foi perguntado sobre a G4, o ex-presidente disse: "Se a G4 prestou serviços para o instituto, se ela prestou serviços, o instituto paga corretamente os serviços prestados." E acrescentou que já tinham sido apresentadas todas as informações à Receita, que estivera no instituto "xeretando". O delegado lembrou até o valor pago de imposto e insistiu:

– O senhor tem ideia do que pode ter sido prestado pela G4 ao Instituto Lula para que a G4 tenha recebido esse valor?

– Olha, se não me falha a memória, deve ter sido do Memorial da Democracia, porque nós fizemos o Memorial digital que está no ar. Nós fizemos o Memorial, fizemos o Políticas Públicas, são dois programas que estão no ar para difundir o que aconteceu no Brasil. Aí isso implicou fazer filmes, implicou fazer estudo, deve ter sido isso, mas como vocês estão, estão... O Paulo Okamotto vai estar prestando depoimento ou não? – respondeu Lula.

– É para estar, eu não tenho ideia se... – disse o delegado.

– Pois, se ele estiver, ele deve falar, porque ele é que contrata – disse Lula.

Nessa altura do interrogatório, Lula falou sobre o Brasil e a corrupção. "Uma das coisas que fomentou a corrupção no Brasil ao longo do tempo é que o ministério, o poder público, fingia que contratava a obra, fingia que pagava, a empresa fingia que fazia, ficava tudo como antes. Antes de eu chegar à Presidência, o servidor público fingia que trabalhava, o governo fingia que pagava, o Brasil se fodia, então, desculpe a palavra horrível, nós resolvemos moralizar tudo isso. Eu adotei como política o seguinte: primeiro pagar em dia. Eu só tenho credibilidade com as pessoas se eu pagar em dia. Se eu fingir que pago e a pessoa finge que recebe, alguém vai enganar alguém, então eu optei pela seriedade, e isso vale para o instituto", disse Lula.

O ex-presidente não soube dizer com precisão quem do Instituto Lula mantinha uma relação mais próxima com empresários e empresas investigados na Lava Jato a ponto de pedir doações. Mas admitiu ser amigo do ex-presidente da OAS, Léo Pinheiro, condenado em primeira instância a mais de 16 anos por envolvimento no esquema de corrupção da Petrobras, assim como do pecuarista José Carlos Bumlai, preso na 21ª fase da operação. Lula negou veementemente ser dono de um apartamento tríplex no Guarujá ou de um sítio em Atibaia e alegou que se tornara parte do processo jurídico mais complicado do país porque é acusado de ter imóveis que não são dele e todos dizem que são. Para Lula, a Polícia Federal tinha inventado a história do tríplex, o que, disse com todas as letras, era uma "sacanagem homérica".

Em determinado momento, ao se lembrar de uma visita que fizera ao apartamento do Guarujá acompanhado de Léo Pinheiro, Lula disse que o imóvel era pequeno demais para ele:

– Quando eu fui a primeira vez, eu disse ao Léo que o prédio era inadequado porque, além de ser pequeno, um tríplex de 215 metros é um tríplex Minha Casa, Minha Vida, era pequeno.

– Isso é bom ou ruim? – perguntou o delegado.

– Hein?

– Isso é bom ou ruim? – repetiu o delegado.

– Era muito pequeno, os quartos, era a escada muito, muito... Eu falei: "Léo, é inadequado, para um velho como eu, é inadequado" – respondeu Lula.

O advogado Roberto Teixeira interrompeu várias vezes o depoimento reclamando das perguntas ou do que ele considerava não ter propósito para o interrogatório. Os delegados sempre rebatiam, dizendo que era uma oportunidade de Lula dar suas explicações. Durante as três horas de depoimento, circulou água e café pela sala, e o segurança do ex-presidente trouxe um lanche, que ele gentilmente ofereceu a todos. Chegavam informações de que os militantes estavam do lado de fora. De vez em quando eles ouviam o barulho.

A certa altura, um grupo de parlamentares do PT conseguiu chegar à porta da sala onde ocorria o depoimento. No momento em que um dos policiais saía, os petistas tentaram forçar a entrada. Foi quando houve uma das cenas mais bizarras do dia. Deputados empurrando a porta de um lado, policiais segurando do outro. Quem não estava tentando entrar incitava os manifestantes do lado de fora através de uma parede de vidro que dava para a calçada. Do lado de dentro, o rumor que chegava era cada vez mais alto, aumentando o clima de tensão.

A defesa chegou a pedir para interromper o depoimento. Com a pressão e o risco de conflito aumentando, os delegados decidiram encerrar o interrogatório rapidamente, afinal as perguntas mais importantes já tinham sido feitas. Além disso, estavam com a impressão de que, em relação aos pontos de maior interesse para a investigação, Lula sempre dizia que não sabia, não se lembrava ou que não era com ele.

Assim que o ex-presidente assinou o termo de depoimento, os policiais deixaram os parlamentares entrar para saudá-lo, o que estes fizeram entusiasticamente. Aí surgiu um impasse. Os deputados queriam levar Lula até o povo que estava do lado de fora protestando a seu favor, e os delegados preferiam tirá-lo do aeroporto o mais rápido possível. Não pretendiam de forma alguma deixá-lo ali, até porque a atmosfera estava começando a ficar hostil. Com apoio de seus companheiros, o líder do PT queria simplesmente sair porta afora. Mas os delegados insistiam em tirá-lo de Congonhas. A discussão durou quase uma hora. Lula estava mais uma vez irritado. Conversava alto com os deputados e os advogados. Parecia indignado. Os policiais entreouviram o grupo dizer frases do tipo "Hoje está declarada a guerra!" e "A partir de hoje nós vamos incendiar o país".

Enquanto isso, os delegados buscavam uma saída discreta. Depois de uma negociação tensa, acompanhada a distância pela cúpula da Polícia Federal, chegou-se a um acordo para Lula entrar no carro de um dos advogados e sair por dentro do aeroporto, o que seria mais seguro. Como eles não quiseram que os policiais acompanhassem o ex-presidente até sua casa, o ato foi encerrado ali. Apesar de tudo, Lula se despediu num tom bem amistoso, cumprimentando os policiais e pedindo que devolvessem as coisas que pegaram no apartamento dele. Quando um dos policiais lhe desejou boa sorte, ele respondeu: "Tá bem, tá bem, meu querido. Tchau, tchau." E partiu.

A Operação Aletheia testaria ao máximo a Lava Jato, incendiando de fato o país e reacendendo divisões e conflitos mal resolvidos da campanha eleitoral de 2014. Enquanto Lula deixava Congonhas, pessoas se apinhavam na porta da delegacia da PF no aeroporto, ocupando até o saguão onde fica a escada rolante. Grupos contra e a favor de Lula gritavam palavras de ordem. A Polícia Federal achava que ouvir o ex-presidente no aeroporto evitaria tumultos e manifestações. Não evitou. Na rua houve enfrentamentos. Na porta do prédio onde Lula mora, em São Bernardo, também.

Propriedade investigada

A tensão refletia a escalada de acontecimentos dos meses anteriores. Na verdade, antes de a Lava Jato se aproximar de Lula, ele já estava no radar do Ministério Público de São Paulo. A Promotoria paulista tinha aberto um inquérito em 2010 para apurar desvios de recursos da Cooperativa Habitacional dos Bancários de São Paulo (Bancoop). O inquérito virou denúncia, dando origem a um processo contra o então presidente da Bancoop, João Vaccari Neto – ex-tesoureiro do PT preso na Lava Jato. Ao longo das investigações, surgiu a suspeita de que Lula seria o verdadeiro dono de um tríplex no Condomínio Solaris, no Guarujá, um empreendimento da cooperativa que, em crise financeira, teria repassado as obras no prédio para a OAS, uma das empresas envolvidas no escândalo de corrupção da Petrobras.

O caso voltara ao noticiário em dezembro de 2014. Sempre que lhe atribuíam a propriedade do tríplex – e posteriormente do sítio Santa Bárbara, em Atibaia –, Lula se manifestava por meio de notas do instituto que leva seu nome, negando tudo. E passou a aparecer mais e a falar mais.

Diante de rumores de que seria o próximo alvo da Lava Jato, Lula resolveu esclarecer que não estava sendo investigado. No dia 20 de janeiro de 2016, num café da manhã com blogueiros simpáticos a ele, o ex-presidente falou sobre sua supremacia no quesito moral. "Se tem uma coisa que eu me orgulho, neste país, é que não tem uma viva alma mais honesta do que eu. Nem dentro da Polícia Federal, nem dentro do Ministério Público, nem dentro da Igreja Católica, nem dentro da Igreja Evangélica. Pode ter igual, mas eu duvido", disse Lula. "Duvido que tenha um promotor, delegado, empresário que tenha a coragem de afirmar que eu me envolvi em algo ilícito", desafiou ele. "Não existe nenhuma ação penal contra mim, o próprio Moro disse que eu não sou investigado", garantiu o ex-presidente.

Dias depois, em 27 de janeiro, a Polícia Federal colocou nas ruas a 22ª fase da Lava Jato, a primeira do ano. Nome: Triplo X, uma clara referência ao tríplex do Guarujá que Lula negava ser de sua propriedade. Naquele dia, a PF mirava os apartamentos da empreiteira OAS no Condomínio Solaris. Segundo as investigações, eles poderiam ter sido usados para lavagem de dinheiro oriundo de corrupção em empresas estatais. A suspeita era de ocultação de patrimônio. Na entrevista que deu à imprensa naquele dia, o procurador Carlos Fernando Lima disse que "todos os apartamentos do condomínio" seriam investigados. Seis pessoas foram presas e as buscas chegaram a quatro cidades, entre elas, São Bernardo do Campo.

Essa fase também tinha o objetivo de investigar um esquema de abertura de offshores e contas no exterior para esconder propinas. Um dos alvos era o escritório de advocacia panamenho Mossack Fonseca – que depois surgiria no centro de outro escândalo, o dos Panama Papers, que revelou que a empresa tinha criado ou vendido offshores para políticos brasileiros de diversos partidos. A força-tarefa tinha informações de que a Mossack constituíra outra empresa, a offshore Murray, que era dona de um tríplex no prédio do Guarujá. Outros investigados na Lava Jato, como Renato Duque e Pedro Barusco, teriam usado offshores abertas pela Mossack para mandar dinheiro para fora do Brasil. Agora havia a suspeita de que parentes do ex-tesoureiro do PT João Vaccari Neto teriam recebido apartamentos no Condomínio Solaris como propina.

Para embaralhar mais a situação, no dia 29 de janeiro de 2016, Lula e Marisa Letícia foram intimados pelo Ministério Público de São Paulo a prestar depoimento em fevereiro sobre o tríplex do Guarujá. De acordo com o MP de São Paulo, o tríplex 164-A havia sido reformado pela OAS. As melhorias no imóvel, que incluíam até a instalação de um elevador privativo, tinham custado 770 mil reais. Os promotores paulistas buscavam explicações para o fato de a empresa ter feito todo esse investimento em uma unidade que, em tese, não possuía um comprador definido. Para completar, a OAS pagou a cozinha planejada do imóvel, que foi comprada em uma loja da avenida Brigadeiro Faria Lima, em São Paulo, e instalada no fim da reforma.

No dia 30 de janeiro, o Instituto Lula publicou uma longa nota com o título "Os documentos do Guarujá: desmontando a farsa", contendo detalhadas explicações sobre o apartamento. A nota dizia que dona Marisa Letícia se tornara associada da Bancoop em abril de 2005, adquirindo uma cota do apartamento 141, de três quartos. Durante quatro anos e meio, ela pagou prestações mensais e intermediárias num total de 286 mil reais, em valores atualizados à época da divulgação da nota. Em setembro de 2009, quando a Bancoop, em crise, transferiu o empreendimento à OAS, os pagamentos foram suspensos porque dona Marisa não aderiu ao contrato com a nova incorporadora. Mesmo assim, de acordo com a nota, a família Lula da Silva manteve o direito de solicitar, a qualquer tempo, o resgate da cota de participação, mas não mais para a unidade 141, vendida posteriormente para outra pessoa.

Na condição de cônjuge em comunhão de bens, o ex-presidente declarou regularmente ao Imposto de Renda a cota do empreendimento adquirida por sua esposa. A nota admitia que um ano depois de concluída a obra no Condomínio Solaris, Lula e Marisa estiveram lá, com o então presidente da OAS, Léo Pinheiro, para visitar uma unidade que estava à venda, o apartamento tríplex 164-A, com 215 metros quadrados. Segundo a nota, aquela foi a única vez que Lula esteve no apartamento. Marisa e o filho Fábio Luís, o Lulinha, voltaram outras vezes enquanto ele estava em obras, mas "em nenhum momento, Lula ou seus familiares utilizaram o apartamento para qualquer finalidade". Em novembro de 2015, por causa da repercussão do caso, Marisa teria desistido oficialmente do negócio e pedido o resgate da cota. Segundo a nota, "mesmo tendo sido realizadas reformas e modificações no imóvel (que naturalmente seriam incorporadas ao valor final da compra), as notícias infundadas, boatos e ilações romperam a privacidade necessária ao uso familiar do apartamento".

O Instituto Lula criticou as investigações do Ministério Público de São Paulo e da Lava Jato sobre o apartamento, alegando que uma das descobertas da Operação Triplo X, a existência de apartamentos tríplex no prédio registrados em nome da offshore Murray, que teria ligação com a Mossack Fonseca, era conhecida havia meses. "Estes fatos nada têm a ver com o ex--presidente Lula, sua família ou suas atividades, antes, durante ou depois de ter governado o país", dizia a nota. Por fim, o instituto afirmou que "a mesquinhez dessa 'denúncia', que restará sepultada nos autos e perante a história, é o final inglório da maior campanha de perseguição que já se fez a um líder político neste país".

Sem descanso no sítio dos amigos

A cobertura no Guarujá, no entanto, não era o único problema do ex--presidente. Outra dúvida recaía sobre o sítio Santa Bárbara, em Atibaia, no interior de São Paulo, do qual era frequentador assíduo. A propriedade, de cerca de 170 mil metros quadrados, o equivalente a 24 campos de futebol, tinha como proprietários, no papel, Fernando Bittar, filho de um dos melhores e mais antigos amigos de Lula, Jacó Bittar, e Jonas Suassuna, sócio de Lulinha. Cada um tinha uma parte do terreno. Um levantamento feito pela imprensa no Portal da Transparência do governo federal indicava que Lula poderia ter estado 111 vezes no sítio entre 2012 e janeiro de 2016. Esse, pelo menos, foi o número de vezes que os seguranças fornecidos pelo governo, a que Lula tinha direito por ser ex-presidente, foram designados para estar de plantão no sítio de Atibaia. Eles passaram a noite na propriedade 283 vezes nesse período. Uma das últimas ocasiões foi no réveillon de 2016.

O sítio frequentado pelo ex-presidente e seus familiares se tornou tema recorrente de reportagens. No dia 29 de janeiro, o jornal *Folha de S.Paulo* publicou uma grande matéria em que a ex-dona de uma loja de materiais de construção afirmava que a empreiteira Odebrecht havia realizado a maior parte da reforma no sítio. Patrícia Fabiana Melo Nunes contou à *Folha* que a Odebrecht gastara 500 mil reais só na compra de material. Patrícia explicou que o engenheiro da Odebrecht Frederico

Barbosa, que coordenava a obra, ligava para um senhor que fazia os pagamentos semanalmente. "Eu não tinha o telefone, o endereço, nada desse outro senhor. Só sabia que na sexta-feira, às três horas da tarde, ele passava lá para pagar. Os pagamentos giravam em torno de 75 mil a 90 mil reais por semana, em dinheiro vivo", declarou Patrícia. Na ocasião, Frederico Barbosa disse à *Folha* que trabalhara na obra, sim, mas estava de férias quando ajudou na reforma e não sabia da ligação com o ex--presidente Lula. A Odebrecht respondeu que "após apuração preliminar, não identificou relação da empresa com a obra". Mais tarde o engenheiro e a Odebrecht mudariam suas versões.

Diante das notícias, alguns aliados do ex-presidente deram entrevistas para tentar explicar as despesas pagas por empreiteiras. O ex-secretário--geral da Presidência no governo Dilma e ex-chefe de gabinete de Lula, Gilberto Carvalho, disse à *Folha*, em reportagem publicada no dia 4 de fevereiro, que é "a coisa mais natural do mundo que você possa ter empresas contribuindo com essa ou com aquela pessoa. O Lula estava fora já da Presidência na maioria desses casos. Fornecedores contribuíram com o Instituto Fernando Henrique, com o Instituto Lula. Estando fora da Presidência, Lula pode receber. Qualquer pessoa pode dar um presente que quiser dar a ele. O criminoso é estabelecer uma relação de causa e efeito quando não há".

Dias depois, apareceu outro defensor. O prefeito de São Bernardo do Campo, Luiz Marinho, aliado próximo de Lula, deu entrevista publicada no jornal *O Globo*, de 7 de fevereiro, em que falava o seguinte: "Do que eu conheço, tem duas pessoas que compraram o sítio e disponibilizaram para ele usar, com comprovação de fontes pagadoras. Portanto, não tem absolutamente nenhum problema. Rigorosamente, hoje, o sítio não é dele. O sítio é de amigos." O repórter insistiu: "Mas ele usa o sítio regularmente." Marinho argumentou: "Vamos imaginar que eu tenho uma casa na praia e disponibilize para você usar todo final de semana; alguém tem alguma coisa a ver com isso? É o caso do sítio."

O jornalista do *Globo* quis saber o que significava "disponibilizar", se era dar a chave. A resposta foi: "Toma [faz o gesto de entregar chave]. Pode mobiliar, é tua. Se um dia você resolver comprar, eu te vendo. Se não, um dia meu filho vai exercer o poder de herança." O entrevistador quis saber por que alguém faria um favor desses para o ex-presidente, ao que Marinho respondeu: "Aí você tem que perguntar para as pessoas que fizeram. O problema é que não estão atrás da verdade. Estão atrás de encontrar um jeito de mostrar que o Lula está envolvido na Lava Jato."

Ao final da entrevista, o prefeito de São Bernardo ainda falou do tríplex no Guarujá. "O que ele comprou e declarou foi uma cota. Quando ele foi visitar, disse: 'Eu não quero porque tem três andares com uma escadinha horrorosa. Eu estou ficando idoso.' Ele contou isso para a gente e brincou: 'Pô, é um muquifo. Não é o que eu sonhava, agora estou numa dúvida cruel, não sei se fico ou não.' E, curiosamente, depois da visita, começaram a pintar [as notícias] e ele decidiu não ficar. Qual o problema?", questionou Marinho.

O juiz Sergio Moro não encarou a situação pela mesma ótica dos amigos de Lula. Em 9 de fevereiro, ele autorizou a abertura de um inquérito para investigar separadamente a reforma feita no sítio de Atibaia, que teria sido iniciada em outubro de 2010, quando Lula estava no fim de seu segundo mandato. A Polícia Federal já estava analisando o caso em um inquérito da OAS, mas, como surgiram provas envolvendo outras empresas e pessoas, foi preciso abrir um novo procedimento, sigiloso. Vários profissionais que trabalharam na obra foram ouvidos e surgiram indícios de que o pecuarista José Carlos Bumlai, a Odebrecht e a OAS estariam envolvidos na reforma.

Em poucos meses, a propriedade, que antes se resumia a uma casa antiga com uma estrada de acesso e um laguinho, ganhou uma nova edificação com quatro suítes e uma área de lazer com churrasqueira. O lago foi ampliado e se tornou um dos destinos preferidos do ex-presidente em dias de descanso. Dona Marisa Letícia comprou um barquinho que poderia ser usado para pescar, um dos passatempos do marido. Um funcionário da Presidência da República comprou dois pedalinhos com os nomes dos netos de Lula. Ao fim do mandato do ex-presidente, parte da sua mudança foi enviada justamente para o endereço de Atibaia.

Outra revelação importante foi que a cozinha planejada do sítio tinha sido paga pela OAS e comprada na mesma loja que fizera os móveis da cozinha do tríplex do Guarujá. A Polícia Federal descobriu que a encomenda dos armários, bancada e eletrodomésticos, como lava-louça e forno elétrico, fora feita no dia 13 de março de 2014, poucos dias antes do início da Lava Jato, ao custo de 130 mil reais. A nota fiscal, em que consta como local de entrega o sítio Santa Bárbara, está em nome de Fernando Bittar. Para os investigadores, as evidências fortaleciam a suspeita de ocultação de patrimônio.

Lula e Marisa foram convidados a depor no dia 17 de fevereiro sobre esse e outros assuntos ao Ministério Público de São Paulo, mas a audiência foi suspensa por um integrante do Conselho Nacional do Ministério Público a pedido do deputado Paulo Teixeira, do PT. Mesmo assim, militantes contra e a favor do ex-presidente se enfrentaram diante do Fórum da Barra Funda, em São Paulo. Voaram pedras e garrafas d'água, houve brigas e a polícia teve de lançar gás lacrimogêneo para dispersar a multidão.

O aprofundamento das investigações

Não bastasse o clima de confronto já existente, estourou nova bomba. A Lava Jato prendeu o marqueteiro João Santana e a mulher dele, Monica Moura. O casal foi alvo da 23ª fase, deflagrada em 22 de fevereiro de 2016 e batizada de Acarajé, nome usado pelos suspeitos para se referir à propina. Eles estavam na República Dominicana e tiveram de voltar ao Brasil para se entregar no dia seguinte. Um bilhete de Monica Moura com números de contas bancárias em Londres e Nova York, encontrado na casa do operador Zwi Skornicki durante a nona fase da Lava Jato, deu início a esta investigação. Na ordem de prisão, o juiz Sergio Moro cita que a força-tarefa da Lava Jato identificou pagamentos de 4,5 milhões de dólares feitos por Zwi Skornicki ao casal por meio de contas no exterior, entre setembro de 2013 e novembro de 2014, além de repasses de 3 milhões de dólares da Odebrecht entre abril de 2012 e março de 2013.

"Na hipótese probatória mais provável, tais valores destinar-se-iam a remunerar os serviços de publicidade prestados por João Santana e Monica Regina ao Partido dos Trabalhadores", escreveu Moro, frisando que via esse fato como um sinal grave de corrupção do sistema político-partidário do Brasil. "Há fundada suspeita de que as transações sub-reptícias efetuadas em favor da conta Shellbill por Zwi Skornicki e através das contas utilizadas pela Odebrecht representem pagamentos de vantagens indevidas acertadas em contratos da Petrobras, sendo oportuno lembrar que, segundo relato dos vários criminosos colaboradores, havia divisão das propinas, parte sendo direcionada aos agentes da Petrobras e parte aos agentes políticos ou aos partidos políticos que os sustentavam", disse Moro. Esse passo da Lava Jato levava a operação para mais perto do governo Dilma, já que se referia à campanha de 2014.

Moro mandou um recado: "Excepcional no presente caso não é a prisão cautelar, mas o grau de deterioração da coisa pública revelado pelos processos na Operação Lava Jato, com prejuízos já assumidos de cerca de 6 bilhões de reais somente pela Petrobras e a possibilidade, segundo investigações em curso no Supremo Tribunal Federal, de que os desvios tenham sido utilizados para pagamento de propina a dezenas de parlamentares, comprometendo a própria qualidade de nossa democracia." Ao concluir o despacho, o juiz defendeu mais uma vez a operação e a necessidade das prisões: "Embora as prisões cautelares decretadas no âmbito da Lava Jato recebam pontualmente críticas, o fato é que, se a corrupção é sistêmica e profunda, impõe-se a prisão preventiva para debelá-la, sob pena de agravamento progressivo do quadro criminoso. Se os custos do enfrentamento hoje são grandes, certamente serão maiores no futuro. O país já paga, atualmente, um preço elevado, com várias autoridades públicas denunciadas ou investigadas em esquemas de corrupção, minando a confiança na regra da lei e na democracia."

Nessa época, os advogados de Lula recorreram ao Supremo Tribunal Federal alegando que a Lava Jato e o Ministério Público de São Paulo estavam investigando os mesmos fatos. Queriam a suspensão das investigações por causa dessa duplicidade. Lula se defendeu pessoalmente das suspeitas contra ele na festa de aniversário de 36 anos do PT, no sábado, 27 de fevereiro. Quando chegou ao evento no Rio de Janeiro, encontrou a plateia com um terço das pessoas que lotariam o local. A presidente Dilma não compareceu ao encontro, o que gerou rusgas com o partido. Mesmo assim, Lula estava em seu ambiente: entre os companheiros do PT, do qual sempre foi o líder incontestável. Ele estimulou a militância e soltou o verbo. Disse que estava "de saco cheio", que havia acabado a fase do "Lulinha paz e amor" e que os petistas não poderiam "levar desaforo para casa toda vez que falarem merda da gente". Em meio ao inflamado discurso, o ex-presidente disse que tinha recebido a informação de que teria seus sigilos fiscal e bancário quebrados e falou sobre os dois imóveis sob investigação: o tríplex no Guarujá e o sítio em Atibaia.

Disse que o sítio era um presente do seu amigo Jacó Bittar e outros companheiros e atacou o Ministério Público e a Polícia Federal. "Ele [Jacó Bittar] inventou de comprar uma chácara para que eu pudesse utilizar quando deixasse a Presidência. Fizeram uma surpresa para mim até o dia 15 de janeiro. A chácara não é minha", disse Lula. Sobre o apartamento, o líder do PT disse mais uma vez que não era dele e acusou o Ministério Público de agir para agradar a imprensa: "As pessoas que se subordinam dessa forma não merecem o cargo que estão no país, concursadas para fazer justiça, para investigar." O discurso de Lula foi o ponto alto da festa.

Naquele mesmo fim de semana, pesquisa Datafolha indicava que 62% dos entrevistados acreditavam que Lula tinha se beneficiado de melhorias nos imóveis feitas por empreiteiras investigadas na Lava Jato. Àquela altura, a Odebrecht já tinha admitido ligação com as obras no sítio em Atibaia. O engenheiro da empresa Frederico Barbosa – que cuidara da construção do Itaquerão, estádio de futebol do Corinthians – também confirmara ter atuado na reforma da propriedade. Em pedido ao Supremo, a própria defesa de Lula falou das obras. Disse que tinham sido oferecidas pelo amigo José Carlos Bumlai. A defesa de Bumlai, no entanto, minimizou sua participação, alegando que ele pagara apenas 10% do valor total. Alguns viram nesse detalhe um sinal de afastamento dos amigos. E mais novidades ainda estavam por vir.

Em 29 de fevereiro, o Instituto Lula divulgou que o ex-presidente e dona Marisa não compareceriam ao depoimento marcado para 3 de março pelo Ministério Público de São Paulo. Os advogados do casal protocolaram explicações por escrito no MP paulista e impetraram habeas corpus no Tribunal de Justiça de São Paulo para que seus clientes não pudessem ser levados coercitivamente a depor. Mas o habeas corpus concedido não valia para as ordens vindas de Curitiba.

E naquele mesmo dia 29, atendendo ao pedido da força-tarefa do Ministério Público Federal do Paraná, o juiz Sergio Moro assinara o mandado de condução coercitiva de Lula. O pedido fora feito separadamente pelo MPF. Dias antes, em 24 de fevereiro, Moro já autorizara a ordem de busca e apreensão em vários endereços ligados ao ex-presidente, aos filhos dele, ao Instituto Lula, a Paulo Okamotto e a várias outras pessoas envolvidas diretamente no caso. Os mandados só seriam cumpridos na sexta-

-feira, 4 de março, com a deflagração da 24ª fase da Lava Jato. Naquele dia, além de Lula, alguns de seus aliados históricos tiveram de prestar depoimento, como Clara Ant, ex-secretária e assessora especial de Lula durante a Presidência. O despacho de Moro reunia todas as dúvidas em relação a Lula: "O MPF aponta elementos probatórios que geram fundada suspeita de que o ex-presidente teria recebido benefícios materiais, de forma sub--reptícia, de empreiteiras envolvidas na Operação Lava Jato, especificamente em reformas e benfeitorias de imóveis de sua propriedade. Também presentes suspeitas de que o ex-presidente seria o real proprietário de dois imóveis em nome de pessoas interpostas."

O juiz Moro expôs uma conclusão simples: se o sítio em Atibaia é de Jonas Suassuna e Fernando Bittar, a generosidade das empreiteiras e de Bumlai, ao gastarem dinheiro com as benfeitorias, não fazia qualquer sentido. Já se a propriedade fosse de Lula, faria sentido. Da mesma forma, frisou Moro, era absolutamente incomum o comportamento da empreiteira OAS em relação ao tríplex. A construtora gastou 750 mil reais para reformar o imóvel e mais 320 mil reais para a instalação de móveis de cozinha e de dormitórios. "As notas públicas de Lula sobre a propriedade do tríplex em Guarujá não guardam pertinência lógica com a estrutura negocial construída pela OAS no Condomínio Solaris", afirmou Moro no despacho.

Em 2015, uma das notas do Instituto Lula dizia que a esposa do ex--presidente era titular de cota do empreendimento. Mas o prazo para a opção entre manter a cota e desfazer o negócio recebendo o dinheiro de volta esgotara-se em 2009. Em 2011, em petição ao Ministério Público, a empreiteira dissera que todas as unidades estavam vendidas e que os donos eram "titulares de direitos aquisitivos, com contrato firmado, memorial de incorporação registrado, unidade devidamente identificada, valor definido a ser pago e prazo certo de entrega das obras".

Por fim, o juiz disse que "talvez o aprofundamento das investigações possa melhor esclarecer a relação do ex-presidente com as empreiteiras e os motivos da aparente ocultação de patrimônio e dos benefícios custeados pelas empreiteiras em relação aos dois imóveis, além de confirmar ou não a licitude dos pagamentos por elas efetuados ao Instituto Lula e à LILS". A Aletheia estava pronta para ir às ruas no dia 4 de março. Seu alvo principal era o ex-presidente Lula, levado a depor para tentar esclarecer as suspeitas de que tinha recebido vantagens do esquema de corrupção na Petrobras.

A coletiva de imprensa para falar sobre a 24ª fase começou pontualmente às 10 horas. À mesa no auditório da Polícia Federal em Curitiba, estavam o procurador Carlos Fernando Lima, o delegado Igor Romário de Paula e seu chefe, o superintendente Rosalvo Ferreira Franco, além do representante da Receita Federal, Roberto Leonel Lima. Naquele dia, no entanto, o clima estava diferente. Mais pesado e tenso. O auditório estava lotado de jornalistas, mas também de curiosos. Pessoas que estavam na ampla sala de espera ao lado, usada por quem está atrás de um passaporte, foram espiar o que os delegados e procuradores contavam sobre as investigações em torno do ex-presidente.

Logo depois das apresentações de praxe, Roberto Leonel, da Receita, começou mostrando alguns números: cinco das maiores empreiteiras envolvidas na Lava Jato tinham feito 60% das doações recebidas pelo Instituto Lula e eram responsáveis por 47% da receita de palestras do ex-presidente. Leonel disse que a Receita Federal descobrira muitos indícios de confusões operacionais na contabilidade do Instituto Lula. Segundo ele, o instituto tem isenção fiscal, mas paga despesas da LILS, a empresa de palestras do ex-presidente, que distribui lucros e não tem funcionários. O instituto também fez pagamentos às empresas de todos os filhos do ex-presidente; sendo que 1,3 milhão de reais foram destinados à G4 de Fábio Luís.

Do lado de fora, os carros de transmissão ao vivo das emissoras de televisão se apertavam nas estreitas ruas ao redor da sede da PF em Curitiba. Por precaução, apenas o portão principal estava aberto, o que não era normal. A Polícia Federal sabia que muitos fãs e militantes do PT, bem como pessoas dando apoio às investigações, iriam até o local. Pouco depois, a movimentação já era intensa, com centenas de pessoas se manifestando a favor e contra o ex-presidente. A Polícia Militar foi acionada para conter os ânimos e fez um cordão de isolamento para separar os dois grupos. Cerca de dez homens da tropa de elite da PM do Paraná ficaram dentro da PF, de prontidão, mas não foi necessária nenhuma intervenção.

O procurador Carlos Fernando começou sua fala com estas palavras: "Bom dia a todos. Trata-se apenas de mais uma etapa da Operação Lava Jato, uma etapa necessária diante das provas colhidas durante as investigações. Nesse caso eu estou falando de uma organização criminosa instalada dentro do governo federal, que se utilizava da Petrobras e de outras empresas para financiamento político e também para apropriação pessoal. Essa organização criminosa certamente possui um comando. Foi verificado, e nós já fizemos a acusação, que o ex-ministro José Dirceu fazia parte desse comando, junto com o ex-tesoureiro Vaccari, entre outros. Entretanto, mesmo após a prisão do ex-ministro, a organização criminosa continuou a existir. Então nós precisamos fazer uma investigação sobre a continuidade dessa cadeia de comando. Hoje estamos analisando evidências de que o ex-presidente e sua família receberam vantagens para, eventualmente, a consecução de atos dentro do governo. Isso é ainda uma hipótese investigativa, existem evidências de pagamentos de vantagens e não há nenhuma motivação plausível para esses pagamentos de vantagens. Como disse o doutor Roberto Leonel, nós temos as cinco maiores doadoras do Instituto Lula, 60% de todas as doações pagas pelas cinco maiores empreiteiras envolvidas na Operação Lava Jato. Além disso, 47% dos valores das palestras pagas foram pelas cinco maiores empreiteiras envolvidas na Lava Jato. Nós temos os favores feitos pelas empreiteiras OAS e Odebrecht e um sítio, que nós ainda estamos investigando a propriedade, mas acreditamos até o momento ser realmente do senhor Luiz Inácio. E também temos bem claro que houve pagamentos de benfeitorias no tríplex em Guarujá." Ele sempre se referia ao ex-presidente assim: "Senhor Luiz Inácio."

O procurador tomou fôlego e prosseguiu: "Este é o momento de sermos republicanos. Não há ninguém isento de investigação no país." Carlos Fernando explicou ainda que a OAS arcava com todo o custo de armazenamento de bens pessoais do ex-presidente retirados de Brasília ao fim do mandato e mantidos, desde então, em dez contêineres da Granero. As perguntas, dirigidas principalmente ao procurador, se multiplicaram. Os repórteres queriam saber mais detalhes: se foi pedida também a prisão do ex-presidente, se a ex-primeira dama estava envolvida, se Lula seria trazido para Curitiba. Impassível, Carlos Fernando respondeu a todas. O delegado Igor Romário confirmou que os sigilos fiscal e bancário de Lula haviam sido quebrados. Naquele momento, o país estava paralisado acompanhando o que eles tinham a dizer. De acordo com os investigadores, a maior parte do dinheiro que entrou no Instituto Lula e na LILS Palestras, entre 2011 e

2014, saiu de empresas que participavam do esquema montado na Petrobras: Camargo Corrêa, OAS, Odebrecht, Andrade Gutierrez, Queiroz Galvão e UTC. Para o instituto, essas empreiteiras contribuíram com 20 milhões de reais de um total de 35 milhões arrecadados. Para a LILS, foram mais 10 milhões de reais. Os supostos crimes investigados eram corrupção e lavagem de dinheiro.

Enquanto isso, Lula continuava depondo no aeroporto, onde a aglomeração ficava cada vez maior. Duas torcidas. De um lado, um grupo gritava: "Lula guerreiro do povo brasileiro!" O outro lado respondia: "Nossa bandeira jamais será vermelha!" Um lado: "Não vai ter golpe!" Do outro: "Lula ladrão!" Os dois grupos passaram a manhã separados pelo cordão de isolamento. A direção da Polícia Federal acompanhava tudo por telefone. Em Curitiba, Igor explicava que o local fora escolhido para evitar manifestações e garantir a segurança de todos, mas a realidade em Congonhas era bem diferente, com policiais se esforçando para separar os beligerantes, que ameaçavam se enfrentar fisicamente, o que na rua de fato aconteceu. Além dos conflitos, pelo menos oito jornalistas foram agredidos ou hostilizados por manifestantes enquanto cobriam a 24ª fase da Lava Jato. A condução coercitiva do ex-presidente Lula virou destaque na imprensa nacional e internacional. A cotação do dólar abriu em queda e logo cedo a moeda americana já era negociada a 3,70 reais.

Na entrevista, os investigadores tentaram se antecipar a algumas críticas que receberiam depois. Disseram que a condução coercitiva era necessária e que havia indícios de destruição de provas. Também afirmaram que não haviam escolhido o alvo, ao contrário do que dizia a defesa de Lula. Apenas "os fatos levaram às pessoas". Não adiantou muito. O PT divulgou uma mensagem em grupos de WhatsApp de militantes e aliados com pontos a serem seguidos pelos defensores de Lula, como ficar em mobilização permanente e denunciar o "golpe e articulação da mídia".

"A jararaca está viva"

Ao sair do depoimento, Lula foi para o Diretório do PT em São Paulo e começou a disparar uma saraivada de críticas. Num vídeo que a deputada Jandira Feghali, do PCdoB, postou inadvertidamente em sua página no Facebook, é fácil constatar o estado de ânimo do ex-presidente, embora o objetivo de Jandira fosse mostrar a tranquilidade dele ao sair do depoimento. Enquanto ela gravava, Lula disse, ao fundo, numa conversa por telefone com a presidente Dilma Rousseff, "Eles que enfiem no cu e tomem conta disso", referindo-se ao acervo de presentes que teria ganhado durante sua passagem pela Presidência. O vídeo se tornou viral e a deputada reagiu dizendo que não se podia fazer "ilações ou suposições sobre o conteúdo" da gravação. A frase de Lula, no entanto, era fácil de ouvir.

Ao falar publicamente na sede do PT logo depois, o ex-presidente não respondeu às perguntas dos repórteres. Dirigiu-se aos militantes. Enfático, reclamou de ter sido levado coercitivamente a depor. Afirmou que, se tivesse sido convidado, iria a Curitiba com passagem paga pelo PT. "Não precisava disso. Me senti ultrajado, como se fosse prisioneiro, apesar do tratamento cortês dos delegados da Polícia Federal", lamentou. O líder do PT criticou o juiz Sergio Moro, o Ministério Público, a imprensa e disse que estava disposto a viajar pelo Brasil, indicando que seria candidato à Presidência em 2018. "Se quiseram matar a jararaca, não bateram na cabeça, bateram no rabo, e a jararaca está viva como sempre esteve", concluiu, sendo aplaudido pela militância.

Ao longo do dia, o ex-presidente falou outras vezes. A apoteose foi no Sindicato dos Bancários à noite, quando chorou, fez ameaças e disse que havia sido "sequestrado" pelos policiais federais. "O seu Moro não precisaria fazer essa coisa chamada... como é mesmo? Condução coercitiva. É como se eu estivesse preso. Hoje pra mim foi o fim. Foi ofensa pessoal, ao meu partido, à democracia, ao Estado de Direito", queixou-se Lula. "Pode pegar o procurador-geral da República, pode pegar o doutor Moro, pode pegar o delegado da Polícia Federal e juntar todos eles. Se eles forem um real mais honestos do que eu, desisto da vida pública", desafiou em seu discurso. Ora vítima, ora poderoso.

Em nota, o Instituto Lula disse que "a violência praticada hoje contra o ex-presidente Lula e sua família, contra Paulo Okamotto, presidente do Instituto Lula, a ex-deputada Clara Ant e outros cidadãos ligados ao ex-presidente é uma agressão ao Estado de Direito que atinge toda a sociedade brasileira. A ação da chamada força-tarefa da Lava Jato é arbitrária, ilegal e injustificável, além de constituir grave afronta ao Supremo Tribunal Federal". Depois de usar por cinco vezes a expressão "nada justifica" para criticar os motivos da operação, o instituto "reafirma que Lula jamais ocultou patrimônio ou recebeu vantagem indevida, antes, durante ou depois de governar o país. Jamais se envolveu direta ou indiretamente em qualquer ilegalidade, sejam as investigadas no âmbito da Lava Jato, sejam quaisquer outras".

Os advogados de Lula entraram com um pedido de anulação da Operação Aletheia no Supremo Tribunal Federal, que depois foi negado. Mas, no meio jurídico, a condução coercitiva do ex-presidente virou tema de debate. Vários juristas criticaram a medida. O argumento principal era de que, antes, ele teria que ser intimado a depor e só poderia ser levado coercitivamente caso não comparecesse sem motivo justificado. A presidente Dilma fez um pronunciamento na própria sexta-feira dizendo que a condução coercitiva era "injustificável". E no dia seguinte, um sábado, foi à casa de Lula, em São Bernardo, prestar solidariedade ao ex-presidente. O ministro do Supremo Tribunal Federal Marco Aurélio Mello disse que não fazia sentido o ex-presidente ter ido depor "sob vara". Mas o ex-ministro do Supremo Ayres Britto não viu nada de errado na medida.

O Ministério Público Federal divulgou nota ressaltando que, antes daquele, tinham sido cumpridos 116 mandados de condução coercitiva na Lava Jato. Chamou de "cortina de fumaça" as críticas que eram feitas ao tratamento dado ao ex-presidente. A Associação dos Juízes Federais do Brasil (Ajufe) disse que não havia enfoque político na operação, apenas o absoluto cumprimento de funções públicas: "Os fatos apurados na investigação estão alinhados e são coerentes com todos os desdobramentos já ocorridos na Operação Lava Jato, cuja lisura tem sido continuamente reafirmada pelo Tribunal Regional Federal da 4ª Região, Superior Tribunal de Justiça e pelo próprio Supremo Tribunal Federal."

No sábado de manhã, o juiz Sergio Moro soltou uma nota em que dizia repudiar "atos de violência de qualquer natureza, origem e direcionamento, bem como a incitação à prática de violência, ofensas ou ameaças a quem quer que seja, a investigados, a partidos políticos, a instituições constituídas ou a qualquer pessoa. A democracia em uma sociedade livre reclama tolerância em relação a opiniões divergentes, respeito à lei e às instituições constituídas e compreensão em relação ao outro". Moro também reafirmou o princípio de que condução coercitiva não significa "antecipação de culpa". A nota de Moro lamentava que "as diligências tenham levado a pontuais confrontos em manifestações políticas inflamadas, com agressões a inocentes, exatamente o que se pretendia evitar". Mas era tarde. O país estava conflagrado, com a internet sendo palco de ofensas recíprocas entre os dois grupos que, desde as eleições presidenciais de 2014, dividem o país. Moro, mesmo que não quisesse, estava no olho do furacão político.

Lula apresentou-se como possível candidato em 2018 porque isso daria à militância novo gás e à sua figura a mística de que poderia voltar nos braços do povo. A oposição, os movimentos contrários ao governo e os descontentes preparavam a manifestação já convocada para 13 de março de 2016. Petistas faziam vigília na porta do prédio onde Lula mora. Lulistas atacavam quem quer que defendesse a Lava Jato. O cineasta José Padilha publicou um artigo no *Globo* em que questionava a relutância de alguns setores da sociedade em encarar a realidade revelada nas provas e teste-munhos da Lava Jato, e usava a teoria de Freud e de sua filha e discípula Anna para diagnosticar a esquerda brasileira: "Investiram as suas vidas e reputações em posições pró-Lula e pró-PT. Agora, não suportam reconhe-cer o erro que cometeram por uma questão de autoimagem. Freud e sua filha Anna chamaram este fenômeno de negação." O ator Wagner Moura, protagonista do filme *Tropa de Elite* e da série *Narcos*, exibida pela Netflix, ambos dirigidos por Padilha, escreveria dias depois um artigo na *Folha de S.Paulo* contra a Lava Jato: "O país vive um Estado policialesco movido por ódio político. Sergio Moro é um juiz que age como promotor. As investi-gações evidenciam atropelos aos direitos consagrados da privacidade e da presunção de inocência."

Uma voz solitária no PT não negou os fatos. Foi a de Olívio Dutra, ex--governador do Rio Grande do Sul e ex-ministro das Cidades no primeiro mandato de Lula. Em entrevista ao jornal *O Estado de S. Paulo*, ele fez críticas ao partido e afirmou que "quem mudou não foram os adversários. Nós é que mudamos – e, no meu entendimento, para pior".

Como se fosse uma alegoria da temperatura que o escândalo da Petrobras atingira, a Refinaria de Pasadena, no Texas, pegou fogo no dia seguinte ao depoimento de Lula. O incêndio destruiu parte das instala-ções. Enquanto isso, em Curitiba, policiais e procuradores se debruça-vam sobre todos os indícios recolhidos naquela fase da Lava Jato, porque sobre eles repousava o peso de ter, agora, que apresentar um conjunto sólido de provas e oferecer ao juiz Sergio Moro uma denúncia sobre os crimes supostamente cometidos.

A busca nos endereços ligados a Lula foi proveitosa. No sítio de Atibaia nada foi apreendido, mas a perícia identificou objetos pessoais do ex-presidente e de dona Marisa, inclusive roupas, toalhas e remédios com os nomes deles. Os peritos constataram que o casal usava as principais instalações do sítio e não encontraram objetos dos proprietários oficiais, Fernando Bittar e Jonas Leite Suassuna Filho. No apartamento de Lula em São Bernardo do Campo, a polícia descobriu que o imóvel ao lado era ligado ao do ex-presidente e usado por ele e sua família. O galpão-depósito da Granero em São Bernardo do Campo foi lacrado pela PF durante o fim de semana. Na segunda-feira, peritos da PF e auditores da Receita Federal começariam a abrir as caixas com objetos de Lula trazidos de Brasília depois que ele deixou a Presidência, entre os quais presentes, alguns de ouro, recebidos durante o período em que ocupou o cargo.

Longe dali, em Brasília, a crise política se ampliava. O Supremo aceitara uma das denúncias do MPF contra o deputado Eduardo Cunha, e a Câmara dos Deputados passou a viver a estranha situação de ser presidida por um réu da Lava Jato. Cunha avisou que não renunciaria, criando um constrangimento institucional sem precedentes na história. Do outro lado da Praça dos Três Poderes, em Brasília, os advogados de Lula voltaram a pedir ao Supremo que suspendesse as investigações da Lava Jato contra o ex-presidente porque a força-tarefa estaria tomando "medidas arbitrárias e invasivas". Lula se dizia perseguido político. De acordo com reportagem do *Estadão,* ele teria dito a mais de um interlocutor que "a partir de agora, se me prenderem, eu viro herói. Se me matarem, viro mártir. E, se me deixarem solto, viro presidente de novo".

O risco de que Lula fosse preso era real. No dia 9 de março, o Ministério Público de São Paulo denunciou o ex-presidente à Justiça por lavagem de dinheiro no caso do tríplex do Guarujá e pediu sua prisão preventiva. O caso seria analisado pela juíza Maria Priscilla Ernandes Veiga, da 4ª Vara Criminal de São Paulo. O advogado de Lula, Cristiano Zanin Martins, divulgou uma nota afirmando que o MP paulista buscava amordaçar um líder político, impedir a manifestação do seu pensamento e até mesmo o exercício de seus direitos. O pedido de prisão de Lula deixou o Congresso em polvorosa. Àquela altura, todos estavam preocupados com as manifestações marcadas para domingo.

A maior manifestação da história

Foram dias de tempestade, em todos os sentidos, os que antecederam o domingo, 13 de março de 2016. Brasília teve vários dias de chuva forte durante a tarde naquela semana. Em São Paulo desabou um temporal na sexta. No sábado à noite, bairros da Zona Sul do Rio ficaram completamente inundados, impedindo que as pessoas circulassem na cidade. Domingo, no entanto, o tempo amanheceu firme.

Uma das primeiras manifestações foi a de Brasília, marcada para as dez da manhã. Desde cedo uma multidão vestida de verde e amarelo começou a chegar à Esplanada dos Ministérios. Às onze já se via um mar de gente cobrindo o espaço entre os prédios públicos. Foram 100 mil pessoas, a maior manifestação que a capital já viu. Em Copacabana, havia 1 milhão de pessoas, segundo os organizadores. Na avenida Paulista, 1,4 milhão. O governo temia que o protesto fosse tão grande quanto o de março de 2015. Foi muito maior. Ao todo, segundo o portal G1, da Globo, 326 cidades tiveram manifestações, que, segundo os organizadores, reuniram 6,8 milhões de pessoas. A Polícia Militar estimou que foram 3,6 milhões, mas o número não incluía o do Rio. Fosse qual fosse o cálculo, ao fim do dia se sabia que aquela tinha sido a maior manifestação política já ocorrida no país. Foi um dia histórico.

O povo nas ruas gritou palavras de ordem contra a corrupção, a presidente Dilma, o ex-presidente Lula e o PT. Mas não foi uma manifestação a favor de qualquer outro partido, tanto que o senador Aécio Neves e o governador de São Paulo, Geraldo Alckmin, ambos do PSDB, foram hostilizados ao chegarem à avenida Paulista. Os grandes homenageados do dia foram Sergio Moro, o Ministério Público e a Polícia Federal. Máscaras do juiz, enormes cartazes com o rosto dele e faixas com dizeres "Somos Moro" não deixaram dúvidas. No Rio, um coro gritou "Mooroo!", com o mesmo som das torcidas de futebol. O nome do juiz foi pronunciado de norte a sul do Brasil, numa forte demonstração de apoio à Operação Lava Jato e a seu maior símbolo.

De Curitiba, Moro acompanhou tudo e soltou uma nota no fim do dia em que se disse "tocado pelo apoio às investigações da Lava Jato". Apesar das referências ao nome dele, atribuiu à bondade do povo brasileiro o êxito de "um trabalho institucional robusto da Polícia Federal, do Ministério Público Federal e de todas as instâncias do Poder Judiciário". Pediu aos políticos: "Ouçam a voz das ruas." E concluiu: "Não há futuro com a corrupção sistêmica que destrói nossa democracia, nosso bem-estar econômico e nossa dignidade como país."

No dia seguinte, 14 de março, recairia sobre Sergio Moro mais uma grande responsabilidade. A juíza Maria Priscilla, de São Paulo, decidiu encaminhar a denúncia contra Lula para Moro por considerar que os crimes em questão eram federais e já havia investigação em curso sobre o caso na Justiça Federal de Curitiba. Caberia a ele decidir sobre o pedido de prisão preventiva do ex-presidente. Dias antes, Moro havia tomado uma decisão que teria enorme impacto no país: ele autorizara a Polícia Federal a grampear o ex-presidente Luiz Inácio Lula da Silva.

Lula grampeado

Vertiginosa. Essa foi a palavra usada por alguns jornalistas para explicar a sequência de acontecimentos no dia 16 de março, véspera do segundo aniversário da Lava Jato. Era quarta-feira e Lula estava em Brasília para definir sua volta ao governo. Só isso já era motivo de agitação. Desde a semana anterior, circulavam notícias de que aliados do ex-presidente vinham fazendo pressão para que ele assumisse um ministério no governo Dilma Rousseff, pois assim garantiria foro privilegiado e escaparia de ser julgado em primeira instância por Sergio Moro. Inicialmente Lula se mostrara resistente à ideia, pois temia passar a impressão de admissão de culpa.

O primeiro anúncio de que ele aceitara o convite foi postado em uma rede social pelo líder do governo na Câmara, José Guimarães. O post dizia também que a posse seria na terça-feira da semana seguinte, dia 22. A notícia e a data foram logo confirmadas pelo presidente do PT, Rui Falcão, que chamou Lula de "Ministro da Esperança". A nomeação do ex-presidente para a chefia da Casa Civil gerou indignação entre os que tinham ido às ruas três dias antes pedir o fim da corrupção e foi entendida como uma manobra para tirá-lo da jurisdição de Sergio Moro, que poderia, a qualquer momento, tomar uma decisão sobre seu pedido de prisão preventiva. Na internet, uma frase dita por Lula em 1988 viralizou: "No Brasil, quando um pobre rouba, vai pra cadeia. Quando um rico rouba, vira ministro."

O governo negou que tivesse essa intenção. A presidente Dilma deu uma entrevista, naquela tarde, afirmando que o ex-presidente fora indicado para fortalecer o governo, e não em busca da prerrogativa de foro. "A troco de quê eu vou achar que a investigação do juiz Sergio Moro é melhor do que a investigação do STF?", questionou.

O anúncio da ida de Lula para o ministério parecia ser a notícia do dia, e as redações dos jornais trabalhavam em cima desse fato. No fim da tarde, alguns manifestantes se dirigiram ao Palácio do Planalto para protestar contra a nomeação. Foi quando estourou a bomba. O juiz Sergio Moro suspendera o sigilo dos diálogos gravados pela escuta legal decretada por ele nos telefones de Lula, de sua esposa, Marisa Letícia, de seu filho Fábio Luís, do Instituto Lula e da LILS Palestras. A Globonews foi a primeira a dar a notícia. Logo as transcrições e os áudios começaram a ser acessados pela imprensa no sistema que divulga todos os atos públicos do processo. Em uma conversa, que ocorrera naquele mesmo dia, aparecia a presidente Dilma Rousseff falando com o ex-presidente Lula. Ela também tinha sido gravada. O telefonema foi às 13h32:

– Alô – diz Dilma.

– Alô – responde Lula.

– Lula, deixa eu te falar uma coisa.

– Fala, querida. Ahn.

– Seguinte, eu tô mandando o "Bessias" junto com o papel pra gente ter ele, e só usa em caso de necessidade, que é o termo de posse, tá?! – diz Dilma.

– Uhum. Tá bom, tá bom – responde Lula.

– Só isso, você espera aí que ele tá indo aí.

–Tá bom, eu tô aqui, fico aguardando.

–Tá?!

–Tá bom.

–Tchau.

–Tchau, querida – despede-se o ex-presidente.

A divulgação dessa conversa teve a força de mobilizar multidões. A questão que se impunha era: a presidente estava obstruindo a Justiça?

Por que mandara o subchefe de assuntos jurídicos da Casa Civil, Jorge Messias (que na transcrição aparece como Bessias), levar o termo de posse para Lula no aeroporto? Nas ruas de Brasília, a manifestação rapidamente engrossou. Ao ouvir a conversa no rádio, na TV ou na internet, as pessoas saíam do trabalho e iam para o Palácio do Planalto. No começo da noite, eram mais de 5 mil que gritavam em coro na frente da sede do governo o imperativo do verbo renunciar: "Renuncia! Renuncia!" No Congresso, os oposicionistas repetiam a palavra de ordem das ruas. Além do Distrito Federal, os protestos se espalharam por 19 estados. A avenida Paulista, palco dos maiores atos contra a corrupção e a favor do impeachment, foi tomada por manifestantes.

Mas aquele não era o único diálogo estarrecedor. Havia outros. Muitos outros. Com a divulgação dos áudios, as redações passaram a trabalhar em ritmo frenético. Apresentadores davam a notícia espantados. Em outra conversa com a presidente Dilma, no dia 4, depois de ter sido levado a depor, Lula não mediu as palavras ao falar das instituições brasileiras:

– Nós temos uma Suprema Corte totalmente acovardada, nós temos um Superior Tribunal de Justiça totalmente acovardado, um Parlamento totalmente acovardado, somente nos últimos tempos é que o PT e o PCdoB acordaram e começaram a brigar. Nós temos um presidente da Câmara fodido, um presidente do Senado fodido, não sei quantos parlamentares ameaçados, e fica todo mundo no compasso de que vai acontecer um milagre e vai todo mundo se salvar. Eu, sinceramente, tô assustado com a "República de Curitiba". Porque a partir de um juiz de primeira instância tudo pode acontecer nesse país.

Logo depois, quando Dilma passou o telefone para Jaques Wagner, Lula sugeriu que o chefe da Casa Civil pedisse à presidente que intercedesse junto à ministra Rosa Weber, do Supremo, que estava analisando o pedido feito por sua defesa de paralisar as investigações:

– ... Ô, Wagner, eu queria que você visse agora, falar com "ela", já que "ela" tá aí, falar o negócio da Rosa Weber...

– Tá bom.

– Que tá na mão dela pra decidir...

– Falou.

– Se homem não tem saco, quem sabe uma mulher corajosa possa fazer o que os homens não fizeram.

– Tá bom, falou! Combinado, valeu, querido, um abraço na Marisa e nos meninos – responde o chefe da Casa Civil.

Ao conversar com o advogado Sigmaringa Seixas, Lula se queixou da ingratidão do procurador-geral da República, Rodrigo Janot, que não estaria agindo como ele esperava no processo.

– É porque ele recusou quatro pedidos de investigação com o Aécio e aceitou a primeira de um bandido do Acre contra mim.

– Pois é, mas se fizer uma petição... – comenta Sigmaringa.

– Essa é a gratidão dele por ele ser procurador – completa Lula.

Rodrigo Janot, que tinha viajado a trabalho para uma reunião com o Ministério Público da Suíça, ficou indignado ao tomar conhecimento do comentário do ex-presidente: "O que eu posso dizer é que eu entrei no meu cargo por concurso público. Tenho 32 anos de carreira. Percorri toda a minha carreira, estou em final de carreira e, se eu devo a alguém esse meu cargo e a minha carreira, é à minha família." Janot completou: "O Ministério Público tem que ter couro grosso. O Ministério Público mexe com a liberdade das pessoas, com o patrimônio das pessoas e é normal que as pessoas reajam. O Ministério Público tem que agir com tranquilidade tecnicamente, mas destemidamente."

O telefonema entre Lula e o prefeito do Rio, Eduardo Paes, também ganhou destaque na imprensa por conta dos comentários infelizes de Paes, que ironizou o "bom humor" da presidente Dilma e do atual governador do Rio, Luiz Fernando Pezão, e a "alma de pobre" do ex-presidente:

– Meu carinho aí, tamo junto. Minha solidariedade, vamos em frente nessa história. Agora, da próxima vez, o senhor me para com essa vida de pobre, com essa tua alma de pobre comprando "esses barco de merda", "sitiozinho vagabundo". Puta que me pariu! – diz Paes.

Lula dá risadas e o prefeito continua:

– O senhor é uma alma de pobre. Eu, todo mundo que fala aqui no meio, eu falo o seguinte: imagina se fosse aqui no Rio esse sítio dele, não é em Petrópolis, não é em Itaipava. É como se fosse em Maricá. É uma merda de lugar, porra!

No dia seguinte à divulgação da conversa, o prefeito do Rio pediu desculpas por suas palavras, especialmente à população de Maricá. "Entendi que, por causa das dificuldades, deveria ligar e ser gentil. Essa tentativa me levou a brincadeiras de profundo mau gosto, mas não passavam de brincadeiras. Comentários que não fazem parte da minha personalidade. Me geram arrependimento, vergonha. Não acho nada disso", alegou. Mas o estrago já estava feito.

Em diversas gravações, o ex-presidente mostrava claramente a intenção de interferir em questões de Estado. No dia 7 de março, quando o ministro da Fazenda, Nelson Barbosa, ligou para prestar solidariedade, Lula cobrou que ele enquadrasse os agentes da Receita Federal que investigavam o Instituto Lula.

– Ô, Nelson, te falar uma coisa por telefone, isso daqui. O importante é que a Polícia Federal esteja gravando. É preciso acompanhar o que a Receita tá fazendo junto com a Polícia Federal, bicho! – diz Lula.

– Não, é... – gagueja Nelson Barbosa. – Eles fazem parte.

– É, mas precisa se inteirar do que eles estão fazendo no Instituto. Se eles fizessem isso com meia dúzia de grandes empresas, resolvia o problema de arrecadação do Estado.

– Uhumm, sei – diz o ministro.

– Sabe? Eu acho que eles estão sendo filho da puta demais – reclama Lula.

– Tá – responde Barbosa.

– Tão procurando pelo em ovo. Eu acho... eu vou pedir pro Paulo Okamotto tentar colocar tudo no papel, porque era preciso você chamar o responsável e falar: "Que porra que é essa? Vocês estão fazendo o mesmo com a Globo, o mesmo com o Instituto Fernando Henrique Cardoso, o mesmo com Gerdau, o mesmo com o SBT, o mesmo com a Record?! Ou só com o Lula, caralho?!" Vai tomar no cu.

– Tá, pede pro Paulo colocar – fala o ministro.

– Vou pedir para o Paulo colocar e te entregar. Porque, veja, não tem problema que investigue, não...

– Tem que ser igual para todo mundo – interrompe Barbosa.

Num primeiro momento, quando as gravações vieram à tona, o governo ficou atônito. Uma reunião de emergência no Alvorada tentou encontrar uma forma de reagir. Foi redigida uma nota que acusava "flagrante violação da lei e da Constituição cometida pelo juiz autor do vazamento". O que o governo chamava de vazamento era a decisão judicial de suspender o sigilo dos áudios e transcrições de conversas de Lula com autoridades com foro privilegiado.

Em seu despacho, ao interromper a escuta legal, Sergio Moro disse estar agindo naquele caso exatamente como em todos os outros, suspendendo o sigilo e tornando os autos públicos para propiciar "não só o exercício da ampla defesa pelos investigados, mas também o saudável escrutínio público sobre a atuação da Administração Pública e da própria Justiça Criminal". E concluiu: "A democracia em uma sociedade livre exige que os governados saibam o que fazem os governantes, mesmo quando estes buscam agir protegidos pelas sombras."

Mas começaria ali uma batalha de interpretações jurídicas sobre se Moro poderia ou não ter divulgado a gravação de um diálogo com a presidente da República. Para rebater a tese de que Dilma enviara o documento a Lula para que ele não fosse preso por Sergio Moro antes de ganhar foro privilegiado, o Planalto divulgou tarde da noite o termo de posse assinado por Luiz Inácio Lula da Silva, mas não por Dilma Rousseff. A explicação foi que o documento não tinha valor legal para livrar Lula da prisão. Segundo o governo, a justificativa para a atitude incomum de se enviar um termo de posse para ser assinado no aeroporto era que a cerimônia seria no dia seguinte mas talvez Lula não pudesse comparecer, pois sua esposa estava com problemas de saúde. Tudo não passaria de um mero trâmite burocrático. A lei do funcionalismo público, no entanto, diz que, para tomar posse, a pessoa tem que estar presente. No máximo, enviar alguém com procuração no lugar dela.

A história continuou estranha. Por que a posse, prevista inicialmente para 22 de março, fora antecipada para o dia 17, principalmente se havia dúvidas sobre o possível comparecimento de Lula? Por que a pressa em publicar, na noite do dia 16 de março, uma edição extraordinária do *Diário Oficial da União* com a nomeação do ex-presidente como ministro?

A posse

No dia 17 de março de 2016, o ex-presidente Luiz Inácio Lula da Silva tomou posse como ministro-chefe da Casa Civil em uma cerimônia no Palácio do Planalto com ares de comício. A plateia era formada por ministros, senadores e deputados da base do governo, além de representantes de movimentos sociais e entidades sindicais, que puxavam o coro de "Não vai ter golpe!" e cantavam "Olê, olê, olê, olá, Lula!". O vice-presidente, Michel Temer, o presidente do Senado, Renan Calheiros, e o presidente da Câmara, Eduardo Cunha, não compareceram ao evento. Nas ruas o clima era de tensão, com protestos contra e a favor do governo. O estopim das mobilizações tinha sido a divulgação das gravações das conversas de Lula com amigos e autoridades, inclusive com a presidente da República, nas quais ele supostamente tentava influenciar ou obter auxílio para escapar da Lava Jato.

Durante a posse, Dilma fez um longo discurso defendendo a ida do ex-presidente para o governo e negando que a nomeação dele tivesse o objetivo de lhe dar foro privilegiado. A presidente também mostrou o termo de posse assinado apenas por Lula, o que, segundo ela, era uma prova de que não teria havido nenhuma tentativa de obstruir a justiça, pois sem a assinatura dela o termo não tinha valor legal. Sem citar o nome de Moro ou a Lava Jato, ela atacou duramente a operação: "Não há justiça quando delações são tornadas públicas, de forma seletiva, para execração de alguns investigados, e quando depoimentos são transformados em fatos espetaculares. Não há justiça quando leis são desrespeitadas e, eu repito, a Constituição, aviltada. Não há justiça para os cidadãos quando as garantias constitucionais da própria Presidência da República são violadas."

Um detalhe fortaleceu o discurso do governo naquele momento. Moro dera ordem para suspender a escuta de Lula pouco depois das onze horas da manhã. O Ministério Público informou à Polícia Federal, que repassou a ordem à operadora Claro. O diálogo sobre o termo de posse ocorreu às 13h32. A ordem já tinha sido transmitida, mas a escuta ainda estava operacional e por isso foi gravada mais uma conversa. E era justamente aquela: com a presidente.

Além da questão técnica sobre se uma gravação interceptada depois da suspensão da escuta poderia ser incluída nos autos, a discussão maior era se um juiz de primeira instância poderia ter divulgado uma conversa da presidente da República, que tem foro privilegiado, ou se ele teria usurpado a competência do Supremo e colocado em risco a soberania nacional, como alegou Dilma em seu pedido ao STF. Moro explicou que o telefone grampeado era o que Lula usava, e não o da presidente. Dilma é que ligara para aquele número. Mas a polêmica estava aberta e a questão só seria pacificada no Supremo.

Lula não conseguiu ocupar o cargo de ministro-chefe da Casa Civil. Pouco depois da cerimônia no Palácio do Planalto, sua posse foi suspensa por uma decisão judicial, e ele passou a trabalhar num hotel, tentando articular uma base de apoio. Naquela tarde, a Câmara dos Deputados escolheu a Comissão Especial de Impeachment e, no dia seguinte, uma sexta-feira, quando quase nunca há sessão no Congresso, o presidente da Câmara, Eduardo Cunha, realizou a primeira sessão para acelerar o processo. Após dez sessões, a presidente Dilma teria que apresentar sua defesa.

Naquele 18 de março, os partidários do governo foram às ruas defender o ex-presidente Lula, Dilma e o PT. As manifestações reuniram ao todo 1,3 milhão de pessoas, de acordo com os organizadores, e 275 mil, segundo os cálculos da Polícia Militar. Lula discursou na avenida Paulista tentando desfazer a imagem agressiva deixada após a divulgação de suas conversas, repletas de palavrões e ataques às instituições brasileiras. Nos protestos contra o impeachment, um dos alvos era o presidente da Câmara, Eduardo Cunha, arquirrival do governo. Outro, Sergio Moro, que deixava de ser herói e virava vilão, sendo comparado até a Hitler.

Os críticos de Moro comemoraram naquele dia um duro discurso do relator da Lava Jato no Supremo. Ao receber o título de cidadão de Ribeirão Preto, no interior de São Paulo, o ministro Teori Zavascki aproveitou para, sem citar nomes, dar sua opinião sobre a postura do judiciário: "Em uma hora como esta em que estamos vivendo, uma hora de dificuldades para o país, uma hora em que as paixões se exacerbam, é justamente nestas horas, mais do que nunca, que o poder judiciário tem que exercer seu papel com prudência, serenidade, com racionalidade, sem protagonismos porque é isso que a sociedade espera de um juiz. O papel dos juízes é resolver conflitos, não criar conflitos."

À noite, outro ministro do Supremo tomou uma decisão que sepultaria os planos do governo de tornar Lula ministro. Gilmar Mendes suspendeu a nomeação e afirmou ter visto intenção do ex-presidente de obter foro privilegiado. Por isso, mandou de volta para o juiz Sergio Moro as investigações sobre Lula. Na semana seguinte, outra reviravolta. Em uma de suas decisões mais duras, Teori Zavascki determinou que Moro encaminhasse todas as investigações envolvendo o ex-presidente Lula para o STF e voltou a impor o sigilo sobre as conversas telefônicas do ex-presidente, criticando o argumento usado por Moro para justificar sua decisão. "É descabida a invocação do interesse público da divulgação ou a condição de pessoas públicas dos interlocutores atingidos, como se essas autoridades, ou seus interlocutores, estivessem plenamente desprotegidas em sua intimidade e sua privacidade."

Em resposta a Teori, Moro enviou um ofício de 31 páginas em que pediu desculpas à Suprema Corte e tentou explicar suas motivações: "O levantamento do sigilo não teve por objetivo gerar fato político partidário, polêmicas ou conflitos, algo estranho à função jurisdicional, mas, atendendo ao requerimento do MPF, dar publicidade ao processo e especialmente a condutas relevantes do ponto de vista jurídico e criminal do investigado ex-presidente Luiz Inácio Lula da Silva que podem eventualmente caracterizar obstrução à Justiça ou tentativas de obstrução à Justiça." E concluiu: "Ainda que este julgador tenha se equivocado em seu entendimento jurídico e admito, à luz da controvérsia então instaurada, que isso pode ter ocorrido, jamais, porém, foi a intenção desse julgador, ao proferir a aludida decisão de 16/03, provocar polêmicas, conflitos ou provocar constrangimentos, e, por eles, renovo minhas respeitosas escusas a este Egrégio Supremo Tribunal Federal." Os advogados de Marisa Letícia, Fábio Luís e sua esposa, Renata, que também tiveram diálogos interceptados, entraram com ações de reparação de danos morais contra a União por causa da divulgação de suas conversas telefônicas.

Toda aquela semana foi vertiginosa, com as notícias se sucedendo num ritmo difícil de acompanhar. Começou com o turbilhão provocado pela homologação da delação do senador Delcídio do Amaral e pela decisão do ministro Teori de retirar o sigilo do depoimento em que havia acusações contra Dilma, Lula, Temer e o presidente do PSDB, Aécio Neves. A mais corrosiva e inesperada revelação era a gravação da conversa entre o ministro da Educação, Aloizio Mercadante, e o assessor de Delcídio em que ele oferecia ajuda ao ex-líder do governo no Senado e sugeria que ele não fizesse delação – o que foi entendido pelos investigadores como sinal de tentativa de obstrução. A presidente Dilma soltou uma nota dizendo que não tinha qualquer responsabilidade por aquela decisão individual do ministro, até pouco tempo seu homem de confiança. Isso tudo aconteceu na terça, dia 15. Na quarta o assunto foi esquecido, pois os holofotes se voltaram para Lula e para uma crise muito maior. Depois vieram a posse, a suspensão da posse, a eleição da Comissão do Impeachment, as manifestações contra e a favor do governo.

No domingo, 20, a *Folha de S.Paulo* publicou uma pesquisa do Datafolha arrasadora para o governo: 68% dos entrevistados se declararam a favor do impeachment de Dilma, oito pontos mais do que um mês antes. O apoio ao afastamento crescera em todos os segmentos pesquisados. Lula chegou ao pior índice de rejeição de um candidato a presidente, 57%, mas, ao mesmo tempo, quando a pergunta era quem foi o melhor presidente que o Brasil já teve, ele saía na frente, com 35%. Sobre a ida dele para o ministério, 68% disseram que era para fugir de Sergio Moro. Diante da pergunta sobre se Moro tinha feito bem em obrigar o ex-presidente a depor, 82% disseram que sim. Apenas 13% disseram que Moro agiu mal, enquanto 5% não souberam dizer.

Lula denunciado, Dilma investigada

A Lava Jato seguiu avançando. No fim da tarde da terça-feira, 3 de maio de 2016, entrou no andamento processual do principal inquérito da Lava Jato que corre no Supremo Tribunal Federal – o que apura a formação de uma organização criminosa para fraudar a Petrobras – um pedido do procurador-geral da República, Rodrigo Janot, para incluir mais 29 pessoas na investigação, entre elas o ex-presidente Lula, os ministros Jaques Wagner, Ricardo Berzoini e Edinho Silva, o principal assessor de Dilma, Giles Azevedo, e o ex-presidente da Petrobras José Sérgio Gabrielli. Era um documento muito importante. Janot afirmava que "os diálogos interceptados com autorização judicial não deixam dúvidas de que, embora afastado formalmente do governo, o ex-presidente Lula mantém o controle das decisões mais relevantes, inclusive no que concerne às articulações espúrias para influenciar o andamento da Operação Lava Jato, a sua nomeação ao primeiro escalão, a articulação do PT com o PMDB, o que perpassa o próprio relacionamento mantido entre os membros destes partidos no concerto do funcionamento da organização criminosa ora investigada."

Mais adiante, num trecho bastante forte, o procurador dizia que "pelo panorama dos elementos probatórios colhidos até aqui e descritos ao longo dessa manifestação, essa organização criminosa jamais poderia ter funcionado por tantos anos e de uma forma tão ampla e agressiva no âmbito do governo federal sem que o ex-presidente Lula dela participasse". Ou seja, para Janot, as provas colhidas, assim como os depoimentos de colaboradores – entre eles Delcídio do Amaral, Nestor Cerveró e executivos da Andrade Gutierrez –, indicavam a atuação de uma organização criminosa no PT, com um alcance bem mais amplo do que se imaginava inicialmente e "com enorme concentração de poder nos chefes da organização". De acordo com o procurador-geral, "no âmbito do núcleo do PT, a organização, ao que tudo indica, era especialmente voltada à arrecadação de valores ilícitos, por meio de doações oficiais ao Diretório Nacional, que, posteriormente, fazia os repasses de acordo com a conveniência da organização criminosa. Esse projeto de poder fica evidente em diversos relatos de colaboradores".

O documento trazia ainda outra informação bombástica. Uma frase solta no texto revelava que Lula havia sido denunciado ao Supremo pela tentativa de atrapalhar a delação premiada de Nestor Cerveró. Delcídio do Amaral e seu ex-chefe de gabinete Diogo Ferreira afirmaram que Lula era o grande interessado em calar Cerveró, e que a família de José Carlos Bumlai, amigo do ex-presidente, ficara encarregada de pagar pelo silêncio do ex-diretor. O procurador-geral apontou que Lula, Bumlai e o filho dele, Maurício, pagaram 250 mil reais à família de Cerveró em cinco parcelas. A primeira, de 50 mil reais, foi paga por Delcídio em maio de 2015. A quebra de sigilo de Maurício mostrou que dois saques de 25 mil reais tinham sido feitos em uma agência bancária do Bradesco, em São Paulo. As outras parcelas foram quitadas por Diogo Ferreira entre junho e setembro de 2015. Segundo Janot, no período que antecedeu os pagamentos, Lula se reuniu com Delcídio do Amaral – os encontros e conversas, que aconteceram em abril e maio, foram confirmados com a quebra de sigilo telefônico e de e-mails. "A partir daí as investigações ganharam novos contornos e se constatou que Luiz Inácio Lula da Silva, José Carlos Bumlai e Maurício Bumlai atuaram na compra do silêncio de Nestor Cerveró para proteger outros interesses, além daqueles inerentes a Delcídio e André Esteves, dando ensejo ao aditamento da denúncia anteriormente oferecida", escreveu Janot.

Os investigadores da Lava Jato não podiam mais negar: Lula tinha sido denunciado ao Supremo, ou seja, se tornara formalmente acusado na mais alta corte do país. E, por incrível que pareça, a Procuradoria-Geral da República tinha mais uma surpresa para apresentar naquela terça-feira. A uma semana de o Senado votar se Dilma deveria ou não ser afastada para ser processada por crime de responsabilidade, Janot pediu a abertura de um inquérito contra a presidente, o ex-presidente Lula, o ex-ministro da Justiça José Eduardo Cardozo e o ex-ministro da Educação Aloizio Mercadante, por obstrução de justiça na Lava Jato. Entre as provas, estava a conversa gravada de Lula com Dilma em que ela fala do termo de posse que encaminhou para o ex-presidente usar em caso de necessidade. Para Janot, o grupo também tentou atrapalhar as investigações na época da nomeação de Marcelo Navarro Ribeiro Dantas para o Superior Tribunal de Justiça. O governo teria procurado Marcelo Navarro, que viria a relatar processos da Lava Jato, para pedir ajuda na libertação de empresários presos. Em sua delação premiada, Delcídio relatou que Cardozo, enquanto era ministro da Justiça, fizera diversas movimentações para tentar promover a soltura de presos da Lava Jato.

Dilma, Lula, Navarro e Cardozo negaram a trama. O ex-ministro da Justiça chamou as denúncias de Delcídio de "levianas e mentirosas". O Instituto Lula divulgou nota dizendo que o único crime evidente naquele episódio era "a gravação clandestina e divulgação ilegal de um telefonema da presidenta da República". Também atacou Sergio Moro: "Mais grave ainda é que este crime tenha sido praticado por um juiz federal, afrontando não apenas a lei, mas uma decisão do Supremo Tribunal Federal." Para o Instituto Lula, as conversas telefônicas do ex-presidente, grampeadas pela Operação Lava Jato, "são a prova cabal de que não houve ilegalidade nem obstrução à justiça em sua nomeação para o ministério pela presidenta Dilma Rousseff".

As investigações seguiam seu curso. O pedido do procurador-geral da República seria analisado pelo STF. As conversas grampeadas eram consideradas provas válidas no processo. A Lava Jato estava chegando cada vez mais perto de Lula.

Epílogo

O futuro está em aberto

No dia 17 de abril de 2016, o Brasil parou para assistir à longa sessão em que a Câmara dos Deputados autorizou a abertura do processo de impeachment da presidente Dilma Rousseff. Famílias inteiras se reuniram naquele domingo para acompanhar a decisão, em clima de final de campeonato. Depois da sucessão de discursos que chamou a atenção também pelo grotesco, o placar, de 367 votos a favor e 137 contra, indicava que as forças do governo se esvaíam. A crise continuava a crescer. O Senado instalou uma comissão e começou a analisar o processo. A velocidade dos acontecimentos era tão grande que, às vezes, o país não sabia mais em que prestar atenção.

Na primeira semana de maio, enquanto o processo de afastamento da presidente avançava rápido no Senado, a Lava Jato se aproximava de Dilma, por causa da suspeita de que ela tentara interferir na operação. Decisivo na abertura do processo de impeachment, o deputado Eduardo Cunha teve o seu mandato suspenso por ordem do ministro Teori Zavascki, entre outros motivos, por atrapalhar as investigações contra ele. Os ministros do STF, reunidos em plenário, confirmaram a decisão de Teori por unanimidade. Nos quatro meses que se passaram entre o pedido da PGR e a decisão do Supremo, as razões para o afastamento de Cunha se agravaram. Ele enfrentava processo no Conselho de Ética, que andava devagar por manobras de aliados, e já era réu pelas suspeitas de que se beneficiara dos desvios da Petrobras. Agora estava suspenso da Câmara e afastado da presidência da Casa. O presidente do Senado, Renan Calheiros, respondia a mais de dez inquéritos e, assim como muitos outros políticos, teria de enfrentar as acusações do Ministério Público Federal. Até maio de 2016, o procurador-geral já havia apresentado dez denúncias ao Supremo contra políticos no âmbito da Lava Jato. Outras estavam em elaboração. A perspectiva era de muitos meses de investigação pela frente. Brasília nunca tinha visto uma crise política de tamanha proporção.

Na manhã da segunda-feira, 9 de maio, o país ficou novamente em estado de choque. O senador Antonio Anastasia se preparava para apresentar seu relatório pró-impeachment no plenário do Senado, quando o presidente interino da Câmara, Waldir Maranhão, tomou uma decisão mais do que polêmica. Com uma canetada, ele anulou as sessões que admitiram o impeachment e pediu que o Senado devolvesse o processo para a Câmara. Foram horas de confusão em Brasília e no mercado financeiro, até que Renan Calheiros decidiu ignorar a tentativa desesperada dos governistas de ganhar tempo e deu seguimento ao impeachment. "Aceitar essa brincadeira com a democracia seria ficar pessoalmente comprometido com o atraso do processo", disse Renan. No fim do dia, acuado, Maranhão revogou seu próprio ato.

Dois dias depois, começou a maratona de discursos dos senadores sobre o afastamento da presidente. O número dos favoráveis ao impeachment era claramente maior, mas o grupo contrário reagia com falas longas e inflamadas. Diante das críticas de que o governo estava obstruindo a votação, o senador Jorge Viana do PT reagiu: "Se eles querem pressa, que façam discursos mais curtos, porque nós governistas somos poucos." Amanhecia na quinta-feira 12 de maio, quando o resultado foi exibido no painel eletrônico do Senado: 55 votos pelo afastamento da presidente, 22 contra. Muitos em Brasília acordaram ao som de fogos de artifício. O placar parecia definir a sorte de Dilma.

Naquele dia o Palácio do Planalto viveu dois tempos. De manhã, o PT fez sua despedida. No discurso final, Dilma se disse injustiçada, vítima de traição e de uma condenação sem culpa. Vários erros a haviam levado a ficar sem condições de governabilidade, mas o pano de fundo era o terremoto provocado pela Lava Jato. Na saída do Planalto, ela falou de novo aos militantes que cercavam o palácio para apoiá-la. Ainda estava combativa, mas Lula, em silêncio ao lado dela, era o retrato do desânimo e do cansaço. Dilma se recolheu ao Palácio da Alvorada. Coube ao Senado definir que benefícios ela preservaria, e Renan disse aos senadores que daria à presidente afastada um "tratamento humanitário". Ela poderia ficar na residência oficial, com direito a usar aviões da FAB e ter assessores pagos pelo governo federal. Dilma avisou que resistiria e continuaria lutando para voltar ao governo.

De tarde, o Palácio do Planalto era outro. O PMDB assumia o poder. Na entrada, enquanto um pequeno grupo de abnegados militantes petistas continuava xingando, os aliados chegavam sorridentes para a posse coletiva dos ministros do presidente interino Michel Temer, todos homens. O clima era de festa. Em seu discurso, Temer defendeu a Lava Jato. Mas a contradição é que seu ministério dava abrigo para investigados e citados na operação. E isso traria problemas para ele logo nos primeiros dias de governo.

Todo esse turbilhão aconteceu enquanto o país vivia uma das mais graves crises econômicas de sua história. O contexto não poderia ser mais duro. A economia entrou em recessão no segundo trimestre de 2014, por coincidência, quando a Lava Jato estava começando. A situação se deteriorou ao longo das investigações. Segundo a Fundação Getúlio Vargas, o Brasil estava atravessando a sua mais longa recessão. A previsão era de que seriam 11 trimestres afundando até o fim de 2016. O caminho ficou ainda mais espinhoso porque a inflação chegou a dois dígitos pela primeira vez em 13 anos. O desemprego cresceu durante meses, assustando os trabalhadores e achatando a renda. No primeiro trimestre de 2016, 2 milhões de pessoas engrossaram a fila de desempregados, que ultrapassou a marca de 11 milhões de pessoas. O IBGE divulgou que o PIB de 2015 caíra 3,8%, o pior índice em 25 anos. A crise econômica, que tinha razões próprias, ficou pior com a redução dos investimentos da Petrobras e dos contratos com as empresas envolvidas no escândalo de corrupção. Além disso, a mais importante estatal do país ainda precisaria responder à Justiça americana. Três dos principais delatores da Lava Jato, Augusto Ribeiro de Mendonça, Júlio Camargo e Pedro Barusco, fecharam acordo para fornecer informações nos Estados Unidos sobre o esquema de corrupção na Petrobras. Seriam ouvidos pela Corte de Nova York, que aceitou a denúncia de investidores estrangeiros que alegaram que a estatal fornecera material falso e comunicados enganosos, e não revelara uma cultura de corrupção dentro da empresa.

Durante os anos de 2014 e 2015, as maiores empreiteiras do país viram seus executivos e presidentes irem para a cadeia. Em 2016, lutando para sobreviver, elas tentavam renegociar suas dívidas. Os bancos aceitavam prolongar os prazos de pagamentos porque as construtoras eram grandes demais em suas carteiras de crédito. Mas as empresas teriam de fazer profundas mudanças. Naquele momento, na Odebrecht, a sala de Marcelo ainda tinha a placa com seu nome, mas já se sabia que dificilmente ele voltaria a ocupar o mesmo lugar. A empresa se convencera de que precisava passar por uma grande transformação para voltar a ter destaque na vida econômica nacional. No mundo corporativo, muitas companhias discutiam como fazer para proteger os negócios da prática da corrupção. A conclusão a que chegavam é que era preciso dar mais poderes e independência à área de fiscalização e controle, aumentando a transparência dos processos. É o que se chama de "diretoria de compliance".

Nesse campo, havia muito a ser feito. Em 22 de março de 2016, a 26ª fase da Lava Jato, batizada de Xepa, havia descoberto que a Odebrecht tinha um departamento dedicado à contabilidade paralela da empresa. Ou seja, existia dentro da Odebrecht um setor responsável por fazer os pagamentos de propina. Com uma equipe enxuta, formada por funcionários antigos, de confiança e bem remunerados, funcionava em São Paulo e Salvador. Era o Departamento de Operações Estruturadas. Em sua delação premiada, uma secretária do setor disse que os pagamentos continuaram mesmo depois da prisão de Marcelo Odebrecht, em junho de 2015. Só foi fechado em agosto daquele ano. O dinheiro ficava em contas de doleiros. A propina era paga no exterior e também no Brasil, com depósitos em conta e entregas em dinheiro vivo, sempre depois da autorização de executivos da empresa. Na casa de um deles – o presidente da Construtora Odebrecht, Benedicto Barbosa da Silva Júnior – foram encontradas várias listas com cerca de 300 políticos de mais de 20 partidos. Ao lado dos nomes, havia valores registrados. Muitos eram identificados também por codinomes como Caranguejo (Eduardo Cunha), Atleta (Renan Calheiros), Nervosinho (Eduardo Paes), Lindinho (Lindbergh Farias). Ficou evidente a influência da empresa na política brasileira. A lista foi enviada ao Supremo Tribunal Federal por Sergio Moro.

No mesmo dia em que essa operação foi deflagrada, a Odebrecht declarou publicamente, em um anúncio nos jornais, que iria mudar sua postura e colaborar de forma definitiva com as investigações da Lava Jato: "Esperamos que os esclarecimentos com a colaboração contribuam significativamente com a Justiça brasileira e com a construção de um país melhor." Contribuição definitiva, no entanto, não significava incondicional. A negociação se arrastava por meses, com ambos os lados exigindo concessões caras e difíceis de aceitar. Os investigadores queriam, por exemplo, que os dirigentes da Odebrecht reconhecessem ter participado de tentativas de anular a operação quando ela estava no começo. Um dos episódios discutidos era o da escuta encontrada na cela de Alberto Youssef; o outro, a publicação de uma reportagem sobre declarações políticas de delegados da Lava Jato no Facebook. As informações teriam sido organizadas em um dossiê com a participação de advogados de defesa de réus da Lava Jato, entre eles um da Odebrecht. Em abril de 2016, a Corregedoria Geral da Polícia Federal em Brasília havia indiciado dois advogados, um delegado e dois agentes da PF. Mesmo assim, o juiz da 14ª Vara Federal de Curitiba, Marcos Josegrei da Silva, responsável pelo inquérito, acolheu o pedido do MPF e determinou à PF novas diligências. A Odebrecht dizia que seu presidente não tinha nada a ver com essas suspeitas e que ele não admitiria crimes que não cometera. Os executivos da empresa também iriam fazer acordo de delação dentro de suas possibilidades e informações. Todo um time de advogados foi montado para organizar essa colaboração.

Outras empreiteiras, que já haviam fechado acordo de colaboração e confirmado várias denúncias de corrupção, adotavam uma estratégia diferente. Em maio de 2016, a Andrade Gutierrez publicou nos principais jornais do país uma nota se retratando. A empresa não repetiu o discurso de outras empresas que, principalmente no início das investigações, alegavam ser inocentes e vítimas de arbitrariedades. A Andrade Gutierrez informou que estava pagando 1 bilhão de reais ao governo: "É o momento de a empresa vir a público e admitir, de modo transparente, perante toda a sociedade brasileira, seus erros e reparar os danos causados ao país e à sua própria reputação." Mais adiante acrescentava "um sincero pedido de desculpas ao povo brasileiro". Com 67 anos de existência, presente em 20 países, a empresa lembrava seu papel na geração de milhares de empregos e se mostrava disposta a mudar para continuar atuando no Brasil. O fim da crise, no entanto, não parecia próximo.

A política dera um mergulho no vazio. A cada dia ocorria um fato novo que elevava a tensão entre os poderes e tornava mais nebuloso o cenário e mais difíceis as previsões. A investigação continuava a avançar revelando mais detalhes da profundidade e da extensão dos crimes de corrupção no país. Muitos personagens desta história estavam na prisão ou cumpriam pena em casa como resultado dos benefícios da delação premiada. Outros ainda estavam sendo investigados. E mais nomes surgiam a todo momento nos depoimentos. O próprio presidente em exercício, Michel Temer, já tinha sido citado por delatores como Delcídio do Amaral, que também tinha acusado o maior líder da oposição, o senador Aécio Neves, do PSDB, de envolvimento em esquemas de corrupção e de ter participado de uma operação para maquiar dados encaminhados pelo Banco Rural à CPI dos Correios. A citação tinha virado um inquérito no Supremo contra Aécio. Novos delatores surgiam esclarecendo pontos ainda obscuros. Um deles era Pedro Corrêa, que se dispusera a contar fatos até de governos bem mais antigos, pois estava na política desde o governo militar.

Por várias vezes, a Lava Jato teve que recuar no tempo para pegar um fio solto da mesma meada. Um desses casos foi em 1º de abril de 2016, na 27ª fase, com o sugestivo nome de Carbono 14, em que foi preso o dono do *Diário do Grande ABC*, o empresário Ronan Maria Pinto, de Santo André. Isso fez com que a imprensa imediatamente estabelecesse uma conexão com a morte do prefeito da cidade Celso Daniel, em 2002. O ex-secretário-geral do PT Silvio Pereira também foi preso, e Delúbio Soares, ex-tesoureiro do partido, foi levado para depor. Silvio e Delúbio participaram do mensalão. Essa escavação de outros escândalos foi necessária porque os investigadores haviam descoberto que metade do empréstimo de 12 milhões de reais dado pelo Banco Schahin a Bumlai para ser repassado ao PT acabara na conta de Ronan. Esse ponto parecia unir três casos do PT: a morte de Celso Daniel, o mensalão e o petrolão.

Na fase seguinte, a 28ª, foi preso o ex-senador do PTB do Distrito Federal Gim Argello, que ainda era personagem de destaque na política brasileira. Essa operação foi batizada de Vitória de Pirro porque investigou a cobrança de propinas para evitar convocação de empreiteiros em comissões parlamentares de inquérito sobre a Petrobras. Em 2014, Gim foi membro da CPI no Senado e vice-presidente da CPMI, da Câmara e do Senado. O ex-senador foi preso em casa, em Brasília, levado para a carceragem da PF em Curitiba e, de lá, para o Complexo Médico-Penal de Pinhais, o presídio que recebe os presos da Lava Jato. Na 29ª fase, o alvo principal foi o ex-tesoureiro do PP João Cláudio Genu, preso em Brasília e apontado por três delatores como destinatário de propina de contratos da Petrobras. Ele teria recebido 2 milhões de reais em dinheiro vivo. Nas planilhas de pagamento de Youssef, Genu era identificado como Mercedão, Gordo, João e Ronaldo. A operação foi chamada de Repescagem porque Genu era mais um nome investigado na Lava Lato que tinha se envolvido no mensalão.

Enquanto isso, no Paraná, a Lava Jato tinha se tornado a maior investigação da história. A equipe precisou crescer por conta da evolução do caso e da consequente multiplicação de informações trazidas por colaboradores e quebras de sigilo. Na Polícia Federal eram quase 60 policiais dedicados diretamente a ela. No conjunto de salas reservado à operação, na sede da PF em Curitiba, um grupo apurava novas informações para abrir outras frentes e preparar as fases futuras, enquanto outro analisava o material colhido nas buscas e apreensões feitas ao longo do tempo. Ou seja, debruçavam-se sobre arquivos de computador, aplicativos de celular, documentos de quebras de sigilo e gravações. O processo eletrônico, o e-proc, era alimentado quase que diariamente com mais dados. Uma sala reservada era o palco de reuniões entre investigados, advogados e delegados. Nunca houve uma estrutura como essa para uma investigação da Polícia Federal.

No Ministério Público Federal o cenário era o mesmo. Em maio de 2016, mais de 50 pessoas analisavam dados e cruzavam informações sem parar. A força-tarefa, que nasceu com seis procuradores, tinha 13. "Nós vamos até o fim da linha, até onde as investigações nos levarem", afirmavam, decididos, os procuradores. O temor de que o fatiamento da Lava Jato pudesse enfraquecer a operação acabou sendo infundado. Algumas partes do processo foram tiradas de Curitiba, mas isso permitiu o aprofundamento do tema central da apuração: a Petrobras. Se a Lava Jato fosse uma árvore, imagem que Deltan gosta de usar em algumas palestras, poderíamos dizer que, depois que ela foi podada, cresceu mais forte.

Na Justiça Federal, sob o ritmo ditado pelo juiz Sergio Moro, os acusados eram julgados em um espaço de tempo relativamente curto. Muitos condenados cumpriam penas altas. E as instâncias superiores seguiam confirmando as decisões de Moro em mais de 95% dos casos. Em pouco mais de dois anos de Lava Jato, 432 pedidos de habeas corpus foram apresentados a tribunais superiores. Destes, somente 17 tiveram resultados favoráveis à defesa, um percentual de 3,9%. Em novembro de 2014, numa sessão da Quinta Turma do Superior Tribunal de Justiça, considerada histórica, o desembargador Newton Trisotto – relator da Lava Jato naquele tribunal – e os ministros da Quinta Turma criticaram duramente o esquema criminoso descoberto pela investigação. Newton Trisotto falou que a corrupção é uma das maiores vergonhas da humanidade, e o ministro Felix Fischer, ex-presidente do STJ, disse que nunca se viu "tamanha roubalheira" no mundo.

A novidade agora é que essa roubalheira toda foi e continuará sendo investigada. No Supremo Tribunal Federal, o ministro Teori Zavascki, relator da Lava Jato, costuma dizer que nesse caso todas as decisões são difíceis. E, na maior parte das vezes, inéditas. Experiente e cuidadoso, Teori tem diante de si um dos maiores desafios já enfrentados pela Justiça brasileira. No silêncio de seu gabinete, busca sempre a razão, pesa prós e contras e estuda os detalhes de cada processo para tomar decisões bem-fundamentadas. "Muitas vezes o juiz não sabe o que fazer, tem que pensar, parar e refletir, estudar, principalmente estudar", costuma dizer a assessores e amigos. Para Teori, as caminhadas que faz para se exercitar são o melhor momento para decidir. Quando volta ao gabinete, já tem uma ideia. Para se concentrar, ele também gosta de ouvir música. Entre suas preferências estão cantos gregorianos e peças de Chopin e Mozart. É dessa maneira que Teori pretende enfrentar a missão da Lava Jato. Até o fim. Em razão de sua postura rigorosa, por exemplo, sua casa, em Porto Alegre, foi alvo de protestos. A segurança foi reforçada e ele mudou hábitos. Agora caminha mais na esteira, em casa, e menos na rua.

Muitos diziam que era o começo de um novo tempo no Brasil, e que havia vários sinais disso. O outrora superpoderoso ex-ministro-chefe da Casa Civil, José Dirceu, estava em uma cela do Complexo Médico-Penal de Pinhais. Tinha recebido de Sergio Moro a pena mais alta da Lava Jato até aquele momento: 23 anos de prisão. Seus advogados protestaram no processo, alegando que a decisão do juiz equivalia à prisão perpétua, uma vez que Dirceu tinha 70 anos. O ex-ministro queria voltar ao regime de prisão domiciliar em Brasília, onde cumpria pena pelo esquema do mensalão, quando a Lava Jato o encontrou. Logo depois da sentença, o juiz reconheceu a idade de Dirceu como atenuante e baixou a condenação para 20 anos e 10 meses em regime fechado. Outros políticos também estavam atrás das grades. O ex-deputado federal e ex-vice-presidente da Câmara André Vargas tinha sido condenado e estava cumprindo pena em um presídio da grande Curitiba, mesma situação do ex-deputado Luiz Argôlo.

Paulo Roberto Costa, o primeiro agente público preso na Lava Jato e o primeiro a fazer delação premiada, estava usando tornozeleira eletrônica. Podia sair de casa durante o dia, mas tinha que se recolher à noite e durante todo o fim de semana. Preso à sua rotina de colaborador, Paulo Roberto já dera mais de 180 depoimentos. No fim de 2016, ganharia a liberdade. Em depoimento à Justiça, uma das filhas dele, Arianna, disse que o pai estava arrependido: "Eu sei que o meu pai errou, ele errou bastante, mas está pagando muito caro por tudo o que fez. Não só ele como toda a família."

Alberto Youssef, outra peça-chave desta história, continuava preso na carceragem da Polícia Federal, em Curitiba, de onde sairia no fim de 2016. Passava os dias conversando com os colegas de cadeia, pensando no que iria fazer para ganhar a vida depois que fosse solto. "Dinheiro? Não tenho apego por dinheiro, dinheiro vai e dinheiro vem, quanto mais você se apega ao dinheiro, mais ele foge de você. Se eu tiver que recomeçar, vou recomeçar, posso voltar a vender pastel, sem problema", garantia Youssef. O doleiro dizia que a maioria dos políticos que conheceu se corrompera para conseguir vencer as eleições. "O Brasil tem que mudar o jeito de financiar campanha, o Brasil tem que mudar. Se não mudar isso, cara, não tem jeito", filosofava. Youssef não parecia amargurado nem com sede de vingança: "Não tenho mágoa do Moro. Até admiro o Moro. Não guardo mágoa de ninguém. Dei bobeira, eles me pegaram, me trouxeram pra cá. É do jogo. Bobeei. Quem está neste jogo sabe que isso pode acontecer." O megaoperador financeiro não se furtava nem mesmo a elogiar a Operação Lava Jato: "Por mais que foi contra mim, os caras fizeram um bom trabalho, foram lá e enfrentaram o problema. Tenho que reconhecer."

No fim de uma audiência em maio de 2016, Youssef fez questão de cumprimentar Sergio Moro por ter sido eleito pela *Time* como uma das 100 pessoas mais influentes do mundo. O juiz tinha acabado de voltar da cerimônia realizada pela revista em Nova York, a que compareceu, num elegante smoking, na companhia da esposa, Rosângela. Naquela noite, diferente de qualquer outra que já tinha vivido, Moro pensou no caminho que trilhara até ali e nas mudanças que a Lava Jato provocara em sua vida. O filho, Vinícius, não escondia o orgulho do pai, enquanto a filha, Julia, mais tímida, ficava um pouco constrangida de falar sobre ele na escola. Diante da súbita fama do marido, Rosângela tentava superar sua inquietação com bom humor: "Vou escrever um livro: *Eu 'moro' com ele.*"

Sempre que alguém lhe pergunta o que pensa da fama, Moro abre os braços, pende a cabeça, num gesto que repete muito, e diz em latim que a fama é passageira. Ele tem planos modestos para o futuro. Sonha, quando a Lava Jato chegar ao fim, em tirar um ano sabático fora do Brasil, se conseguir convencer as crianças. Há alguns anos ele fez um concurso para o programa Fullbright de bolsas de estudo. Passou bem pelos critérios objetivos, mas acabou sendo preterido por outro candidato na escolha subjetiva. Continua pensando numa temporada no exterior. A curto prazo, quer viajar para a Itália a fim de conhecer mais dos casos de combate à corrupção e à máfia que tanto o entusiasmam. Nos últimos tempos, tem recebido a visita de procuradores e integrantes da Justiça italiana.

A análise do que aconteceu na Itália, após a Operação Mãos Limpas, em que houve um retrocesso no combate à corrupção, levando à ascensão de um líder controverso, como Silvio Berlusconi, deixa Moro em dúvida sobre o efeito da Lava Jato para melhorar a qualidade da política no Brasil. Nem todo processo de depuração dos erros leva a uma situação virtuosa, mas o exemplo malsucedido dos italianos ajuda o Brasil a distinguir o que quer evitar. Sergio Moro está convencido, no entanto, de que seu trabalho como juiz é apenas julgar. Em sua página do Facebook, ele colocou como foto de perfil um juiz de toga e longa peruca branca para deixar claro seu papel nesta história. No WhatsApp dele, a imagem é a de um crocodilo lutando com outro, o maior devorando o menor. Os amigos dizem que isso os lembra do desafio que está diante de Moro. E é a isso que ele se dedica. Mesmo que seja necessária uma boa dose de sacrifício pessoal. Moro teve que abrir mão de pequenos prazeres cotidianos, como ir para o trabalho de bicicleta ou andar na rua sozinho, sem se preocupar. Mantém o hábito de correr e jogar tênis para se exercitar, mas até mesmo jantar fora com a esposa requer um esquema de segurança. Ele não pode mais sair dirigindo o próprio carro ou pegar um táxi. Vai no carro dos agentes de segurança da Justiça Federal que o acompanham. Em um evento em São Paulo, em março de 2016, contou com a escolta de 12 homens. Isso tinha uma razão de ser. Ele recebia ameaças. Tinha desagradado muita gente.

Todos continuavam tentando fugir de Sergio Moro. Foi o que se viu, no fim de maio, em outro desdobramento do escândalo: o ex-presidente da Transpetro Sérgio Machado gravou seus interlocutores para negociar na delação premiada. Essa nova bomba provocou a primeira crise no governo Michel Temer. O então ministro do Planejamento Romero Jucá perdeu o cargo quando vieram a público as conversas em que ele armava com Machado um plano para parar a Lava Jato. "Tem que mudar o governo para estancar essa sangria", disse Jucá se referindo aos efeitos da operação. Machado ameaçava: "Tem que montar uma estrutura para evitar que eu desça. Se eu descer..." E descer era ir para a jurisdição de Moro. Foram gravados também Renan Calheiros e o ex-presidente José Sarney. Todos tentavam encontrar formas de parar a operação. O governo ainda nem completara 20 dias quando caiu o segundo ministro – e logo o da Transparência, Fiscalização e Controle, Fabiano Silveira. O ex-diretor da Transpetro gravara uma conversa em que Silveira orientava Renan sobre o que deveria esconder ao falar com a Procuradoria-Geral da República. Brasília tramava contra a Lava Jato. E nessa armação estavam políticos de vários partidos, mostrando que a operação não era contra o PT, e sim contra a corrupção. Estava chegando a hora em que a Lava Jato iria se debruçar sobre os políticos tradicionais do PMDB. Havia um longo caminho pela frente.

A Lava Jato descobriu um quadro de corrupção sistêmica no Brasil e fez a Justiça criminal funcionar para todos, independentemente de riqueza ou poder. Uma operação desse porte, em que cada fio da meada puxado tem desdobramentos imprevisíveis, não será esquecida facilmente. Os dois primeiros anos foram de tirar o fôlego, quebrando paradigmas e criando a necessidade de se estabelecer novos padrões de comportamento na política e na economia. Na fase batizada de Catilinárias, cujo alvo era Eduardo Cunha e outros políticos, foi necessário mergulhar na história antiga e nos discursos de Cícero no Senado romano para entender a situação do Brasil: "Até quando abusarás da nossa paciência? Por quanto tempo a tua loucura há de zombar de nós? A que extremos se há de precipitar a tua desenfreada audácia? (...) Não te dás conta de que teus planos foram descobertos?" O sentimento era mesmo o de que zombavam de nós e abusavam da nossa paciência. A pergunta "Até quando?" continua a ecoar nos ouvidos dos brasileiros.

A resposta só pode ser dada por meio do fortalecimento das instituições. Policiais federais e procuradores, nas entrevistas que davam a cada nova fase, falavam da "República", seus valores, seus princípios. O procurador Carlos Fernando Lima frisava que, na República, todos são iguais perante a lei. Na coordenação da Lava Jato, o jovem procurador Deltan Dallagnol resolveu liderar um movimento para mudanças na legislação de combate à corrupção. Em uma tese de mestrado, o procurador Diogo Castor de Mattos alertou para o uso distorcido do instrumento do habeas corpus para atrasar processos e facilitar a impunidade. "O Brasil vive um momento histórico único. O maior escândalo de corrupção da história do país sangra os cofres da maior empresa estatal do país e põe à prova novamente a eficácia de um sistema processual penal de uma duvidosa eficácia e crônica benevolência com crimes econômicos que envergonham o país. De outro lado, é nos tempos de crise e dificuldade que surge a coragem para a mudança e a inovação, tendo o país uma chance única de renovação na confiança das instituições públicas", escreveu Diogo, na conclusão final de sua tese.

Talvez para provar que a coragem surge mesmo nos momentos mais conturbados, o STF fez uma atualização histórica na interpretação do princípio da presunção de inocência em março de 2016, quando decidiu que o condenado em segunda instância deve ser preso e começar a cumprir sua pena, sem prejuízo do direito de recorrer aos tribunais superiores. Houve críticas de advogados e juristas, mas assim o Brasil acompanhou inúmeros países onde a Justiça não tarda como aqui. Moro havia tentado propor essa mudança, junto à Associação dos Juízes Federais (Ajufe), no Congresso, mas o Supremo foi mais rápido. A decisão assustou investigados da Lava Jato. Eles não poderiam usar o velho truque dos recursos sucessivos para adiar a ida para a prisão.

Sempre que falou em público nesse período, o juiz Sergio Moro aproveitou para defender certos valores. Foi assim, por exemplo, no começo tumultuado de março de 2016, quando estava sendo atacado pelo PT, por Lula e por grande número de renomados advogados. Nos eventos a que compareceu naqueles dias, ele preferiu não se manifestar sobre o fato, mas rebateu críticas de que tinha motivação político-partidária: "Eu não tenho nenhuma, zero, zero, ligação com partido ou com pessoa ligada ao partido. O juiz vai trabalhar com os fatos, com as provas e com a lei. Se houver uma acusação formulada e for provada a responsabilidade criminal – categoricamente, acima de qualquer dúvida razoável –, o juiz pode proferir uma sentença condenatória. Se não houver, é uma sentença absolvitória. Questão de partido, de interesse ou coisa assim, não é o caso da minha profissão."

Sobre as críticas à Lava Jato, a resposta dele foi lembrar que havia a alternativa de deixar tudo como sempre esteve no Brasil: "Nós temos duas alternativas. Podemos, como se fez muito, varrer esses problemas para debaixo do tapete, esquecer que eles existem, continuar os nossos caminhos, ou podemos enfrentar esses problemas, com seriedade e da forma que eles devem ser enfrentados. A partir do momento em que não há um enfrentamento do problema, nós vamos encontrá-lo muito maior."

Não haverá o dia em que todo o roubo será evitado. Nenhuma operação acabará com a corrupção, mas a Lava Jato criou padrões que podem interromper a escalada de troca de favores, uso abusivo de recursos públicos, pagamento de propina transformado em sobrepreço nos contratos. Criou um novo consenso na sociedade brasileira: o de que é preciso sufocar a corrupção. Outros casos serão descobertos, mas o que se conseguiu foi diagnosticar um mal que estava levando o Estado brasileiro à metástase. E isso pode levar à refundação do sistema político. A Operação Lava Jato não foi obra de um homem só, como Sergio Moro gosta de repetir. Mas o rosto do juiz, estampado em jornais e revistas, virou o símbolo do combate à corrupção – e tornou-se viral na internet usar foto sua como avatar. Há vozes e rostos da Polícia Federal e do Ministério Público Federal que a história também registrará como parte importante desse processo, mas a figura de Moro será sempre central. O que o país fará com o resultado do trabalho do juiz Sergio Moro, dos procuradores da República e dos policiais federais ainda não está definido. A Lava Jato é uma oportunidade para se elevar a qualidade da nossa democracia. As mudanças podem acontecer ou não. A escolha está nas mãos dos brasileiros.

Agradecimentos
Os bastidores dos bastidores

Ao contar esta história, como você, leitor, deve ter percebido, optei por não escrever em primeira pessoa, como o selo pelo qual o livro está sendo publicado sugeriria. O editor Marcos da Veiga Pereira, sócio da Editora Sextante, me perguntou em um almoço por que eu tinha feito essa escolha. Não quis me colocar como personagem, apesar de estar profundamente envolvido com os eventos aqui relatados. Foi uma decisão pessoal, baseada talvez em uma das primeiras lições da profissão que aprendi: jornalista não é notícia. Neste texto de agradecimento, no entanto, quero contar um pouco de como este livro foi feito. E agradecer às pessoas que me ajudaram a fazê-lo. Assim como a Lava Jato, este não é o trabalho de um homem só.

O início de tudo foi em um almoço em Ipanema com Hélio Sussekind, na época sócio do selo Primeira Pessoa, da Editora Sextante. Naquele dia, ele e Débora Thomé me lançaram o desafio de escrever este livro. Me deram esta oportunidade. Muito obrigado por isso. Mudou minha vida. Comecei a trabalhar neste projeto no dia 1º de janeiro de 2015, depois de voltar da cobertura da posse da presidente reeleita Dilma Rousseff. Em casa, à noite, a primeira coisa que fiz foi ligar para algumas fontes. Sem elas, não seria possível ter chegado até aqui. Expliquei que teriam que me contar tudo o que acontecera desde o início da Lava Jato, e também o que viesse pela frente. As fontes generosamente aceitaram. E isso fez toda a diferença. Esse foi um dos momentos mais importantes da minha história pessoal na Lava Jato. Perguntei por onde deveria começar. Uma delas me deu um importante conselho: "Vá escrevendo conforme as coisas forem acontecendo. Esta história está apenas começando." Foi o que fiz.

Ao longo de 17 meses, de janeiro de 2015 a maio de 2016, me dediquei a reunir informações de bastidores, a pinçar os melhores diálogos, a perfilar os principais personagens para contar esta história para você, que me lê agora. Perdi as contas de quantas entrevistas eu fiz, quantas mensagens mandei e recebi por vários aplicativos, quantas conversas tive e a quantos cafés, almoços e jantares compareci para tratar da Lava Jato. Minha talentosa editora, Virginie Leite, a quem agradeço enormemente pela paciência e generosidade, me pediu que contabilizasse tudo isso em detalhes. Desculpe, Virginie, se eu fizesse isso ia atrasar o livro. A única coisa que consegui levantar é que foram mais de 132 horas de entrevistas. Sem falar em todo o tempo dedicado a ler processos e checar informações da Polícia Federal, do Ministério Público Federal, da Justiça, de advogados e investigados. Enfim, não houve um dia nesse período em que eu não falasse da Lava Jato.

O fato de eu trabalhar no jornalismo da TV Globo me ajudou muito. Como há muitos anos venho fazendo reportagens investigativas em Brasília e como a Lava Jato ganhou enorme importância no noticiário, fiquei praticamente o tempo todo dedicado à cobertura da operação e da crise política gerada por ela. Este esforço de reportagem foi premiado pela TV Globo como a grande cobertura do ano de 2015. Nesse ponto, aliás, gostaria de agradecer o apoio total que meus chefes me deram, inclusive me permitindo tirar folgas para apurar e escrever. Daniel Martins, Maria Fernanda Erdelyi, Marlon Herath, Ricardo Villela, Mariano Boni, Silvia Faria, Ali Kamel, muito obrigado.

Diante do tamanho da missão, logo percebi que também precisaria de uma "força-tarefa". Como sabem meus amigos da Globo, gosto muito de trabalhar em equipe. Por isso, convidei Mariana Oliveira e José Vianna para me ajudarem neste projeto. Eles toparam e reservaram muitos de seus momentos de folga a este livro. Uma em Brasília, o outro em Curitiba, foram aliados fiéis, ao longo de toda a caminhada, contribuindo com observações, checagens e apurações. Sem eles, eu não conseguiria cumprir esta missão. Também destaco o trabalho de Germano Oliveira, que muito me ajudou durante meses e agradeço a todos os profissionais que por um breve período ou apenas em um dado momento me ajudaram, entre eles James Alberti, Thaís Skodowski, João Pedro Netto, Luiza Garonce, Diego

Schutt, Alvaro Gribel e Marcelo Loureiro. Também gostaria de agradecer imensamente aos assessores de imprensa Paulo Roberto Gomes da Silva, da PF, Renata Martinelli, do MPF, Débora Santos, do STF, e Christianne Machiavelli, da Justiça Federal do Paraná. Presto a todos eles uma homenagem especial. São profissionais que eu já respeitava e que hoje admiro ainda mais. Sabem muito, me ensinaram muito. Obrigado, meus amigos. Foi uma honra trabalhar com vocês. Agradeço também a todos os assessores, servidores e funcionários que sempre foram atenciosos e gentis comigo nas minhas andanças por gabinetes, escritórios e salas de trabalho. E também gostaria de agradecer muito a Antônia Cristina Magalhães. Sem suas observações, seria muito difícil me achar neste mar de informações e sentimentos.

Não existe cidade que eu tenha visitado mais do que Curitiba nos últimos dois anos. Eu nem a conhecia antes da Lava Jato. Hoje sou apaixonado por esse lugar. Eu me lembro de uma vez em que cheguei à cidade na segunda semana de novembro de 2014, mais precisamente no dia 12. Fechei uma matéria para o *Jornal Nacional* sobre as obras de arte apreendidas com a doleira Nelma Kodama que estavam expostas no Museu Oscar Niemeyer, e tirei o dia seguinte, 13, para encontrar algumas fontes e saber novidades da Lava Jato. Uma dessas fontes, em quem confio muito, me fez uma discreta sugestão: "Fique aí até amanhã, assim conversaremos melhor." Nunca vou esquecer essa frase. Senti que nela, escondido, estava um aviso simples: fique na cidade. Liguei para o meu chefe e pedi para ficar. Desmarquei a passagem e fui dormir cedo. No dia seguinte, estourava a sétima fase da Lava Jato, a que prendeu os primeiros empreiteiros. Como me senti grato por ter ficado e visto aquele dia em Curitiba com meus próprios olhos. Por causa daquela fase, que despertou o interesse da opinião pública pelo caso, passei vinte dias na cidade. Minha mulher teve que fazer uma mala com mais dois ternos e várias camisas e pedir a um amigo da Globonews – o repórter Marcelo Cosme, que estava indo para Curitiba reforçar a equipe – que a levasse para mim.

Dali em diante, não parei de ir a Curitiba. Só diminuí o ritmo quando a operação ganhou novos capítulos em Brasília, e por isso tinha que ficar na capital. Ao longo de todos esses meses, uma coisa foi fundamental para tudo dar certo: as informações corretas de fontes confiáveis. Elas me guiaram no imenso mar de dados que é a Lava Jato. Por isso, sobretudo, queria agradecer às fontes, de todos os lados desta multifacetada história. Sem nomeá-las para proteger o sagrado sigilo da fonte, quero dizer: muito obrigado. Obrigado por confiarem em meu trabalho, obrigado por dividirem comigo o seu tempo, obrigado por compartilharem as histórias que mais marcaram vocês – e que deram o norte deste livro.

Por fim, gostaria de agradecer à minha família, porque a amo e fiquei muitos dias fora de casa por causa deste livro. Queria agradecer à minha amada esposa, Giselly, que teve de adaptar sua rotina às minhas ausências para viajar e escrever, e ainda ficar com as crianças e me ajudar no livro. Quero deixar aqui também um agradecimento especial às minhas filhas, Manuela e Isabel, que ainda não sabem ler, mas um dia verão aqui meu reconhecimento à paciência que tiveram com o livro do papai. Minhas princesas, amo vocês. Amo minha família e queria agradecer à minha mãe, Miriam Leitão, a meu padrasto, Sérgio Abranches, a meu pai, Marcelo Netto, a meus irmãos Matheus Leitão e João Pedro Netto, a meus irmãos de criação Rodrigo Abranches e Frederico Leitão, a meus primos, a meus tios, entre eles minha amada tia Beth, e a meus amigos, por toda a ajuda e apoio que me deram na vida e neste projeto em particular.

Ao leitor quero agradecer por ter me acompanhado ao longo destas páginas. A Lava Jato é tão grande que nela cabem muitos pontos de vista. Este é o meu. O objetivo era fazer um relato fiel dos fatos, buscando contemplar os vários lados da história. Queria que as pessoas pudessem entender por que essa operação foi mais longe do que as outras, tornando-se um inegável caso de sucesso.

INFORMAÇÕES SOBRE A SEXTANTE

Para saber mais sobre os títulos e autores
da EDITORA SEXTANTE,
visite o site www.sextante.com.br
e curta as nossas redes sociais.
Além de informações sobre os próximos lançamentos,
você terá acesso a conteúdos exclusivos
e poderá participar de promoções e sorteios.

 www.sextante.com.br

 facebook.com/esextante

 twitter.com/sextante

 instagram.com/editorasextante

 skoob.com.br/sextante

Se quiser receber informações por e-mail,
basta se cadastrar diretamente no nosso site
ou enviar uma mensagem para
atendimento@sextante.com.br

Editora Sextante
Rua Voluntários da Pátria, 45 / 1.404 – Botafogo
Rio de Janeiro – RJ – 22270-000 – Brasil
Telefone: (21) 2538-4100 – Fax: (21) 2286-9244
E-mail: atendimento@sextante.com.br